Os Generais de HITLER

Correlli Barnett
Organizador

Os Generais de HITLER

Tradução:
Ruy Jungmann

Inclui 26 ilustrações e 15 mapas

ZAHAR

Título original:
Hitler's Generals

Tradução autorizada da primeira edição inglesa publicada
por Weidenfeld & Nicolson Ltd., de Londres, Inglaterra

Jorge Zahar Editor Ltda.
rua Marquês de S. Vicente 99 – 1º | 22451-041 Rio de Janeiro, RJ
tel (21) 2529-4750 | fax (21) 2529-4787
editora@zahar.com.br | www.zahar.com.br

Reimpressão de 2006 com nova paginação e capa,
sem alterações de conteúdo.

Projeto gráfico e diagramação: Flavia Rocha Calandrini

Ilustração de capa: Hitler e alguns de seus generais
observando um exercício de infantaria perto de Berlim
em agosto de 1938 (*Ullstein Bilderdienst*, Berlim)

CIP-Brasil. Catalogação-na-fonte
Sindicato Nacional dos Editores de Livros, RJ

G29 Os generais de Hitler / Correlli Barnett, organizador; tradução, Ruy Jungman. — Rio de Janeiro: Zahar, 1990.

Tradução de: Hitler's generals
Apêndice
ISBN: 978-85-7110-160-9

1. Hitler, Adolf, 1889-1945. 2. Guerra Mundial, 1939-1945 – Alemanha. 3. Generais – Alemanha – Biografia. 4. Marechais – Alemanha – Biografia. I. Barnett, Correlli, 1927-.

CDD: 940.541343
01-0889 CDU: 940.53

Sumário

PARTE IV | Os Generais de Linha de Frente

PARTE V | Os Inovadores

Lista de mapas

(*p.209-222*)

Lista de colaboradores

CORRELLI BARNETT é autor de numerosos e notáveis livros, entre eles *The Desert Generals, The Sword Bearers, Britain and Her Army, The Colapse of British Power, Marlborough, Bonaparte* e *The Audit of War*. Trabalhou também como consultor de História e autor de roteiros para a BBC Television. Desde 1977, é Conservador do Churchill Archives Centre e *Fellow* do Churchill College, Cambridge. De 1973 a 1985, foi membro do Conselho do Royal United Services Institute for Defence Studies. Reside em Norfolk e é vice-presidente da Eastern Arts Association. É ainda *Fellow* da Royal Society for Literature e da Royal Historical Society.

SHELFORD BIDWELL foi educado na Wellington School, Somerset, e na Royal Military Academy, Woolwich. Na Segunda Guerra Mundial, serviu na Artilharia Real na Tunísia, como oficial de Estado-Maior na Itália e, mais tarde, como professor do Staff College. Aposentando-se no posto de brigadeiro, trabalhou como editor e vice-diretor do Royal United Services Institute for Defence Studies, em Londres, do qual é atualmente vice-presidente. Entre suas obras de história militar destaca-se *Tug of War: The Battle for Italy 1943-1945* (1986).

MARTIN BLUMENSON serviu na Europa durante a Segunda Guerra Mundial e na Coréia durante a Guerra Coreana e é hoje tenente-coronel aposentado da Reserva do Exército dos Estados Unidos. Formado pelas Universidades de Bucknell e Harvard, é titular da Cátedra King, no Colégio de Guerra Naval, Cátedra Johnson na Escola Superior de Guerra, e Cátedra Mark Clark na Citadel. Foi Professor Convidado de Estudos Militares e Estratégicos na Universidade Acadia e na Universidade Bucknell, Professor do Colégio Nacional de Guerra e Conferencista em Assuntos Internacionais na Universidade George Washington. Autor de 15 livros, neles se incluem *Mark Clark*, os dois volumes do *The Patton Papers*, e *Patton: The Man Behind the Legend.*

BRIAN BOND fez seus estudos no Worcester College, Oxford, e ensinou História nas Universidades de Exeter e Liverpool (1961-66). Desde então, vem lecionando no Departamento de Estudos de Guerra do King's College, onde é professor de História Militar. Seus livros incluem *The Victorian Army and the Staff College* (1972), *Liddell Hart* (1977), *British Military Policy Between the Two World Wars* (1980), e *War and Society in Europe 1870-1970* (1984). É atualmente membro dos conselhos da Army Records Society e da Society for Army Historical Research, e presidente da British Commission for Military History. Reside em Medmenham, Buckinghamshire.

O Marechal-de-campo LORDE CARVER iniciou sua carreira militar em 1935, no Royal Tank Corps. Na Segunda Guerra Mundial, comandou um batalhão de tanques e uma brigada blindada antes de completar 30 anos. Após a guerra, comandou uma brigada e uma divisão de infantaria e exerceu importantes cargos de Estado-Maior antes de tornar-se comandante-chefe, Extremo Oriente, em 1967, chefe do Estado-Maior Geral em 1971, e chefe do Grupo de Defesa entre 1973 e 1976. Seus livros mais recentes são *The Seven Ages of the British Army*, *Dilemmas of the Desert War* e *Twentieth Century Warriors*.

CARLO D'ESTE possui grau de mestre pela Universidade de Richmond (Virgínia) e vem escrevendo livros sobre história militar desde que se aposentou como tenente-coronel do Exército dos Estados Unidos, em 1978. É autor de *Decision in Normandy* (1983) e do recentemente publicado *Bitter Victory* (1988). Reside em Massachusetts e atualmente realiza pesquisas sobre Anzio.

WALTER GÖRLITZ é escritor profissional e autor de numerosos livros sobre a história militar alemã nos séculos XIX e XX, incluindo *The German General Staff* (1953), *The Kaiser and His Court: The Diaries of Admiral G.A. von Müller, Chief of the Naval Cabinet* (1961), *Paulus and Stalingrad* (1963), e *Le Maréchal Keitel* (1963). Reside em Hamburgo.

O General SIR JOHN HACKETT, nascido na Austrália de pai irlandês, prestou exames finais e estudou História Moderna no New College, antes de ingressar no regimento de seu bisavô, o 8th Kings Royal Irish Hussars, e servir, durante a Segunda Guerra Mundial, no Oriente Médio (ferido na Síria e no Deserto Ocidental), na Itália (novamente ferido), e no comando de uma brigada de pára-quedistas em Arnhem. Posteriormente, foi comandante-chefe na Irlanda do Norte, vice-Chefe do Estado-Maior Geral e comandante-chefe do Exército Britânico do Reno, além de Comandante do Grupo de Exércitos Norte da OTAN, antes de deixar o serviço ativo, em 1968, para tornar-se, durante sete anos, diretor do King's College, da Universidade de Londres. Continua a lecionar nesse estabelecimento como professor convidado. Presidiu a UK Classical and English Associations. Escreveu *I Was a Stranger, The Third World War* e *The Untold Story*, além de numerosos artigos e resenhas de livros.

FRANZ KUROWSKI, historiador e jornalista, é autor de vários livros sobre história contemporânea e militar. Seus estudos sobre os saxões, os frísios e as cidades-estados de Veneza e Gênova tiveram várias edições. Autor de numerosas obras sobre história militar, colaborou com o almirante Dönitz, marechal-de-campo Manstein e os generais Student e von Manteuffel em livros que os mesmos publicaram sobre suas recordações da guerra. Tem numerosos trabalhos traduzidos em línguas estrangeiras.

RICHARD LAMB, jornalista, homem de rádio e historiador, estudou no Merton College, Oxford. É autor de *Montgomery in Europe* (vencedor do Prêmio Yorkshire Post pelo melhor primeiro livro de um autor, 1983), *The Ghosts of Peace 1935-1945* (1987), e *The Failure of the Eden Government*. Escreveu um livro sobre as tendências e acontecimentos entre 1922 e 1939 que resultaram na guerra, publicado em 1989 no ensejo do 50º aniversário do irrompimento da Segunda Guerra Mundial. Oficial do exército territorial antes do conflito, serviu nas campanhas da África do Norte e da Itália. Foi editor do *Military History Monthly* (anteriormente denominado *War Monthly*).

BARRY LEACH fez seus estudos na Trinity School of John Whitgift e em Sandhurst e serviu no Exército Britânico do Reno, na década de 50. Ao tempo em que esteve adido ao *Bundeswehr*, teve seu interesse despertado pela história militar alemã, que culminou com um grau de doutor pela Universidade da Colúmbia Britânica. É autor de *German Strategy against Russia, 1939-1941* (1973) e de *German General Staff* (1973). Ecologista ativo, escreveu ainda *Waterfowl on a Pacific Estuary* (1982) e numerosos artigos sobre manejo de banhados no Canadá e desenvolvimento rural nos Himalaias. Reside em White Rock, Colúmbia Britânica, Canadá.

KENNETH MACKSEY, MC, RTR, serviu no Real Corpo Blindado e Real Regimento de Tanques de 1944 até 1948, quando deu baixa do serviço ativo e tornou-se historiador militar e escritor em tempo integral. Realizou seus estudos na Goudhurst School, em Sandhurst e no Staff College,

Camberley. Prestou serviços militares no noroeste da Europa e em várias regiões do Extremo Oriente. Desde 1980, é consultor do Exército canadense na elaboração de cenários militares interativos, dos quais o *First Clash* é o primeiro de uma série. Entre os mais de 35 livros que publicou, destacam-se *Guderian: Panzer General, Kesselring, Maker of the Luftwaffe*, e *Rommel, Campaigns and Battles*, além das histórias do Real Corpo Blindado e do Real Regimento de Tanques.

MARTIN MIDDLEBROOK é um antigo criador de aves que se dedicou à História Militar após uma visita a campos de batalha da Primeira Guerra Mundial. Seus 12 livros publicados cobrem grande variedade de conflitos e épocas, desde o *The First Day on the Somme* (Primeira Guerra Mundial) ao *Operation Corporate* (a Guerra das Falklands em 1982) e *The Fight for the "Malvinas"*, sobre as forças argentinas que participaram da luta. Todos os verões, serve de guia a turistas em visitas aos campos de batalha da Primeira Guerra Mundial. Reside em Boston, Lincolnshire.

SAMUEL W. MITCHAM, JR. possui grau de PhD conferido pela Universidade do Tennessee e é professor-adjunto de Geografia e História Militar da Henderson State University, de Arkadelphia, Arkansas. Escreveu vários livros sobre o desempenho do Exército alemão na Segunda Guerra Mundial, incluindo *Rommel's Last Battle, Hitler's Legions* e *Hitler's Field Marshals and Their Battles*. Reside em Nashville, Arkansas.

KLAUS-JÜRGEN MÜLLER é professor de História Moderna e Contemporânea na Universidade da *Bundeswehr*, em Hamburgo, e professor da Universidade de Hamburgo. Durante vários anos, foi presidente da Comissão de Estudos da História da Segunda Guerra Mundial, da República Federal da Alemanha. No período de 1967-70, ocupou o cargo de diretor de Estudos da Academia de Altos Estudos da *Bundeswehr*. É autor de numerosos artigos e livros sobre a história da Segunda Guerra Mundial, política internacional, o Terceiro Reich e história contemporânea francesa, incluindo *The Army, Politics and Society in Germany, 1933-1945* (1987).

ROBERT O'NEILL é titular da Cátedra Chichele de História da Guerra e *Fellow* do All Souls College, Oxford. Seus campos de interesse abrangem história militar, relações internacionais e estudos estratégicos. Entre seus livros contam-se *The German Army and the Nazi Party, 1933-1939, Vietnam Task, General Giap, Politician and Strategist*, e *Australia in the Korean War* (2 vols.). Serviu com o Exército australiano na Guerra do Vietnã, foi chefe do Centro de Estudos Estratégicos e de Defesa da Universidade Nacional Australiana, Canberra, de 1971 a 1982, e diretor do Instituto Internacional de Estudos Estratégicos de Londres, de 1982 a 1987.

O General FERDINAND VON SENGER UND ETTERLIN é filho do líder militar retratado no Capítulo 16. Serviu em unidades da cavalaria e granadeiros *panzer* nas frentes italiana e russa durante a Segunda Guerra Mundial, tendo perdido o braço direito em 1944. Estudou Direito na Universidade de Göttingen antes de voltar ao Exército alemão com a formação da *Bundeswehr*. Aposentou-se em 1984 como comandante-chefe da Região Central da OTAN. O general von Senger é autor de vários livros sobre guerra de blindados e respectivo equipamento. Faleceu em 1987, enquanto o ensaio que consta do presente volume se encontrava em fase de esboço. Este trabalho foi completado por seu filho, Stefan von Senger und Etterlin.

EARL F. ZIEMKE serviu no Corpo de Fuzileiros Navais dos Estados Unidos durante a Segunda Guerra Mundial, no teatro de operações do Pacífico. Possui o grau de PhD em História pela Universidade de Wisconsin. Ex-historiador supervisor no Departamento do Exército, é atualmente professor-pesquisador de História na Universidade da Geórgia. Entre seus livros, destacam-se *The U.S. Army in the Occupation of Germany*, *The German Northern Theater of Operations*, *Moscow to Stalingrad: Decision in the East*, e *Stalingrad to Berlin: The German Defeat in the East*.

Glossário

Abwehr	Serviço de Informação e Contra-Informação Militar
Blitzkrieg	"Guerra-relâmpago"
Freikorps	Corpos de Voluntários
Gestapo	*Geheimestaatspolizei* (Polícia Secreta Federal)
Luftwaffe	Força Aérea Alemã
OKH	*Oberkommando des Heeres* (Estado-Maior do Exército)
OKW	*Oberkommando der Wehrmacht* (Estado-Maior das Forças Armadas)
Panzer	Blindado
Reichswehr	Exército Alemão
Reichsheer	O reduzido exército de 100 mil soldados permitido à Alemanha após o Tratado de Versalhes (1921-35)
SA	*Sturmabteilung*, tropas de assalto, os "camisas-pardas", uma organização paramilitar banida em 1932
SD	*Sicherheitsdienst*, Serviço de Segurança do Partido e da SS
SS	*Schutzstaffeln*, grupos de combate de proteção das Tropas de Choque, originariamente com atividades paralelas às da SA, mas que se tornaram crescentemente independentes e poderosas
Truppenamt	"Diretoria da Tropa", disfarce usado pelo Estado-Maior do Exército para contornar as restrições do Tratado de Versalhes
Wehrkreis	Distrito militar alemão, sediado em uma cidade importante
Wehrmacht	Forças Armadas, incluindo Exército, Marinha, Força Aérea e Waffen SS
Wehrmachtamt	Diretoria das Forças Armadas, no Ministério da Guerra

Introdução

CORRELLI BARNETT

Um estudo sobre os generais de Hitler deve forçosamente começar com o próprio Hitler, uma vez que, sem ele, não teria havido nem vitórias nem derrotas, nem bastões de marechal nem conspirações que culminaram em um atentado a bomba, e muito menos julgamentos por "cortes populares" ou tribunais militares internacionais, e tampouco enforcamentos e, finalmente, nenhuma guerra, em absoluto. Adolf Hitler foi, como Bonaparte, um fracasso estrondoso como caudilho supremo, mas, ao contrário deste último, até agora não foi glorificado por um mito póstumo que atenue, através de explicações, todos os seus erros políticos e militares e lhe atribua objetivos construtivos, nobres, que ele nunca teve. Exceto por alguns historiadores criptofascistas, ninguém até agora tentou argumentar que Hitler teria evitado determinadas calamidades e obtido a vitória final, não fossem as cincadas de seus generais. Ainda assim, são óbvios os paralelos entre Hitler e Bonaparte. Conquanto proclamassem em altas vozes seu patriotismo, foram ambos estrangeiros nos países que levaram à catástrofe. Foram, os dois, carreiristas, com contas a ajustar por supostas injustiças, e não ideais a realizar. Românticos, acalentavam fantasias grandiosas de conquista imperial. Não conseguiram invadir a Inglaterra e resolveram tentar a sorte na Rússia, onde encontraram a destruição. Iniciaram suas guerras com uma sucessão de rápidas e retumbantes vitórias e acabaram perdendo-as em uma série de ferozes campanhas de desgaste. Ambos tinham pressa, compelidos a assim agir por razões econômicas e políticas, e foram, por conseguinte, jogadores colossais.

Mas há outro paralelo: as guerras que ambos iniciaram e conduziram deixaram em sua esteira duas Europas profundamente diferentes, em termos políticos e sociais, em comparação com as que existiam antes. Ainda assim, nenhum dos dois teve a *intenção* de criar essas novas Europas, ambos planejando coisas inteiramente diferentes. Enquanto Bonaparte partiu para criar uma Europa dominada por um império francês, que se estenderia do Báltico ao Adriático, de Portugal à Prússia Oriental, pretendeu Hitler que a guerra que desencadeou deixasse em seu rescaldo um Reich alemão de "Mil Anos" e uma "Nova Ordem" européia, dominada pelos alemães, que se prolongasse do mar do Norte e do Atlântico até os Urais. Ainda assim, enquanto a era do romantismo e do liberalismo creditava a Bonaparte a criação da ordem política européia do século XIX, com suas nações-estados de classe média, algo muito diferente do que ele tinha em mente — mais ou menos como atribuir a um *bulldozer* o prédio finalmente construído no terreno que nivelou —, poucos creditaram a Hitler a criação da ordem européia posterior a 1945. Não obstante, a divisão e enfraquecimento permanente da Alemanha, a criação da Comunidade Européia e a propagação da democracia por todos os Estados europeus a oeste da Cortina de Ferro resultaram, em última análise, do *dénouement* do fracasso catastrófico de Hitler como caudilho.

Em outras palavras, embora Bonaparte e Hitler praticamente se equiparem, no que concerne ao fracasso final, como construtores de impérios pela força das armas, o primeiro conseguiu safar-se em termos de reputação, recebendo da posteridade uma apreciação que varia (com raras exceções) da admiração ao culto de herói. Isso porque a lenda napoleônica forneceu exatamente o pacote certo, aos intelectuais, do "romântico" século XIX. Sua fé-de-ofício, apropriadamente corrigida e distorcida, foi transformada na de um porta-estandarte do progresso liberal, libertador de nações e mesmo gênio militar (a despeito do assunto, de menor importância, de ter terminado seus dias como prisioneiro em Santa Helena). Hitler, porém, não desfrutou nenhuma dessas vantagens. Ele representa o passado, não o futuro das idéias européias do século XX — não a super-raça, mas o supermercado. Ao ser disparado, em 1945, o último tiro da guerra de Hitler, o fascismo já era *démodé*. Como ideologia pertencia à distante era anterior a 1914, de nacionalismo romântico e glorificação do poder militar; como sistema, caiu em total e final descrédito com a descoberta de todo o horror dos campos de extermínio.

Como caudilho, Hitler, em contraste com Bonaparte, o soldado profissional, exemplifica o amador, destituído de compreensão dos princípios fundamentais da grande estratégia ou de operações, ignorante — e desdenhoso — da logística, relutante, talvez incapaz, de enfrentar as realidades do campo de batalha, como a de que os soldados mais bravos só podem resistir até certo ponto à fadiga, às baixas e à superioridade numérica, ou a de que uma batalha perdida é uma batalha perdida e deve ser interrompida. Ainda assim, Bonaparte, o soldado profissional, pode ser também acusado de ignorar a logística e os limites da capacidade de resistência de seus soldados, e de desafiar a realidade de batalhas perdidas, campanhas perdidas, guerras perdidas. Não obstante, manteve extraordinário fascínio pessoal sobre os marechais franceses até os desastres finais da campanha de 1814, que trouxeram até Paris os exércitos de seus inimigos. Hitler também possuiu até o fim uma espécie de poder hipnótico de personalidade, que lhe permitiu fazer uma lavagem cerebral em generais céticos e desiludidos e neles renovar a fé na possibilidade de vitória, de intimidar até os mais bravos e mais duros.

É, portanto, na personalidade de Hitler que está a explicação do mistério central do motivo por que uma geração de hábeis comandantes e oficiais de Estado-Maior, do corpo de oficiais mais altamente profissionalizado do mundo, tornou-se subserviente aos seus fins; por que os melhores entre eles não conseguiram desviá-lo de suas desastrosas decisões; por que a maioria continuou a servi-lo com dedicação, ou pelo menos com resignado senso de dever, até que fossem demitidos ou até a ruína final do Terceiro Reich. É na personalidade de Hitler que iremos achar o esclarecimento do como, onde, quando e em que situações de desvantagem seus generais usaram da perícia profissional de que eram titulares.

Graças ao noticiário cinematográfico, Hitler pode ser trazido à vida na tela, em comícios do Partido Nazista, em pleno arroubo da paixão. O impacto que sua personalidade produzia sobre as platéias pode ser avaliado pelas expressões nos rostos daqueles homens e mulheres, tão "altos" com sua oratória como se tivessem tomado drogas. Mas deixemos que um dos seus primeiros correligionários, Putzi Hanfstängl, homem educado e culto, explique como Hitler lançava seu feitiço sobre as platéias das cervejarias na década de 1920:

> Olhei em volta a platéia. Onde estava a multidão comum que eu vira apenas uma hora antes? O que fora que, de repente, imobilizara essas pessoas...? A algazarra e o tinido das canecas de chope haviam cessado, e eles bebiam cada palavra. A apenas alguns metros de distância, vi uma moça com os olhos presos no orador. Transfixada, como em um transe devocional, deixara de ser ela mesma e estava inteiramente sob o fascínio da fé despótica de Hitler na futura grandeza da Alemanha.

Uma vez guindado ao poder, e com a autoconfiança gerada por esse fato, Hitler aplicou a mesma magia a indivíduos, em contatos próximos. Albert Speer, um tecnocrata altamente capaz e de caráter bastante forte, dá testemunho desse fato. No julgamento da conduta dos generais, a capacidade de Hitler de encantar, lisonjear e intimidar jamais deverá ser esquecida. Em 1935, o secretário do Exterior britânico, sir John Simon, e o secretário da Liga das Nações, Anthony Eden, foram vítimas; em 1937, lorde Halifax, na ocasião secretário do Exterior, caiu também; e em 1938, Neville Chamberlain, o primeiro-ministro da Grã-Bretanha, entrou para o rol dos conquistados. Enquanto isso, grande número de ilustres visitantes privados britânicos, entre eles Lloyd George, rendia-se também. Se políticos não-alemães, com boas razões para dele desconfiar, não conseguiam perceber o mal inerente a Hitler, isto é, sua vacuidade moral — se podiam ser manipulados por ele —, por que deveriam os soldados alemães, com seu curto entendimento profissional, sair-se melhor? Afinal de contas, nos proclamados valores e objetivos de Hitler, desde que subiu ao poder em 1933 até o triunfo de 1940, os generais encontraram uma versão grosseira, mas, ainda assim, aceitável de suas próprias aspirações — uma Alemanha rearmada e soerguida da derrota e da depressão mundial para sua posição tradicional na Europa; o restabelecimento da disciplina, da solidariedade patriótica e do dever marcial; uma Alemanha e uma Europa livres da ameaça do bolchevismo. Até mesmo o anti-semitismo nazista, em suas manifestações anteriores à guerra, era uma caricatura tosca e brutal do anti-semitismo polido, mas profundo, que prevalecia em geral no corpo de oficiais. Hitler, por conseguinte, lembrava um vírus que assume o controle das células de um corpo por assemelhar-se tanto à sua bioquímica, que o engana e o faz aceitá-lo.

O insidioso processo é bem descrito neste livro pelos estudos do professor Robert O'Neill acerca do coronel-general barão von Fritsch e do general Beck, respectivamente comandante-chefe do Exército alemão em 1934-38 e chefe do Estado-Maior em 1935-38; no retrato que o professor Brian Bond nos dá do marechal-de-campo von Brauchitsch, comandante-chefe de 1938 a 1941; e da versão de Walter Görlitz sobre o marechal-de-campo von Blomberg, ministro da Defesa em 1933-38. Mas quase todos os retratos aqui expostos proporcionam introvisões de como homens decentes, profissionais honestos, foram gradualmente seduzidos pelo falso patriotismo e a manipulação astuciosa por parte de Hitler, começando com o juramento de fidelidade pessoal a ele (desta maneira, ligando-os a ele por seu próprio rígido código de honra militar e de dever, que se baseava em séculos de serviço a monarcas legítimos); continuando com a aceitação de atos de banditismo flagrante, como o assassinato em massa de líderes da SA (e de um membro de sua própria classe, o general von Schleicher, e esposa) em 1934; e culminando na conivência, aceitação passiva ou incapacidade de se opor abertamente, chegando ao pedido de exoneração, às diretrizes criminosas de Hitler na conduta da guerra na Rússia.

À medida que a natureza do regime de Hitler tornava-se mais clara no curso da guerra, os generais enfrentavam um enigma moral que, por sua formação e tradição apolítica, estavam mal preparados para solucionar —

onde estava o dever do soldado para com a pátria, se não na pura e simples obediência ao juramento a Hitler? Cada um deles deu a sua própria resposta, variando da devoção canina de Keitel e do radicalismo total de Reichenau (retratados aqui por Walter Görlitz), passando pela ambigüidade da postura de Rundstedt (descrita por professor Earl Ziemke), até a oposição final e ativa dos conspiradores do atentado a bomba em 1944, Witzleben, Speidel e Stülpnagel (cujos caracteres, idéias e motivações são o objeto dos estudos do professor Hans-Jürgen Müller neste livro), sobre os fundamentos de que a lealdade militar à pátria exigia a renúncia ao juramento, a traição e o assassinato de Hitler. A maioria dos generais, porém, buscou uma solução para o dilema cumprindo suas tarefas profissionais, ao mesmo tempo que procuravam, da melhor maneira que podiam em suas esferas de responsabilidade, impedir ou atenuar a implementação das políticas nazistas em relação aos judeus, *partisans* e *Untermenschen* eslavos. Neste particular, o falecido general von Senger und Etterlin colabora neste livro com um ponderado e comovente retrato de seu ilustre pai, general Frido von Senger, humanista, cristão devoto, e homem dotado do mais autêntico senso de honra militar.

Mas se a criminalidade em escala monstruosa cada vez mais evidente de Hitler implicava para seus generais um desafio moral fundamental, a maneira como conduzia a grande estratégia e as operações militares confrontava-os com um problema profissional não menos importante. De que maneira controlar um caudilho amador, dotado de fé mística em seu próprio gênio, que nenhum fato do mundo real podia abalar? De que maneira conduzir campanhas condenadas antecipadamente ao fracasso por erros de julgamento no tocante à grande estratégia, tal como a política de "resistir até o fim" na Rússia, de Stalingrado a Berlim e, mais uma vez, na África do Norte e na Normandia? O estudo do marechal-de-campo lorde Carver sobre o desempenho do marechal-de-campo von Manstein na Frente Oriental esclarece brilhantemente essa questão, como também os estudos de Carlo D'Este e Richard Lamb sobre os marechais-de-campo Model e von Kluge durante seus períodos de comando nas Frentes Oriental e Ocidental, respectivamente. Fundiram-se, porém, os dilemas moral e profissional. O professor O'Neill mostra que Fritsch e Beck tentaram simultaneamente combater a influência nazista sobre o Exército e retardar o alucinante ritmo de expansão militar pretendido por Hitler. A reavaliação que Martin Blumenson nos dá do marechal-de-campo Rommel mostra, mais uma vez, que o desencanto desse chefe militar com o Führer, a partir de 1942, derivava de sua certeza de que a Alemanha perdera a guerra e de que Hitler estava, indiferentemente, levando-a para a destruição total.

A partir do exato momento em que Hitler assumiu o poder em janeiro de 1933, por conseguinte, o destino do corpo de oficiais tornou-se, coletiva e individualmente, entrelaçado com a aventura pessoal do caudilho, na tentativa de implementação de fantasias de dominação do continente. É possível, como argumentou o professor A.J.P. Taylor, que Hitler jamais tenha possuído um plano de expansão e conquista completo, com datas, mas que, em vez disso, tivesse reagido oportunisticamente a crises provocadas pelo desenrolar dos acontecimentos ou por ações de outros personagens, como no caso da ocupação da Áustria em 1938. Ainda assim, há uma ampla coerência em seus manifestados objetivos e sonhos, a partir de começos da década de 20, que deixa pouca dúvida sobre a direção que ele pretendia tomar quando se apresentassem a hora e a ocasião, ou que queria que a força armada fosse o principal instrumento na consecução desses sonhos. Seu testamento, *Mein Kampf*, publicado em 1925-26, imaginava um império colonial alemão construído às expensas da Rússia soviética. Em 1933, pouco depois de tornar-se chanceler, disse aos líderes do Exército que a Alemanha tinha que resolver seus problemas econômicos mediante conquista de mercados, que esse fim exigia o rearmamento, que deveria haver expansão na direção Leste (isto é, da Rússia) e "germanização implacável da mesma". Em 1936, disse a Göring que a Alemanha tinha que derrotar a Rússia soviética. Em novembro de 1937, informou a seus generais que "para a solução da questão alemã tudo o que resta é o caminho da força". Seus objetivos políticos foram, portanto, em primeiro lugar, restaurar a Alemanha como grande potência, livre dos empecilhos do Tratado de Versalhes, em seguida criar a Grande Alemanha, abrangendo a Áustria, a Tchecoslováquia e a Polônia, integrando suas populações de língua alemã na "raça superior". Dessa vasta base na Europa Central e Oriental seria lançada a conquista final da Rússia, seguida da colonização de seu *Lebensraum* pela raça superior.

A questão seguinte passa a ser: até que ponto estava bem adaptada para atingir esses grandiosos objetivos a política estatal/grande estratégia, ou "estratégia total", de Hitler? Ronald Lewin teve certamente razão em seu maravilhoso estudo, *Hitler's Mistakes* (Londres, Heinemann, 1984), ao dizer que a fraqueza fundamental da "estratégia total" de Hitler, e que tornou inevitável o fracasso final, residiu exatamente em sua amoralidade e niilismo, decorrentes de sua própria natureza — um egoísta impelido por ressentimentos e ódios irreconciliáveis. Esse é o motivo por que seu império jamais pôde repousar no consentimento ou mesmo na aquiescência dos povos subjugados, mas apenas na força bruta. Por outro lado, essa força bruta — juntamente com a opressão cruel — serviu para construir e cimentar uma coalizão de Estados que, finalmente, o destruíram, com o Exército alemão e a Alemanha. Dada essa fraqueza fundamental, até que ponto se adaptou a estratégia total de Hitler, considerada em seus próprios termos, à maneira como conduziu os assuntos políticos e militares?

De 1933 a 1939, executou ele a estratégia total através de blefes psicologicamente brilhantes, que lhe permitiram desfrutar todas as vantagens da conquista sem as desvantagens de um enorme orçamento de defesa ou de uma guerra dispendiosa em termos de dinheiro e vidas. Em 1933-36, gastou apenas o suficiente em armamentos para dar um estímulo à economia, também incentivada por um programa de obras públicas. Em 1936, o país emergira da Depressão, e uma Idade de Ouro parecia ter raiado para o povo alemão. Os novos armamentos, concomitantemente com a rápida expansão do Exército e da nova Luftwaffe, além de paradas militares de grande pompa, serviram para levar os alemães a pensar que eram, mais uma vez, uma grande nação, enquanto que, ao mesmo tempo, permitiam a Hitler ludibriar britânicos e franceses, fazendo com que acreditassem que instalara uma economia de guerra em tempos de paz, o que estava longe de ser verdade. De 1935 em diante, Hitler conseguiu assustar britânicos e franceses — especialmente os primeiros —, levando-os a negociar antes que ele se tornasse forte demais. Em 1937, o governo Chamberlain deu a Hitler um claro sinal de que toleraria a expansão alemã pela Europa Central e Oriental, desde que isso fosse feito de forma apropriada, mediante acordo internacional, e não apenas por óbvios meios violentos. Desta maneira, Hitler punha em operação o mais forte de todos os estratagemas, tanto na diplomacia como na guerra: a ofensiva estratégica associada à defensiva tática. Pôs fogo sob a panela, sacudiu os nervos de estadistas democráticos e pacifistas com propaganda a respeito do poderio de suas Forças Armadas e disposição de usá-las, e esperou, com sucesso, que as democracias viessem rastejando ao seu encontro. Escreveu Clausewitz que a guerra é a continuação da política por outros meios. Em fins da década de 30, Hitler adotou a política de continuação da guerra por outros meios.

Utilizando rearmamento "de fachada" e bem ensaiada oratória bombástica sobre os terrores que desencadearia se a Alemanha não fosse atendida em suas justas pretensões, obteve, em 1938, em Munique, seu maior triunfo diplomático, ocasião em que Chamberlain convenceu a França a abandonar sua aliada, a Tchecoslováquia. As duas democracias entregaram-lhe de mão beijada os Sudetos, onde, por acaso, se localizavam poderosas defesas fronteiriças dos tchecos. O Acordo de Munique alterou radicalmente, em favor de Hitler, o equilíbrio estratégico da Europa, abrindo caminho para a ocupação total da Tchecoslováquia em março de 1939, o que, por seu lado, deixou a descoberto o flanco meridional da vítima seguinte, a Polônia. Munique, porém, assinalou não só o triunfo de Hitler sobre Chamberlain e Daladier, mas também sobre a liderança do Exército alemão.

Essa liderança por certo encarava a guerra como instrumento legítimo de política, como aliás sempre tem ocorrido nos assuntos europeus, desde que declarada na ocasião certa e com um Exército forte e inteiramente treinado, como aconteceu em 1866 e 1871. A antecipação da data possível do conflito, de 1940 (desalentadoramente próximo como estava esse limite) para 1938, ano em que o Exército alemão continuava ainda na fase intermediária de expansão, treinamento e aprovisionamento, horrorizava-lhe o comando. Isso porque o envolvimento da Alemanha em nova guerra com a França e a Grã-Bretanha por causa da Tchecoslováquia culminaria, alegava (e, em especial, Beck, o chefe do Estado-Maior), acabaria em outra cataclísmica derrota nacional. Falou-se mesmo, sem muita convicção, em um golpe de Estado contra Hitler. Os generais, porém, interpretaram mal, como também o adversário britânico de Hitler, Neville Chamberlain, o jogo do blefe diplomático armado. No caso, a incruenta vitória de Hitler em Munique desacreditou, dividiu e amedrontou os céticos entre os militares, com o resultado de que Beck foi substituído por Halder, um homem de gabarito inferior e visão mais estreita (vividamente retratado neste livro pelo professor Barry Leach). Tendo sido Fritsch demitido em fevereiro de 1938, sob acusações de homossexualidade, forjadas pela Gestapo, e substituído por Brauchitsch, bom soldado, mas (como mostra o professor Brian Bond em admirável análise do caráter do homem neste livro) fraco e vacilante, como comandante do Exército, Hitler conseguiu obter domínio completo sobre os generais.

No verão de 1939, contudo, a série de vitoriosas conquistas sem guerra estava chegando ao fim. Seu rearmamento "de fachada" levara os Aliados, especialmente a Grã-Bretanha, a iniciar seu próprio rearmamento, mas para valer, como preparação para uma guerra quente e, especialmente, no ar. A ocupação do resto da Tchecoslováquia em março de 1939 convenceu a opinião ocidental de que Hitler estava, de fato, seguindo uma agenda preestabelecida de expansão, e que precisava ser detido. Em vez de entregar-lhe as chaves da Polônia, como fizera com as da Tchecoslováquia, Chamberlain garantiu aos poloneses que os britânicos os apoiariam, se atacados. Quando, em agosto de 1939, Hitler procurou repetir o estratagema de ameaças acompanhadas de preparativos militares ostensivos, os poloneses recusaram-se a arredar pé de suas posições. Desta maneira, pela primeira vez, ele teve que optar entre recuar numa crise ou transformar em realidade a ameaça do uso de força — isto numa ocasião em que a Alemanha ainda estava relativamente despreparada para uma guerra de grandes proporções. Encorajado pelo pacto imoral que assinou com a Rússia soviética em agosto de 1939, que o livrava da ameaça de uma guerra em duas frentes, e acreditando que não era mais provável que Chamberlain fosse à guerra por causa de Danzig do que pela Sudetolândia, ordenou a seus generais que lançassem o ataque contra a Polônia. Amoral como fosse, Hitler ficou estupefato quando seu ato levou à declaração de guerra pelos britânicos, por fidelidade a princípios e promessas.

Desta maneira, lançou a Alemanha no conflito contra a Grã-Bretanha e a França, contra o qual Beck o advertira em vão e que, argumentara, resultaria, no fim, na derrota do país. Nesse episódio, Hitler cometeu seu primeiro erro flagrante como cérebro da estratégia total da Alemanha. Foi, na verdade, o erro decisivo, que frutificaria mais tarde na catástrofe final. Não fora logo evidente, porém, que o *erro* era catastrófico. Em 1939, os generais conduziram a Wehrmacht "de fachada" com alta perícia profissional, em uma campanha clássica que esmagou a Polônia em três semanas, enquanto o Exército francês, que tanto temiam, mal se movia, em suas linhas, em defesa dos poloneses.

O que viria em seguida? Após a campanha polonesa, Hitler e Chamberlain pensaram, por igual, que a guerra acabaria aos poucos, o primeiro porque não via razão para que os Aliados continuassem na liça, uma vez que a Polônia, o *casus belli* invocado, já fora engolida; e o segundo simplesmente porque não podia acreditar que as potências beligerantes permitissem realmente que a "guerra de mentirinha" se alastrasse e se transformasse em outro grande conflito europeu, travado até a morte. O ponto cabuloso residia nos troféus de Hitler, a Tchecoslováquia e a Polônia, que Chamberlain insistia que fossem devolvidos aos seus legítimos donos como condição de paz, o que não era provável que Hitler aceitasse. Quando, por conseguinte, o governo britânico rejeitou o oferecimento de "paz" em outubro de 1939, Hitler teve que repensar sua estratégia total. Tendo entrado acidentalmente em uma guerra total com Forças Armadas aparelhadas apenas para campanhas de *Blitzkrieg*, de algumas semanas de duração cada, enfrentou o problema, que ele mesmo criara, de que, dentro de um ano, mais ou menos, a França e a Grã-Bretanha poderiam ser militarmente mais poderosas que ele, isto graças ao rearmamento em profundidade de ambas — a menos que iniciasse a mobilização máxima e total de uma Alemanha que era ainda, na maior parte, uma economia de tempos de paz. Essa mudança para a economia de guerra, porém, prejudicar-lhe-ia a credibilidade junto ao povo alemão, a quem, se dera canhões, dera também manteiga.

Em vista disso, optou por um *Blitzkrieg*, desta vez contra a França e os Países Baixos, mais uma vez fazendo um jogo de alto risco. Novamente, seus generais reagiram de forma morna ou positivamente fria. Lembravam-se muito bem da derrota do Exército alemão em 1918, às mãos de Haig e Foch. Tendo Brauchitsch como porta-voz, tentaram convencer Hitler a abandonar o projeto, como mostram os professores Brian Bond e Barry Leach, de ângulos diferentes, em seus estudos sobre Brauchitsch neste livro. Repetindo-se o que ocorrera durante a crise tcheca de 1938, a oposição profissional à nova aventura de Hitler aprofundou-se em uma conspiração experimental para depô-lo, o que o levou a menosprezar ainda mais os generais. Confrontados, em uma conferência em novembro de 1939, por Hitler em um bem ensaiado acesso de fúria, os generais acovardaram-se e mansamente iniciaram a tarefa de planejar a ofensiva seguinte, o *Fall Gelb* ("Plano Amarelo").

O planejamento operacional do *Fall Gelb* gerou conflito entre os militares conservadores do Estado-Maior do Exército (*Oberkommando des Heeres*: OKH) liderados por Halder, e os inovadores estratégicos ousados — Manstein, chefe do Estado-Maior de Rundstedt (comandante-chefe, Grupo de Exércitos A), o próprio Rundstedt, e Guderian, o especialista em guerra de blindados e, na ocasião, comandante do 39º Corpo *Panzer*. A controvérsia é bem esclarecida neste livro pela análise profissional do marechal-de-campo lorde Carver acerca de Manstein, o retrato que Kenneth Macksey nos dá de Guderian, e o estudo do professor Earl Ziemke sobre Rundstedt, bem como os de Bond sobre Brauchitsch e de Leach sobre Halder. Caracteristicamente, Hitler apoiou os inovadores e jogadores. Na verdade, foi ele quem concebeu a idéia básica de uma ofensiva a partir de Ardennes, rompendo o centro aliado e chegando até a costa do canal da Mancha, em vez do conceito ronceiro do Estado-Maior Geral, de um avanço direto contra o flanco esquerdo aliado na planície belga, ou seja, uma repetição do Plano Schlieffen, de 1914.

No caso, a despeito de momentos de dúvida e perda de coragem por parte de Hitler e dos generais (mas não de Guderian), a Operação *Sichelschnitt* (Foiçada) acabou por se transformar em um triunfo inimaginável, destruindo todo o grupo de exércitos aliados ao norte e abrindo caminho para a derrota final e a queda da França, o grande inimigo de 1914-18, após apenas seis semanas de batalha. Desta maneira, a intrepidez das divisões *panzer* no campo, sob o comando de homens como Guderian e Rommel, tornou viável o prêmio político que estivera ausente do conceito original de Hitler de ofensiva no Oeste.

Para Hitler e para o povo alemão, esse espantoso e inesperado resultado pareceu assinalar a vitória na guerra e, como tal, foi celebrado. A parcela da produção de munições na economia alemã cairia realmente nos últimos meses de 1940.

Historiadores ficaram tão atordoados com o brilhantismo da *Sichelschnitt* e pelo seu espantoso sucesso em liquidar a França, que não questionaram, para começar, se a decisão de Hitler de atacar a França e os Países Baixos constituiu, realmente, uma "estratégia total" válida a longo prazo, ou se, em vez disso, foi outro decisivo erro de julgamento. No inverno de 1939-40, tornou-se perfeitamente claro em Berlim que britânicos e franceses relutavam muito em pôr um fim à denominada "guerra de mentirinha" com o lançamento de uma grande ofensiva. Ficou evidente, também, que o moral do Exército francês estava deteriorando-se gradualmente com a indolência a que era condenado, guarnecendo as linhas de defesa — e que o entusiasmo da nação francesa pela guerra começava igualmente a passar. Graças ao Pacto Russo-Germânico, os suprimentos de petróleo e matérias-primas à Alemanha estavam garantidos, anulando, dessa maneira, a tentativa aliada de bloqueio marítimo. Não era, por conseguinte, do interesse da Alemanha esquentar a guerra com uma ofensiva no Oeste? Não se poderia argumentar também que o avanço alemão, a partir do Meuse e até o canal, e a subseqüente queda da França, constituíram, na verdade, uma *cincada* política, ainda que uma obra-prima *militar*? Isso porque o que se seguiu à vitória de maio-junho de 1940 foi a derrota na Batalha da Grã-Bretanha: os preparativos infrutíferos para invadir a Inglaterra (*Operação Leão-Marinho*); o apoio cada vez mais firme dos Estados Unidos à causa britânica; a entrada da Itália na guerra, que resultou finalmente no envolvimento de forças alemãs nos Bálcãs, África do Norte e Mediterrâneo. Poder-se-ia argumentar ainda que, ao alimentar em Hitler uma arrogante autoconfiança, o triunfo sobre a França, juntamente com o soberbo desempenho profissional do Exército alemão, proporcionaram os fatores decisivos à sua decisão fatal de atacar a Rússia soviética em 1941. Evidentemente, não se poderia esperar que Hitler previsse essas conseqüências de longo prazo quando estava montando o *Fall Gelb*, mas deve haver sempre o risco, quando se agitam águas paradas, de que as ramificações venham a se revelar não só imprevisíveis, mas também danosas. O objetivo original de Hitler na ofensiva no Oeste não parecia, de forma alguma, justificar a aceitação desse risco ou dessa imprevisibilidade.

A primeira conseqüência da derrota que impôs à França residia no problema inteiramente inesperado de improvisar uma invasão da Inglaterra pelo canal da Mancha. Desta vez, foram os almirantes que se opuseram a ele, argumentando, com sucesso, que seria impossível transportar o Exército alemão para Kent e Sussex contra a resistência da Marinha Real, até e a menos que a Luftwaffe obtivesse completa superioridade aérea sobre o canal. No caso, a vitória do Comando de Caça da Real Força Aérea poupou aos generais alemães a tarefa de submeter a teste o plano *Leão-Marinho*. Mas mesmo antes de Hitler, em outubro, adiar a *Leão-Marinho* para a primavera de 1941 (na verdade, para sempre), ele já resolvera invadir a Rússia soviética. As diretrizes finais para que se iniciassem os preparativos da *Operação Barbarossa* foram baixadas no dia 5 de dezembro de 1940.

Por que teria ele tomado essa decisão fatal? Stálin fornecera escrupulosamente todos os suprimentos especificados nos termos do Pacto Russo-Germânico e não havia sinais de que tencionasse fechar a torneira. Uma vez que, segundo os cálculos de Hitler, as Forças Armadas soviéticas eram tão medíocres que poderiam ser derrotadas em seis semanas, ele realmente não pode ter acreditado que a Alemanha corresse o perigo de um ataque russo. Sua alegação de que a Rússia constituía a última esperança da Grã-Bretanha, e que logo que fosse esmagada os ingleses fariam a paz, praticamente nem fundamento tinha, uma vez que a Rússia nem mesmo era beligerante, não estava de maneira alguma apoiando a luta dos britânicos, e estes evidentemente se voltavam para a América e não para a Rússia em busca de ajuda. Temos que conjecturar que Hitler simplesmente acreditou que, como inimiga, a Grã-Bretanha estava praticamente derrotada e que aquele era o momento de realizar seu acalentado sonho de fundar um império alemão em solo russo. Mas qualquer que fosse a motivação, ocorria aí seu segundo erro decisivo em "estratégia total" (tendo sido o primeiro a lançar absolutamente o país numa guerra geral), e o erro foi dele e só dele.

Seus generais mais graduados — Brauchitsch, Halder, Rundstedt — encaravam com grandes apreensões a perspectiva de campanha na Rússia, mais uma vez apontando os problemas operacionais (como deixam claro os retratos relevantes neste livro). Hitler, por seu lado, acreditava que suas Forças Armadas "de fachada" (se ainda eram isso) podiam esmagar a União Soviética com um *Blitzkrieg*, como haviam feito na Polônia e na França. Os generais compartilhavam também de sua opinião sobre a mediocridade do Exército Vermelho, o que, por falar nisso, acontecia também com o Estado-Maior britânico. Não obstante, Hitler minimizou, o que não aconteceu com os generais, certos fatores que prevaleciam na Rússia, como espaço, distância e más comunicações, bem como os problemas imensos de logística e movimento. E da mesma maneira como acontecera com o *Fall Gelb*, a *Barbarossa* carecia de um objetivo político claro. Hitler estabeleceu como objetivos da operação um avanço até o leste de Moscou, a destruição da capacidade de resistência do Exército Vermelho e o estabelecimento de uma espécie de fronteira militar permanente entre a Rússia ocupada pelos alemães e o resto do país. Bismarck não teria achado que isso fazia sentido como objetivo de guerra. Nem Moltke, o Velho, teria reconhecido no plano final *Barbarossa*, que emergiu vagamente das discussões de Hitler com seus generais, como contendo uma estratégia coerente para uma guerra bem-sucedida no cumprimento de uma política nacional. São particularmente esclarecedores os trabalhos dos professores Bond e Leach sobre a maneira como tomou forma o plano final, porquanto mostram que, enquanto Brauchitsch e Halder consideravam como objetivo principal o próprio Exército Vermelho (e por isso mesmo desejavam caçá-lo em marcha batida sobre Moscou), Hitler (louvando-se em conselho alternativo de Jodl) optou por vantagens econômicas e, assim, deu prioridade a avanços pelos flancos na direção da Ucrânia e dos Estados bálticos.

A despeito dos espetaculares sucessos iniciais — avanços profundos, vastas manobras de envolvimento (tornadas vivas neste livro pela descrição que Kenneth Macksey nos dá da liderança de Guderian à frente de seus corpos *panzer*) —, a *Barbarossa* estava condenada por essa ambigüidade estratégica. Durante quase dois meses, o Grupo de Exércitos Centro, sob as ordens de Bock, na estrada para Moscou, marcou passo em volta de Smolensk, enquanto Hitler desviava suas forças *panzer* para auxiliar o Grupo de Exércitos Sul, sob o comando de Rundstedt, na conquista da Ucrânia. Ao ser reiniciado o avanço contra Moscou quase em fins de setembro, era tarde demais: o puro desgaste de homem, animal e máquina, juntamente com o início de um inverno inclemente estavam parando o Exército alemão na primeira semana de dezembro.

Pela primeira vez, portanto, a fórmula de *Blitzkrieg*, de vitórias rápidas e baratas, fracassara. Um ato de guerra ofensiva carente de claro objetivo político ou plano estratégico coerente dera em nada, correta e talvez inevitavelmente, sem uma decisão. Pela primeira vez, Hitler viu-se emaranhado em uma demorada guerra terrestre, uma guerra de atrito. E pela primeira vez também teve que pensar em direcionar a economia alemã para a produção em grande escala de munições. Quando, ao fracasso da *Barbarossa*, soma-se a declaração de guerra inteiramente desnecessária aos Estados Unidos, após o ataque japonês a Pearl Harbor no dia 7 de dezembro, assegurando assim que todo o poderoso peso industrial e militar da América (logo que mobilizado) cairia sobre o pescoço da Alemanha, pode-se ver que dezembro de 1941 marcou o momento em que a conduta da estratégia total por Hitler tornou-lhe inevitável a derrota final às mãos de esmagadores recursos humanos e industriais. Todo o resto da campanha que se seguiu, as esperanças passageiras, os desapontamentos amargos, as discussões cada vez mais azedas com os generais (com exceção de lacaios como Keitel, Jodl e Warlimont, cujas personalidades e papéis são habilmente retratados por Walter Görlitz) foram meramente incidentais a esse processo.

O fracasso ante as portas de Moscou e o início da grande contra-ofensiva russa de inverno redundaram diretamente também na destruição final da independência profissional tradicional do Exército alemão, uma vez que, no dia 19 de dezembro, Hitler demitiu Brauchitsch e assumiu pessoalmente o posto de comandante-chefe — não só em título como também em função. Daí em diante, o papel de Hitler reduziu-se, do de líder nacional que resolvia a política do Estado, para o de comandante supremo executivo das várias frentes de guerra e, no caso da crucial Frente Oriental, em mero comandante-chefe amador, a cargo das operações diárias no campo de batalha. O foco de interesse do relacionamento que mantinha com os generais, por conseguinte, começa a alterar-se, do nível de alto comando para o de grupo de exércitos ou mesmo comando de exércitos. Os pontos controversos encolhem, de igual maneira, das grandes questões de estratégia total — rearmamento, paz, guerra, escolha de vítimas para ataque — para as de manobras operacionais e mesmo para meras táticas.

O planejamento de Hitler para o ano de 1942 revela o novo padrão limitado. Pela primeira vez desde 1938, não deveriam ser iniciadas novas aventuras, nem abertas novas frentes, mas apenas reiniciada a bloqueada invasão da Rússia. A ofensiva *Fall Blau* ("Plano Azul") limitou-se à metade meridional da frente de combate — um reconhecimento da força alemã debilitada em relação à União Soviética. E o *Fall Blau*, a despeito de todos os seus irrompimentos iniciais e imensas conquistas de território, foi, como a *Barbarossa*, basicamente prejudicado pela ambigüidade do objetivo estratégico. Passando por cima de seus generais, Hitler deu à ofensiva dois objetivos, separados em eixos divergentes em 90 graus — as jazidas petrolíferas do Cáucaso e a travessia do Volga em Stalingrado. Suas tentativas amadorísticas de controlar o desdobramento das forças e mudanças oportunistas de idéia comprometeram ainda mais a campanha. Em setembro de 1942, o avanço sobre o Cáucaso, tendo como ponta-de-lança o 1º Exército *Panzer*, sob o comando de Kleist (cujos problemas são superiormente analisados pelo professor Samuel Mitcham), começara a perder velocidade e, finalmente, parara, outra vítima de problemas logísticos insuperáveis e de puro desgaste.

O quartel-general de Hitler, em Vinnitsa, passou, nesse momento, a ser o cenário de violentas discussões entre ele e os generais, ele no seu pior estilo de sarjeta. No dia 24 de setembro, demitiu Halder, a última embora mais modesta encarnação da tradição de Moltke, de chefe do Estado-Maior Geral, como profissional independente de alta estatura intelectual. Para Hitler, Stalingrado tornara-se o principal objetivo do esforço de guerra alemão, mais que um foco, uma obsessão, transformando a cidade no Verdun da Segunda Guerra Mundial. O 6º Exército, comandado por Paulus (não um *Junker* prussiano, mas um classe-média pró-nazista, cuja mediocridade é destacada no ensaio de Martin Middlebrook), lutou encarniçadamente, rua por rua, com a proteção de seu flanco confiada por Hitler a tropas romenas. O *début* de Hitler como comandante-chefe deixara os exércitos do *Fall Blau* delgadamente espalhados em volta de um vasto perímetro de conquistas inúteis. Este foi o ponto culminante da aventura de sua vida.

Quando, no dia 19 de novembro de 1942, forças russas, sob o comando de Zhukov, romperam as linhas romenas e, no dia 22 do mesmo mês, completaram o cerco do 6º Exército de Paulus, iniciou-se também uma fase nova e final nas relações de Hitler com os generais — a da recusa total de enfrentar as realidades da derrota, dos recursos inferiores e até dos limites da capacidade de resistência e perícia combatente do soldado alemão. Desde que se considerava um infalível gênio militar, seguia-se que todos os desastres na amarga estrada de volta a Berlim em 1943-45 tinham origem na incompetência e falta de força de vontade de seus generais. Pior ainda, de deslealdade com o Führer.

A catástrofe que finalmente colheu Paulus em Stalingrado, em fevereiro de 1943, teve como origem exclusiva a recusa de Hitler de permitir o desengajamento, antes que o anel russo pudesse ser consolidado. A rendição comparável de todas as forças ítalo-germânicas na Tunísia em maio de 1943 originou-se, de idêntica maneira, de sua recusa em ouvir os avisos de Rommel, após a vitória de Montgomery na Segunda Batalha de Alamein e dos desembarques anglo-americanos (*Operação Tocha*) na África do Norte francesa em novembro de 1942, de que a campanha na África estava perdida e que todas as forças do Eixo deviam ser evacuadas. Só o domínio, por parte de Manstein e Kleist, da arte da manobra operacional e o consumado trabalho de Estado-Maior (como os descrevem o marechal-de-campo lorde Carver e Samuel Mitcham) salvaram os exércitos do Cáucaso de destino semelhante, uma vez que Hitler, novamente, recusou-se a aprovar a retirada até que se tornou perigosamente tarde.

Nesse momento, Hitler perdera não só a iniciativa política na guerra, mas também a militar. A tentativa de recuperá-la em 1943 na Frente Oriental, com o ataque a um único setor, o Saliente de Kursk, com todas as forças *panzer* disponíveis, fracassou em meio a perdas imensas, que debilitaram as operações defensivas durante todo o restante do ano. Daí em diante e até o fim da guerra, não se pode mais dizer que Hitler estivesse implementando qualquer tipo de "estratégia total", pois ficou reduzido a aplicar remendos a situações que surgiam, à medida que os soviéticos lançavam uma gigantesca ofensiva após outra e os anglo-americanos invadiam a Sicília, a Itália, e, finalmente, a França. Os anos de 1943-45 para Hitler foram parecidos com os de 1812-15 para Bonaparte: a recusa em abandonar o território em tempo oportuno, contra-ofensivas inúteis e ruinosas e levantamento de novos exércitos apenas para serem sucessivamente engolidos pelo inimigo.

Que objetivo político pensava ele que tentava ainda atingir, sentado em sua sala de mapas, fazendo jogos de guerra? Havia a esperança de que as "armas-V" (a bomba voadora V-1 propulsionada a estatorreator e o foguete V-2) acarretariam afinal o colapso da Grã-Bretanha — uma esperança absurda, dado o número de tais armas e o poder explosivo limitado das ogivas.

Mas, acima de tudo, inspirando-se no exemplo de Frederico, o Grande, acreditava que, resistindo, prolongando a guerra por tanto tempo quanto possível, a coalizão inimiga se despedaçaria em brigas internas. Percebia ele com grande acuidade — como acontecia também com Goebbels — que a aliança entre a Rússia comunista de Stálin e as duas democracias capitalistas era inteiramente antinatural; que os parceiros tinham objetivos políticos conflitantes na Europa; e que eles finalmente romperiam (como aconteceu, de fato, em 1945-47). Mas, da mesma maneira que Bonaparte em sua época, não conseguiu entender que era ele mesmo que mantinha íntegra a coalizão, que, enquanto estivesse vivo e livre, a aliança persistiria.

Isso porque, à parte a convicção entre os povos aliados e seus líderes de que ele era um embusteiro e um criminoso que planejara meticulosamente uma guerra de agressão, havia ainda o problema do tratamento bárbaro que o regime dera a judeus, poloneses e russos. Mesmo que a natureza e a escala da "solução final" não viessem a ser conhecidas até que os exércitos aliados liberassem os campos de extermínio, já se sabia o suficiente da opressão nazista para convencer a opinião ocidental de que ele e seu regime tinham que ser inteiramente eliminados. Na Rússia, a política deliberada de assassinar "comissários", *partisans* e todos os demais civis e prisioneiros inconvenientes, despertara no povo russo um ódio duradouro contra o invasor, o que permitiu que até mesmo Stálin e o Partido Comunista mobilizassem e liderassem com sucesso a "Grande Guerra Patriótica". O tratamento irracional e político militarmente desnecessário dado por Hitler aos *Untermenschen* deve, por conseguinte, ter constituído seu terceiro erro crasso e decisivo, que se originava diretamente de uma psicologia niilista e movida pelo ódio que, argumenta Ronald Lewis, predestinava-o ao fracasso.

Uma vívida descrição de Hitler lutando nas garras desse destino é dada neste livro pelos retratos que Walter Görlitz traça dos generais que viveram e trabalharam mais perto dele no ambiente mentalmente sufocante e irreal do quartel-general — Keitel, chefe dos Estados-Maiores Combinados das Forças Armadas e do Exército, Jodl, chefe do Estado-Maior das Forças Armadas (*Oberkommando der Wehrmacht*, OKW, a organização de comando criada por Hitler para rivalizar com o Estado-Maior do Exército [OKH], nesse momento responsável apenas pela Frente Oriental), e Warlimont, seu substituto. Kenneth Macksey oferece uma perspectiva diferente ao descrever as tentativas valentes e militarmente profissionais de Guderian, como chefe do Estado-Maior do Exército, de julho de 1944 a março de 1945, para despertar no Führer um pouco de compreensão das realidades além da mesa de mapas, onde ele executava suas fantasias.

Enquanto isso, no campo de batalha, os generais procuravam, com grande competência profissional, tirar algum sentido militar dos caprichos de

Hitler, para salvar, através de perícia operacional, campanhas inerentemente perdidas. O marechal-de-campo, lorde Carver, com a introvisão de um homem que foi comandante de blindados, analisa os êxitos de Manstein em 1943-44, ao usar seu grupo de exércitos no sul da Rússia como um florete contra o porrete russo, detendo, uma vez após outra, o Exército Vermelho com oportunos contragolpes de flanco. Shelford Bidwell descreve como Kesselring manteve sua brilhante defesa escalonada na península italiana em 1943-45 enfrentando números superiores e superioridade aérea inimiga, enquanto o retrato do falecido general von Senger, comandante do 14º Corpo *Panzer* em Cassino, pintado pelo filho, revela o profissionalismo e o espírito combatente que permitiram a unidades de linha alemãs superar repetidamente em combate os inimigos. Os estudos de Martin Blumenson sobre Rommel, de Richard Lamb acerca de Kluge, e de Carlo D'Este a respeito de Model descrevem com que energia, capacidade de recuperação e fertilidade de recursos foi conduzida a campanha no Oeste em 1944-45, a despeito dos calamitosos juízos errôneos de Hitler no tocante à estrutura de comando, à liberação de reservas, às ordens de "nenhuma retirada" e ao final inoportuno e antecipadamente condenado ao fracasso contragolpe em Mortain ao fim da batalha da Normandia. A descrição de Franz Kurowski das tentativas de Manteuffel e Dietrich, em dezembro de 1944, de implementar a diretriz irrealizável de Hitler na Operação *Herbstnebel* ("Fumaça de Outono" — a ofensiva de Ardennes), com o objetivo de chegar à Antuérpia e cortar em dois os exércitos aliados, completa apropriadamente este tema de profissionalismo a serviço de má estratégia.

Se o historiador pode fazer um julgamento sobre os generais alemães da era de Hitler, é que o profissionalismo não é suficiente, como também não o é o brilhantismo técnico ou a obediência a um juramento ou a ordens. O que as tradições, a educação e o treinamento não conseguiram dar aos generais de Hitler foi um sentido mais amplo de responsabilidade política e social, a crença em que obedecer à própria consciência constituía o mais alto de todos os deveres. Só os conspiradores do "atentado a bomba" de julho de 1944, Witzleben, Speidel e Stülpnagel (temas do compassivo, mas penetrante estudo do professor Klaus-Jürgen Müller no presente volume) conseguiram romper inteiramente as barreiras mentais e morais de um profissionalismo estreito, na medida suficiente para iniciar uma ação positiva para destruir Hitler e seu regime.

A seleção de determinados indivíduos como temas neste estudo só poderia ser arbitrária, uma vez que a lista total dos marechais-de-campo e coronéis-generais de Hitler chegou a 53 militares, e os críticos vão, sem dúvida, lamentar a omissão deste ou daquele comandante. O organizador desta coletânea, porém, teve por objetivo obter uma cobertura representativa dos principais teatros de guerra e dos diferentes níveis e facetas das funções de um general: alto comando, comando de teatros de guerra e grupos de exércitos, liderança no campo de batalha, e a vida no *Führerhauptquartier*.

Os Generais de Hitler

Os Generais Antinazistas

FRITSCH

BECK

Stülpnagel

Witzleben

Speidel

Os Generais de Gabinete

BLOMBERG

HALDER

BRAUCHITSCH

KEITEL

JODL

WARLIMONT

Os Feldherren

RUNDSTEDT

REICHENAU

MANSTEIN

KLEIST

KESSELRING

Os Generais de Linha de Frente

ROMMEL

Arnim

Model

Paulus

Senger

KLUGE

DIETRICH

MANTEUFFEL

Os Inovadores

GUDERIAN

STUDENT

Os Generais Antinazistas

PARTE I

Fritsch, Beck e o Führer | 1

Coronel-general Werner Freiherr von Fritsch
Coronel-general Ludwig Beck
e o Führer

ROBERT O'NEILL

Antes que fossem postos em prática, dois generais obstinados, discordantes, ousaram questionar os planos de Hitler para subjugar a Europa Oriental.[1] Entre 1934 e 1938, obstruíram-lhe o caminho tanto por desaprovarem pessoalmente o nazismo quanto, e mais importante, por sentirem profunda preocupação com a segurança futura da Alemanha. Por três razões, viu-se Hitler obrigado a coexistir com eles: acreditava que não tinha condições de alienar ainda mais o Exército do que já o fazia por outros meios, conservava ainda respeito pela capacidade profissional de seus oficiais mais graduados, e eles eram, afinal de contas, nomeações de seu próprio governo — o primeiro como chefe do Estado-Maior do Exército, e o segundo como comandante-chefe.

O primeiro, o general Ludwig Beck, foi o pensador mais profundo dos dois e o obstáculo mais sério aos planos grandiosos de Hitler. Não obstante, era subordinado ao segundo, general Freiherr Werner von Fritsch, e por esse motivo é apropriado estudar inicialmente o mais graduado.

Ao tomar o poder em janeiro de 1933, Hitler já pensava vagamente, ainda que não de forma concreta, na solução *Lebensraum* para os problemas econômicos alemães. Reservara ao Exército o papel dominante na conquista e defesa dos necessários novos territórios na Europa Oriental e, mesmo antes de assumir o poder, já dera divulgação a essas idéias. Na primeira semana no cargo, convocou seus oficiais mais graduados e começou a explicar-lhes, aos poucos, o papel dramático que escolhera para eles. A Alemanha tinha de conquistar novos territórios no Leste. De repente, o Exército perdia sua aura de corporação indesejada e mal apetrechada e recebia a promessa de desempenhar função liderante na criação do novo Reich alemão, um estado que ele tinha intenção que superasse em poder o da Alemanha imperial, do qual a maioria dos militares lembrava-se com profunda nostalgia.

Segundo notas de vários desses participantes, as idéias de Hitler foram, nessa ocasião, recebidas com frieza e mesmo com críticas. Em vez de ficarem ingenuamente empolgados com promessas de novas armas, mais efetivos sob seu comando e promoções, os generais mostraram-se, em sua maioria, descrentes. Não acreditavam que fosse exeqüível a visão de Hitler e tendiam a considerar-lhe as explicações como parte da tática de política interna, destinada a atrair o velho Exército conservador, que ajudara a bloquear-lhe e frustrar-lhe as ambições na década de 20. Não deixou Hitler de notar o ceticismo e a falta de entusiasmo dos generais por suas idéias e não voltou mais ao assunto durante um ano. Concentrou-se na reforma do alto comando, trabalhando através de um de seus poucos admiradores irrestritos na tropa, o general von Blomberg, ministro da Defesa, e do menos admirador presidente, marechal-de-campo von Hindenburg. O comandante-chefe do Exército, general Freiher Kurt von Hammerstein-Equord, era um anátema para Blomberg e Hitler, mas este deixou ao seu ministro a decisão de quando livrar-se desse cavalheiro de personalidade forte, mente independente, mas também algo indolente, que preferia muito mais a caça e o tiro ao alvo aos trabalhos rigorosos de administração. O fato de que Hammerstein fosse, desde 1930, mais graduado do que Blomberg em termos militares, embora a diferença de idade entre os dois se resumisse a apenas dois anos, em nada contribuíra para melhorar o relacionamento entre ambos. Em fins de 1933, surgiu um forte miasma de intrigas, boatos e contraboatos, que terminaram com o pedido de exoneração de Hammerstein. (Ver mapa 1.)

A escolha de seu sucessor recaiu na pessoa do general von Fritsch, embora não por preferência de Hitler. Ele, na verdade, da mesma maneira que Blomberg, inclinava-se pelo politicamente mais simpático general von Reichenau. Hitler forçou a mão e provocou uma vigorosa intervenção de Hindenburg, em um dos seus últimos atos importantes, antes que declinasse a saúde do velho marechal e desaparecesse inteiramente todo seu poder. Hindenburg escolheu Fritsch por razões essencialmente militares, após discussões com vários assessores, incluindo o antigo Reichschancellor von Papen, que tinha Fritsch na mais alta conta. Hitler e Blomberg conformaram-se com a situação.

Ao saber, em fins de 1933, da queda iminente de Hammerstein, Fritsch hesitou, antes de aceitar a nomeação. Imaginara que o posto que ocupava seria o último antes da aposentadoria e pouco desejo sentia de herdar os problemas de seu antecessor. Concordou apenas depois de consultar seu mentor e ex-comandante do Exército, general Hans von Seeckt. No dia 3 de janeiro de 1934, iniciou o processo de receber o posto das mãos de Hammerstein e, no dia 1º de fevereiro, tornou-se o novo comandante-chefe do Exército, "contra os desejos do Führer e de Blomberg", conforme escreveria quatro anos depois.[2]

O caráter de Werner Freiherr von Fritsch constitui um dos grandes enigmas do período anterior à guerra. Há praticamente tantos retratos dele quanto há autores que o tomaram como tema. Talvez a maneira menos confusa de estudar o seu caráter seja examinar separadamente os dois aspectos principais, de sua vida — o primeiro, Fritsch, o soldado puro e simples, e o segundo, Fritsch, o homem (no sentido de "animal político") em uma sociedade complexa.

Tanto quanto sua capacidade como soldado possa ser avaliada sem o teste do alto comando em guerra, ele parece ter alcançado um nível de perícia profissional atingido apenas por um punhado de generais em qualquer país. Era um desses poucos soldados que podiam inspirar, pela sua personalidade, pela conjugação de entusiasmo estimulante e tranqüila confiança, não apenas aqueles que mantinham contato íntimo e regular com ele, mas também a maior parte de seus subordinados, descendo do quartel-general do Exército às unidades de combate. O padrão óbvio de comparação no seu caso é o de Seeckt. Não parece haver dúvida de que, entre os membros do Exército alemão da era Fritsch, sua popularidade e autoridade, duas qualidades que nem sempre andam juntas, excederam em muito as do altamente respeitado Seeckt.

Muito embora a essência da capacidade de Fritsch residisse em sua personalidade, ela se baseava em várias outras qualidades mais sensíveis à avaliação. Seu desempenho na *Kriegsakademie* no período 1907-10, quando foi o primeiro da classe, com a extraordinária nota 9 em tática e história militar, as duas principais matérias, conferiu-lhe no Exército um status equivalente ao de dois primeiros lugares em Oxford e Cambridge. O primeiro boletim confidencial a seu respeito, ao tempo de jovem oficial, comenta: "Um excelente oficial, apaixonado pela equitação, e notável camarada." Vale notar aqui, mais uma vez, a combinação de capacidade profissional e espírito de camaradagem.

Durante a Primeira Guerra Mundial, serviu principalmente como oficial de Estado-Maior, embora o ferimento na cabeça em 1917, produzido por granada, confirmasse que não era um desses oficiais de gabinete que nunca se aproximavam da frente de batalha. Enquanto servia com as forças alemãs na campanha do Báltico em 1919, como chefe do Estado-Maior do comandante, general von der Goltz, atraiu a atenção do Comissário Internacional Aliado, o francês general Niessel. Escreveu Niessel:

> O major von Fritsch é jovem, arrogante e extraordinariamente seguro de si. Parece que não tem escrúpulos em brincar de esconde-esconde com a verdade ou evitar questões desagradáveis. Demonstra todas as falhas de caráter do oficial prussiano de Estado-Maior, que, freqüentemente, se considera superior — e corretamente, também — ao mortal comum.[3]

Essa descrição nos diz quase tanto sobre seu autor como sobre o tema do comentário. Era como se Niessel tivesse esperado encontrar tal homem no uniforme de oficial do Grande Estado-Maior Geral. Quando o encontrou, ou se deixou persuadir de que o encontrara, os preconceitos dominaram-no. Deve ter divertido muito Fritsch e seus colegas ouvir tal blablablá. Ainda assim, é digna de nota a descrição de um jovem oficial alemão que não demonstra o menor remorso em enganar seu antigo inimigo.

Nos anos que se seguiram à Primeira Guerra Mundial, Fritsch serviu em vários postos, alternando entre Estado-Maior e nível regimental. Documentos seus indicam que ele considerava o *Freikorps* como um perigo que ameaçava a nova república e que seus membros deviam ser impedidos de voltar à pátria como bandos organizados. Julgou a tentativa de golpe de Estado de Kapp como uma calamidade, uma vez que levara apenas a "novas cisões entre o povo".[4] O mesmo memorando demonstrava que julgava o bolchevismo como o principal perigo não só para a Alemanha, mas também para a Europa, e que devia ter sido dada ajuda alemã a Pilsudski, de modo a que as forças do Exército Vermelho pudessem ter sido derrotadas tão perto da fronteira russa com a Polônia quanto possível. Seus serviços na campanha do Báltico puseram-no em contato com Seeckt, desenvolvendo-se entre ambos uma amizade que duraria até o falecimento deste último, em 1936. Em 1924, foi nomeado chefe do Estado-Maior do comandante do *Wehrkreis I* (o I Distrito Militar) na Prússia Oriental. Após dois anos, tornou-se chefe do Departamento de Operações do Estado-Maior (*I Abteilung, Truppenamt*), outra posição-chave, onde serviu diretamente sob as ordens de Blomberg, na ocasião chefe do Estado-Maior Geral (*Chef des Truppenamts*). Ao ser nomeado para comandar o *Wehrkreis III* (Berlim) em outubro de 1932, figurava na primeira fila dos líderes da *Reichswehr*, moderno e progressista em sua visão dos problemas militares e como homem capaz de inspirar dedicação aos que serviam sob suas ordens. Ele era uma opção extraordinariamente promissora para lidar com os problemas militares do Exército alemão.

Infelizmente, os problemas que o Exército enfrentou nos anos que se seguiram à nomeação de Fritsch foram mais do que meramente militares. Eram pequenas as dificuldades para reexpandi-lo, em comparação com as complicações políticas que acompanhavam as funções do Exército sob o regime nazista. Conquanto pudesse estar muito bem preparado para lidar com as primeiras, é de lamentar que sua proficiência militar se fizesse acompanhar também de consciência e habilidade políticas de baixa ordem. O desenvolvimento de Fritsch não fora de base ampla, e essa deficiência em 1880 tivera origem em sua infância.

Nascera ele na Renânia em 1880 e servira em um regimento hessiano. Filho único de pais de classe média, tivera uma infância muito isolada. O controle extremamente rigoroso do pai inibiu-o de tal maneira que pouquíssimas pessoas vieram a conhecê-lo em termos pessoais. Em carta de 4 de setembro de 1938, escreveu ele:

> Quando diz que sou freqüentemente difícil de entender, você tem indubitavelmente razão. Desde meus primeiros dias, nunca falei com ninguém a respeito de mim mesmo. Eu simplesmente não consigo fazer isso e, se alguém tenta me sondar nessa direção, consegue apenas o oposto.[5]

A solidão e o isolamento, estranho como isso possa parecer, não foram incompatíveis com o sucesso que alcançou em uma profissão exclusivamente masculina, onde parece que as relações pessoais são de grande importância. De muitas maneiras, o isolamento pode ter sido conveniente, contribuindo para torná-lo um soldado profissional tão dedicado. Era capaz de dar-se muito bem com as pessoas, mas nenhuma delas percebia o que se passava no seu íntimo. Automaticamente, mantinha uma fachada de reserva sobre sua vida pessoal e, por isso, não lhe foi difícil aceitar um código militar de ética que exigia alto grau de abnegação. Como não gostava de falar sobre si mesmo, abominava encontros sociais, onde sua única atividade seria a de escutar alguém falando a respeito de si mesmo. Não que fosse anti-social por questão de princípio. Entre pessoas de quem gostasse e a quem respeitasse, podia ser o mais encantador dos convivas ou um anfitrião interessante. Faltando essa companhia, interessava-se muito mais por atividades como equitação. Gostava do que fazia, de modo que podia, em geral, encontrar muita coisa que o interessasse, com o resultado de tornar-se ainda mais proficiente. Esse processo tendia a tornar-se cíclico, facilitando-lhe o progresso e aumentando-lhe as satisfações. Uma vez que a liderança militar exige alto volume de auto-suficiência de parte do chefe, ele estava bem talhado para o desafio, e a satisfação de inspirar confiança aos subordinados constituía provavelmente um substituto aceitável de companheirismo humano em nível íntimo.

Essas considerações podem explicar também um celibato de vida inteira. Na mocidade, ele se revelou ocasionalmente um subalterno muito sociável, mas uma mulher precisava ser notável para lhe atrair a atenção. A energia nervosa interna, o isolamento e a capacidade podem ter-se combinado para transformá-lo em um perfeccionista, criando uma barreira entre ele e tudo o que pudesse pôr em risco o que já conquistara. Além do mais, na idade em que o jovem oficial em ascensão casaria com maior probabilidade, ele estava longe, lutando em uma guerra. Anos mais tarde, falou do desejo de ter casado e de filhos.

Se essas foram suas atitudes em relação à vida social normal, teria sido difícil para ele evitar falta de simpatia, ou mesmo uma sensação de repugnância, em relação aos políticos. Não apenas o comportamento aparentemente egoísta dos políticos colidia com seu código militar de ética, mas se chocava também com sua reserva pessoal, o princípio de fazer o menor estardalhaço possível e, provavelmente, até mesmo seu cristianismo protestante. Acima de tudo, não suportava soldados políticos, entre os quais o general Kurt von Schleicher, ex-ministro da Defesa e predecessor de Hitler como chanceler, parecia ser o modelo perfeito. Em 1932, quando comandava a 1ª Divisão de Cavalaria em Frankfurt an der Oder, seu chefe de Estado-Maior, coronel Freiherr von Weichs, apresentou-se para prestar contas de uma conferência a que comparecera no Ministério de Defesa, realizada por Schleicher. O coronel ia começar a relatar o que ouvira, quando Fritsch o interrompeu, dizendo: “Não! Só mentiras!”[6]

Seus pensamentos desviaram-se uma única vez na direção da arena política quando Seeckt foi demitido do cargo em 1926. Como um de seus assessores mais chegados, aconselhou Seeckt a resistir pela força à exoneração. Esse conselho insensato demonstra, pelo menos, tanta lealdade a Seeckt como ignorância política. Ele, contudo, não ignorava suas limitações nesse particular. Em 1937, escreveu:

> Transformei em norma limitar-me exclusivamente ao campo militar e me manter afastado de toda e qualquer atividade política. Careço de tudo o que é necessário para a política. Além do mais, estou convencido de que, quanto menos falar em público, mais rapidamente poderei cumprir meus deveres militares.[7]

Adotando tais idéias sobre política e políticos, não era provável que fosse correligionário entusiástico de Hitler e dos nazistas. Tornou-se conhecido por fazer comentários freqüentes e francos sobre os nazistas, para todos os que quisessem ouvir, nas ocasiões em que se sentia incomodado por eles.

Certo dia, o coronel Gothard Heinrici entrou em seu gabinete para a habitual discussão matutina. Eram grandes nesse momento as celebrações e festanças nas ruas. Fritsch perguntou a Heinrici por que o povo estava comemorando. Heinrici respondeu que o motivo era o aniversário do Führer. "Por que eles celebram isso?", foi a sua irônica reação.[8] Em uma parada realizada em Saarbrücken no dia 1º de março de 1935, a fim de marcar a volta do Sarre à Alemanha, Fritsch, na plataforma de revista às tropas, segundo um jornalista norte-americano que estava a seu lado, William Shirer, "despejou fogo constante de observações sarcásticas sobre a SS, o Partido, e os vários líderes nazistas, de Hitler para baixo. Não escondeu o desprezo que sentia por todos eles".[9] Ele se transformava, assim, em alvo fácil para o grampeamento, pela Gestapo, dos telefones e gabinetes que usava no curso de seu trabalho.

Por isso mesmo, surgiu um estranho conjunto de relacionamento no alto comando logo que Fritsch superou suas dúvidas e aceitou o cargo. Ele e Hitler pouco tinham em comum. Fritsch não tinha acesso direto a ele, e Blomberg tratava de todos os assuntos habituais de defesa com o Führer. Seus contatos com Hitler ocorriam geralmente na presença de Blomberg. As relações entre ambos, portanto, restringiam-se à correção formal, que, até 1938, foi observada por ambos os lados. A presença de Fritsch, aliás, exercia um estranho efeito sobre Hitler. Enquanto conversava livremente com Blomberg, e até discutia com ele, sempre se sentia inibido quando Fritsch estava presente, e nada deixava escapar — nem em substância nem em forma. Fritsch, por seu lado, nunca tentou discutir assunto algum com Hitler até o dia 5 de novembro de 1937, preferindo esmiuçar os problemas com Blomberg ou, simplesmente, através dele, manifestar seus protestos. Certa vez, Hitler descreveu-o como "o inglês incorruptível".[10] A opinião de Fritsch sobre Hitler é sumariada em suas palavras, freqüentemente citadas: "Hitler é o destino da Alemanha, para o bem ou para o mal."[11]

Não se sabe se Hitler estudou ou não a natureza de seu novo comandante do Exército, mas as palavras que escolheu para saudar Fritsch quando ele assumiu o cargo confirmaram a concepção que o general tinha de sua tarefa: "Crie um Exército do maior poderio, determinação e unidade possíveis, sobre as melhores bases imagináveis de treinamento."[12] Ele, porém, teria sido mais sábio se houvesse levado em conta as proféticas palavras com que o aconselhou Ludendorff: "Hitler não permanece leal a ninguém — ele trairá até mesmo você dentro de alguns anos!"[13]

Foi sempre tenso o relacionamento entre Fritsch e Blomberg. Embora ele pudesse coexistir com Blomberg, deve ter achado sempre difícil simpatizar com um homem que desempenhava um papel que julgava impróprio a um oficial. Além do mais, sua experiência passada com Blomberg tornava-o desconfiado das propensões do ministro para o romantismo, as fantasias e as novidades, além de seu hábito de agir motivado por impulsos súbitos. Não obstante, conseguiram os dois cooperar suficientemente bem no desempenho de seus deveres oficiais e evitaram uma crise incontornável em suas relações. Geralmente ele conseguia convencer Blomberg a levar a Hitler assuntos sobre os quais se queixara, mas ficava exasperado com a facilidade com que Blomberg se deixava derrotar pelo Führer. Dois meses antes de assumir o novo cargo, o Exército alemão ganhara um novo chefe do Estado-Maior, o general Ludwig Beck. Tal como Fritsch, Beck fora escolhido na base de sua capacidade militar e, tal como Fritsch, também, tinha muito pouco a dizer sobre sua vida privada.

Ainda como Fritsch, Beck nasceu na Renânia em 1880, nas proximidades de Wiesbaden, no seio de uma tranqüila e respeitável família de classe média alta. Seu pai era um engenheiro metalúrgico altamente competente, com fortes tendências acadêmicas. Essa inclinação reapareceu no jovem Ludwig e tornou-se uma de suas características mais marcantes. Ingressou no 15º regimento de Artilharia de Campanha, uma unidade prussiana, em 1898, e passou a maior parte do período anterior à Primeira Guerra Mundial na Alsácia-Lorena. Essa bela região despertou nele um profundo amor por suas aldeias típicas, bosques e vales: aposentar-se e ir residir em uma casa na Alsácia continuou a ser um de seus sonhos prediletos. Seu serviço como oficial subalterno foi suficientemente bom para que fosse escolhido para treinamento de Estado-Maior, que ele completou entre outubro de 1908 e julho de 1911.

Durante a Primeira Guerra Mundial, serviu como oficial de Estado-Maior ao nível de divisão e ainda em postos mais altos. Nos dois últimos anos da guerra, fez parte do Estado-Maior do Grupo de Exércitos *Deutscher Kronprinz*, com o então major Max von Viebahn, que diz que Beck assumiu vastas responsabilidades que, em algumas ocasiões, equiparavam-se, na realidade, ao comando de todo o grupo de exércitos. Nesse posto, adquiriu os hábitos de operosidade intensa que viriam a modelar toda sua vida futura. Acostumou-se a trabalhar 15 horas por dia e passar longos períodos sem nenhuma folga. Renunciou mesmo a uma de suas maneiras de relaxar — tocar violino. Distinguiu-se particularmente ao fim da guerra pelo planejamento da retirada de forças alemãs, que totalizavam 90 divisões, isso em circunstâncias difíceis e prementes.

O único romance de sua vida floresceu por breves momentos durante meados da guerra. No dia 12 de maio de 1916, casou-se com Amalie Pagenstecher, filha de um comerciante de Bremen. Após uma curta lua-de-mel, voltou à frente de combate. A filha do casal, Gertrud, nasceu em 1917. A saúde de Frau Beck, porém, deteriorou-se seriamente e ela faleceu no dia 16 de novembro de 1917, deixando ao pai a criação de Gertrud. A reação de Beck a essa perda foi, lembrando a de Montgomery, imergir por inteiro na profissão. Afastou-se cada vez mais da vida social, que tendia a circular em volta de jovens oficiais promissores. Tímido e reservado, poucas coisas o repeliam mais que a bonomia artificial do cassino dos oficiais. Os fardos da vida aumentaram ainda mais, quando apareceu com uma doença estomacal que o privava dos prazeres da mesa. Fazia apenas duas refeições simples ao dia, com uma bebida quente como único sustento na metade do dia. Este não era o tipo de dieta apropriado para manter a vitalidade, especialmente porque ele continuava a trabalhar até tarde, após o jantar. Mas, a despeito das poucas oportunidades que tinha para usá-lo, nunca perdeu seu encanto pessoal.

No dia 1º de outubro de 1929 assumiu o comando do 5º Regimento de Artilharia, localizado em Fulda. Durante esse período, começou a se perguntar se a Alemanha não ficaria em melhor situação sob Hitler e os nazistas, do que continuando a suportar as frustrações da política de Weimar. Seu papel no julgamento dos tenentes Scheringer, Ludin e Wendt, três jovens oficiais acusados de fazer propaganda do nazismo no Exército, mostra bem o que eram suas opiniões nessa época. Na corte marcial, falou em defesa do caráter de Scheringer, o que, como seu oficial-comandante, tinha obrigação de fazer. Mas fora além dos limites do dever militar ao demonstrar simpatia pelas idéias de Scheringer. Logo que soube desse depoimento, Groener, o ministro da Defesa, quis demiti-lo. Hammerstein, na ocasião chefe do Estado-Maior Geral e admirador das qualidades de Beck, porém, dissuadiu-o, e Beck acabou sendo promovido a comandante de divisão. O flerte com o nazismo, porém, se dissipou, quando obteve melhores informações sobre os indivíduos que faziam parte do movimento.

Nos anos de 1931 a 1933, ocupou-se redigindo o manual de tática que estava destinado a tornar-se a mais conhecida de todas as publicações militares alemãs — a *T.F.*, ou *Die Truppenführung*. Este, o mais conhecido de seus trabalhos, conferiu-lhe grande reputação pela clareza das idéias e maneira de expressá-las. Para uma publicação militar, o livro reveste-se de outro aspecto incomum — a elegância da prosa. Este trabalho, juntamente com o grande número de outros estudos que escreveu, marcaram-no como pensador na tradição de Moltke, o Velho.

Por tudo isso, em outubro de 1933, era difícil ir além dele na busca de um novo chefe do Estado-Maior Geral. A despeito do episódio do julgamento dos três tenentes, foi ele o homem escolhido por Hammerstein para ser seu principal assessor e assistente. Em vista das dificuldades que enfrentou naquele primeiro ano de governo nazista, Hammerstein deve ter percebido que seu mandato no cargo estava chegando ao fim. Beck teria que servir como o único tipo de ponte que poderia construir sua era e a de seu sucessor.

A transferência para Berlim constituiu para ele uma vantagem ambígua, uma vez que preferia a vida no campo ao trabalho de gabinete em cidade. Não obstante, tinha liberdade para sua única forma de recreação — a equitação —, que praticava no Tiergarten e no Grünewald. Acomodou-se a uma rotina bem ocupada. Montava regularmente desde os tempos de rapaz e era especialista em cavalos. Um presente ligado à equitação era o que lhe dava maior prazer em aniversários e outras datas. Acordava todas as manhãs às 5h30min e cavalgava das 6 até as 8h. Fazia o desjejum e, às 8h30min, dirigia-se em seu carro oficial para o gabinete, na Bendlerstrasse. O trabalho começava às nove da manhã e continuava sem interrupção até quase sete da noite. Voltava em seguida para casa e jantava. Após o jantar, recolhia-se ao gabinete particular e trabalhava mais três horas, até pouco antes da meia-noite. Observando esse padrão de descanso, alimentação e relaxamento, manteve o raro vigor e a boa forma física de que necessitava para enfrentar os nazistas.

Residia em uma casa simples de estuque cinzento, no nº 9 da Goethestrasse, Lichterfelde. Escolheu deliberadamente uma casa modesta, cujo aluguel podia pagar inteiramente com seu salário, sem depender de qualquer gratificação especial. Evitou a residência oficial mais luxuosa, que poderia ter sido sua, uma vez que não ignorava os tentáculos que favores desse tipo podiam lançar para amarrar a honra de um homem a seu cargo, muito depois de ambos — honra e cargo — terem se tornado incompatíveis. Sua honra não estava à venda. Como disse à filha, não queria dever nada a homem algum, especialmente a Hitler. Como amigos, cultivava principalmente colegas militares, em especial Manstein, Hammerstein, Hossbach, Heinrich von Stülpnagel e, acima de todos, Fritsch. Esse grupo se ampliaria mais tarde, quando passou a conspirar mais contra Hitler durante a guerra, e incluiu homens de renome em muitas outras situações na vida, tais como o historiador Friedrich Meinecke, e membros do grupo de oposição, a *Mittwochgesellschaft* (Clube Quarta-feira).

A principal crítica que se faz a Beck é que ele era conservador demais e incapaz de tomar decisões em um meio que não conhecesse a fundo. Não há dúvida de que o molde básico de seu caráter era conservador. Cauteloso também, observava estritamente o conselho de Moltke: "*Erst wägen, dann wagen*" ("Pensar primeiro, só arriscar depois"). Deve-se, no entanto, dar importância a ambas as partes do processo: ele estava disposto a correr riscos, mas apenas depois de pensar bem. Talvez sua idéia de pensar bem fosse mais minuciosa que a de seus colegas, mas ele tinha também responsabilidades maiores. O planejamento de exercícios para o Estado-Maior, que realizou usando formações blindadas com efetivos de divisão, e mesmo de um corpo de exército em 1935, quando a Alemanha praticamente não tinha tanques, e de maneira nenhuma modelos de combate, pôde mostrar tudo, menos conservadorismo excessivo. Sua capacidade decisória fora comprovada durante a Primeira Guerra Mundial em condições em que se desincumbiu de responsabilidades incomuns, e onde a incapacidade de decidir-se teria resultado em rápida dispensa, e não em uma bela fé-de-ofício de promoções.

Ele, contudo, não estava à altura do jogo rápido dos nazistas. Inicialmente, atacou detalhes práticos dos planos, nos quais eles poderiam ter reconhecido erro, em vez de arriscar-se a uma confrontação completa no tocante à estratégia básica. Sua resistência, porém, foi tornada ineficaz graças ao simples expediente de mandá-lo calar-se. Nos seus cinco anos no cargo de chefe do Estado-Maior Geral obteve duas entrevistas pessoais com Hitler, a fim de tratar de assuntos oficiais. O volume e campo de interesse dos estudos que escreveu nessa ocasião, no entanto, demonstram que compreensão clara possuía das questões estratégicas internacionais de seus dias. Foi uma pena que essa introvisão não estivesse ligada à personalidade enérgica e impetuosa de um Seeckt, em vez da de um analogamente conservador e introvertido Fritsch.

Fritsch e Beck constituíram uma forte e bem-ajustada parceria no alto comando. Eram velhos amigos, e Fritsch trabalhara com ele na comissão que dirigira a elaboração da *Die Truppenführung*. Em princípios de 1934, porém, as relações entre ambos tornaram-se anuviadas pela desconfiança de Fritsch de que, nos debates que então ocorriam sobre reorganização, Beck estivesse tentando recolocar o Estado-Maior Geral em sua posição antiga, anterior a 1918, tornando supérfluo seu cargo de comandante-chefe. Não demorou muito para que ambos compreendessem que havia um grave mal-entendido entre eles, e todas as dúvidas foram dissipadas, o que ensejou uma amizade pessoal muito forte.

Este era o meio no qual Fritsch tinha que tentar cumprir suas tarefas. E eram muito claras suas idéias sobre quais eram elas — em primeiro lugar, providenciar que o restabelecimento da paridade militar alemã fosse conduzido eficientemente e, em segundo, manter o país fora de uma grande guerra, de cuja derrota ele não tinha dúvidas. Queria que o Exército se expandisse gradualmente, de modo que sua perícia e eficiência não fossem sacrificadas por causa do mero tamanho. Tencionava basear o novo Exército nas velhas tradições, a despeito dos esforços dos nazistas para insistir em um completo rompimento com o passado. Assumiu o cargo em um momento crítico, quando as tentativas da SA (camisas-pardas) de substituir o Exército estavam no auge. Desde o começo, chocou-se com Röhm, o líder da SA. Não é de surpreender que mais tarde escrevesse sobre a situação que enfrentou em princípios de 1934: "Encontrei um monte de entulho e, em especial, uma falta geral de confiança na autoridade mais alta."[14]

Os quatro cargos mais graduados no alto comando alemão eram ocupados por dois tipos diferentes de homens. Blomberg e Reichenau (que Blomberg nomeara seu chefe de gabinete) representavam o espírito da nova era política, enquanto Fritsch e Beck encarnavam as tradições da antiga. As relações entre Fritsch e Blomberg eram suficientemente íntimas em 1933 para que o primeiro dissesse ao segundo que queria que ele fosse o sucessor de Hammerstein. Beck assumiu o cargo confiante em que poderia trabalhar com Blomberg. Não obstante, as diferenças entre seus respectivos objetivos agravaram-lhes logo as diferenças em pontos de vista e personalidade. Blomberg e Reichenau estavam interessados em adaptar a *Reichswehr* ao governo nazista, ao Partido Nazista e à ideologia nazista, de modo que as relações político-militares se desenvolvessem da forma mais suave possível. Fritsch e Beck queriam reconstruir o Exército, mas segundo o velho modelo, e não como braço armado do Partido Nazista.

Logo que esses dois objetivos diferentes começaram a colidir, as forças das personalidades individuais empurraram as duas duplas para direções cada vez mais divergentes, cindindo a unidade potencial das forças armadas, que poderia ter servido para controlar Hitler. Explorando a situação, Hitler conseguiu aumentar seu poder pessoal, permitindo que os dois grupos se digladiassem, enquanto permanecia como observador, ou, às vezes, desempenhava o papel de árbitro, até que finalmente destruiu os dois grupos.

Um dos principais problemas enfrentados por Fritsch e Beck foi a doutrinação nazista do Exército. Opunham-se ambos à politização da tropa, mas, dada a postura de Blomberg e Reichenau, era pouco o que podiam fazer, incluindo a exoneração, para virar a maré. Homens que conheceram bem Fritsch nesse período, tais como Manstein, Heinrici, Viebahn, Hossbach, Halder, Erfurth e Foertsch mencionaram-lhe sem discordância a oposição à nazificação do Exército e seus protestos freqüentes a Blomberg por esse motivo. Não se sabe como esses protestos foram recebidos, exceto nos seus lineamentos mais gerais. Sabemos, de fato, que Fritsch estava se tornando cada vez mais preocupado, em 1937, e que sua saúde começara a declinar. Há também indicações de cansaço e resignação em cartas a uma amiga, a baronesa von Schutzbar-Milchling. É possível que, desde que estava diretamente subordinado a Blomberg e a Hitler, protestasse por dever de ofício, mas se julgasse obrigado a cumprir as ordens de seus superiores, quando os protestos não produziam efeito. Pode ter sido também obcecado pelo receio das conseqüências, se fosse substituído por seu velho rival, Reichenau, e tivesse acreditado ser seu dever continuar, a despeito de tudo, na esperança de que, pelo menos, a segurança militar alemã em relação a um ataque externo poderia ser garantida pela reconstrução do Exército sob sua cautelosa chefia. Não é difícil imaginar como Fritsch teria justificado sua permanência no cargo, mas, pelas alturas de 1937, era basicamente uma expectativa de que as coisas melhorariam, mas em vez de isso acontecer, a sua sorte começou a mudar.

As reações dos demais generais seguiam as de Blomberg e Fritsch. Por um lado, havia aqueles que consideravam a disseminação do nazismo no Exército com aprovação, ou com serenidade, como Brauchitsch, Reichenau e Dollmann. Por outro, alinhavam-se os que se opunham a essa doutrinação, como Beck, Weichs e Ulex. Compreendiam eles que Fritsch pouco podia fazer contra a tendência e acreditavam que o único curso restante era reduzir as perdas na luta política, concentrar-se em seus deveres militares concretos e deixar a política aos políticos. Essa postura agradava imensamente ao Partido. Sua política coordenada de doutrinação conseguiu aos poucos ganhar impulso, auxiliada pelos sucessos de Hitler na política externa. A eficácia da doutrinação ficaria demonstrada tanto pela hesitação induzida na mente dos generais que pensaram em revolta armada em 1938 e 1939, quanto pela tenacidade com que numerosos soldados permaneceram fiéis às crenças nazistas durante toda a guerra. O estado de espírito predominante foi corretamente sumariado pelo comandante da 17ª Divisão, tenente-general Friderici, no seu discurso de despedida à tropa, antes de ser designado para novas funções. Falando em 30 de março de 1939, disse ele: "O Führer Adolf Hitler dá-nos o exemplo. Nós o seguiremos contentes para o futuro alemão — aconteça o que acontecer!"[15]

Quanto mais tempo passava, menos oportunidade tinham Fritsch e Beck de exercer controle das políticas militares do Terceiro Reich, uma vez que o Exército estava sendo infiltrado sob seus pés, pelo espírito do nazismo, que vinha da Juventude Hitlerista, das escolas e de outras organizações do partido, e pelos milhares de jovens que, de 1935 em diante, constituíram a massa do poder de ataque do Exército. Dessa maneira, o processo de rearmamento alemão serviu para reforçar a influência do Partido tanto nos altos escalões, quanto nas fileiras da Wehrmacht. O Exército tornou-se cada vez menos capaz de exercer controle sobre seu próprio destino.

Em meados da década de 30, circularam numerosos boatos que falavam de atritos entre o Exército e o Partido. Foram muitas as referências à hostilidade entre Fritsch e o Partido e entre aquele e Reichenau. Um relatório publicado incluiu o denominado *Livro Azul da Reichswehr*, que supostamente teria sido submetido a Hindenburg por oficiais do Exército após o fuzilamento de líderes da SA no dia 30 de junho de 1934, pedindo mudanças no governo, com Fritsch na qualidade de vice-chanceler, Hammerstein como ministro da *Reichswehr* e Nadolny como ministro das Relações Exteriores. É interessante que tal relatório tenha sido publicado não só para que fosse lido pela Gestapo na ocasião, mas também pelo Exército em geral, pois ele desperta o pensamento de que Fritsch, em particular, era um serviçal extremamente relutante do regime nazista. A publicidade talvez tenha sido uma tentativa de mostrar o ridículo total da idéia. Mas pode ter sido também uma tentativa de exercer pressão sobre Fritsch.

Himmler chegou até o ponto de mencionar o dia em que acreditava que Fritsch tentaria um golpe contra os nazistas. Escreveu Fritsch que achava que os boatos davam o dia como sendo 10 de janeiro de 1935, embora outras indicações sugerissem o 13 de janeiro. Blomberg foi avisado, mas não se sabe de onde recebeu o alerta. Em conseqüência, marcou uma reunião dos oficiais mais graduados do Exército para a noite em questão, em Berlim. Sua motivação para essa medida teria dependido de sua fonte de informação. E convidou Himmler para falar aos oficiais. Em um memorando de 1º de fevereiro de 1938, Fritsch relatou o que aconteceu:

> Nesse discurso, fui acusado de convidar um professor, que era também consultor jurídico do governo, acho que o nome dele era Schmidt, a fazer uma conferência, na quinta-feira, no quartel-general do Exército. Göring sustentou que a conferência em causa demonstraria que um golpe era permissível, nos termos do direito constitucional. Isso na presença do ministro e de numerosos oficiais! O convite fora feito pela Divisão de Treinamento do Estado-Maior Geral. Eu não conhecia absolutamente o tal homem. A conferência foi cancelada.
>
> Menciono esse episódio apenas para demonstrar que nada é ridículo demais para ser usado contra mim.[16]

É surpreendente, à vista de suas próprias palavras, que ele tivesse tolerado tal tratamento diante de seus próprios subordinados e continuasse a desempenhar suas funções em leal obediência a Hitler. Contudo, há certo número de fatores que talvez explique a incapacidade de Fritsch de perceber, em começos de 1935, que estava sendo explorado, enquanto se mostrasse cooperativo, por um movimento basicamente mau. Em primeiro lugar, seu comandante supremo era Hitler, não Himmler. Poucos dias antes, Hitler reafirmara sua fé nos chefes das forças armadas e fora o responsável pelo relaxamento da tensão entre o Exército e a SS. Seis meses apenas haviam passado desde que Hitler transformara em exemplos os líderes da SA, de modo que Fritsch pode ter continuado a alimentar confiança em Hitler como líder eficaz. Em segundo lugar, o processo de reconstrução do Exército e, por conseguinte, do restabelecimento da segurança nacional, estava em pleno andamento. Em vista disso, que importavam os ataques pessoais e insultos do grupo de pequenos líderes do Partido? Seu primeiro dever, talvez tenha dito ele a si mesmo, era o de reconstruir a segurança alemã, e não se envolver em problemas menores e com indivíduos de segunda ordem.

O ódio da SS ao Exército, porém, não permaneceu sob controle durante muito tempo. No verão de 1935, unidades da SS aquarteladas no polígono de exercícios de Altengrabow insultaram o Exército em geral, e Fritsch em particular, com expressões extremamente vis. Fritsch sumariou, nos termos seguintes, a tendência que então se iniciou nas relações com a SS:

> Embora fosse possível, no período que se seguiu, estabelecer relações satisfatórias e, em muitos casos, até confidenciais com todos os funcionários do Partido, isso não acontecia no tocante à SS. Isso talvez acontecesse, quando visto de nossa perspectiva, porque praticamente não havia qualquer oficial superior que não tivesse a impressão de que estava sendo espionado pela SS. Além disso, tornou-se cada vez mais evidente que, contrariando ordens expressas do preposto do Führer, o pessoal da SS que servia no Exército tinha ordens de apresentar relatórios sobre seus superiores. Infelizmente, esses assuntos chegavam a meu conhecimento apenas de uma forma que não me dava meios de enquadrá-los.[17]

O sumário acima de Fritsch é cabalmente confirmado pela prova documentária disponível. A história das relações entre a SS e o Exército foi uma série de choques, em geral de pequena monta, mas suficientemente severos para indicar que havia muita amargura, sob a superfície, em ambos os lados.

Enquanto permaneceu no cargo, Fritsch exerceu pressão ininterrupta para restringir o crescimento da *SS Verfügungstruppe*, a precursora da Waffen SS. Suas opiniões sobre essa força foram manifestadas em memorando de 1º de fevereiro de 1938:

> Finalmente, é a *SS Verfügungstruppe* que, ampliada cada vez mais, terá que gerar oposição ao Exército simplesmente pelo fato de existir.
>
> Mesmo que o Exército tenha certos direitos de inspeção no tocante ao treinamento da *SS Verfügungstruppe*, esta unidade da SS desenvolve-se de for-

> ma inteiramente autônoma e, segundo me parece, em oposição deliberada ao Exército. Todas as unidades informam unanimemente que as relações entre a *SS Verfügungstruppe* e o Exército são muito frias, se não hostis. Não podemos deixar de formar a impressão de que a atitude hostil para com o Exército é abertamente estimulada na *SS Verfügungstruppe*. Essa hostilidade manifesta-se ostensivamente na recusa de muitos homens da SS de prestar continência aos oficiais.[18]

O segundo problema de Fritsch e Beck era como impedir que Hitler precipitasse uma grande guerra que a Alemanha, estavam convencidos, forçosamente perderia. O discurso de Hitler aos generais, no dia 3 de fevereiro de 1933, e um segundo, pronunciado em 28 de fevereiro de 1934, dando maiores detalhes de seu planejamento estratégico de longo prazo, foram justificados por muitos membros da platéia como manobra interna. Eles simplesmente não podiam acreditar que a Alemanha, ainda por vários anos, pudesse atingir o necessário grau de superioridade militar sobre supostos inimigos no Leste e no Oeste. Tampouco imaginavam que o Führer fosse um jogador temerário, disposto a ir à guerra contra a opinião de chefes militares profissionais.

A remilitarização da Renânia em março de 1936 deveria ter-lhes ensinado uma lição inesquecível, mas isso não aconteceu. Nervoso, o próprio Hitler temia que os franceses tomassem medidas retaliatórias e o humilhassem. Completada a ocupação pela Wehrmacht e aliviado o medo de Hitler, Blomberg implorou-lhe que se retirasse antes que os franceses se pusessem em marcha. Hitler recusou, os franceses não marcharam e Blomberg foi humilhado. A confiança de Hitler em sua própria capacidade de julgamento disparou para as alturas, enquanto caía a que teria em seus chefes militares.

No dia 5 de novembro de 1937, ocorreu outro momento decisivo nas relações entre Hitler e os generais. Em uma conferência em Berchtesgaden, disse a Blomberg, Fritsch, almirante Raeder, general Göring e ministro do Exterior von Neurath que a Alemanha teria que adquirir *Lebensraum* na Europa Oriental pela força militar, a começar em 1943 no máximo, explorando tanto quanto possível as tensões entre Grã-Bretanha, França e Itália. Blomberg e Fritsch manifestaram forte reação. Insistiram repetidamente em que não se poderia permitir que a França e a Grã-Bretanha fossem colocadas no papel de inimigas da Alemanha e argumentaram que o Exército francês não ficaria tão amarrado em uma guerra com a Itália, como alegava Hitler, que não pudesse pôr-se em campo com superioridade contra as defesas ocidentais da Alemanha. Calculou Fritsch que os franceses precisariam de apenas 20 divisões para defender, nos Alpes, a fronteira com a Itália, enquanto o resto lhes daria ainda superioridade sobre a Alemanha, permitindo-lhes invadir a Renânia. Consideração especial teria que ser dada ao fato de que a França tomaria a frente, na mobilização, ao poderio defensivo limitado das fortificações alemãs, ponto esse que Blomberg frisou especialmente, e às condições medíocres das quatro divisões motorizadas reservadas para a defesa a oeste.[19]

Blomberg chamou a atenção para a solidez das defesas tchecas, cuja construção correspondia à Linha Maginot. Fritsch acrescentou que, em vista das observações de Hitler, cancelaria a licença que pretendera tirar a partir de 10 de novembro de 1937. Hitler rejeitou essas ponderações, dizendo que a possibilidade do conflito não estava tão próxima assim.

O ministro do Exterior Neurath sustentou, por sua vez, que o conflito entre Grã-Bretanha, França e Itália também não estava tão próximo como Hitler gostaria de acreditar. Hitler rebateu esse argumento, dizendo que essas potências entrariam em guerra entre si já no verão de 1938. Quanto à superioridade francesa e britânica alegada por Blomberg e Fritsch, repetiu que julgava improvável que os dois países atacassem a Alemanha e que estava convencido de que a Grã-Bretanha não participaria. Caso o conflito no Mediterrâneo levasse à mobilização geral na Europa, a Alemanha deveria atacar imediatamente a Tchecoslováquia. Se as potências não envolvidas na guerra manifestassem desinteresse pela mesma, a Alemanha faria o mesmo. Göring sugeriu que, tendo em vista as observações de Hitler, deveriam ser reduzidas as operações na Espanha. Hitler concordou, mas reservou para si mesmo a escolha da oportunidade de tomar essa decisão.

O fato de a prova disponível não dar indicações de que Blomberg e Fritsch protestaram junto a Hitler sobre fundamentos morais acerca das implicações dessa política, tem sido usado para justificar a conclusão de que os dois generais não tinham objeções morais aos objetivos do Führer e que o desacordo com ele limitava-se a questões puramente técnicas. Essa inferência ignora outros fatores que, especialmente no caso de Fritsch, teriam sido muito mais importantes. Ele deve ter sabido muito bem, em fins de 1937, que Hitler não era homem que se impressionasse com considerações morais, quando estava em jogo uma questão importante de política. Para ser absolutamente dissuadido de implementar tal política de agressão, objeções militares teriam sido provavelmente muito mais eficazes do que as de natureza moral. Além do mais, a natureza de um confronto moral é tão absoluta que Fritsch devia ter sabido que ela acabaria na sua demissão e substituição por alguém mais maleável.

As reações subseqüentes de ambos ao encontro ilustram claramente as diferenças de caráter entre Blomberg e Fritsch. Blomberg deu meia-volta e passou a adotar a opinião de que a finalidade da conferência estivera muito mais ligada à alocação de recursos do que ao planejamento para a guerra. Garantiu mais tarde a Raeder que o objetivo das observações iniciais de Hitler fora insistir em que Fritsch e Neurath aceitassem um ritmo mais rápido de rearmamento. Fritsch continuou muito preocupado com toda a questão da guerra e planejamento para a guerra. No dia 7 de novembro, Neurath discutiu com ele e Beck a gravidade da situação. Concordaram em que Fritsch deveria falar pessoalmente com Hitler para lhe mostrar as impossibilidades militares de seus planos, enquanto Neurath deveria procurar outra oportunidade de apresentar as objeções que percebia a partir das perspectivas das relações exteriores.

No dia 9 de novembro, Fritsch visitou Hitler no Berghof, Berchtesgaden. Não sobreviveu qualquer registro das conversas de ambos, mas a força das objeções de Fritsch é indicada pela recusa de Hitler em receber Neurath até meados de janeiro de 1938. No mesmo dia de sua discussão com Hitler, escreveu Fritsch à baronesa von Schutzbar:

> Repetidamente, assuntos novos e complexos são trazidos a meu conhecimento e têm que ser resolvidos antes de minha partida. Estou realmente muito cansado, exaurido, muito mais do que pode parecer pela minha aparência.[20]

No dia seguinte, Fritsch viajou para quase dois meses de férias no Egito. Voltou a Berlim no dia 2 de janeiro de 1938 e, no outro dia, escreveu: "Meu erro foi ter ficado lá durante tanto tempo."[21] Fritsch estava mais do que certo em sua opinião, uma vez que seus inimigos na SS, Himmler e Heydrich, haviam forjado contra ele uma acusação de homossexualismo. Convenientemente para a hierarquia nazista, que desejava livrar-se também de Blomberg, o ministro da Defesa, em um excesso de *joie de vivre* de fins de meia-idade, casara no dia 12 de janeiro de 1938 com uma moça de passado duvidoso, incluindo o fato de ter posado nua para fotos pornográficas. Talvez o próprio Heydrich a tivesse colocado no gabinete do ministro, onde ela trabalhava como datilógrafa. O escândalo rapidamente derrubou Blomberg do poleiro, e o Exército pouco lamentou seu pedido de exoneração.

O caso Fritsch provocou muito mais controvérsias porque as acusações careciam de credibilidade. Contrariando os conselhos de amigos (incluindo Beck), Fritsch exonerou-se e foi declarado isento de culpa por uma comissão especial de investigação. Naturalmente não foi reconduzido ao cargo, sendo substituído pelo mais flexível Walther von Brauchitsch. Fritsch iniciou uma solitária e perturbada aposentadoria, suspensa pelo irrompimento da guerra em setembro de 1939. Na frente de batalha com seu velho regimento, procurou, e encontrou, o alívio da morte às mãos de um atirador de elite polonês, diante das portas de Varsóvia, no dia 22 de setembro.

Para vários colegas e subordinados, que não conseguiam entender bem o que era o regime nazista, o caso Fritsch representou um apelo à ação. Durante a crise, aconselharam-no a desafiar Hitler pela força, tentar um golpe. Recusou-se terminantemente a fazer isso, sustentando que um ataque pessoal à sua honra não constituía justificação para o banho de sangue que se seguiria a uma resistência declarada aos nazistas. Por isso mesmo, a despeito de ter provocado grande abalo nos altos escalões das forças armadas, o caso Fritsch não produziu um impacto que tivesse ramificações nas relações entre o Exército e o Partido.

Beck ficou nesse momento mais isolado; ainda assim, como chefe do Estado-Maior Geral, cabia-lhe a responsabilidade de preparar os planos operacionais determinados pela grande estratégia de Hitler. Em março de 1938, sob protesto, supervisionou o planejamento para a anexação da Áustria. Mais uma vez, a falta de reação de outros governos, em especial dos da Grã-Bretanha e França, reforçou a opinião de que Hitler entendia mais de política externa do que seus generais.

Logo que Hitler voltou a atenção para a Tchecoslováquia em abril de 1938, Beck enviou a Brauchitsch uma crítica minuciosamente bem argumentada. Concluía dizendo que a Grã-Bretanha e a França não permitiriam que a Alemanha ficasse impune pela tomada da Tchecoslováquia, mesmo que isso implicasse uma longa guerra, cujo resultado desfavorável não podia ser posto em dúvida, se a América desse ajuda aos seus antigos aliados. A parte final do memorando de Beck sumariava suas preocupações com a fraqueza básica da situação estratégica da Alemanha e, implicitamente, com a loucura da política hitlerista:

> 1. Tomada como um todo, a situação militar da Alemanha não deve ser comparada com a fraqueza dos últimos anos, mas ela não é tão forte como em 1914, porque todas as potências que poderiam possivelmente se alinhar contra a Alemanha rearmaram-se em grau considerável — em alguns casos no mais alto possível. Além disso, ainda por algum tempo, a Alemanha, como é fato conhecido, não terá forças armadas em condições de mobilização. A situação político-militar do país não fornece as necessárias condições de espaço que lhe permita, colocada como está no centro do continente, resistir a uma guerra de grandes proporções em terra, mar e ar. Esperanças baseadas nas nações neutras provaram, na última Guerra Mundial, que eram mal fundamentadas.
>
> A economia de defesa alemã é medíocre, mais medíocre do que em 1917-18. Por esta razão, também, a Alemanha não está em condições de travar uma longa guerra... Não obstante, uma guerra européia seria concebida e conduzida por nossos inimigos, desde o início, como conflito de longa duração.

> 2. Não tem fundamento a esperança de solucionar o problema tchecoslovaco por meios militares no corrente ano, sem intervenção da Grã-Bretanha e da França. A solução para a questão — guerra ou paz? — cabe ou à Alemanha ou à Grã-Bretanha. Um acordo sobre a Tchecoslováquia é possível porque a Grã-Bretanha nada quer com esse ponto de perigo. O fundamental é que a Alemanha concorde com uma solução que ainda assim seja tolerável para a Grã-Bretanha. Ela nunca nos dará plena liberdade para agirmos contra a Tchecoslováquia. Se antagonizarmos a Grã-Bretanha por causa da Tchecoslováquia, outros possíveis benefícios que poderíamos ter com um país bem-disposto em relação a nós desaparecerão. De uma Grã-Bretanha hostil a nós nada receberemos. A Grã-Bretanha está se preparando para lançar sua espada na balança, caso a Alemanha procure forçar uma solução para o problema tchecoslovaco que não lhe seja conveniente. A Grã-Bretanha sempre erigiu como princípio alinhar-se contra a potência continental mais forte. Mesmo que a atitude da Grã-Bretanha em relação à Alemanha seja diferente hoje do que foi em 1914, é ainda claro que, por mais fortes que possamos ser, estamos diante de uma coalizão que é mais poderosa que nós. Neste caso, a França e a Rússia já estão ao lado da Grã-Bretanha, e a América se unirá a elas, talvez apenas através do fornecimento de materiais de guerra. A Grã-Bretanha, com seu enorme poder, que ainda continua hoje, a despeito das críticas de personalidades que não conhecem a Grã-Bretanha, a potência mundial, por observações próprias, terá, no mínimo, meios para compelir as demais pequenas potências interessadas a acompanhá-la ou a nos isolar economicamente durante o curso da guerra.[22]

Ignorado o parecer de Beck, prosseguiram em ritmo acelerado os preparativos para a invasão da Tchecoslováquia. Seus memorandos posteriores, manifestando-se veemente e claramente contra a invasão, resultaram no alargamento da distância entre ele e Brauchitsch e em repetidos pedidos de exoneração, todos recusados por seu superior.

Em notas preparadas para uma reunião com Brauchitsch, no dia 16 de julho de 1938, escreveu Beck:

> A história acusará esses chefes de homicídio, se eles não agirem de acordo com seus conhecimentos políticos especializados e consciência. A obediência militar a que estão sujeitos tem um limite no ponto em que seus conhecimentos, sua consciência e senso de responsabilidades lhes proíbam o cumprimento de uma ordem. Se seus pareceres e avisos não são ouvidos em tal situação, têm eles o direito e o dever de pedirem exoneração de seus cargos. Se todos agirem com espírito de determinação, será impossível a execução de uma política de guerra. Dessa maneira, terão salvo seu país do pior — da ruína.

> Constitui falta de grandeza e de compreensão do dever, se um soldado, na mais alta posição em uma ocasião como esta, considerar seus deveres e tarefas apenas dentro do marco estreito de suas ordens de natureza militar, sem estar consciente de suas mais altas responsabilidades para com a nação como um todo. Tempos extraordinários exigem medidas extraordinárias.[23]

Finalmente, Brauchitsch concordou em convocar uma reunião de generais dos mais altos comandos, a fim de que Beck lhes expusesse suas opiniões e pudesse conhecer as reações deles. Durante a reunião, Brauchitsch leu um memorando, que alegou ser de sua autoria, mas que quase com certeza foi escrito por Beck, argumentando que haveria uma guerra geral com a invasão da Tchecoslováquia e que a Alemanha seria derrotada. Os chefes militares teriam que exercer influência sobre Hitler e levá-lo a compreender os perigos da política que pretendia implementar. A reunião desenvolveu-se satisfatoriamente, do ponto de vista de Beck. Os generais concordaram em que o Exército e o povo alemão não queriam a guerra, e que, embora a Wehrmacht pudesse derrotar os tchecos, não poderia esperar fazer o mesmo contra o conjunto de inimigos que se levantariam, se levasse adiante os planos. Brauchitsch, evidentemente animado pelo espírito que prevaleceu na reunião, encerrou-a com a observação de que tal guerra implicaria o fim da cultura alemã.

Procurou Hitler logo depois, mas saiu derrotado do encontro. Cresceu o desprezo de Hitler pelos generais, debilitou-se a posição pessoal de Brauchitsch e continuaram tão céleres como antes os preparativos para o ataque à Tchecoslováquia. À guisa de resposta, Hitler recebeu os generais mais graduados no dia 15 de agosto de 1938 e comunicou-lhes que os receios que manifestavam eram infundados. Conhecia bem Chamberlain e Daladier e, enquanto eles permanecessem no poder em seus países, nenhuma grande guerra aconteceria na Europa em conseqüência da invasão da Tchecoslováquia.

Três dias depois, em uma tempestuosa e final reunião com Brauchitsch, Beck simplesmente recusou-se a continuar no cargo. Pelo menos esse gesto de desafio teve sucesso, e Hitler concordou com a saída de Beck, mas apenas sob a condição de que fosse mantida em sigilo. No dia 27 de agosto de 1938, Beck passou o cargo a seu sucessor, general Franz Halder, tendo reconhecido claramente que a obediência militar tem limites.

Beck caiu na obscuridade, gravitando para a oposição interna aos nazistas, consubstanciada na *Mittwochgesellschaft*, onde veio a desempenhar um papel crescentemente importante. Profundamente implicado na conspiração que fracassou quando Hitler sobreviveu milagrosamente à tentativa do coronel von Stauffenberg de assassiná-lo com uma bomba, no dia 20 de julho de 1944, cometeu suicídio. Devia ter sido o chefe de Estado da nova Alemanha. Seguramente percebeu, logo que chegaram as notícias de que Hitler escapara ao atentado, que a Alemanha não tinha outra salvação que não através da derrota e da ruína, e que a ele não restava outro futuro se não a morte, pelas próprias mãos ou pelas dos nazistas.

De que modo, então, devem ser julgados Fritsch e Beck? Evidentemente, como militares, foram de alto calibre, admirados e respeitados por colegas e subordinados por seu profissionalismo. O poderio e a proficiência da Wehrmacht, desenvolvidos na maior parte durante a permanência dos dois nos respectivos cargos, constitui demonstração mais que suficiente da competência de ambos. No tocante ao campo das relações político-militares, o veredicto não pôde deixar de ser menos favorável. Perceberam que Hitler estava levando a Alemanha pelo caminho da destruição, mas não produziram impacto suficiente para modificar o resultado.

Claro que se poderia argumentar em defesa de ambos que, como militares, tinham por dever obedecer simplesmente às ordens de seus superiores políticos. A opinião mundial durante o julgamento de Nuremberg e as reações a outros conflitos posteriores a 1945, porém, demonstraram que essa linha de raciocínio não tem mais credibilidade. Na verdade, Fritsch e, especialmente, Beck, sabiam que tinham alguma responsabilidade pelos assuntos militares e um dever mais amplo do que simplesmente obedecer.

Erraram basicamente no tocante a quando e com que firmeza deveriam ter manifestado sua discordância. Evidentemente, ambos tinham certa fé na persuasão, como meio de mudar as políticas de Hitler, até a época de suas exonerações. Foi esse o erro básico. Hitler não queria ser convencido. Era o Führer e se decidira pela conquista. A fim de ter êxito, Fritsch e Beck precisariam ter sido politicamente muito mais veementes e intrigantes, construindo dentro da Wehrmacht uma oposição sólida e concentrada aos planos bélicos de Hitler, e com a qual ele teria que entrar em acordo. Sem o Exército, seus planos não poderiam ser implementados. A lógica de tal transigência de ambos os lados, porém, teria sido uma imensa mudança nas relações de poder entre os nazistas e os generais. O que essa oposição secreta e concentrada devia ter feito era lançar as bases de um *coup d'état* bem-sucedido. Beck percebeu isso com mais clareza do que Fritsch, mas, por essa ocasião, já era tarde demais. Ele não comandava tropa nenhuma, o Exército já tomara posições para atacar a Tchecoslováquia, e — a ironia final — Chamberlain e Daladier deram razão à profecia de Hitler, e não à de Beck.

Dados cronológicos | Werner von Fritsch

1880, 4 ago	Nasce em Benrath, nas proximidades de Düsseldorf
1886-98	Faz seus estudos em Düsseldorf, Posen e Hanau
1898, 21 set	*Fahnenjunker* no 25º Regimento de Artilharia hessiano
1900, 27 jan	*Leutnant*
1907, 1º out	*Kriegsakademie*, Berlim
1909, 18 out	*Oberleutnant*
1911, 1º abr	Grande Estado-Maior Geral, Berlim
1913	Treinamento como observador antiaéreo
1913, 22 mar	*Hauptmann* no Grande Estado-Maior Geral
1914-18	Oficial do Estado-Maior do 4º Exército, da 47ª Divisão da Reserva, da 1ª Divisão de Guardas, do 10º Exército, da Força Aérea, do 6º Corpo de Reserva e do Grenzschutz Nord
1917, 16 set	*Major*
1919	Oficial do Estado-Maior do general von der Goltz, Área do Báltico, Grenzschutz Nord e outras nomeações para o Estado-Maior Geral
1920	Ministério da *Reichswehr*
1922	Comandante do 2º Batalhão do 5º Regimento de Artilharia
1923, 1º fev	*Oberstleutnant*
1924-26	Chefe do Estado-Maior da 1ª Divisão, Königsberg
1926, jan	Diretor de Operações, *Truppenamt*
1927, 1º mar	*Oberst*
1928	Comandante do 2º Regimento de Artilharia
1930	*Artillerieführer* II
1930, 1º nov	*Generalmajor*, Comandante da 1ª Divisão de Cavalaria, Frankfurt an der Oder
1932, 1º out	*Generalleutnant*, Comandante do *Wehrkreis III*
1934, 1º fev	*General der Artillerie* e comandante-chefe do Exército
1936, 20 abr	*Generaloberst*
1938, 4 fev	Aposentadoria
1938, 12 ago	Comandante Honorário do 12º Regimento de Artilharia
1939, 22 set	Morto a tiro por um tocaieiro polonês em Varsóvia

Fritsch era protestante. Suas condecorações incluíam a Cruz de Ferro, 1ª Classe, e a Ordem da Casa Hohenzollern.

Dados cronológicos | Ludwig Beck

1880, 29 jun	Nasce em Biebrich, nas proximidades de Wiesbaden
1886-98	Faz seus estudos em Biebrich e no Humanistisches Gymnasium, onde completa seu *Abitur*
1898, 12 mar	Senta praça no 15º Regimento de Artilharia de Campanha prussiano
1898-99	Cursa a *Kriegsschule Neisse*
1899, 18 ago	*Leutnant*
1902, 1º out	Escola de Artilharia e Engenharia, Charlottenburg
1903, 18 set	Ajudante de batalhão, 15º Regimento de Artilharia de Campanha
1908, 1º out	*Kriegsakademie*
1909, 17 set	*Oberleutnant*
1911, 1º jul	1º Regimento de Artilharia de Campanha
1912, mar	Grande Estado-Maior Geral, Berlim
1913, 1º out	*Hauptmann*
1914, 2 ago	Oficial do Estado-Maior do 6º Corpo da Reserva
1915-16	Oficial do Estado-Maior das 117ª e 13ª Divisões da Reserva
1916-18	Oficial do Estado-Maior do Grupo de Exércitos *Deutscher Komprinz*
1918, 18 abr	*Major*
1918-19	Grande Estado-Maior Geral, Berlim
1919-22	Missões especiais designadas pelo general von Seeckt
1922, 1º out	Comandante de batalhão, 6º Regimento de Artilharia, Münster
1923, 15 abr	*Oberstleutnant*
1923, 1º out	Diretor de Treinamento de Oficiais de Estado-Maior, *Wehrkreis VI*
1925, 1º out	Chefe do Estado-Maior, *Wehrkreis IV*
1929, 1º out	Comandante do 5º Regimento de Artilharia, Fulda
1929, 1º nov	*Oberst*

1931, 1º fev	*Generalmajor*
1931-32	Elaboração do manual *Die Trüppenführung*
1932, 1º fev	*Artillerieführer IV*, Dresden
1932, 1º out	Comandante da 1ª Divisão de Cavalaria, Frankfurt an der Oder
1932, 1º dez	*Generalleutnant*
1933, 1º out	*Chef des Truppenamts*
1935, 1º jul	*Chef des Generalstabs des Heeres*
1935, 1º out	*General der Artillerie*
1937, 16-20 jul	Visita a Paris, conferências com o marechal Pétain, general Gamelin e ministro da Guerra Daladier
1938, 27 ago	Passa o cargo ao *General der Artillerie* Halder
1938, 1-30 set	Comandante interino do 1º Exército (West Wall)
1938, 31 out	Aposentadoria oficial, promovido a *Generaloberst*
1944, 20 jul	Comete suicídio

Beck era protestante. Falava francês e inglês. Casou-se no dia 12 de julho de 1916 com Amalie Pagenstecher, que faleceu em 16 de novembro de 1917. Suas condecorações incluíam a Cruz de Ferro, 1ª Classe, e a Ordem da Casa Hohenzollern.

Witzleben, Stülpnagel e Speidel | 2

Marechal-de-campo Erwin von Witzleben
General de Infantaria Karl-Heinrich von Stülpnagel
Tenente-general dr. Hans Speidel

KLAUS-JÜRGEN MÜLLER

Será realmente possível, em um único ensaio, render homenagem a esses três homens notáveis? À primeira vista, as diferenças parecem grandes demais. Witzleben e Stülpnagel eram originários de famílias tradicionais, enobrecidas por serviço militar, o primeiro nascido na Turíngia e o segundo em Uckermark, ao passo que Speidel era filho de uma família de classe média, de servidores públicos, natural de Württemberg.

Os três diferiam muito em idade. Witzleben era meia década mais velho do que Stülpnagel, e Speidel 11 anos mais jovem do que este último.

Witzleben fora cadete e, durante toda a vida, permanecera como produto típico desse grupo militar, em conduta e atitude. Sobre ele, disse um de seus confidentes mais íntimos na resistência:

> Witzleben era um homem de encantadora simplicidade. Ardis políticos, como os usados pelo general de gabinete Halder, eram estranhos à sua natureza. Talvez não fosse um homem muito lido, certamente não era um *connaisseur* das belas-artes, mas tinha suas raízes nas nobres tradições do velho corpo de oficiais prussiano. Gostava imensamente da vida do campo e era um caçador apaixonado.[1]

Stülpnagel e Speidel, contudo, cresceram na atmosfera relativamente liberal de suas cidades natais, o primeiro em Frankfurt am Main e o segundo em Stuttgart, capital de Württemberg. Receberam ambos educação clássica no ginásio e conservaram durante a maior parte da vida o amor pela cultura e um interesse especial por tópicos histórico-políticos e filosóficos. Já na escola, Stülpnagel revelou talento matemático acima da média, enquanto Speidel demonstrava jeito e interesse pela literatura. Ambos levavam muito a sério seus estudos acadêmicos. Ao tempo de jovem oficial, Speidel estudou nas universidades de Stuttgart e Tübingen, e, em 1925, conquistou o grau de PhD com uma tese sobre historiografia. Antes de iniciar a carreira militar, Stülpnagel realizou estudos durante algum tempo em Genebra.

Pertencentes todos os três à infantaria, passaram a mocidade, porém, em regimentos muito diferentes: em 1901, Witzleben sentou praça no Regimento de Granadeiros König Wilhelm I, da Prússia Ocidental, na Silésia, em Liegnitz, uma unidade rica em tradições; em 1904, Stülpnagel tornou-se oficial cadete no 115º Regimento de Infantaria de Guardas do grão-ducado de Hesse, aquartelado em Darmstadt, enquanto Speidel era aceito no Regimento de Granadeiros de Guarda König Karl, em Ulm, Württemberg, cujo comandante honorário era o rei de Württemberg.

Homens como Witzleben e Stülpnagel foram ainda moldados pelo Exército de tempos de paz anterior à Primeira Guerra Mundial. Viveram durante mais de uma década da fama e glória da monarquia militar guilhermina, ao passo que Speidel só se apresentou como voluntário em novembro de 1914, após o irrompimento da Primeira Guerra Mundial.

Stülpnagel foi o único dos três a estudar na Academia de Guerra prussiana e entrou na guerra como oficial do Estado-Maior Geral, do tipo clássico. Witzleben iniciou a carreira como oficial de regimento, lutou como comandante de companhia e batalhão em Verdun e Arras e, só depois de gravemente ferido, foi matriculado em um dos cursos intensivos do Estado-Maior Geral durante a guerra. Speidel, o mais jovem dos três, recebeu o treinamento (sigiloso) de Estado-Maior Geral adaptado especialmente à *Reichswehr* do pós-guerra e só se tornou oficial de Estado-Maior em 1930, ocasião em que Witzleben já fora promovido a chefe de Estado-Maior de uma divisão e distrito militar. A despeito de todas essas diferenças, já começavam a emergir os fatores que influenciaram de maneira semelhante a vida e a carreira profissional dessas personalidades tão diferentes, isto é, a participação na Primeira Guerra Mundial e a ligação com o Estado-Maior Geral.

Haviam eles tomado parte nas *Matterialschlachten* (batalhas de material bélico) da primeira guerra moderna, travada entre nações altamente industrializadas. Ao fim da guerra, Witzleben e Stülpnagel haviam chegado ao posto de capitão. Speidel, segundo-tenente, como comandante de companhia e ajudante de regimento, participara de combates. Todos os três foram incorporados à *Reichswehr*. Nos anos que se seguiram, Witzleben e Stülpnagel serviram alternativamente em postos regimentais ou no Estado-Maior Geral. Em 1933, ambos haviam chegado ao posto de coronel. Witzleben, o mais velho, alcançara o comando de um regimento e servira em posições mais graduadas no Estado-Maior Geral, isto é, como chefe de Estado-Maior da 6ª Divisão, aquartelada em Münster, onde foi oficial superior de um dos conspiradores mais ativos da resistência anti-Hitler, o mais tarde general Oster. Em 1931-32, Stülpnagel, sem dúvida o intelectualmente mais brilhante dos dois, recebeu a missão de compilar os regulamentos do "comando de tropa", juntamente com Ludwig Beck, que acabara de ser promovido a major-general e, mais tarde, se tornaria chefe do Estado-Maior Geral e a personalidade mais importante na resistência contra Hitler. Esses regulamentos forneciam a base teórica ao treinamento de comandantes de tropas de linha e influenciaram profundamente os regulamentos correspondentes dos exércitos americano, russo e turco. Stülpnagel ganhou a missão devido à sua reputação como oficial de notáveis conhecimentos técnico-militares, grande capacidade operacional e ampla educação militar.

A colaboração com Beck, no entanto, viria a ser fatal para ele. Em outubro de 1933, ao assumir o cargo de chefe do Estado-Maior do Exército alemão, Beck chamou Stülpnagel a Berlim e entregou-lhe a chefia da divisão "Exércitos Estrangeiros" do Estado-Maior, encarregada da coleta de informações sobre os exércitos de outras nações e da análise e elaboração da política militar. Beck compartilhava dos conceitos de Stülpnagel sobre o assunto e respeitava seu enfoque sóbrio e realista. Beck pertencia àquele grupo de oficiais superiores que eram favoráveis a um rápido e geral rearmamento alemão, ignorando a Conferência de Desarmamento da Liga das Nações, que se reunia em Genebra. Percebeu a possibilidade de levar adiante essas idéias mediante aliança com os nacional-socialistas. Por isso mesmo, saudou a tomada do poder por Hitler em 1933, como "o primeiro e grande raio de luz desde 1918".

Embora o fato ainda não se manifestasse em 1933, o relacionamento pessoal que se desenvolveu dentro do pequeno corpo de oficiais entre Beck e Stülpnagel ou entre Witzleben e Oster teria conseqüências fatais para os dois na resistência alemã durante a guerra.

Ainda assim, na ocasião, os acontecimentos pareciam desenrolar-se de maneira diferente. Entre 1933 e 1939, Stülpnagel, Witzleben e o muito mais jovem Speidel progrediram notavelmente em suas carreiras — não só pela capacidade que possuíam, mas também, em grande parte, como resultado de uma situação geral que se tornara favorável à carreira militar. A expansão do Exército alemão, das sete divisões de 1933 para as mais de 100 com que o país entrou na guerra em 1939, oferecia oportunidades de promoções e sucesso. Nesse período, Witzleben passou de coronel a coronel-general e ao comando de um exército e, finalmente, nove meses depois, em 1940, a marechal-de-campo. Stülpnagel que foram também coronel em 1933, tornou-se comandante de divisão em 1937 e, finalmente, em 1939, general de infantaria e vice-chefe do Estado-Maior da Wehrmacht (OKW). O jovem Speidel que estava justamente iniciando seu serviço de Estado-Maior em 1930, assumiu, seis anos depois, a chefia da divisão "Exércitos Estrangeiros do Ocidente", do Quartel-General do Exército, e em seguida a função de primeiro-oficial de Estado-Maior de uma divisão e tenente-coronel.

Paradoxalmente, o período de rápidas e brilhantes promoções foi também de desencanto progressivo para os dois mais velhos. Nos cinco anos transcorridos de 1934 a 1938, surgiram as bases da posterior resistência irreconciliável a Hitler. Esse processo, de cooperação inicial como o regime nazista para oposição e, finalmente, resistência, contudo, não ocorreu uniformemente, variando de um indivíduo a outro.

Tanto quanto podemos depreender de fontes duvidosas, a evolução foi relativamente direta no caso de Witzleben. Isento de ceticismo intelectual, simples, e bem-dotado para percepção do essencial, reagiu ao que acontecia tão logo seu ideal político, isto é, a autonomia do Exército como garantia de um poderoso estado nacional autoritário, foi afetado prejudicialmente. Quando, no início de fevereiro de 1934, seu chefe de Estado-Maior, coronel von Manstein — mais tarde, marechal-de-campo —, escreveu um memorando protestando contra a introdução de doutrinas racistas no Exército — o chamado "parágrafo ariano" —, apoiou-lhe a ação com toda sua autoridade. Essa medida equivalia a um controle ideológico partidário-político do Exército. Colidia, portanto, com seu conceito de autonomia do Exército no Estado. Chocava-se também com a doutrina dos "dois pilares", Exército e Partido, como sustentáculos do Estado — doutrina esta elaborada pelo Ministério da Defesa e aceita por Hitler (uma manobra tática inteligente, efetuada com restrições mentais). Quando, no verão de 1934, alguns Jovens Turcos conservadores do grupo que apoiava o vice-chanceler von Papen procurou-o, a fim de convencê-lo a aliar-se com eles na luta interna pelo poder entre os radicais no partido de Hitler e seus aliados políticos conservadores, Witzleben concordou imediatamente.

Após o ato de violência assassina de Hitler contra a chefia da SA, de Ernst Röhm, em 1934, durante o qual foram vitimadas numerosas personalidades conservadoras, mas também o ex-chanceler, general von Schleicher, e outro ex-general, Bredow, Witzleben (juntamente com os generais von Leeb e von Reichenau) não hesitou mais e pediu ao comandante-chefe do Exército a abertura de um inquérito, por corte marcial, para investigar os assassinatos. Ele, contudo, não conseguiu perceber o que acontecia através da fina teia de intrigas políticas, nessa luta interna pelo poder político, uma teia urdida entre outros por figuras importantes do Ministério de Defesa. Foi fácil, por conseguinte, para pessoas responsáveis no ministério fazer com que a investigação em nada resultasse. As intrigas políticas eram coisas estranhas ao general von Witzleben.

Conta-se que o falecimento de Hindenburg, alguns dias depois, constituiu um profundo choque para ele. Não tivera também o velho marechal-de-campo suas raízes no mesmo conceito de valores do mundo, há muito ultrapassado, da monarquia germano-prussiana?

A segunda grave crise do regime nacional-socialista, após o caso Röhm, ocorreu com o caso Blomberg-Fritsch, nos inícios de 1938. Este fato tornar-se-ia fator decisivo para Witzleben e para muitos outros na marcha para uma resistência irreconciliável ao regime. A vergonhosa intriga montada contra o profundamente reverenciado comandante-chefe do Exército, coronel-general barão von Fritsch, enfureceu-o profundamente. Nesse momento, tornou-se politicamente importante a experiência negativa que tivera, na qualidade de comandante do *Wehrkreis* (distrito militar) de Berlim, em contatos obrigatórios com membros do Partido Nazista.

No auge do caso Fritsch, o próprio Witzleben não se encontrava em Berlim. Internara-se em um sanatório em Dresden para tratamento. Só voltou a Berlim em meados de fevereiro de 1938, depois de já terem sido tomadas decisões vitais. Reconheceu com grande clareza, porém, que o que havia no fundo era uma luta pelo poder entre o Exército e elementos radicais dentro do movimento NS (SS, Gestapo). De forma decisiva, como era seu hábito, entrou em contato com o vice-chefe nazista da polícia de Berlim (mas crítico do Partido), conde von der Schulenburg. Juntamente com ele e o comandante do 50º Regimento de Infantaria, coronel von Hase — ambos, incidentalmente, vítimas da ira do regime após 20 de julho de 1944 —, discutiu a possibilidade de tomada de medidas contra as facções nazistas que eram hostis ao Exército. Quando dois jovens oficiais, do Regimento de Infantaria de Potsdam, Henning von Tresckow — mais tarde um dos mais eloqüentes adversários de Hitler — e o conde Baudissin, ambos profundamente indignados com a intriga armada contra Fritsch, disseram-lhe que estavam pensando em pedir baixa do Exército, aconselhou-os a permanecer, dizendo-lhes que chegaria o dia do ajuste de contas com os instigadores da conspiração contra Fritsch e que, nessa ocasião, seriam necessários bons oficiais.[2]

A atitude de Witzleben durante o caso Röhm e a crise Fritsch demonstraram, por um lado, sua reação viril e resoluta quando estavam em jogo a honra e os interesses do Exército e corriam risco valores com que estava comprometido. E, por outro, que estava cada vez mais decidido a preservar, se necessário pelo emprego da força, a posição do Exército contra os ataques das fileiras do movimento nazista. Dada a ausência de fontes fidedignas, é difícil saber com certeza se, naquela época, ele já rejeitara o Terceiro Reich e Hitler. Mas é certo que, como comandante militar de Berlim encarregado de organizar as cerimônias militares anuais no dia do aniversário de Hitler, ele nunca sucumbiu ao fascínio que o ditador exercia sobre os demais. Segundo o presidente do Reichsbank, Schacht, Witzleben certa vez observou: "Jamais suportei esse indivíduo."[3] No verão de 1938, durante a crise dos sudetos, deu um passo decisivo, do envolvimento na luta interna pelo poder para a resistência ao regime e, finalmente, para a organização de um golpe de Estado.

Em termos comparativos, a evolução de Stülpnagel foi muito mais complicada, embora não menos regular. Como diretor da divisão "Exércitos Estrangeiros", era não só o assessor responsável perante o chefe de Estado-Maior Geral sobre assuntos político-militares e, por conseguinte, política externa, mas, muito cedo ainda, tornou-se um dos confidentes mais íntimos de Beck. Em princípios da década de 30, aceitava inteiramente as idéias militares de Beck: rápido rearmamento unilateral, ignorando as restrições impostas pelo acordo internacional. Com toda rapidez possível, o Exército devia ser triplicado e equipado com armas pesadas. Qualquer concebível intervenção de parte das potências fiadoras dos Tratados de Versalhes e Locarno acarretaria, em conseqüência, um perigo imprevisível: o chamado "exército de risco" seria um dissuasivo e base de um futuro exército constituído inicialmente de 36 e, mais tarde, 65 divisões.

O Ministério das Relações Exteriores defendia o controle internacional do rearmamento de uma convenção de armamentos que garantisse a segurança do país. Beck, contudo, apoiado por Stülpnagel, insistia em rearmamento maciço unilateral. Embora condenassem medidas provocadoras em política externa, não compreenderam os dois que eram suas próprias políticas militares que outros países consideravam como provocação concreta. O secretário de Estado do Ministério do Exterior, von Bülow, temia que o rearmamento unilateral alemão isolasse o Reich e resultasse na formação de alianças contra o mesmo. "Todas as potências de alguma importância estão contra nós", disse ele ao chefe do Estado-Maior Geral no verão de 1934.[4] "Se", escreveu ele em um memorando ao ministro do Exterior,[5] "continuarmos a nos rearmar sem restrições ou coordenação, estaremos nos encaminhando para um grave perigo." Nem a França nem a Grã-Bretanha tolerariam tal rearmamento.

O chefe do Estado-Maior Geral, porém, insistiu em seu conceito. Já em 1934, exigia o estabelecimento do serviço militar obrigatório e a militarização da zona da Renânia. Em uma mistura muito curiosa de perspicácia e teimosia que chegava à obsessão, Stülpnagel redigiu, no outono de 1934, um relatório político-militar no qual dizia que a Grã-Bretanha estava preocupada com o rearmamento alemão no ar e que, se fosse possível neutralizar de alguma maneira essa preocupação, a posição político-militar da Alemanha melhoraria acentuadamente. Argumentava, contudo, que isso não seria conseguido mediante concessões no programa de rearmamento, mas influenciando a opinião pública na Grã-Bretanha: "O abandono do rearmamento aéreo está inteiramente fora de questão e seria interpretado na Inglaterra apenas como sinal de fraqueza."[6] Nisto tinha todo o apoio do chefe do Estado-Maior Geral, que reagia a toda e qualquer deterioração nas relações externas com uma manutenção ainda mais enfática do rearmamento unilateral, na verdade com outro giro no parafuso do rearmamento! Entre 1934 e 1936, em contraste com Beck, ele pareceu adotar uma opinião mais realista da situação que resultara do rearmamento unilateral do Reich. Passou a enviar avisos urgentes ao chefe do Estado-Maior Geral e, em meados de abril de 1935, uma análise da situação político-militar iniciava-se com a seguinte oração: "Em caso de conflito armado, a Alemanha estaria em uma situação muito mais desfavorável do que em 1914." E chegava a uma inequívoca conclusão: "Se absolutamente possível, deve-se evitar um confronto... preparar o país para um cerco, mesmo que isso tenha que acarretar sacrifícios."[7]

Enquanto, em 1936-37, Beck ainda iniciava um esforço maciço de rearmamento e tratava da formação de um "exército ofensivo" com um núcleo de grandes formações blindadas e motorizadas, Stülpnagel parecia tornar-se cada vez mais preocupado com as repercussões internacionais que esse tipo de rearmamento acarretaria. Evidentemente, ele percebera, antes do chefe do Estado-Maior Geral, que dilemas o Reich enfrentaria com uma política externa e militar que visava exclusivamente ao poder militar.

Poderia o seu afastamento do centro nevrálgico do Estado-Maior Geral para um comando de tropa ter sido sinal de resignação, ou mesmo indicação do fato de que não queria ser mais co-responsável por essas políticas? Não sabemos. Em carta particular ao chefe do Estado-Maior Geral, datada de dezembro de 1936, na qual indica convincentemente as conseqüências de tais políticas, poderemos talvez encontrar uma pista: ele critica a "pressa nervosa e a imprudência... de nossas políticas externas". Lamenta que "tantos sucessos importantes... sejam postos em perigo pelo grau de desconfiança, medo e ódio que despertamos", e, no fim, adverte com palavras quase proféticas: "Poderemos manter o mundo em estado de inquietação durante algum tempo, mas chegará o momento em que ele nos chamará à ordem."[8] Essas palavras são muito diferentes das que usou no relatório militar de 1934, citado acima. É claro que Stülpnagel percebeu, antes de Beck, os desastrosos efeitos das políticas militar e externa, políticas que ele mesmo, em uma posição responsável, ajudara a formular, mas de que começava a distanciar-se naquele momento. Parece residir aí a origem de sua oposição fundamental posterior ao regime de Hitler. E da mesma maneira que tomou sua "estrada para Damasco" em política militar e externa, e mais vigorosamente que seu chefe de Estado-Maior, ele, em 1938, reconheceu também mais cedo do que Beck que o próprio Hitler, e não os alegados "círculos nazistas radicais", era o autêntico provocador de guerra.

Não é de surpreender, portanto, que à vista da evolução diferente, mas basicamente convergente, de Stülpnagel e Witzleben, ambos acabassem por desempenhar papéis relevantes na primeira conspiração séria, em fins do verão de 1938, que deveria ter culminado em um golpe de Estado.

Em fevereiro de 1938, Witzleben e Stülpnagel voltaram a reunir-se em Berlim. O segundo acabara de ser nomeado pelo velho amigo Beck para o cargo de oficial do Estado-Maior encarregado do treinamento militar. Em abril, Hitler provocou a crise dos sudetos, que culminou no famoso fim de semana de maio, em que os tchecos mobilizaram o país e o perigo de guerra assombrou a Europa. Disse mais tarde Beck que, após aquele mês de maio, só teve um pensamento: "De que modo pode a paz ser mantida na Europa?"[9] Em conferências e memorandos, tentou neutralizar as políticas que exacerbavam o risco de guerras pan-européias, argumentando que a guerra contra a Tchecoslováquia não poderia ser isolada, que o Exército estava mal preparado para combater, com qualquer esperança de sucesso, as potências ocidentais. Mas ainda acreditava que os "provocadores de guerra" encontravam guarida entre os "radicais" do movimento nazista, na SS, na SD e nos grupos que gravitavam em torno de Ribbentrop e Göring. Stülpnagel, porém, tentou convencer seu chefe de que era o próprio Hitler o fomentador dessas políticas condenadas ao fracasso. Provavelmente por ser um realista sóbrio e possuir uma introvisão da política externa de Hitler que obtivera como ex-chefe da divisão político-militar do Estado-Maior Geral, avaliou a situação mais cedo que Beck. É certo que estabeleceu contato com o tenente-general (mais tarde general) Oster e com o resoluto grupo de oposição que havia no Serviço Secreto Alemão, e que Witzleben provavelmente promoveu esses encontros.

Nessa ocasião, os pensamentos de Beck estavam muito distantes de qualquer coisa ligada a um golpe de Estado. Pensava, sim, em frustrar as políticas belicosas de Hitler, mediante uma "greve de generais", um pedido coletivo de exoneração de todos os generais em funções de comando. Simultaneamente, esse golpe contra os supostos belicistas e inimigos do Exército na SS e SD daria início a um processo de expurgo da cena política interna. Por outro lado, no auge da crise dos sudetos, Stülpnagel, Oster e outros colegas que tinham opiniões idênticas tencionavam ir mais um passo adiante. Não são, contudo, claras as fontes para tal suposição.

Entrementes, o plano de Beck para tornar impotente a SS, e eliminar representantes importantes do regime, teria atingido duramente o domínio nazista, modificando-o fundamentalmente. É difícil saber por onde exatamente passava a linha divisória entre preparativos para um golpe contra facções da máquina governante e um autêntico golpe de Estado. Ainda assim, os objetivos de Stülpnagel eram mais radicais que os de Beck. O plano de Beck, porém, não funcionou: o comandante-chefe do Exército, Brauchitsch, e generais prestigiosos não o acompanharam. Renunciou à chefia do Estado-Maior Geral e foi substituído pelo seu vice, o general Halder.

Com a nomeação de Halder, novos caminhos se abriram para Stülpnagel. Decepcionado com a limitada compreensão e falta de determinação conspiratória de Beck, apostou todas as suas fichas em Halder, que, ao contrário de Beck, pertencia à sua geração (apenas um ano e meio mais velho) e cuja carreira militar, embora adiantada em um ano, correra paralela à sua. Halder respeitava particularmente seu amigo íntimo Stülpnagel, um "oficial de pensamentos nobres, honestos, segundo o melhor da velha tradição... um intelectual de altos interesses políticos e grande tato. E era excelente nossa compreensão mútua. Formava ao lado daquelas pessoas convencidas de que Hitler era um inimigo da pátria, que vivia em um conflito íntimo constante e impelia outros à ação". Mas não era um estouvado e "... mantinha sempre uma atitude calma e ponderada em relação à questão da resistência, sem perder de vista os contornos gerais da situação".[10]

Stülpnagel gozava da inteira confiança de Halder. Durante longo tempo, por conseguinte, exerceu influência considerável sobre as atividades de resistência do novo chefe do Estado-Maior Geral, que ele corretamente achava que reagiria muito mais resolutamente contra Hitler e suas políticas do que Beck. Nem ele nem Halder tinham ilusões sobre quem eram os autores das políticas irresponsáveis que estavam ameaçando levar o país à guerra, nem compartilhavam o otimismo de Beck — imaginar que poderia convencer o ditador apenas com memorandos ou com pedidos de exoneração.

Da mesma forma que Stülpnagel, Halder instara com Beck que tomasse medidas mais enérgicas. Desta maneira, Stülpnagel tinha no novo chefe do Estado-Maior Geral não só um amigo íntimo, mas também um adversário resoluto de Hitler. Imediatamente, Halder nomeou-o como vice.

A oposição no Estado-Maior Geral evidentemente recebeu um novo impulso quando esses dois homens foram guindados ao mais alto escalão: não hesitariam em patrocinar um golpe de Estado, se a guerra pudesse ser evitada. Nesse momento, queriam a derrubada de Hitler mediante um golpe, a fim de evitar a guerra, mas não a qualquer preço, como pretendiam os conspiradores radicais reunidos em volta de Oster.

Halder encarregou Stülpnagel de preparar tudo para a eventualidade de um golpe, no caso de as políticas de Hitler provocarem uma guerra contra as potências ocidentais. Stülpnagel estabeleceu contato com Witzleben, que — em contraste com o chefe do Estado-Maior Geral — exercia comando direto de unidade de linha no *Wehrkreis* de Berlim. Jamais agindo de improviso, mas sempre depois de investigação minuciosa, Witzleben pediu a Stülpnagel que o pusesse a par da situação política, e consultou também o presidente do Reichsbank, Schacht, que durante já algum tempo vinha observando, preocupado, a direção da política externa de Hitler e o desenvolvimento da situação interna. Schacht ficou profundamente impressionado com a determinação de Witzleben. Para ele, Witzleben sempre foi "o primeiro... e mais determinado general a reconhecer a necessidade de derrubada de Hitler e a entregar-se de corpo e alma à tarefa".[11] Como dinâmico chefe de tropa que, tendo tomado uma decisão baseada em avaliação detalhada, age sem hesitação, Witzleben informou alguns comandantes mais moços e confiáveis sobre a situação, entre eles o comandante da Divisão Potsdam, general conde Brockdorff-Ahlefeldt. Ordenou a Oster que reunisse um grupo de assalto de jovens oficiais, que deveriam tomar a Chancelaria e prender e, se necessário, fuzilar Hitler. Utilizou inclusive um conspirador civil no seu *Wehrkreis*, a fim de funcionar como intermediário com o grupo Oster, sob a alegação de que essa pessoa estava classificando para ele documentos de família.

Havia, entre os conspiradores, grandes diferenças sobre o objetivo final. Para os oficiais do Estado-Maior Geral, o golpe representava a última tentativa desesperada de impedir a guerra. Para Witzleben e o grupo Oster, a finalidade real era o golpe, e a guerra iminente fornecia um bom motivo. O plano potencial de Halder, por conseguinte, foi superado pelos planos de golpe da facção radical dos conspiradores. Stülpnagel, encarregado por Halder de coordenar a preparação do golpe, foi obviamente o intermediário entre esses dois grupos de poder.

O golpe, porém, não ocorreu nessa ocasião. As atitudes apaziguadoras da Grã-Bretanha e da França, culminando na conferência de Munique, eliminaram a justificação da derrubada do ditador. Entrou em colapso a conspiração recém-formada. Atordoado, o grupo radical que se reunia em torno de Witzleben e Oster teve uma reação curiosa: "Chamberlain salvou Hitler."

Halder e Stülpnagel, por seu lado, sentiram-se aliviados porque a guerra fora evitada sem necessidade de emprego de violência. Como patriotas, notavam com prazer o poder crescente do Reich, mas como membros da oposição reconheciam, sem reservas, que aumentara também o prestígio de Hitler. Por tudo isso, entre Munique e a deflagração da guerra em 1939, a oposição permaneceu paralisada e em estado de choque.

Tendo a oposição em Berlim se tornado incapaz de agir, Witzleben, transferido para Frankfurt am Main como comandante-chefe do Grupo de Exércitos 2, começou, realisticamente e cheio de determinação, a traçar uma estratégia conspiratória de longo prazo em sua nova esfera de atividade. Embora, no momento, não visse muita oportunidade para a derrubada do governo, esse general perspicaz e resoluto, afastado do centro em Berlim e sem informações atualizadas, ainda assim recusava-se a desistir. Juntamente com seu chefe de Estado-Maior, general von Sodenstern, e o oficial mais graduado, Vincenz Müller, ambos profundamente desconfiados do nacional-socialismo, procurou identificar comandantes de tropa confiáveis que pudessem influenciar seus oficiais subordinados para a oposição a Hitler. Fundamentalmente, esse plano visava à criação de quadros conspiratórios em certos círculos do corpo de oficiais. Tratava-se de uma iniciativa que, planejada no marco de oposição, era imensamente ousada e incomum no contexto da tradição militar alemã. Witzleben e seus confidentes agiam baseados na suposição de que, em vista do rearmamento insuficiente e de obras ainda por completar na Muralha Ocidental (Linha Siegfried), disporiam ainda de dois a três anos, antes do confronto seguinte com as políticas de Hitler. Cometeram no particular um erro de julgamento, uma vez que, no dia 1º de setembro de 1939, Hitler atacou a Polônia e deflagrou a guerra na Europa. Witzleben assumiu o comando do 1º Exército na Frente Ocidental, que fazia parte do Grupo de Exércitos C, às ordens do coronel-general Ritter von Leeb. Durante a "Guerra de mentirinha" no outono e inverno de 1939-40, Witzleben travou várias batalhas com o Partido Nazista e a SS em sua esfera de comando. Em algumas ocasiões, por exemplo, ordenou a seu exército que impedisse, se necessário por intervenção armada, violências contra os judeus praticadas por unidades do Partido.

Nova causa para a preparação do golpe surgiu, quando, em meados de setembro de 1939, teve-se conhecimento de que Hitler estava planejando um ataque contra as potências ocidentais, incluindo a violação da neutralidade da Bélgica e da Holanda. O Estado-Maior Geral recebeu com horror a notícia. Queria preservar os frutos da vitória sobre a Polônia. Em vez de se arriscar em uma ofensiva no oeste, com resultados incertos, pretendia impedir a expansão da guerra e, realmente, se possível, terminá-la. Diante dessa situação, reuniu-se um grupo de ativistas e de jovens oficiais contrários ao regime, homens como o tenente-coronel Oster, da *Abwher*, e o coronel Wagner, no Estado-Maior Geral, que mantinha contatos com civis da oposição, tais como Goerdeler, Schacht e o coronel-general aposentado Beck. Estabeleceram contato também com o grupo de oposição no Ministério das Relações Exteriores, reunido em volta dos irmãos Kordt, que mantinham um relacionamento cordial com o secretário de Estado von Weizsäcker.[12]

Esse grupo de ativistas estava convencido de que o alastramento da guerra só poderia ser impedido por um *coup d'état* e que esta era também a oportunidade de livrar-se de um regime que abominavam. As informações que receberam de opressão criminosa e genocídio na Polônia ocupada deram-lhes uma motivação moral ainda mais forte. Simultaneamente, os oficiais superiores não tinham dúvida de que qualquer ofensiva contra as potências ocidentais seria fatal, em sentido militar e político. Stülpnagel passou a agir. Em fins de setembro, submeteu a Hitler um memorando, provando que as forças alemães não eram capazes do romper a Linha Maginot, que por muito tempo ainda a guerra só poderia ser conduzida em base defensiva. Outros comandantes, como Leeb e Bock, pronunciaram-se enfaticamente contra a expansão da guerra. Nem mesmo homens do OKW, como Warlimont, escondiam sua desaprovação a uma ofensiva no oeste. O chefe do Estado-Maior Geral, bem como o comandante-chefe do Exército, coronel-general von Brauchitsch, protestaram contra o plano de Hitler, mas enfrentaram um ditador inamovível em seu desejo de derrotar a qualquer custo as potências ocidentais. No início de outubro, Hitler baixou ordens para o ataque ao oeste. De meados desse mês em diante, Halder, sob forte pressão por causa desses fatos, examinou a idéia, ainda que hesitantemente, de evitar a expansão da guerra mediante um ato de força. Stülpnagel incentivou-o fortemente a desenvolver a idéia.

Desta maneira, Karl-Heinrich von Stülpnagel tornou-se, mais uma vez, figura central no jogo de poder. Descobriu que estava entre dois grupos, os ativistas mais jovens, de um lado, e o chefe do Estado-Maior Geral e os comandantes das grandes unidades, do outro. Sendo o realista que era, precisava amortecer o excesso de entusiasmo dos ativistas dinâmicos e sua impaciência, mas sem desencorajá-los demais. Mas como adversário resoluto e convicto de Hitler, ele, ao mesmo tempo, tinha que pressionar o ainda hesitante Estado-Maior Geral a entrar em ação. O quanto ele era a força propulsora nessa ocasião é demonstrado pela sua reação ao argumento de Halder de que o comandante-chefe do Exército, Brauchitsch, tinha que participar do golpe, a despeito do fato de não ter sido ainda conquistado para essa causa. A determinação e o dinamismo de Stülpnagel como adversário do regime refletiram-se bem em sua resposta: "O senhor depende desnecessariamente desse Brauchitsch!... Se ele não cooperar, mande simplesmente prendê-lo!"[13] Halder, profundamente agitado, rejeitou a proposta. Perto de fins de outubro, porém, ele também aceitou sem reservas a idéia de que Hitler estava obstinadamente resolvido a expandir a guerra. Nesse momento, pensou seriamente na idéia de derrubar Hitler. Enviou Stülpnagel à Frente Ocidental, a fim de conversar com os comandantes-chefes dos três grupos de exércitos, Leeb, Rundstedt e Bock. Apenas Leeb, que anteriormente protestara em memorando contra a planejada ofensiva, cooperou. Após a visita, escreveu uma carta a Brauchitsch, o comandante-chefe do Exército, lembrando-lhe sua responsabilidade para com o povo alemão e dando sinais inequívocos de sua disposição de participar de qualquer ação: "Talvez, nos próximos dias, o destino de todo o povo alemão dependa do senhor... Estou disposto a apoiá-lo em tudo nos próximos dias e arcar com todas as conseqüências necessárias."[14] Esse sucesso era obra do trabalho de Stülpnagel.

No início de novembro, Halder incumbiu Stülpnagel de iniciar preparativos para enfrentar a eventualidade de um golpe tornar-se necessário. Com esta decisão, iniciou-se a segunda, curta, mas intensa fase da conspiração contra Hitler, na qual Stülpnagel foi a figura central. Coordenou as atividades dos vários grupos de poder envolvidos na conspiração — ativistas da Wehrmacht, a oposição do Ministério das Relações Exteriores e o grupo do OKH, onde a "divisão especial" foi convertida em um grupo de trabalho conspiratório. Manteve contatos entre Beck e os conspiradores civis, bem como com os comandantes das grandes unidades na Frente Ocidental, e com Witzleben, Leeb e Hoeppner.

Jamais houvera antes um planejamento tão intenso e extenso para um golpe de Estado. No dia 5 de novembro de 1939, porém, a iniciativa fracassou. Halder, após uma discussão entre o comandante-chefe do Exército e Hitler, perdeu a coragem. Interpretou as furiosas ameaças de Hitler ao Estado-Maior Geral como indicação de que ele recebera informações sobre a conspiração. Ordenou a destruição imediata de todos os documentos e cancelou o plano do golpe. Em vão, Stülpnagel e vários outros ativistas tentaram demover Halder. Em meados de novembro, Stülpnagel tentou, pela última vez. Viajou à Frente Ocidental para um encontro com Leeb e Witzleben. Este último, tão decidido como sempre, apoiou Stülpnagel em todos os seus atos. Estabeleceu contato com todos os generais de blindados que eram contra o regime, homens como Hoeppner e Geyr von Schweppenburg. Acima de tudo, enviou seu primeiro-oficial de Estado-Maior, coronel Vincenz Müller, para falar com Halder e insistir em que entrasse em ação. Baldaram-se, porém, todos esses esforços. Um encontro organizado por Stülpnagel em janeiro de 1940, entre Beck e Halder, terminou em discórdia. Obviamente, Halder perdera o interesse. Acreditando cada vez mais no sucesso da ofensiva no oeste, passou a planejar brilhantemente e a liderar as campanhas-relâmpago de Hitler. Mas não fazia mais parte da conspiração. Transferiu mesmo do Estado-Maior Geral os conspiradores ativos que o cercavam.

Não se sabe se esses fatos levaram ao esfriamento das relações de confiança entre ele e Stülpnagel. É bem possível que a grave doença que acometeu Stülpnagel nos inícios de 1940, e da qual nunca se recuperou inteiramente, possa ter derivado de problemas psicossomáticos. De qualquer maneira, deve ter sido imensa a decepção desse convicto adversário de Hitler.

Após uma recuperação temporária, Stülpnagel lambeu as feridas e pediu um posto na tropa. Tornou-se comandante do 2º Corpo de Exército e, na segunda fase da campanha da França, formou o flanco direito do 6º Exército de Kluge. Levou seus soldados através do rompimento da linha Weygand, cruzando o Somme e o Sena e chegando ao estuário do Loire. Na mesma ocasião, Witzleben, com seu 1º Exército, atacou a seção norte da Linha Maginot a partir da região do Sarre. Em apenas três dias, suas tropas irromperam através da supostamente inexpugnável linha fortificada. Por esse sucesso, foi promovido a marechal-de-campo no dia 19 de julho de 1940.

Após a capitulação da França em junho de 1940, Witzleben, Stülpnagel e o jovem Speidel assumiram importantes postos que, contudo, distanciaram-nos do centro onde eram tomadas as decisões e que não ensejavam oportunidades para um golpe de Estado.

Witzleben tornou-se comandante-chefe do recém-formado Grupo de Exércitos D, que ocupava a região ao sul do Sena. Na qualidade de comandante-chefe do Oeste de junho de 1941 a março de 1942, foi o responsável por todos os territórios ocupados na França e na Bélgica. Reuniu em torno de si um grupo de oficiais de oposição, o núcleo da posterior "Fronda de Paris". Quando, no dia 23 de março de 1941, dia em que completou 40 anos como oficial da ativa, Hitler enviou-lhe um telegrama e uma fotografia autografada, a resposta do marechal-de-campo continha uma frase ambígua: "Continuaria a fazer o melhor que lhe fosse possível, em qualquer posição em que fosse colocado."[15] Jamais fraquejou em sua rejeição ao regime. Mas o que poderia fazer ele, ali na França? Quando Beck e Goerdeler brincaram com a idéia de iniciar a derrubada com uma proclamação formal do Exército do Oeste, Witzleben teve que convencê-los de que isso era uma idéia utópica. Na França, dispunha apenas de poucas tropas prontas para batalha e supunha que a Luftwaffe e a Marinha de Guerra estacionadas no oeste eram leais ao regime, suposição esta que se verificou ser correta no dia 20 de julho de 1944.

Ao visitá-lo em Paris em 1942, o embaixador aposentado von Hassell julgou-o "mais envelhecido do que podia indicar sua idade". À parte isso, disse que o marechal estava em boa forma, "claro de motivação e de boa acuidade mental". A declaração de von Hassell de que Witzleben "não estava muito bem-informado da situação na Frente Oriental, como também não em outras frentes" indicava bem o estado de isolamento de Witzleben em Paris, pois foi nessa época que aconteceu a catástrofe de Stalingrado.[16]

Stülpnagel fora cedido pelo Exército para presidir a comissão, com sede em Wiesbaden, que supervisionava a implementação do armistício franco-alemão. Antes disso, encontrou-se em Fontainebleau com Halder e, em Zossen, com antigos conspiradores do OKH. Continuava tão determinado como antes a fazer parte da resistência. Hitler, porém, estava no auge de seu triunfo. Nem o momento era auspicioso, nem havia meios necessários. Apesar disso, homens como Stülpnagel, Oster e alguns outros mantinham viva a idéia de resistência até que, em começos de 1942, uma nova partida pudesse ser dada.

Nos oito meses em que serviu como presidente da comissão de armistício, em Wiesbaden, Stülpnagel fez tudo para chegar a um acordo racional com a França, que poupasse de qualquer humilhação o inimigo derrotado. Opôs-se tanto quanto possível a quaisquer tentativas de espoliação, tais como o pagamento de custos de ocupação desnecessariamente altos. Essa política, no entanto, custou-lhe uma severa repreensão de Berlim. Por mais que tentasse, em sua posição oficial, fazer com que prevalecessem a racionalidade e o cavalheirismo, compreendeu que, em Wiesbaden, nenhuma oportunidade existia no tocante a uma conspiração contra Hitler.

Nessa ocasião, o dr. Speidel, então tenente-coronel do Estado-Maior Geral, voltou à França, tornando-se chefe de Estado-Maior do governador militar da França, cargo este exercido inicialmente pelo general Streccius e, mais tarde, por Joachim von Stülpnagel, primo de Karl-Heinrich Stülpnagel.

Assumindo o novo posto, teve logo que enfrentar medidas tomadas pelos nazistas para explorar e saquear recursos franceses e a interferência caótica de órgãos do Partido nas responsabilidades do comandante militar. Não demorou a compreender a tática de "dividir para reinar" usada pelo ditador e sua recusa em chegar a um acordo razoável com a França derrotada. Em sua luta contra a proliferação do governo do Partido, nomeou o famoso escritor Ernst Jünger, que fazia parte de seu pessoal, para "investigar a luta interna clandestina entre o Exército e o Partido".[17] A tarefa de Jünger consistia em descobrir as repercussões políticas desastrosas causadas pela interferência do Partido. Nessa ocasião, começou a formar-se em torno de Speidel e Jünger o denominado "círculo do George", assim chamado porque seus membros se reuniam no Hotel George V, em Paris — um grupo de adversários do regime que trabalhavam no Estado-Maior do governador militar e que eram também amantes da literatura e das artes. Mais tarde, escreveu Ernst Jünger que "sob a égide de Speidel, no centro da máquina militar, formamos uma espécie de... ordem intelectual de cavalaria. Nos reuníamos no ventre do Leviatã e procurávamos uma oportunidade de salvar nossos corações para os fracos e os desprotegidos".[18] Através desse grupo, Speidel e colegas que pensavam como ele conseguiam eventualmente ajudar franceses em dificuldades e lhes aliviar a situação penosa. Quando, porém, em fins do verão de 1941, a resistência francesa tornou-se crescentemente ativa e fez mesmo tentativas contra a vida de pessoal alemão de ocupação, Speidel não conseguiu impedir que fossem postas em prática medidas de repressão maciças, principalmente a execução de reféns, por ordens diretas de Hitler e do OKW. Constituía responsabilidade sua e do governador militar implementar tais políticas. Ele, contudo, através de manipulação inteligente, conseguiu reduzir o assassinato de reféns, mas não pôde prevenir inteiramente essas desumanas práticas retaliatórias. Teria sido essa experiência que deu o primeiro impulso à convicção íntima que finalmente levou-o a desenvolver uma resistência inflexível a Hitler? Não obstante, inicialmente, tudo o que podia fazer era enfatizar as conseqüências a longo prazo de tais políticas.

Na primavera de 1942, foi transferido para a Frente Oriental, como chefe de Estado-Maior de um corpo de exército. Mais tarde, tornou-se chefe de Estado-Maior do comando de um exército. Por essa ocasião, nascera nele uma profunda aversão às manifestações do regime hitlerista — a corrupção, a violência, a espoliação irresponsável e o terror desumano. Mas não dera ainda o primeiro passo para a resistência ativa. Embora uma visita ao general Beck em Berlim, a caminho da Frente Oriental, os reunisse em críticas ao regime, não iniciaram ainda discussões conspiratórias. A experiência com a interferência ruinosa de Hitler em operações militares e a cooperação com aliados da Alemanha (durante algum tempo foi chefe de Estado-Maior do general que comandava a Missão de Ligação alemã com o 8º Exército italiano, que servia na Rússia) forneceram-lhe a prova final de que a situação da guerra encontrava-se, em termos políticos e militares, quase próxima da catástrofe. No inverno de Stalingrado, em 1942-43, gradualmente se convenceu de que a guerra não podia ser vencida e de que a liderança de Hitler terminaria por destruir o Reich.

Para começar, a situação catastrófica causada, no mínimo, pela liderança de Hitler, minava a confiança dos oficiais perspicazes nos estados-maiores dos comandos dos exércitos. Além disso, ganharam impulso conversas decisivas com colegas que já haviam sido informados sobre uma potencial conspiração. Em abril de 1942, Speidel reuniu-se com colegas e amigos que ocupavam postos importantes, tais como Stieff, Wagner e Heusinger, e discutiu com eles a necessidade de "mudanças fundamentais". Em outubro de 1943, Henning von Tresckow, que entrementes se tornara a mola propulsora da conspiração, estabeleceu contato com ele e evidentemente convenceu-o de que o ditador tinha que ser derrubado. O próprio Speidel sumariou nas seguintes palavras suas opiniões em fins de 1943:

> O ano de 1943 começou com a catástrofe de Stalingrado e terminou com o colapso da frente italiana e a contra-ofensiva russa. Por conseguinte, a única solução restante era derrubar Hitler. Da forma como estavam as coisas, só o Exército poderia fazer isso. A salvação da pátria dependia do Exército. Esses pensamentos nos agitavam nesse último dia do ano velho [1943].[19]

Speidel passara pela típica conversão, de crítico do regime para adversário determinado, e fora essa combinação de introvisão militar especializada e repugnância ética que o levara finalmente para as fileiras da resistência.

Dois anos antes, Karl-Heinrich von Stülpnagel substituíra seu primo Otto von Stülpnagel como governador militar da França, em Paris. Antes disso, estivera na Frente Oriental durante mais de sete meses, até fins de novembro de 1941, no comando do 17º Exército. Por questões de saúde, fora obrigado a renunciar a esse alto cargo. Na Rússia, tivera a mesma experiência que Speidel na França: embora fosse adversário ferrenho do regime, não podia deixar de envolver-se na guerra racial-ideológica de extermínio que Hitler estava travando no leste. Sua posição nesse teatro de operações fora certamente mais difícil que a de Speidel em Paris. Na Rússia era travada uma guerra diferente e muito mais brutal do que na Europa Ocidental. Além do mais, Speidel, como chefe de Estado-Maior, exercia uma posição secundária, ao passo que ele, como comandante de exército, tinha responsabilidade direta.

Um documento originário do quartel-general de seu exército, datado de 21 de agosto de 1941, exigindo uma "campanha mais forte contra os judeus", trazia sua assinatura.[20] Teria ele apenas assinado rotineiramente um documento preparado por oficiais de seu Estado-Maior? Não teria podido alterá-lo ou impedir-lhe a circulação, sem se expor a suspeitas de fundo ideológico? Ou poderiam a "conformidade e afinidade com a ideologia nacional-socialista" ou mesmo "atividades ideológicas" tê-lo dobrado, como acontecera com outros oficiais superiores? Dificilmente! Ou seria isso questão de "uma imagem comum de inimigo",[21] por exemplo, constituída primariamente de anticomunismo e anti-semitismo tradicional? Não sabemos, mas essa hipótese não pode ser eliminada.

A tentativa de Stülpnagel de modificar uma instrução baixada pelo OKW, determinando repressão indiscriminada, mostra como um alto comandante na Frente Leste podia tornar-se confuso. Contrariando as instruções, Stülpnagel ordenou que "medidas coletivas não deverão ser tomadas indiscriminadamente", de modo a não alienar a população ucraniana. Mas, em seguida, determinou que nos casos "em que for necessária ação rápida... especialmente contra os Komsomols judaicos... como sabotadores e chefes de bandos", a ação devia ser empreendida.[22]

Mais tarde, como governador militar da França, não exerceu mais qualquer influência direta sobre o tipo e a extensão da repressão, especialmente sobre o extermínio de reféns, como acontecera na Frente Oriental. A partir de março de 1942, a responsabilidade por essas medidas fora transferida para o recém-empossado comandante da polícia e da SS, o general SS Oberg, embora não antes que Stülpnagel tivesse tentado acalmar, através de várias medidas, a situação tensa que prevalecia na França.

Conseguiu estabelecer um relacionamento razoavelmente satisfatório com Oberg, um "representante relativamente moderado de Himmler".[23] Os dois haviam servido no mesmo regimento. Oberg consultava regularmente o governador militar sobre assuntos correntes. Uma certa cumplicidade, devida ao conhecimento comum, era portanto inevitável. Além do mais, o número de reféns mortos foi consideravelmente reduzido por essa colaboração, uma vez que Oberg também detestava isso. Stülpnagel, contudo, não pôde impedir outras medidas repressivas, como, por exemplo, prisões por motivos raciais, deportações e os nefandos decretos de "Noite e Nevoeiro".

Por tudo isso, não era de surpreender que o governador militar vivesse em clima de tensão mental. Ernst Jünger, que o conheceu nessa época, escreveu: "Seu nobre caráter inclina-se para a avaliação intelectual do homem... como estadista... nunca perdeu de vista nossa situação... está profundamente cansado... o rosto revela-lhe a mágoa."[24] Speidel, que o visitou por um curto momento em princípios de dezembro de 1942, notou que ele, como pessoa, estava em conflito com seu cargo de representante da potência ocupante e do governo nazista na França. "A amoralidade do regime lançava-o, pessoa de altos princípios éticos, em um tormento mental que não tinha fim."[25] Esse fato era ainda mais difícil de carregar porque ele compreendia claramente a situação. Escreveu Speidel: "Ele percebia a inutilidade de continuar a guerra e discutia com grande franqueza a necessidade de terminá-la e de provocar uma mudança... no regime."[26] Em conseqüência, tentou várias vezes, durante o verão de 1943, restabelecer os contatos com seus antigos colegas de conspiração na Alemanha. Viajou até Bruxelas, a fim de conversar com seu colega, o governador militar da Bélgica, general von Falkenhausen, que estava também em contato com o grupo de oposição formado em torno de Beck. Von Falkenhausen enviou pessoalmente um oficial de sua confiança a Berlim a fim de encontrar-se com Beck. Desta maneira a rede da conspiração voltou a ser tecida, após algum tempo de estagnação.

A situação da guerra e a posição moral cada vez mais insustentável em que se encontrava forçaram-no a agir. Ulrich von Hassell, membro da "Fronda" de Berlim, formou a impressão de que se "tornara uma questão candente" para Stülpnagel "evitar o abismo",[27] sem dúvida o abismo para o qual as políticas e estratégia de guerra de Hitler empurrariam o Reich, mas também o abismo para o qual o governador militar sentia-se também lançado não só política como moralmente.

A atitude de Stülpnagel evidencia um problema que levou historiadores a avaliações contraditórias: de que maneira pode ser explicada a intensidade ora alta ora baixa das atividades de alguns membros da resistência alemã? De que maneira interpretar o fato de que alguns dos primeiros combatentes da resistência pareceram suspender temporariamente todas as suas atividades contra o regime nazista, para reemergir apenas no período anterior a 20 de julho de 1944? E de que modo compreender o fato de que estiveram, até certo ponto, implicados direta ou indiretamente nas políticas de conquista e repressão de Hitler? No caso de Stülpnagel, manifestaram alguns autores a opinião de que o efeito da vitória na França criou uma espécie de ufania que abafou toda a existente motivação da resistência. Pensam ainda esses autores que, finalmente, na guerra contra a União Soviética, princípios imperialistas e ideológicos substituíram os anteriores princípios cristãos e humanitários.[28]

É discutível se podemos definir essas fases precisas na motivação. Sem dúvida houve uma fase de estagnação na conspiração contra Hitler, entre a vitória no oeste e as mutáveis fortunas da guerra no leste e no teatro do Mediterrâneo. Este fato tornou-se visível de fins de 1942 em diante. Durante essa fase, permaneceram passivos muitos dos antigos ativistas da resistência. Mas é preciso fazer uma discriminação mais exata. Não se pode negar que bom número de participantes da oposição de 1938-39 mudou sua atitude crítica, entre 1940 e 1942-43, como resultado do sucesso das armas alemãs. Além disso, os que se opunham ao regime de Hitler tiveram dúvidas ocasionais: se seria bom derrubar um ditador no auge de seu sucesso, poder e prestígio. O povo, nessas circunstâncias, compreenderia ou mesmo apoiaria o golpe? Por outro lado, é duvidoso que homens como Witzleben e Stülpnagel abrandassem sua oposição ao regime mesmo nessa fase. É preciso lembrar ainda que, na ocasião, ambos haviam sido transferidos para postos que não lhes ofereciam oportunidades de planejar eficazmente uma conspiração. E é também duvidoso que, em sua imutável oposição ao regime, esses homens jamais demonstrassem tendências anticomunistas e nacional-imperialistas, tal como foi a herança guilhermina dessa geração.

Não podemos, por conseguinte, falar em fases claramente definidas de motivação. Ela deve ser vista como um processo muito complexo, durante o qual, juntamente com circunstâncias externas, fatores em rápida mudança influenciaram a maneira como a resistência se manifestou. Durante o processo de formação da resistência, portanto, notamos atitudes, como as de Halder, que desde inícios de 1940 rejeitou qualquer ação nesse sentido, e as de Stülpnagel e Witzleben que, constrangidos a manifestar passividade aparente, enquanto sofriam sob o jugo de um sistema repressivo, mantinham privadamente sua oposição. Este fato tornou-se importante quando, a partir de 1942, homens mais jovens emergiram das fileiras da resistência, trazendo consigo nova determinação e dinamismo e conferindo novo vigor à conspiração. Esses homens, durante a guerra, haviam sido promovidos para posições militares importantes, nas quais surgiram boas oportunidades de conspiração.

Speidel pertencia à nova geração da resistência. Após quase dois anos na Frente Oriental, fora promovido a tenente-general e chefe de Estado-Maior de um exército. Em abril de 1944, foi transferido para a França e tornou-se chefe do Estado-Maior do Grupo de Exércitos B, com quartel-general em La Roche-Guyon, a oeste de Paris. O comandante-chefe desse Grupo de Exércitos era o marechal-de campo Rommel. Hitler dera a Rommel uma missão que devia decidir a guerra, isto é, repelir a esperada invasão pelas forças anglo-americanas. E fora o próprio Rommel que escolhera Speidel, compatriota seu da Suábia, como chefe de Estado-Maior. O novo cargo oferecia a Speidel uma oportunidade histórica de conquistar a adesão do mais popular marechal do Terceiro Reich para a conspiração contra Hitler. Tal foi o problema que o movimento de resistência enfrentou em princípios de 1944.

Em Paris, Speidel encontrou um grupo firme de ativistas que estivera se consolidando em torno de seu antigo chefe na divisão de "Exércitos Estrangeiros", Stülpnagel, na ocasião governador militar. Além de Stülpnagel, o tenente-coronel Hofacker era outra figura importante dessa "Fronda". Era primo de Stauffenberg e filho de um antigo general de Württemberg, sob cujo comando Rommel lutara na Primeira Guerra Mundial. Hofacker gozava de irrestrita confiança pessoal e política de Stülpnagel. Era também o intermediário entre os círculos de conspiradores de Berlim e Paris. No segundo semestre de 1943, o conde von Schulenburg foi designado, pelo grupo de Berlim, para coordenar seus planos com os de Paris. Stülpnagel dirigiu-se pessoalmente à capital para essa finalidade. Era vital coordenar os planos, uma vez que existiam ainda várias discrepâncias entre os conceitos de Paris e Berlim sobre a resistência, tal como a questão do assassinato de Hitler. Hofacker chefiava o grupo que implacavelmente exigia a morte do ditador; Stülpnagel e vários outros, por razões políticas e éticas, rejeitavam essa idéia. Não tinham intenção de transformar Hitler em mártir, mas prendê-lo e submetê-lo a julgamento por um tribunal alemão. Havia ainda o problema de garantir as relações externas no curso do golpe de Estado. Stülpnagel enviou pessoa de sua confiança a Madrid e a Lisboa para entrar em contato com as potências aliadas. Acreditava na possibilidade de negociar um cessar-fogo com as potências ocidentais, após um golpe de Estado bem-sucedido. Verificando que isso era impossível, entrou mesmo em contato com a resistência francesa através de um intermediário.

O fator crucial, portanto, era conquistar o apoio do marechal-de-campo Rommel para a conspiração. Stülpnagel dispunha apenas de umas poucas tropas, ao passo que Rommel, além de gozar de imenso prestígio, comandava um grupo de exércitos inteiro. Se, num momento apropriado, ele liderasse o Exército no oeste em uma revolta contra Hitler, o sucesso estaria garantido.

Um dos conspiradores de Paris escreveu mais tarde que, "nessa difícil situação, houve um vislumbre de esperança quando Speidel foi nomeado chefe do Estado-Maior do Grupo de Exércitos de Rommel. Speidel, um oficial incomumente capaz e politicamente perspicaz, não nos era desconhecido."[29] Imediatamente após sua chegada, Speidel entrou em ação. Já no dia 15 de abril de 1944, submeteu um relatório ao marechal-de-campo, contendo uma avaliação da situação da guerra, especialmente na Frente Oriental, no qual informava também Rommel das políticas de genocídio de Hitler na Europa Oriental. Tudo isso pareceu produzir um grande impacto sobre Rommel. Speidel, finalmente, estabeleceu um clima de comunicabilidade entre Stülpnagel e Rommel, que se conheciam desde o tempo em que haviam sido instrutores da Academia Militar de Dresden. No dia 15 de maio, os dois tiveram uma minuciosa discussão. É duvidoso, porém, se durante essa conversa eles chegaram a um acordo sobre uma programação apropriada para levar adiante o denominado "plano Rommel-Stülpnagel para uma solução no oeste". Segundo esse plano, Hitler deveria ser preso durante uma visita à Frente Ocidental, o regime nazista seria derrubado no país e os territórios ocupados no oeste deveriam ser evacuados, em acordo com os Aliados. No leste, a guerra prosseguiria, mas em uma frente de batalha encurtada.

Vários desses pontos foram discutidos com freqüência pelos conspiradores, mas, nessa ocasião, Rommel não estava ainda inteiramente pronto para tomar a iniciativa. O marechal-de-campo precisava de tempo para pensar, antes de tomar a decisão final contra a estratégia de guerra de Hitler e o prolongamento da guerra. Nesse processo, Speidel desempenhou um papel fundamental. Cabe-lhe evidentemente o crédito por Rommel ter considerado a situação da guerra como irremediável e visto com grandes preocupações as decisões estratégicas de Hitler. Dois meses antes, Rommel, ainda que não corretamente, fora considerado como "leal paladino do Führer". Não rejeitara ele bruscamente, em fins de fevereiro, uma abordagem indireta feita por Goerdeler?

Os relatórios e avaliações de Speidel sobre a situação levaram o marechal a estabelecer contato com outros elementos da oposição. Em fins de maio, enviou Speidel à Alemanha, a fim de realizar discussões sobre a conspiração com o ministro das Relações Exteriores, von Neurath, e políticos locais importantes de Württemberg. Sob a influência de Speidel, o marechal — que era basicamente um soldado apolítico — começou gradualmente a refletir sobre as conseqüências políticas da situação. Speidel acelerou esse processo por todos os meios disponíveis. Dessa maneira, aos poucos, importantes personalidades da oposição chegaram ao Château de La Roche-Guyon para discussões mais ou menos detalhadas com Rommel.

Devido à escassa prova documentária, não se pode saber em que medida o marechal foi, finalmente, atraído para a conspiração. A questão, por isso mesmo, tornou-se matéria de controvérsia.[30] Não são claros os vários relatos que Speidel, o único sobrevivente do círculo interno de conspiradores, publicou após a guerra. Ao lê-los, temos que levar em conta o fato de que, imediatamente após a guerra, Speidel estava resolvido a "elevar Rommel ao *status* de herói nacional do povo alemão",[31] como se supõe que tenha dito ao general von Schweppenburg. Pela versão de Speidel, podemos formar a impressão de que Rommel era um homem inteiramente comprometido com a resistência. Mas, após análise cuidadosa das fontes, temos que supor que Speidel fracassou precisamente nisso, isto é, em atrair inteiramente o marechal para a conspiração, ou seja, para o assassinato de Hitler e a derrubada do regime. A opinião que Rommel formou por si mesmo, entre meados de maio a meados de julho, em especial sua atitude cada vez mais crítica em relação à guerra de Hitler, pode ser sem dúvida atribuída à influência de Speidel. O marechal, porém, não estava disposto a tolerar golpe ou assassinato. Neste particular, nem concordava com o grupo de Berlim nem com os membros da "Fronda" de Paris. Este fato talvez não tenha sido transmitido ao grupo de Berlim ou ao círculo que se reunia em torno de Stülpnagel. Será que Speidel não informou o marechal com suficiente exatidão sobre os planos do grupo de Berlim ou estava ele mesmo mal informado? Essas perguntas talvez fiquem sem resposta para sempre.

O marechal, por outro lado — de modo nenhum sob influência de seu chefe de Estado-Maior — pode ter compreendido que, sobretudo após o desembarque aliado na Normandia, teria que ser encontrada uma solução política para acabar com aquela guerra inútil. Estava igualmente resolvido — caso Hitler recusasse — a assumir a iniciativa para terminar a guerra, ordenando a cessação da luta no oeste. Ao que tudo indica Rommel não foi mais longe do que isso, nem as sugestões de Speidel e de outros conspiradores aparentemente o convenceram. Em meados de junho, já escrevera à esposa dizendo que, tendo em vista a superioridade aliada, teria nesse momento que "recorrer à política".[32]

Simultaneamente, mencionou ao almirante Ruge, seu vice naval, a possibilidade de um cessar-fogo unilateral. No dia 16 de julho, disse a um oficial, que servira no seu Estado-Maior na África, que se Hitler não pesasse as conseqüências, abriria a Frente Ocidental e que a única coisa que ainda importava era que os anglo-americanos chegassem a Berlim antes dos russos.[33]

Os repetidos esforços de Speidel para induzir o marechal a agir, porém, resultaram inúteis. No dia 17 de julho de 1944, Rommel foi gravemente ferido em um ataque aéreo britânico. Nas horas críticas do dia 20 de julho, ele não estava mais disponível.

No dia 13 de julho, Stülpnagel e seus colegas conspiradores de Paris completaram os preparativos para o golpe de Estado. Após consultas com Rommel, Hofacker — o confidente de Stülpnagel na conspiração — viajara para Berlim no dia 11, a fim de informar o grupo do conde von Stauffenberg sobre a situação no oeste. A decisão tomada pelo grupo de Berlim, no dia 16, de atacar no dia 20, deveu-se em grande parte ao trabalho de Hofacker. Um dia depois, 17 de julho de 1944, os conspiradores de Paris enfrentaram uma situação inteiramente diferente. Devido à hospitalização de Rommel, o papel principal nos acontecimentos que se desenrolariam no oeste fora dado ao marechal-de-campo von Kluge (desde começos de julho comandante-chefe do Oeste), que ia assumir o comando do Grupo de Exércitos B a partir de 19 de julho. Desempenharia ele o papel destinado a Rommel? Na verdade, Tresckow já o informara desde 1943, na Frente Oriental, dos planos então elaborados para a conspiração, mas ninguém pôde jamais ter certeza de como ele reagiria. Não era sem motivo que o chamavam de "Der Kluge Hans" ("o esperto Hans"), apelido que indicava não só seus inegáveis dotes intelectuais, mas também seu caráter camaleônico. O sucesso no dia 20 de julho de 1944, por conseguinte, dependia exclusivamente de ele poder ser atraído para a causa da derrubada do ditador e de ser convencido a assumir a iniciativa na Frente Ocidental. Quando, um pouco depois das 4h da tarde, Stülpnagel recebeu em Paris a notícia de que os conspiradores de Berlim haviam iniciado o golpe, agiu rápida e decisivamente: em primeiro lugar, baixou ordem determinando a prisão do comando da SS e SD em Paris. Tropas do governador militar executaram sem demora e com sucesso a ordem, desta maneira pondo também em movimento a conspiração no oeste. Em segundo lugar, dirigiu-se a La Roche-Guyon a fim de estimular Kluge a tomar outras medidas. O marechal, contudo, não pôde ser imediatamente alcançado. Dirigira-se para a Normandia a fim de conferenciar com comandantes de exército e corpos de exército.

No quartel-general do Grupo de Exércitos B, Speidel foi tomado inteiramente de surpresa com a notícia do começo do golpe em Berlim. Hofacker não informara os conspiradores de Paris da decisão tomada no dia 16 de julho, porque sabia que nesse assunto havia divergências de opinião. E, sem instruções de Kluge, Stülpnagel não pôde tomar outras medidas. Além disso, logo começaram a chegar informes contraditórios de Berlim e do quartel-general do Führer, na Prússia Oriental. E foi no Château de La Roche-Guyon, sede do Grupo de Exércitos B, que se tomou a decisão final no oeste acerca do golpe. Stülpnagel e Hofacker chegaram à noite. Kluge, tendo voltado pouco antes da frente de combate, e atordoado com as notícias do golpe, ficou inicialmente indeciso, e ainda mais à medida que chegavam do Reich notícias contraditórias sobre os fatos e o desenvolvimento da situação. Deveria ele — como fora intenção de Rommel — pôr fim à luta no oeste? A notícia de que Hitler sobrevivera à tentativa contra sua vida era obviamente de natureza crucial. Stülpnagel e Hofacker, em uma cena dramática, imploravam-lhe que se juntasse aos conspiradores e produzisse um *fait accompli* no oeste. O marechal, contudo, recusou: "Sim, se o suíno morreu", teria respondido. Nem mesmo a revelação de Stülpnagel, de que praticamente iniciara o golpe em Paris com a ordem de prisão de membros da SS e SD, conseguiu convencê-lo a agir. "Bem, cavalheiros, neste caso, um golpe abortado", teria respondido. Por pedido seu, os homens da SS foram libertados. Na mesma noite, demitiu Stülpnagel e aconselhou-o a vestir trajes civis "e desaparecer em algum lugar".[34]

A corajosa iniciativa de Stülpnagel em Paris e seu esforço para convencer Kluge a agir foram os únicos atos determinados de um general alemão fora de Berlim no dia 20 de julho. Por isso pagou com a vida. No dia seguinte, foi citado a comparecer perante o OKW. Na viagem para a Alemanha, tentou cometer suicídio perto de Verdun, onde lutara na Primeira Guerra Mundial. Embora a tentativa falhasse, ficou cego. Preso pela Gestapo, foi impiedosamente interrogado e enforcado no dia 30 de agosto. No mesmo dia, dois outros conspiradores de Paris tinham o mesmo fim, o coronel von Linstow, seu chefe de Estado-Maior, e o vice-chefe ou *Quartermaster* (o oficial mais graduado do Estado-Maior) Oeste, coronel Finckh. Após prolongados interrogatórios, Hofacker subiu ao patíbulo no dia 20 de dezembro. O marechal Kluge, demitido por Hitler no dia 17 de agosto e convocado a apresentar-se ao quartel-general, envenenou-se. Nem sua indecisão nem a denúncia que fez contra Stülpnagel puderam salvá-lo. Temia que um inquérito minucioso pudesse revelar seus contatos conspiratórios em 1943.

Além de Rommel e Kluge, o marechal-de-campo von Witzleben foi o terceiro dessa patente a perder a vida no rescaldo do golpe. Desde que fora transferido para a reserva, Witzleben, após a morte da esposa, parecia levar uma vida discreta no campo, cheio de ressentimentos, saúde precária (submetera-se a uma operação no estômago) e solitário. Na verdade, nunca rompera seus laços com os conspiradores. Após Stalingrado, renovara sua disposição de participar. Fora designado para assumir o comando de toda a Wehrmacht após a derrubada de Hitler. No curso dos preparativos, assinou, no dia 20 de julho, a ordem que os conspiradores enviaram a todas as unidades militares. Começava com as palavras "O Führer Adolf Hitler está morto" e prosseguia declarando um estado de emergência e a tomada do poder pelas forças armadas sob o comando de Witzleben.[35]

No dia 20 de julho de 1944, Witzleben foi o mesmo homem de sempre: mente clara, realista, despretensioso e honesto, indômito, determinado e coerente. Tendo sido informado que o golpe começara com a iniciativa de Stauffenberg na Prússia Oriental, dirigiu-se na tarde daquele dia a Zossen, o quartel-general do OKH, onde o vice-chefe, general Wagner (que havia sido informado da conspiração), não pôde dar-lhe informações precisas sobre o estado da situação. Irritado com a óbvia falta de coordenação no envio de notícias, o marechal dirigiu-se à Bendlerstrasse, em Berlim, sede do Ministério da Guerra e do Comando do Exército Metropolitano. Chegou por volta de 7h30min da noite e, imediatamente, anunciou sua entrada, de acordo com o protocolo militar correto, ao coronel-general Beck, seu inferior na hierarquia militar que devia tornar-se chefe de Estado. Mas, em seguida, sob a impressão de que o golpe carecia de ação resoluta, começou a criticar implacavelmente. Fora ele quem, antes do golpe, insistira repetidamente na necessidade de planejamento cuidadoso e ação decisiva. Essas condições pareciam ausentes nesse momento. Interrogado mais tarde, repetiu que fora um erro imperdoável não se ter certificado se havia unidades combatentes confiáveis em Berlim. Quando Stauffenberg apresentou-se a ele na Bendlerstrasse, Witzleben resmungou "Que bela confusão!". Após uma curta discussão com Beck e Stauffenberg, formou obviamente a impressão de que o golpe fracassara. Deu as costas aos dois e dirigiu-se para a propriedade rural de um amigo, o conde Lynar, a fim de aguardar com dignidade a chegada dos capangas da Gestapo.[36] Quando enfrentou o promotor público nazista, embora exausto com o interrogatório brutal, esforçou-se para manter nobre e valente compostura. E foi assim que morreu na forca no dia 8 de agosto de 1944.

Como único sobrevivente do círculo central de conspiradores restou o general Speidel. No dia 20 de julho, os membros do Estado-Maior do grupo de Exércitos B leais ao regime e o marechal von Kluge nenhuma suspeita tinham de que ele fosse um dos conspiradores. Isso se deveu em parte ao fato de que, nesse dia, Speidel esteve inteiramente ocupado com seus deveres de chefe do Estado-Maior do Grupo de Exércitos, uma vez que batalhas de importância decisiva estavam sendo travadas nas proximidades de Caen e St. Lô. E, até certo ponto, à sua discrição e cautela. Ele praticamente deixou a Stülpnagel e Hofacker o trabalho de entender-se com Kluge. Diante dos não iniciados, mantinha o papel de observador passivo. Basicamente cumprira sua função na conspiração durante o planejamento do golpe, isto é, tentar convencer Rommel e realizar contatos para os conspiradores no oeste. A cautela, porém, não o salvou de prisão e interrogatório pela Gestapo, depois que seu nome foi mencionado por alguns conspiradores já detidos. O próprio Hitler ordenou-lhe a prisão. Uma corte de honra do Exército, porém, recusou-se a expulsá-lo da corporação, embora Keitel frisasse que o Führer estava convencido da culpa de Speidel. Dessa maneira, foi poupado de um julgamento público. Mas, até o fim da guerra, foi transferido de prisão em prisão até o confinamento numa fortaleza. Finalmente, antes que a SS pudesse liquidá-lo e a outros detidos importantes, foi libertado por tropas aliadas na Baviera.

Após a guerra, época em que Speidel se tornara um dos generais mais graduados da nova *Bundeswehr* e um dos comandantes da OTAN, surgiu a questão — certamente não sem um motivo oculto — de como ele, embora fosse um dos principais conspiradores, conseguira salvar-se. Insinuou-se que isso se tornara possível porque ele incriminara Rommel durante o interrogatório. Os documentos de Rommel e Speidel, bem como os relativos ao interrogatório feito pela Gestapo, perderam-se ou foram destruídos. Prova subseqüente fornecida por um ex-oficial da Gestapo contradiz o fato de que, durante as deliberações da corte de honra, vários generais manifestaram a suspeita de que os depoimentos incriminadores prestados pelo chefe da Sede Central de Segurança do Reich, da SS, Kaltenbrunner, poderiam ser coisas forjadas pela Gestapo. Além disso, o coronel-general Guderian, entre outros, depôs com veemência em favor de Speidel. Em carta a Hitler, enviada do hospital militar, Rommel insistiu enfaticamente na inocência de Speidel e lembrou ao Führer que ele, pessoalmente, lhe concedera a Cruz de Cavaleiro em seu quartel-general.

O próprio Speidel respondeu aos críticos dizendo que tinha a consciência tranqüila. Na ausência de material probatório confiável, suas palavras têm que ser aceitas como tão válidas como a de seus críticos.[37] Mas não se pode negar que, desde pelo menos 1943, ele trabalhou contra o regime e que mais tarde, na França, desempenhou um papel decisivo na preparação do golpe.

Witzleben, Stülpnagel e Speidel personificavam três gerações de oficiais do velho Exército. Suas vidas foram marcadas por mudanças sociais e políticas radicais e, especialmente, por sérios desafios políticos e morais. Foram "soldados da queda", com o destino inevitavelmente vinculado ao fim de uma era de história militar germano-prussiana. As mortes trágicas de Witzleben e Stülpnagel na forca simbolizavam de forma comovente esse destino ultrapessoal. Foram também "soldados de oposição" e como tal reagiram, de uma forma impressionantemente humanitária, ao desafio de um sistema detestável, um sistema a que serviram, e com o qual finalmente romperam, mas apenas para pagar um alto preço por isso.

Dados cronológicos | Erwin von Witzleben

1881, 4 dez	Nasce em Breslau
1891	Ingressa no corpo de cadetes
1901, 22 mar	Segundo-tenente no 17º Regimento de Granadeiros König Wilhelm I (2º prussiano oriental) em Liegnitz
1914	Comandante de companhia no 6º Regimento de Infantaria da Reserva
1916	Comandante do 2º Batalhão do 6º Regimento de Infantaria da Reserva
1917	Ia, 108ª Divisão de Infantaria
1918	Ia, 121ª Divisão de Infantaria
1919	Comandante de companhia do 8º Regimento de Infantaria em Frankfurt an der Oder
1919	Capitão
1923, 1º abr	Major, Estado-Maior Geral da 4ª Divisão, Dresden

1927	Estado-Maior do comandante da Infantaria, III, Potsdam
1929, 1º jan	Tenente-coronel
1928-29	Comandante do 2º batalhão, do 6º Regimento de Infantaria
1930	Chefe do Estado-Maior do *Wehrkreis VI* (6ª Divisão) em Münster
1931, 1º abr	Coronel e comandante do 8º Regimento de Infantaria, em Frankfurt an der Oder
1933, 1º mar	Comandante de Infantaria, VI, Hanover
1934, 1º fev	Major-general e comandante da 3ª Divisão e comandante do *Wehrkreis III*, Berlim
1934, 1º out	Tenente-general
1936, 1º out	General de infantaria
1938, 10 nov	Comandante-chefe do 2º Grupo de Exércitos em Frankfurt am Main
1939, 1º set	Comandante do 1º Exército na Frente Ocidental
1939, 1º nov	Coronel-general
1940, 19 jul	Marechal-de-campo
1940, 26 out	Comandante-chefe do Grupo de Exércitos D, na França
1941, 1º mai	Comandante-chefe do Oeste, Paris
1942, 15 mar	Transferido para a reserva de 1ª classe
1944, 4 ago	Expulso do Exército pelo denominado "Conselho de Honra"
1944, 8 ago	Executado

Dados cronológicos | Carl-Heinrich von Stülpnagel

1886, 2 jan	Nasce em Berlim. Cresce em Frankfurt am Main e faz seu *Abitur* em um ginásio de Lessing
1904	Semestre de verão estudando Direito na Universidade de Genebra
1904, 1º out	Ingressa no 115º Regimento da 1ª Divisão de Infantaria do Grão-Ducado de Hess (Guarda Pessoal) em Darmstadt
1906, 27 jan	Segundo-tenente (investido no oficialato a partir de 21 de julho de 1904)
Primeira Guerra Mundial	Capitão no Estado-Maior Geral

1924, 1º mar	Capitão e comandante de companhia no 3º Regimento de Infantaria, em Deutsch-Eylau
1925, 1º jan	Major
1928, 1º jun	Comandante do 2º batalhão do 5º Regimento de Infantaria em Neuruppin
1930, 1º fev	Tenente-coronel
1932, 1º dez	Coronel
1931-32	Designado para revisar os regulamentos de comando de tropa do Exército
1933, 1º mar-1937, out	Diretor da divisão "Exércitos Estrangeiros" do *Truppenamt* (Estado-Maior do Exército)
1935, 1º out	Major-general
1936, 6 out	Comandante da 30ª Divisão de Infantaria, em Lübeck
1937, 1º out	Tenente-general
1938, 5 fev	Oficial Superior II (Treinamento) no Estado-Maior do Exército
1938, 27 ago	Oficial Superior I e Vice-Chefe do Estado-Maior do Exército
1939, 20 abr	General de infantaria
1940, 30 mai-20 jun	General-comandante do 2º Corpo de Exército
	Participa do rompimento da linha Weygand sob o comando do 4º Exército (com Kluge)
1940, 21 jun-1941, 15 fev	Presidente da Comissão Alemã de Armistício, Wiesbaden
1941, 15 fev-25 nov	Comandante do 17º Exército na Frente Oriental (Grupo de Exércitos Sul) (adoece em 9 out 1941)
1942, 13 fev-1944, 20 jul	Governador Militar da França
1944, 30 ago	Executado

Dados cronológicos | Hans Speidel

1897, 28 out	Nasce em Metzingen, Württemberg
1914, 30 nov	Após o começo da guerra, *Abitur* em Stuttgart, ingressa no 123º Regimento de Granadeiros de Guarda König Karl von Württemberg

1915, 19 nov	Segundo-tenente, comandante de pelotão, batalha de Argonnes
1916	Comandante de companhia, batalha do Somme
1916, fins	Oficial-ajudante do 2º batalhão, 123º Regimento de Granadeiros de Guarda
1918	Ajudante regimental, Regimento de Granadeiros da Guarda
1919	Ajudante-de-ordens do Comandante da Infantaria, 13, em Stuttgart
1919	Inicia cursos na Universidade Técnica, Stuttgart (matérias: História, Estudos Germânicos, Estética)
1920-22	Treinamento como "ajudante de comandante" (curso de treinamento camuflado para Estado-Maior Geral)
1922-29	Comandante de pelotão, 13º Regimento de Infantaria, Ludwigsburg
1929-30	Continuação do curso de "ajudante de comandante" (3º ano), Berlim
1930	Segue para a França a fim de fazer curso da língua francesa
1930, 1º out	Oficial do Estado-Maior Geral, e colaborador da seção "Europa Ocidental" e divisão "Exércitos Estrangeiros" do *Truppenamt* do Estado-Maior do Exército
1933, 1º out-1935, 1º out	Assistente do adido militar em Paris
1936, 1º out	Comandante de companhia da 8ª companhia (metralhadoras) do 56º Regimento de Infantaria, em Ulm
1937, 1º out	Ia da 33ª Divisão de Infantaria em Mannheim e major no Estado-Maior Geral
1937, 1º jan	Tenente-coronel no Estado-Maior Geral
1939, 1º out	Ia no Estado-Maior do comando do 9º Corpo de Exército, na Muralha Ocidental
1940, 10 mai	Campanha na França no 6º Exército (von Reichenau)
1940, 31 mai	Cedido ao Estado-Maior do Grupo de Exércitos B (von Bock) com missão especial de planejar o ataque e ocupação de Paris
1940, 15 jun	Chefe do Estado-Maior do Governador de Paris
1940, 1º ago	Chefe do Estado-Maior Geral do governador militar da França, em Paris
1941, 1º fev	Coronel no Estado-Maior Geral
1942, 25 mar	Chefe do Estado-Maior do 5º Corpo de Exército na Frente Oriental

1943, 1º jan	Major-general
1943, 5 jan	Chefe do Estado-Maior do general alemão destacado no quartel-general do 8º Exército italiano
1943, 5 fev	Chefe do Estado-Maior da unidade Lanz/Kempf na Frente Oriental (Grupo de Exércitos Sul)
1943, 15 ago	Chefe do Estado-Maior no quartel-general do 8º Exército (alemão) na Frente Oriental
1944, 1º jan	Tenente-general
1944, 15 abr	Chefe do Estado-Maior do Grupo de Exércitos B (marechal-de-campo Rommel) na França
1944, 7 set-1945, 29 abr	Detenção pela Gestapo em fortaleza (libertado por tropas francesas do Corpo Béthouart)
1946-7	Estudos de história da guerra para a Divisão de História do Exército dos Estados Unidos
1948, meados	Assessor para assuntos de defesa do Premier da Baviera
1948, fins	Assessor para política de defesa do chanceler federal e do ministro federal Wildermuth
1949, a partir fev	Conferencista na Universidade de Tübingen (história moderna no curso "Studium Generale" do Leibniz College)
1951, 1º jan	Perito militar (em colaboração com o general Heusinger) no gabinete administrativo Blank (precursor do Ministério da Defesa, da Alemanha Federal)
1951, 1º out	Chefe militar da delegação EVG alemã (Comunidade Européia de Defesa) em Paris
1954, 22 out	Negociador militar para ingresso da Alemanha na OTAN
1955, 10 nov	Tenente-general da *Bundeswehr*
1955, 22 nov	Chefe do Departamento de Forças Combinadas do Ministério de Defesa Federal, em Bonn
1957, 2 abr	Comandante-chefe das Forças Terrestres da OTAN na Europa Central (ComLandCent) em Fontainebleau
1957, 5 abr	General (quatro estrelas) da *Bunderswehr*
1963, 30 set	Pede exoneração de ComLandCent sob pressão do general de Gaulle
1963	Assessor especial do Governo Federal sobre assuntos de defesa do Atlântico
1987	Falecimento

Os Generais de Gabinete

PARTE II

Brauchitsch | 3

Marechal-de-campo Walter Von Brauchitsch

Brian Bond*

Na qualidade de comandante-chefe do Exército alemão no período de suas vitórias mais espetaculares, entre 1939 e 1941, Brauchitsch — embora menos importante que Halder — deu substancial contribuição à direção das operações, pela qual lhe foi concedido o bastão de marechal-de-campo. Esse aspecto de sua carreira mereceu-lhe alguns aplausos dos historiadores, embora a grande maioria das referências seja de críticas por sua vacilante e ineficaz oposição a Hitler, tanto em assuntos profissionais quanto em questões políticas e morais mais amplas. É improvável que esse veredicto crítico seja revogado, porque Brauchitsch, embora dotado de personalidade mais interessante e atraente do que a maioria de seus pares, carecia de solidez de caráter e convicção moral, até mesmo para ser apresentado no papel de herói trágico.

Walter von Brauchitsch nasceu em Berlim em 1881 em uma família de classe alta, com longa tradição de serviço incondicional ao Estado prussiano. Em 1900, foi designado como oficial para o 3º Regimento de Infantaria de Guardas — uma unidade de elite —, já tendo demonstrado ser profissionalmente promissor antes de 1914, ao matricular-se na Academia de Guerra e servir no Estado-Maior Geral, em Berlim. Na Primeira Guerra Mundial, distinguiu-se como oficial de Estado-Maior e conquistou a alta condecoração da Ordem da Casa Hohenzollern, bem como a Cruz de Ferro, 1ª Classe.

* Agradecimento: Estou sumamente grato ao dr. Jürgen Förster e ao professor Klaus-Jürgen Müller pelos seus comentários de peritos ao esboço deste ensaio. Adotei a maioria de suas sugestões e sou o único responsável pelas imperfeições que persistem.

Embora o Estado-Maior Geral tenha sido abolido nos termos do Tratado de Versalhes, Brauchitsch continuou a servir no órgão que o substituiu, o *Truppenamt*, onde, como chefe do Departamento de Treinamento, de 1922 a 1925, provou que estava na vanguarda do progresso militar ao organizar manobras, a fim de submeter a teste as possibilidades de utilizar tropas motorizadas em conjunto com aviões.

Daí em diante, realizou progressos ininterruptos para os mais altos postos no Exército, através de nomeações como chefe do Estado-Maior do *Wehrkreis VI* (1927), inspetor de Artilharia (1932), comandante do *Wehrkreis I* na Prússia Oriental em 1933, comandante do Corpo do 1º Exército em 1935, e do Grupo de Exércitos 4, Leipzig, em 1937.

Não era um oficial politicamente orientado, mas um soldado estritamente profissional, segundo o modelo Schlieffen. Admirava Hitler pessoalmente, mas detestava numerosos aspectos do nazismo, incluindo a interferência do partido no papel das igrejinhas tradicionais do Exército. Infelizmente para ele, não possuía uma personalidade forte, dominadora. Na verdade, era um tanto reservado, inibido e sensível. Esses traços e as circunstâncias em que aceitou o posto de comandante-chefe revelaram-se deficiências fatais em seu relacionamento com o Führer.

Foi um homem de aparência elegante e de procedimento sempre sério. Ou, nas palavras de Manstein:

> Ele era correto, cortês e mesmo encantador, embora esse encanto não nos causasse uma impressão de calor humano. Da mesma maneira que carecia do dinamismo que desperta o respeito do adversário... tampouco impressionava como personalidade produtiva e poderosa. O efeito geral era de frieza e reserva.[1]

Notou ainda Manstein que Brauchitsch "preferia que as decisões lhe fossem sugeridas, em vez de tomá-las e impô-las por iniciativa própria". Tal como seu primeiro chefe de Estado-Maior, Beck, Brauchitsch era muito lido em campos estranhos à sua profissão e sabidamente chocava seus colegas de generalato, incluindo entre seus *hobbies* "o estado das questões políticas e econômicas do dia"! À luz de seu desempenho como comandante-chefe, essa característica adquire como que um tom irônico. Antes da promoção ao mais alto posto, não fora conhecido por simpatias pró-nazistas. Na verdade, costumava escarnecer dos entusiastas do Partido, dizendo aos jovens oficiais que o cumprimentavam com a saudação nazista que não queria correr o risco de ter os olhos arrancados.[2]

Sua infeliz vida particular indubitavelmente desempenhou um importante papel em sua conduta, de outra forma enigmática, a respeito do caso

Fritsch quando, em janeiro de 1938, este general foi afastado de suas funções e citado para interrogatório pela Gestapo, a fim de defender-se de uma acusação forjada de comportamento homossexual, isto é, a disposição de entrar em negociações com Hitler como possível sucessor do colega, antes que ele fosse julgado, e sem consulta prévia aos colegas graduados, como Beck. Brauchitsch estava separado da esposa há cinco anos e era obrigado a sustentá-la e aos quatro filhos, e não dispunha de recursos financeiros privados. Desejava obter o divórcio, a fim de casar-se com uma mulher de antecedentes duvidosos, Charlotte Schmidt, que era descrita como "200% nazista". A esposa, porém, insistia em uma compensação financeira muito além do que ele poderia proporcionar. Buscara, em vista disso, refúgio no trabalho e podia ser encontrado a qualquer hora em seu gabinete, "trabalhando como um boi".[3]

Em uma detalhada análise das negociações com Hitler, apropriadamente intitulada "A Servidão de Brauchitsch", Harold C. Deutsch prova que ele recebeu pelo menos 80 mil *Reichmarks* direta e pessoalmente da chancelaria pessoal de Hitler. Enredava-se ele, assim, em um triplo comprometimento: recebera de Hitler o que equivalia a um suborno; a reputação de sua segunda esposa podia ser divulgada, prejudicando-o, como acontecera com Blomberg, que se casara com uma prostituta (como se descobrira depois) que tinha passagens pela polícia; e daí em diante a segunda esposa nunca teve escrúpulos em solapar qualquer possível oposição dele a Hitler, lembrando-lhe "o quanto nós devemos ao Führer".[4]

Foram também importantes as concessões políticas à ideologia do Partido Nazista que teve que fazer. A primeira opção de Hitler para sucessor de Fritsch foi, com toda probabilidade, o abertamente pró-nazista Reichenau, mas ele era inaceitável aos generais mais antigos. Rundstedt fora sugerido por Beck, mas Hitler lhe rejeitara o nome. Göring já propusera Brauchitsch, que considerava profissional sério, sem opiniões políticas definidas. Rundstedt aquiesceu. Em negociações que duraram vários dias, Brauchitsch concordou com as condições de Hitler, de que devia estar preparado para "aproximar mais o Exército do Estado e de sua filosofia" e que, se necessário, escolheria um chefe de Estado-Maior mais conveniente do que Beck. Quanto à terceira condição, de que se preparasse para aceitar uma reorganização da estrutura do alto comando, Brauchitsch pediu tempo para estudar-lhe as implicações.

Na verdade, ao aceitar o posto de comandante-chefe antes de Fritsch ter sido julgado, e sem consultar os colegas mais graduados, ele comprometera sua posição não só em termos pessoais como profissionais. Agindo assim, Brauchitsch tornou virtualmente impossível ao Exército apresentar uma frente unida que pudesse impedir Hitler de usurpar o poder e exercê-lo em caráter pessoal. Profunda dívida pessoal, combinada com crescente senso de vulnerabilidade à pressão e à chantagem contribuem muito para explicar por que esse ilustre soldado, daí em diante, se postava em frente a Hitler (na expressão de Halder) "como um cadete bisonho diante de seu comandante".[5]

Imediatamente após a confirmação de sua nomeação como comandante-chefe, no dia 4 de fevereiro de 1938, Brauchitsch enfrentou seu primeiro desafio importante: o julgamento iminente de Fritsch. Viu-se colocado em um dilema extremamente embaraçoso. Por um lado, seus colegas generais (a *Generalität*) esperavam que ele defendesse os interesses do Exército contra a interferência política, enquanto Beck e Canaris mantinham-no plenamente informado de que Fritsch fora comprometido pela Gestapo, com apoio da SS de Himmler. Por outro, Hitler deixara clara sua hostilidade a Fritsch, e Brauchitsch sabia que tinha diante de si meses de negociação, antes que terminasse seu processo de divórcio, e ele pudesse então receber o dinheiro prometido.

Contemporizou, prometendo, aos que o pressionavam para que tomasse medidas drásticas contra Himmler e a SS, que assim faria logo que o inquérito tivesse revelado todas as torpezas da Gestapo. Sua posição, contudo, foi seriamente solapada no dia 12 de março — menos de uma semana antes da esperada conclusão do julgamento de Fritsch —, quando Hitler insistiu na invasão imediata da Áustria, a fim de promover, pela força, o *Anschluss*. Ele e Beck haviam condenado essa improvisada operação militar sob fundamentos profissionais de risco de um conflito mais amplo. No caso, descobriu-se que houve muita incompetência, mas Hitler conseguiu uma vitória incruenta e humilhou ainda mais o OKH (o Estado-Maior do Exército).

Fritsch não pôde ser julgado culpado à vista da ridícula prova apresentada, e Brauchitsch foi membro da corte de honra que o isentou de toda culpa no dia 17 de março. Ainda assim, Fritsch foi eficazmente eliminado, tendo Göring, em particular, deixado claro que era contra qualquer forma de reabilitação que pudesse levá-lo a reassumir o cargo. Brauchitsch contemporizou, mas recusou-se a tomar qualquer medida positiva, tal como mostrar a Hitler a flagrante injustiça de que fora vítima seu sucessor. Em vez disso, aliviou a consciência fazendo o que podia para melhorar a reforma forçada de Fritsch, como, por exemplo, pondo cavalos de sela, oficiais de Estado-Maior e um carro à sua disposição. A crise Fritsch revelou que Brauchitsch carecia tanto de *finesse* como de determinação, deixara-se desviar do cumprimento do dever pelo capanga de Hitler, Keitel, e tampouco agira vigorosamente contra o inimigo, que desdenhosamente chamara de "esse Himmler de chiqueiro".[6]

Hitler, habilmente, silenciou os últimos resmungos de inquietação da *Generalität* com o caso Fritsch, quando, em maio de 1938, informou

Brauchitsch de sua intenção "de agir militarmente contra a Tchecoslováquia em futuro próximo". Pouco depois, na ausência de Beck, Brauchitsch dirigiu-se aos comandantes das grandes unidades do Exército, dizendo-lhes que era iminente um choque inevitável com a Tchecoslováquia e que, nessas circunstâncias, não podia pensar em exonerar-se por causa do tratamento dado a Fritsch. Podia apenas implorar aos que haviam pensado em exonerar-se que reconsiderassem suas decisões. Caso houvesse estado presente, Beck teria certamente posto em dúvida a inevitabilidade da guerra por causa da questão dos sudetos. O acontecimento inesperado citado por Brauchitsch, porém, deixou os generais na incerteza.[7]

A oposição dos generais à guerra por causa da Tchecoslováquia foi sumariada por Robert O'Neill no capítulo sobre Beck, para o qual aquilo se tornou uma questão de vida ou morte e pelo qual estava disposto a exonerar-se e a organizar um golpe de Estado contra Hitler. Embora menos comprometido com a idéia do que seu chefe de Estado-Maior, Brauchitsch temia também que a intervenção militar na Tchecoslováquia resultasse em uma guerra geral. Sob pressão de Beck, convocou uma reunião dos chefes do Exército no dia 4 de agosto, na qual tencionava ler um discurso que seu chefe de Estado-Maior redigira, pedindo apoio incondicional à oposição aos planos do Führer. Brauchitsch, porém, conduziu cautelosamente a reunião e não forçou a questão de apoio incondicional a uma *démarche* junto a Hitler. Deu vazão à sua raiva contra o OKW (principalmente contra Keitel e Jodl) pela maneira como haviam jogado os planos em sua mesa, sem consulta prévia, e leu o memorando contrário de Beck, sem revelar quem era seu autor. Ao solicitar opiniões, o general Adam, responsável pelas defesas, ainda inadequadas, no oeste, apoiou fortemente o raciocínio de Beck e declarou que ele (Adam) *estava* disposto a enfrentar Hitler — no que equivalia a uma reprimenda tácita ao comandante-chefe. Só dois generais, Busch e Reichenau, manifestaram-se a favor de obediência incondicional ao Führer. Reichenau, logo depois, solapou a posição do comandante-chefe, comunicando o que se passara na reunião a Hitler, que exigiu a exoneração de Beck como líder da oposição a seus planos. Brauchitsch defendeu seu chefe de Estado-Maior, mas recebeu ordens de lhe dizer que parasse com a emissão de memorandos críticos. Em princípios de agosto, Beck concluíra que Brauchitsch nem forçaria a questão de exoneração em massa dos generais nem reorganizaria o alto comando, de modo a reafirmar a autonomia do Exército contra o OKW, que agia como porta-voz de Hitler. Cresceu o ressentimento entre Beck e Brauchitsch a tal ponto que, semanas antes do pedido de exoneração do primeiro, Halder, seu vice, já o substituíra como autêntico representante do Estado-Maior Geral.[8]

O comandante-chefe permaneceu em dúvida sobre a capacidade de julgamento político e militar do Führer, mas sua base de poder era extremamente fraca, em especial porque Hitler fora informado de sua tentativa de arregimentar os generais para se oporem a seus planos referentes à Tchecoslováquia. No dia 3 de setembro de 1938, quando fez outra representação a Hitler no Berghof, Brauchitsch foi brindado com uma tirada de insultos pessoais. No dia 9 de setembro, durante a reunião do Partido em Nuremberg, Brauchitsch e Halder discutiram mais uma vez com Hitler os perigos que a Alemanha enfrentava, a discussão se prolongando até às 4h da manhã do dia seguinte. Keitel e Jodl manifestaram sua crescente decepção com Brauchitsch por questionar repetidamente a capacidade de julgamento do Führer. Ainda assim, para crédito seu, em data já tão tardia como 28 de setembro, o comandante-chefe implorou a Keitel que fizesse todo o possível para evitar a invasão da Tchecoslováquia. A ocupação incruenta dos sudetos no dia 1º de outubro, graças à rendição de Chamberlain na conferência de Munique, pareceu provar que estavam errados Beck e seus colegas conspiradores e serviu para aprofundar o desprezo de Hitler pelos pusilânimes chefes do Exército. Brauchitsch quase certamente desconhecia o fato de que, caso a guerra houvesse estourado e dado com sucesso o golpe, ele fora escolhido pelos conspiradores anti-Hitler como a autoridade suprema interina do governo, até que um governo provisório pudesse ser formado. Logo depois, Brauchitsch enfatizaria o abismo entre ele e os conspiradores, baixando uma ordem geral, no dia 18 de dezembro, elogiando os grandes talentos do Führer e apelando ao corpo de oficiais para que não cedesse a palma a ninguém na pureza e solidez de seu pensamento nacional-socialista.[9]

Da crise de Munique, Brauchitsch emerge com muito pouco a seu crédito. Foi bom juiz sobre o despreparo relativo do Exército, mas sua introvisão política dificilmente foi melhor que a de Beck. Compreensivelmente, foi tratado com rudeza nos numerosos trabalhos publicados pelos conspiradores e seus simpatizantes. Ulrich von Hassel, por exemplo, manifesta repetidamente seu desespero com Brauchitsch, observando que ele "abotoa a gola de uma casa mais alto e diz 'Sou soldado, e é meu dever obedecer'". Mas, como retruca Manstein, adotando ponto de vista contrário, civis como Hassell

> esquecem a diferença fundamental entre conspirar atrás de uma mesa, quando o indivíduo não exerce mais cargo de responsabilidade... e comprometer-se, como chefe do Exército, com um *coup d'état* que pode resultar em guerra civil em épocas de paz e levar à vitória de nossos eternos inimigos em tempos de guerra.[10]

Em fins de março de 1939, Hitler insinuou a Brauchitsch que resolvera usar de força contra a Polônia e, nos meses seguintes, o OKW desempenhou o papel dominante na elaboração dos planos para o *Fall Weiss* (o ataque à Polônia). Poucos oficiais da ativa eram contrários à guerra contra o inimigo tradicional, a Polônia, e o comandante-chefe não figurava entre eles — embora fosse equívoca a sua atitude. Na verdade, a *Generalität* ficara esvaziada após seu desastroso erro de cálculo sobre a Tchecoslováquia, e seus chefes compreendiam que era pouca ou nenhuma a influência que exerciam sobre Hitler. Beck fez um apelo desesperado a Brauchitsch para que aderisse ao planejamento de um golpe militar para impedir que Hitler provocasse a guerra. O comandante-chefe, porém, simplesmente ignorou a carta. O próprio Halder rejeitou um apelo pessoal de Beck, argumentando que ele, o Führer, tinha que ser apoiado em sua campanha para reconquistar Danzig e que a Grã-Bretanha não iria à guerra por esse motivo. Haveria tempo para pensar em depor Hitler *depois* de solucionada a questão polonesa.[11]

Durante a curta e vitoriosa campanha na Polônia, Hitler virtualmente nenhuma tentativa fez de interferir na conduta das operações, deixando Brauchitsch e Halder livres para cuidar do que lhes competia. Disse Keitel em Nuremberg que Hitler tivera apenas ocasionais reuniões com Brauchitsch durante essa campanha, na qual fizera sugestões, "mas nunca chegara a ponto de dar uma ordem". Halder realmente dirigiu a campanha sem praticamente interferência ou orientação de Hitler e nem uma única vez conversou ao telefone com ele, Keitel ou Jodl.[12]

À vista da controvérsia provocada pela "Ordem do Comissário" e outras diretrizes que envolveram profundamente o Exército na guerra de barbarismo na Frente Oriental em 1941, é importante deixar claro que Brauchitsch e o OKH sabiam muito bem das atividades criminosas da SS na Polônia, a partir de setembro de 1939.[13] Na verdade, o vice-chefe do Estado-Maior fizera um acordo com Heydrich *antes* da campanha, e Brauchitsch conhecia perfeitamente esse fato. No dia 7 de setembro de 1939, Hitler recebeu Brauchitsch, em seu vagão ferroviário particular, para uma discussão de duas horas sobre o futuro político da Polônia. Deu instruções ao Exército para não interferir nas operações da SS. Uma discussão subseqüente entre Canaris e Keitel deixou claro que Brauchitsch fora informado sobre as planejadas execuções do clero e da nobreza da Polônia e que estava apenas preocupado em salvar a reputação da Wehrmacht. Em 20 de setembro, em Zoppot, Hitler disse-lhe que era favorável à deportação, e não à eliminação dos judeus poloneses. Dois dias depois, encontrando-se com Heydrich, Brauchitsch estipulou apenas que a operação de expulsão de maneira nenhuma devia interferir nos movimentos do Exército. E deu instruções a seus comandantes nos campos da luta: "Forças-tarefa policiais receberam ordens e diretrizes do Führer para cumprir certas missões etnográficas no território ocupado." Os comandantes militares não deveriam interferir e não podiam ser considerados responsáveis. Além disso, Brauchitsch foi plenamente informado dos corajosos protestos do general Blaskowitz contra as atividades de bandos de extermínio da SS, mas, longe de apoiá-lo e a outros comandantes de linha que lhe apresentaram objeções, o comandante-chefe realmente ajudou a minimizar-lhes e abafar-lhes as queixas. Ou como conclui o coronel Seaton:

> Foi na Polônia que os generais, os oficiais e os graduados do Exército viramse face a face com a crua realidade das políticas raciais de Hitler, pois o arrebanhamento brutal de prisioneiros era feito à vista de todos... O caminho da Alemanha para a degeneração e a destruição nacional e moral começou na Polônia.[14]

Embora o eclipse do OKH como autoridade responsável pela política militar só se completasse quando Hitler reformou Brauchitsch em dezembro de 1941 e assumiu o comando direto do Exército, o órgão em causa já perdera o controle dos grandes assuntos estratégicos antes da campanha da Polônia, mas, pelo menos, conservara a autoridade na esfera operacional.

Após o brilhante sucesso na Polônia, o OKH supôs que Hitler terminaria a guerra no oeste mediante um acordo negociado, como em Munique. Brauchitsch e seus principais oficiais de Estado-Maior estavam planejando uma guerra defensiva de duração indefinida na Frente Ocidental e, tal como a maioria dos comandantes de campo, não achava que o Exército pudesse obter uma vitória decisiva contra a França e a Grã-Bretanha.

Não obstante, no dia 27 de setembro de 1939, Hitler deixou atordoados e desolados seus generais mais graduados, quando, sem consulta prévia a Brauchitsch, informou os comandantes-chefes das três armas de sua decisão de passar à ofensiva no oeste naquele outono e, ao fazê-lo, violar a neutralidade da Holanda, Bélgica e Luxemburgo. Essa decisão tomou forma em um memorando de Hitler, datado de 9 de outubro de 1939, despachado como diretriz através do OKW.

Isto constituía uma notável intromissão nas responsabilidades profissionais do OKH, em especial porque, como reconheceu mais tarde o general Warlimont, o quadro do OKH nessa ocasião simplesmente não podia planejar em detalhe uma grande campanha terrestre desse porte. Em outras palavras, Hitler, operando através do OKW, decidira não só que operação o Exército devia executar, mas quando e como devia ser conduzida. Originariamente, Hitler fixara o dia 15 de outubro como data fatal, estabelecendo também *como* a ofensiva devia ser desenvolvida, isto é, ladeando a Linha Maginot através dos Países Baixos. O comandante-chefe do Exército sofrera um humilhante rebaixamento de *status*, o de deixar de ser — pelo menos nominalmente — o principal conselheiro militar do chefe de Estado para o de burocrata subordinado, obrigado a elaborar um plano de campanha no qual não tinha confiança.[15]

Por que teria Brauchitsch se curvado diante desse *fait accompli*? Provavelmente, ele compreendeu a inutilidade de oposição imediata, mas teve talvez esperança de, após uma demonstração de boa vontade, convencer Hitler a abandonar o plano. Além disso, em vista da necessidade de retirar e reequipar unidades que estavam ainda na Polônia, a programação estabelecida por Hitler era otimista demais, e mesmo temerária, de modo que Brauchitsch talvez tenha contado com que o mau tempo — um argumento mais eficaz do que tentar discutir racionalmente com Hitler, como até mesmo o pró-nazista, mas militarmente realista Reichenau descobrira — adiasse a ofensiva até a primavera seguinte. Esse adiamento poderia fornecer novas oportunidades de terminar a guerra através de um acordo político.

A reação imediata de Halder, como chefe do Estado-Maior Geral, à decisão anunciada de chofre por Hitler no dia 27 de setembro, foi a de que tinha de exonerar-se. Brauchitsch, com lágrimas nos olhos, segundo se diz, conseguiu convencê-lo a permanecer no cargo, dizendo: "Não posso passar sem você. Como é que vou enfrentar esse homem, sem sua ajuda?" Daí em diante, prometeu Brauchitsch, Halder ficaria no controle total das operações e os dois permaneceriam ou se exonerariam juntos. Brauchitsch manteve sua palavra e, quando foi dispensado em 1941, liberou Halder de seu compromisso e instou com ele para que continuasse no posto.[16]

No dia 19 de outubro, o OKH baixou sua primeira e apressada diretriz para a ofensiva no oeste, o *Fall Gelb* (Plano Amarelo). Previa o plano que o principal ataque seria feito através da Bélgica, por 75 divisões, agrupadas no Grupo de Exércitos B, com o objetivo de destruir o grosso das forças britânicas e francesas no país e no norte da França. O Grupo de Exércitos A desempenharia um papel subsidiário de apoio, ao sul. Esta não era uma variante muito imaginosa do Plano Schlieffen, executado em 1914, e é difícil acreditar que tivesse produzido os resultados decisivos realmente conseguidos pelo drasticamente revisado "Plano Manstein" (*Sichelschnitt*) de maio de 1940. Podemos apenas conjecturar que Brauchitsch e Halder não se aplicaram de corpo e alma a uma operação em que não tinham confiança e certamente transmitiram sua repugnância pela tarefa, deixando que Keitel lesse os detalhes para Hitler.

Conquanto Halder estivesse implicado nas conspirações contra Hitler no outono de 1939, Brauchitsch permaneceu neutro, embora soubesse, até certo ponto, o que estava acontecendo. Se tivesse tomado conhecimento dessa conspiração, como parece possível, isso teria apenas aumentado o desprezo que Hitler sentia pelo pessimismo e derrotismo dos chefes do Exército. O desprezo dele é sumariado pelas observações que fez para um grupo de oficiais da Luftwaffe, antes do início de uma conferência naquele outono: "Aí vem meu Covarde Número Um", disse quando Brauchitsch entrou na sala, e acrescentou "Número Dois", quando Halder juntou-se a ele.[17]

Estabelecida uma nova data final para a ofensiva, em 12 de novembro de 1939 Brauchitsch conseguiu uma audiência com Hitler ao meio-dia do dia 5 de novembro, com a finalidade de enfatizar o despreparo e pouca disposição do Exército de empreender a arriscada operação. Nessa missão, Brauchitsch teve o apoio total de seus comandantes mais graduados na Frente Ocidental. Irving descreve-o como "um dos encontros mais estranhos na história da espinhosa parceria de ambos". Com incrível inépcia, Brauchitsch resolveu destacar a medíocre disciplina e falta de espírito de luta do Exército. Na Polônia, disse, a infantaria demonstrara pouco ardor no ataque e, ocasionalmente, subalternos e oficiais haviam perdido o controle da situação. Falou mesmo em "motins" em algumas unidades e referiu-se a atos de embriaguez e indisciplina que lembravam as deprimentes cenas ocorridas perto do fim da Primeira Guerra Mundial. Essas palavras tocaram um nervo exposto, e Hitler explodiu em um de seus característicos acessos de fúria. Pegou o memorando de Brauchitsch e enfiou-o no cofre, antes de submeter o infeliz general a uma espinafração, por condenar todo o seu Exército com base em uns poucos incidentes. Mais tarde naquele dia, referiu-se ao memorando como um amontoado de mentiras e ditou uma nota, ordenando a demissão de Brauchitsch, mas foi demovido dessa drástica medida pelo argumento de Keitel de que não havia um sucessor conveniente para o maleável comandante-chefe, cuja longa tradição familiar de serviço ao Estado lhe tornaria impossível rebelar-se.[18] Mas, por algum tempo, a ofensiva no oeste foi adiada, ostensivamente devido às más condições atmosféricas.

No dia 23 de novembro, na Chancelaria do Reich, Hitler dirigiu-se aos principais chefes da Wehrmacht, aproveitando a ocasião para uma denúncia devastadora dos generais do Exército, que duvidavam de sua determinação e capacidade de lançar uma ofensiva decisiva no oeste. Falando com "inigualada veemência, brutalidade e cinismo", o sentido de sua arenga foi que o soldado alemão era o melhor do mundo e não devia ser abandonado por chefes pusilânimes. E deixou claro que destruiria quem quer que se opusesse a ele. Para aumentar ainda mais a humilhação do Exército, chamou de volta Brauchitsch e Halder para outra espinafração, denunciando o "espírito de Zossen" (a localização do quartel-general do OKH). Os dois generais foram reduzidos a um estado de "estarrecida intimidação". Brauchitsch pediu exoneração, que foi desdenhosamente recusada.[19] Daí em diante, Halder nunca mais se comprometeu seriamente com qualquer conspiração contra Hitler. A resistência aberta aos planos de Hitler para uma ofensiva no oeste entrou em colapso naquele dia, e embora a oposição continuasse a conspirar em segredo para assumir o poder, suas perspectivas de sucesso foram seriamente abaladas pela desmoralização dos chefes do Exército.

O que a resistência declarada dos generais não conseguira obter, foi, ainda assim, realizado por um inverno inusitadamente rigoroso, que adiou pelo menos uma dezena de vezes a execução do Plano Amarelo. A partir dos primeiros meses de 1940, os chefes do Exército tornaram-se cada vez mais entusiásticos com as perspectivas de sucesso no oeste, à medida que melhoravam o treinamento, o apetrechamento e, acima de tudo, os planos operacionais. Brauchitsch, em particular, mergulhou no trabalho detalhado de preparar o Exército para a guerra, como maneira de escapar das questões mais amplas a respeito das quais nenhuma impressão conseguira produzir em Hitler, ou salvar o que restasse de independência do OKH contra a usurpação de suas funções pelo OKW. Halder, contudo, manteve alguns contatos, nos quais não se comprometeu, com grupos de oposição civis e militares e, em princípios de abril de 1940, apresentou a Brauchitsch uma versão do relatório "X", isto é, o curto e misterioso documento obtido do Vaticano, que delineava os termos em que a Grã-Bretanha negociaria a paz com um governo pós-Hitler. O próprio Halder tinha dúvidas sobre a autenticidade do documento, mas achou que tinha o dever de mostrá-lo a Brauchitsch, que o estudou durante a noite e, no dia seguinte, disse ao seu chefe de Estado-Maior:

> Você não devia ter-me mostrado isso. O que temos aqui é pura e simples traição nacional... Estamos em guerra. Que, em termos de paz, alguém estabeleça contato com uma potência estrangeira, pode ser admitido. Numa guerra isso é impossível a um soldado.[20]

E acrescentou que, desde que isso implicava um choque entre diferentes filosofias de vida, seria inútil a derrubada de Hitler. Queria que fosse preso o homem que entregara o documento. Halder, porém, discordou, e embora a oposição continuasse a conspirar em segredo para assumir o poder, disse: "Se alguém deve ser preso, então, prenda-me." Brauchitsch, porém, nunca traiu os conspiradores, mas tampouco lhes deu qualquer ajuda ou incentivo.[21]

Aproximando-se a estação da ofensiva de primavera, continuou duvidoso das possibilidades de sucesso. No dia 8 de março de 1940, Ulrich von Hassell, um dos principais conspiradores civis, foi informado por um primo de Brauchitsch de que, "No fundo, ele estava indeciso e muito perturbado. Se pudesse ser aliviado da responsabilidade de iniciar a ação, ele a 'toleraria'". Alguns dias depois, von Hassell escreveu em seu diário que o comandante-chefe "está sendo tratado com uma desconsideração cada vez maior e empurrado para o segundo plano". Aos conspiradores que tentavam atraí-lo para uma intervenção contra os "piratas negros" (a SS), ele dava a impressão de um homem internamente alquebrado.[22]

Não obstante, quando o almirante Raeder propôs a invasão da Dinamarca e da Noruega, Brauchitsch e Halder ficaram apavorados com os riscos envolvidos e, inflexivelmente, recusaram-se a permitir que o OKH elaborasse os planos. Com toda probabilidade, tinham esperança de que Hitler tentasse essa aventura e enfrentasse um desastre, abrindo, dessa maneira, caminho para que os conspiradores executassem o golpe. Neste caso, o OKH foi inteiramente ignorado, e Hitler, pela primeira vez, assumiu responsabilidade direta por uma campanha, auxiliado pelo pessoal de operações do OKW e um pequeno e improvisado quartel-general sob as ordens do general von Falkenhorst. Essa maneira inortodoxa de organizar uma campanha levou Halder a observar, em desespero: "Nem uma única palavra foi trocada pelo Führer e o comandante-chefe do Exército sobre esse assunto. Que isso fique nos anais para conhecimento dos historiadores da guerra."[23]

A primeira intervenção séria de Hitler na conduta da guerra bem que poderia ter resultado na catástrofe de que os conspiradores necessitavam, uma vez que quis evacuar Narvik apenas alguns dias depois de a cidade ter sido capturada. Warlimont, que observou atentamente Hitler nessa fase crítica das operações, comentou-lhe mais tarde "a fraqueza de caráter, realmente apavorante", sentado encurvado em uma cadeira em um canto da Chancelaria do Reich, "ignorado por todos e olhando fixamente para o vazio, perdido em sombrios pensamentos". Infelizmente, Jodl permaneceu frio e capaz de tomar decisões no OKW, e a combinação de comandantes e tropas competentes na frente de batalha resultaram em uma vitória notável.[24] Daí em diante, Hitler sentiu-se confiante o bastante para interferir em assuntos operacionais, chegando até mesmo ao nível tático.

Ao contrário de comandantes de tropas, como Reichenau e Fromm (este comandante do Exército de Reserva), Brauchitsch e Halder permaneceram céticos sobre uma vitória no oeste até o momento exato em que foi lançada a ofensiva.[25] Diferem as opiniões sobre a relutância e veemência com que o OKH resistiu à adoção do "Plano Manstein" em fevereiro de 1940, mas essa foi sem dúvida uma das mais inspiradas intervenções de Hitler na esfera militar profissional. Em outros aspectos, como a ocupação do Maas e das pontes sobre o canal Albert, as intervenções obsessivas de Hitler a favor da SS e da Luftwaffe, contra os desejos do Estado-Maior Geral, serviram apenas para aumentar os atritos e a confusão.

Durante a brilhante campanha de seis semanas, Brauchitsch esteve em movimentação constante por terra e ar, fazendo o máximo para manter contato pessoal com as tropas avançadas. Deixado a cargo das operações, Halder realizou trabalho soberbo, tomando a direção certa em várias ocasiões, quando desaparecia a coragem de Hitler. Na aproximação do canal da Mancha, por exemplo, Halder achou que Hitler e o OKW exageravam absurdamente o perigo do flanco sul aberto das forças *panzer*, e ele e Brauchitsch se opuseram em vão à ordem de parada, dada em 17 de maio. No caso da parada mais crítica diante do perímetro de Dunquerque, no dia 25 de maio, Hitler, com o apoio de Rundstedt, interferiu diretamente na direção da campanha pelo OKH.[26] Brauchitsch e Halder careciam do prestígio e determinação necessários para conter Hitler, mas não se exoneraram. Brauchitsch foi incluído entre os 12 marechais-de-campo nomeados em 19 de julho de 1940 e, na opinião de Manstein, mereceu plenamente seu bastão.[27]

Em contraste com suas reações às projetadas campanhas na Escandinávia e na França, Brauchitsch e Halder demonstraram incomum otimismo e entusiasmo pela invasão do sul da Inglaterra (Operação Leão-Marinho), que Hitler lhes ordenou que preparassem, no dia 13 de julho. E foi a incapacidade da Luftwaffe de obter supremacia aérea na região sul-oriental da Inglaterra, e o pessimismo de Raeder sobre os projetos de invasão, que levaram Hitler a adiar e, na realidade, a abandonar o ambicioso plano. Enquanto isso, Brauchitsch e Halder discutiam uma possível estratégia no Mediterrâneo, em apoio de seu aliado italiano, para captura de Gibraltar, Egito e Palestina, mas não manifestaram quaisquer fortes opiniões a esse respeito. De qualquer modo, Hitler não demonstrava interesse real por objetivos estratégicos no Mediterrâneo.[28]

Já em 13 de julho de 1940, Halder notou, após uma conferência com Hitler, que o Führer estava inclinado a coagir a Grã-Bretanha à capitulação, privando-a de sua única esperança de apoio na Europa — a União Soviética —, atacando esta última em fins daquele outono. Esse plano insensatamente otimista foi incentivado por informações secretas errôneas, de que a Rússia dispunha apenas de 50 a 75 divisões aguerridas, embora estimativas mais realistas logo as corrigissem.

Uma vez que essa foi a momentosa decisão que, em retrospecto, julgou-se a causa da derrota da Alemanha, houve compreensivelmente muito interesse em descobrir quem dera partida a esse impulsivo projeto.[29] Em seu excelente estudo *German Strategy Against Russia 1939-1941* e em seu ensaio neste livro (ver p.133) sobre Halder, Barry Leach* diz que foi o próprio chefe do Estado-Maior quem traçou os planos operacionais preliminares contra a Rússia, em junho de 1940, com base em sua própria estimativa da situação política, isto é, que a longo prazo as intenções soviéticas com relação à Alemanha teriam que ser agressivas e que deveriam, por isso mesmo, ser antecipadamente frustradas por uma fulminante ofensiva alemã em 1940. Mais surpreendente ainda que a iniciativa de Halder, parece claro também que Brauchitsch adiantou-se ao pensamento de Hitler, defendendo uma guerra preventiva contra a Rússia naquele verão.[30] Esse notável otimismo da parte de Halder e Brauchitsch, de que a Rússia podia ser derrotada em uma veloz campanha de outono, baseava-se em estimativas grosseiramente inexatas do poderio e capacidade do inimigo. Em fins de julho de 1940, Hitler decidira que a invasão da Rússia só devia começar em maio de 1941. Halder e Brauchitsch concordaram. Quando discutiram o projeto no dia 30 de julho de 1940, Halder observou que "faríamos melhor em manter a amizade com a Rússia... Poderíamos atingir fatalmente os ingleses no Mediterrâneo, expulsá-los da Ásia". No dia seguinte, Hitler aceitou os argumentos de Keitel e Jodl, de que não havia tempo para derrotar a Rússia em 1940, porque "seria necessária uma campanha de cinco meses" e "um impasse no inverno poderia ter graves conseqüências". Concluiu que devia resolver o caso russo na primavera de 1941. Warlimont teve certamente razão em deduzir que, em julho de 1940, o próprio Hitler chegara à decisão inalterável de atacar a Rússia, devido a "seu ódio permanente, profundo e mortal ao bolchevismo".[31]

Desde os primórdios do projeto de invasão da Rússia (Operação *Barbarossa* — Ver mapa 2) até dezembro de 1940, a preparação de todo o plano da campanha, incluindo a reunião das forças e a fixação dos objetivos iniciais, ficou inteiramente nas mãos do OKH. O OKW e Jodl, este chefe do Estado-Maior de operações do OKW, em particular, nenhuma participação tiveram no planejamento do OKH nem foram convidados a comparecer a qualquer dos jogos de guerra montados pelo Estado-Maior do Exército no outono de 1940.[32]

Essa enorme operação pôs finalmente a claro o fato de que a organização do alto comando alemão não fora estruturada para a guerra, e embora a improvisação tivesse sido suficiente para as anteriores campanhas-relâm-

---

* O professor Leach bondosamente me enviou uma cópia de seu ensaio sobre Halder, enquanto minha própria contribuição estava em preparo.

pago, era patentemente inadequada para uma guerra contra a Rússia. Conforme vimos acima, os aspectos políticos e da grande estratégia haviam sido cada vez mais tratados pelo OKW, de modo que o OKH teve que formular planos militares em um vácuo. Agravando ainda mais a situação, o OKH tinha debilidades internas próprias. Para dar um exemplo, no começo da guerra sua sede fora transferida para Zossen, deixando em Berlim parte considerável de seu pessoal. Brauchitsch descobriu também que lhe faltavam assessores especializados em armas e, assim, novas seções tiveram de ser criadas. Outra fraqueza era que a Divisão "Exércitos Estrangeiros Leste" do OKH estava mal informada das condições na União Soviética, e mesmo sobre o Exército Vermelho, além das fronteiras russas.[33] Neste assunto, o OKH padecia da mesma ignorância geral sobre o poderio militar soviético que era comum a todos os estados-maiores europeus.

Em fins de outubro, o principal oficial de planejamento de Halder, Paulus, completou seu esboço do plano de invasão. Dois Grupos de Exércitos (von Leeb e von Bock) seriam lançados ao norte dos pântanos de Pripet, um deles dirigindo-se para Leningrado e o outro marchando contra Moscou, enquanto um terceiro grupo (von Rundstedt) penetraria na Ucrânia, ao sul. Na primeira fase, pouca ênfase era dada às forças soviéticas nos Estados Bálticos ou a vantagens econômicas. Em vez disso, deu-se destaque ao objetivo clássico de destruir as forças inimigas. A forma de um funil que se abria, da rota de invasão do coração da Rússia, implicava que uma frente inicial de 2.100km se expandiria rapidamente para 4.000km. Outras deficiências foram discutidas, desmentindo a idéia de que todos os generais alemães se enfatuaram com as perspectivas da *Barbarossa*. Seria extremamente difícil, por exemplo, manter 3,5 milhões de soldados e meio milhão de cavalos em um país imenso, onde eram poucas as estradas e as ferrovias usavam bitola diferente. O Exército de Reserva só contava com meio milhão de soldados — apenas o suficiente para substituir baixas em uma campanha de verão. Havia aguda falta de veículos motorizados e combustível, e a produção de tanques, em 1941, nunca passou de 250 por mês.

Por todas essas razões, e porque duvidavam do discernimento estratégico do Führer, Brauchitsch e Halder concluíram que a destruição do Exército Vermelho teria que ser o objetivo supremo, caindo para segundo plano as considerações econômicas. O ataque principal seria lançado na direção de Moscou, na frente central. Esta manobra, argumentavam, atrairia o grosso das forças inimigas, e a captura de Moscou implicaria não só ruptura do controle e das comunicações, mas tornaria também difícil ao Exército Vermelho restabelecer uma frente contínua. Fontes soviéticas confirmaram posteriormente a perspicácia dessa análise operacional.[34]

Na fatídica conferência de 5 de dezembro de 1940, Hitler apresentou um plano alternativo, secretamente elaborado pelos oficiais de Jodl no OKW, que dava mais ênfase à exploração de avanços pelos flancos e menos à necessidade de ocupar Moscou.[35] Contrariando a defesa que Halder fez do plano do OKH, Hitler reafirmou a importância decisiva do que optava pelos flancos do Báltico e da Ucrânia e dos objetivos econômicos. Moscou, na sua opinião, não era tão importante assim. Quando correu em apoio de Halder, Brauchitsch foi bombardeado com uma saraivada de insultos e maltratos. Os chefes do Exército tiveram que ceder, e a conferência terminou, decidindo-se que o planejamento inicial para o Grupo de Exércitos Centro devia ir apenas até Smolensk, a cerca de 320km de Moscou. O Führer decidiria a questão quando Smolensk caísse. Conforme observa o coronel Seaton, "Nessa lacuna, residiu uma das causas do fiasco alemão em 1941". A resultante Diretriz (nº 21) de 18 de dezembro foi longa, esparramada e indecisa em seus objetivos. Mencionava vários alvos desconexos, mas a nenhum deles atribuía prioridade. Na verdade, nas palavras do coronel Seaton, "Hitler estava prestes a lançar o Exército alemão contra a União Soviética, em uma quimérica campanha de quatro anos de duração para capturar portos, cidades, petróleo, milho, carvão, manganês e minério de ferro".[36]

Halder e Brauchitsch podem ter percebido as contradições e perigos inerentes à *Barbarossa*, mas não apresentaram argumentos contra a alternativa de Hitler. Nos meses seguintes, pouco houve que o OKH pudesse fazer para reunir tropas suficientes à altura da gigantesca missão: os meios humanos, materiais e de treinamento eram, sem exceção, limitados, e várias campanhas menores nos Bálcãs e no Mediterrâneo tinham que ser planejadas (e algumas executadas) antes que a *Barbarossa* pudesse ser finalmente lançada.

Há alguma evidência de que Brauchitsch foi afetado pela euforia dominante, resultante de mais vitórias na conquista da Iugoslávia e Grécia nos primeiros meses de 1941. Em fins de abril, sumariou ele da seguinte maneira as perspectivas da *Barbarossa*: "Batalhas maciças na fronteira a serem esperadas, duração até quatro semanas. Mas, em desenvolvimentos posteriores, apenas resistência insignificante deve ser levada em conta."[37] Além disso, depois de um discurso de Hitler aos chefes militares mais graduados, pronunciado na Chancelaria do Reich no dia 11 de junho de 1941, com o objetivo de lhes despertar o entusiasmo, Warlimont consignou em suas notas que, tanto quanto pôde julgar, todos os presentes se mostravam confiantes.[38]

Mas, antes de discutir o fracasso catastrófico do Exército alemão na Rússia, que culminou para Brauchitsch em demissão e fim de sua carreira na ativa, é necessário examinar-lhe o envolvimento e o do OKH na expedição de ordens que desempenharam papel importante em tornar a guerra na Frente Oriental um episódio de fanatismo ideológico e de barbaridade. Em seus depoimentos nos Julgamentos de Nuremberg, Brauchitsch mentiu sobre seu conhecimento e responsabilidade pela emissão de ordens ilegais e pela apavorante conduta delas resultante, e outros oficiais superiores que sobreviveram para escrever suas memórias ou conceder entrevistas a historiadores simpáticos tentaram naturalmente colocar toda a culpa sobre Hitler, Himmler, Heydrich e a SS. Os historiadores há muito sabem que não se pode traçar uma clara linha divisória entre um exército profissional, que respeitava as leis da guerra na zona de combate, e criminosas unidades da SS que perpetravam toda sorte de atrocidades nas áreas de retaguarda.[39] Até mesmo em 1960, Gerald Reitlinger demonstrava que o OKH não podia escapar de condenação por ter aprovado a Ordem do Comissário e outras diretrizes ideológicas, ao passo que, mais recentemente, o dr. Jürgen Förster, após minuciosa pesquisa para o volume 4 da História Oficial Alemã, conclui:

> *Barbarossa* foi uma guerra de extermínio cuidadosamente planejada... Embora tivesse sido Hitler quem quisera transformar *Barbarossa* em uma guerra de extermínio contra o bolchevismo e o judaísmo, foram os mais altos oficiais da Wehrmacht e seus assessores jurídicos que lhe deram às intenções ideológicas uma forma legalmente válida.[40]

Em seu famoso discurso aos chefes da Wehrmacht, incluindo Brauchitsch, pronunciado na Chancelaria do Reich no dia 30 março de 1941, Hitler deixou claro que aquilo era uma cruzada ideológica, da qual teriam que participar todos os comandantes. A eliminação dos líderes e funcionários comunistas seria tanto tarefa deles quanto de Himmler e da polícia. Esperava que as tropas atacassem na retaguarda com os mesmos métodos implacáveis que usavam na frente de batalha: os comissários e o pessoal da GPU eram criminosos e deviam ser tratados como tais. Isso não significava que se daria rédea solta à tropa, mas ela teria que esquecer o conceito de camaradagem militar entre inimigos, porque isso não se aplicava a comunistas. Nessa ocasião, Hitler supunha que a resistência russa entraria rapidamente em colapso, de modo que pensava em expurgo dos quadros comunistas em uma escala horrenda, e no qual o alto comando estaria metido até o pescoço.

Quando prestou depoimento em Nuremberg, no dia 9 de agosto de 1946, Brauchitsch tinha 65 anos de idade, estava doente e ficando cego. Contou muito menos do que toda a verdade sobre seu envolvimento na Ordem do Comissário e outros assuntos de importância crítica, mas foi tratado com notável leniência pelos promotores. Disse que os três comandantes de Grupos de Exércitos haviam protestado junto a ele, em seguida ao discurso de Hitler no dia 30 de março, alegando que essa maneira ideológica de travar uma guerra lhes era intolerável. Supostamente, Brauchitsch teria respondido que não adiantava falar com Hitler, mas que providenciaria que as ordens efetivamente emitidas promovessem a manutenção da disciplina "ao longo de princípios e regulamentos vigentes no passado".[41]

Em Nuremberg, Brauchitsch protestou que nada sabia a respeito de assassinatos de comissários e que não recebera relatórios comunicando que os decretos de Hitler haviam sido implementados. Brauchitsch faleceu em 1948, antes de poder ser julgado por um tribunal britânico na Alemanha, mas os documentos apresentados nesse foro demonstraram que ele estivera mentindo: suas próprias ordens, implementando as instruções de Hitler, haviam tido ampla circulação, e ele, *de fato*, recebera relatórios de todos os três Grupos de Exércitos, detalhando as execuções dos comissários. Em seu depoimento, Halder alegou que sugerira a Brauchitsch que ambos pedissem demissão, de preferência a coonestar a Ordem do Comissário, mas que o comandante-chefe convencera-o a permanecer no posto por causa da responsabilidade de ambos para com as tropas.[42]

Não obstante, o dr. Jürgen Förster provou, conclusivamente,[43] que o OKH teve profunda participação em duas ordens, intituladas "Exercício da Jurisdição Militar" e "Diretrizes para o Tratamento de Comissários Políticos", baixadas, respectivamente, em 13 de maio e em 6 de junho de 1941.

A origem dessas ordens é muito complexa. O primeiro esboço relativo ao abandono do sistema de cortes marciais (conselhos de guerra) foi feito pelo OKW em 28 de abril. Posteriormente, no dia 6 de maio, o OKH redigiu suas próprias ordens e acrescentou as medidas que deviam ser tomadas contra os comissários. No OKH, foi Halder, e não Brauchitsch, ou o "oficial-general encarregado de deveres especiais", Eugen Müller, o responsável pelo esboço da ordem de 6 de maio. Na verdade, neste assunto, Müller estava sujeito à autoridade de Halder, e este deixou clara em seu diário a crença de que os soldados alemães teriam que travar também uma guerra ideológica. O esboço de Halder foi usado pelo OKW nas ordens baixadas em 13 de maio e em 6 de junho. Juntas, essas duas ordens foram muito além do cumprimento mínimo das intenções de Hitler. Davam não só instruções às tropas para atirar em indivíduos suspeitos de serem guerrilheiros, "enquanto estiverem lutando ou fugindo", mas tomava também a iniciativa contra adeptos da "visão mundial judaico-bolchevista" e dispunha sobre a execução dos comissários. As duas ordens foram justificadas como sendo necessárias para garantir a segurança absoluta das tropas alemãs.

Posteriormente, Brauchitsch assinou e baixou modificações nas diretrizes do OKW. A correção introduzida na Ordem do Comissário (8 de junho de 1941) equivalia a uma justificação da eliminação dos comissários. Esta última supunha, por antecipação, que os bolchevistas, por definição, ignorariam os princípios de humanitarismo e direito internacional: "Em especial, deve-se esperar que o tratamento dado a prisioneiros alemães por comissários políticos de todos os tipos... seja cruel, desumano e ditado pelo ódio."[44] Essa ordem ignorava a questão crucial de como os comissários poderiam ser identificados, antes do fuzilamento sumário. Ou, como comenta mordazmente Reitlinger, sob a proteção da Ordem de Jurisdição, o soldado alemão podia "atirar em qualquer pessoa, do carteiro ao gari". Além do mais, não se ia perder tempo com cortes marciais para julgar civis ou guerrilheiros russos, cujo destino podia ser resolvido por qualquer comandante de batalhão ou oficial de patente superior.[45]

Na verdade, a Ordem do Comissário tornou-se desculpa para o assassinato em massa de prisioneiros de guerra, enquanto a Ordem de Jurisdição justificava ou tolerava o extermínio de civis em escala gigantesca. A alegação de Brauchitsch em defesa própria, de que tomou providências para anular as instruções de Hitler, baseou-se em um anexo à Ordem de Jurisdição, que baixou em 24 de maio. Essa ordem, sobre a manutenção da disciplina, foi enviada a nada menos que 340 comandos. Era supostamente um comentário aos desejos do Führer de evitar que se desperdiçassem unidades de combate em operações de limpeza e dizia respeito a casos graves de rebelião. O soldado isolado não devia agir como julgasse apropriado no tocante à população civil, mas cumprir ordens de seus oficiais. Mas, desde que aos oficiais fora virtualmente concedida *carte blanche* para ordenarem eliminações indiscriminadas, é difícil entender como a insistência de Brauchitsch na disciplina das unidades poderia modificar as ordens de Hitler no menor grau que fosse.

O anexo de Brauchitsch à Ordem de Jurisdição nunca foi reiterado, embora ele fosse responsável por várias outras destinadas a adaptá-la às circunstâncias. A aquiescência do comandante-chefe à guerra ideológica de extermínio é evidente também nas atividades do general encarregado de missões especiais Eugen Müller que, embora trabalhasse diretamente sob as ordens de Halder, era, em última análise, responsável perante Brauchitsch. Em discurso dirigido a oficiais de informações e juízes-advogados de cada um dos comandos de exército, pronunciado em Varsóvia em 11 de junho de 1941, Müller endossou a Ordem do Comissário declarando: "De dois inimigos, um deve morrer. Não poupem o adepto da ideologia inimiga. Matem-no." Na prática, alguns comandantes de linha e seus oficiais de ligação fecharam os olhos às atrocidades cometidas pelos SS *Einsatzgruppen*, enquanto eles não criassem casos nas áreas de combate, ao passo que outros realmente os ajudaram. Vários comandantes manifestaram-se em 1941 contra a Ordem do Comissário, incluindo Ritter von Leeb, que convenceu Brauchitsch e Keitel a protestarem contra ela por razões práticas, isto é, que a certeza de execução, se capturados, estava realmente aumentando o poder político dos comissários do Exército Vermelho. Rudemente, Hitler repeliu esse memorando e obrigou Brauchitsch a baixar novas instruções, confirmando as regras para triagem de prisioneiros. A única modificação que o protesto conseguiu foi que as execuções de prisioneiros fossem feitas discretamente e tão longe quanto possível dos acampamentos. Durante todo o resto de 1941, reinou caos total nos campos de prisioneiros, com a execução de milhares de vítimas nos termos de uma vaga descrição de "elementos racialmente inferiores", que incluía doentes e inválidos. A consideração vital a guardar em mente é que, até fins de 1941, Hitler supunha que obteria vitória total sobre a Rússia e havia pouco perigo de represálias, uma vez que tinha em seu poder mais de um milhão de prisioneiros, ao passo que apenas alguns milhares de alemães se encontravam em mãos do inimigo. Quando, após a exoneração de Brauchitsch, a matança indiscriminada de prisioneiros e civis foi drasticamente reduzida, as razões foram puramente pragmáticas, isto é, a necessidade urgente de trabalho escravo na Alemanha e de auxiliares de campo da Wehrmacht.[46]

O melhor que se poderia dizer para mitigar a culpa de Brauchitsch na barbarização da guerra na Frente Oriental seria que ele se preocupou limitadamente apenas com a segurança das tropas alemãs e com a pacificação das áreas que elas haviam tomado. Mas, conforme sugerido acima, implicou-se demais nos aspectos ideológicos e ilegais da campanha para que sua alegação fosse convincente. Era claro que achava que se travava de uma guerra ideológica, na qual não se aplicavam as regras costumeiras.

Ulrich von Hassell previu e arrasou essa desculpa na anotação de seu diário relativa ao dia 16 de junho de 1941:

> O Exército terá que assumir o ônus dos assassinatos e queimadas, que até agora foi limitado à SS. Assumiu a responsabilidade e ilude-se a si mesmo e aos demais com o raciocínio de que esses fatos não alteram a essência do problema — a necessidade de manter a disciplina, *et cetera*. Que sargentos-instrutores sem remédio![47]

Nas semanas iniciais da campanha russa notam-se, como se poderia esperar, poucas indicações de atrito entre o OKH e Hitler. Na primeira semana de julho, Hitler e Halder falavam como se a guerra estivesse virtualmente ganha e, no dia 8 de julho, Hitler deu instruções a Brauchitsch para sustar o envio de tanques novos para a Frente Oriental. Houve também drásticas reduções no número de divisões de infantaria. No mesmo dia 8 de julho, Hitler disse a Brauchitsch que Moscou teria que ser devastada para expulsar de lá a população, mas que isso seria conseguido apenas através de bombardeios de terror. Ao contrário do OKH, que considerava a capital como alvo estratégico vital, Hitler via nela apenas a sede do bolchevismo e tencionara, desde o início, dar toda prioridade a Leningrado e à Ucrânia. Ataques aéreos contra Moscou foram realizados, nessa conformidade, nos dia 21 e 22 de julho, mas poucos resultados produziram. Em meados de julho, após um período de hesitação, Hitler estava chegando à momentosa decisão de dar prioridade máxima à captura de Leningrado. A fim de atingir esse fim, propôs desviar as forças *panzer* do general Hoth, que faziam parte do Grupo de Exércitos Centro, e enviá-las por 650 km na direção nordeste, ao mesmo tempo que deslocava o grupo *panzer* de Guderian para uma distância a 600km ao sul da frente de Moscou, a fim de incluí-lo no Grupo de Exércitos Sul. Estas decisões deixavam a von Bock apenas divisões de infantaria para o avanço sobre Moscou que, nesse momento, tinha baixa prioridade para Hitler.[48]

Halder considerou essas medidas como um erro potencialmente desastroso, porque considerava a destruição das forças que defendiam Moscou como muito mais importante do que avanços em profundidade nos flancos norte e sul. Von Bock, von Rundstedt e mesmo Jodl concordaram com ele. Mas, segundo Halder, Brauchitsch já estava entregando os pontos:

> Se não tivesse minha fé em Deus e em minha própria resistência interior, eu teria entrado em colapso como Brauchitsch, que, no fim de seus recursos, escondia-se por trás de uma máscara de ferro para não mostrar sua impotência total.[49]

A decisão de Hitler de dar prioridade aos ataques ao norte e ao sul a expensas de Moscou foi implementada pela Diretriz nº 33, baixada no dia 19 de julho. Um suplemento a essa diretriz, expedido no dia 23 de julho, sumariava:

> Após operações de limpeza em torno de Smolensk e no flanco sul, o Grupo de Exércitos Centro, cujas formações de infantaria são suficientemente fortes para o objetivo, derrotará as forças remanescentes entre Smolensk e Moscou... Em seguida, capturará Moscou.[50]

Em 30 de julho, contudo, Hitler foi obrigado a concordar que, sem forças blindadas, o grupo de exército de Bock não podia fazer progressos contra as forças do general Timoshenko, que defendiam Moscou. A Diretriz nº 34, baixada naquele dia, determinava que "o Grupo de Exércitos Centro entre na defensiva, aproveitando a vantagem de terreno apropriado". Essa decisão seria reiterada em um suplemento, datado de 12 de agosto, dizendo que o avanço sobre Moscou não poderia ser reiniciado até que Leningrado fosse capturada, e os flancos, garantidos. O inimigo, porém, teria ainda que ser privado do centro de governo, armamentos e tráfego em volta de Moscou "antes do próximo inverno".[51] O tempo já estava se esgotando para Hitler, e o avanço sobre Moscou na frente central não seria, na verdade, reiniciado até inícios de outubro. Enquanto isso, no dia 18 de agosto, Brauchitsch fez uma de suas últimas tentativas de firmar sua autoridade como cabeça profissional do Exército, protestando por escrito contra a baixa prioridade dada à captura de Moscou. Hitler rejeitou-lhe o memorando, respondendo que a captura da Criméia e da bacia do Donets, o corte do abastecimento de petróleo russo procedente do Cáucaso, no sul, o isolamento de Leningrado e a ligação com os finlandeses, no norte, eram os objetivos mais importantes, que deviam ser atingidos antes da chegada do inverno.[52]

Terá que permanecer como questão inconclusa se a adoção, ou não, da estratégia defendida pelo OKH teria trazido a vitória em 1941, mas o que é claro é que, por volta do verão, as coisas começaram a degringolar seriamente para a Wehrmacht, enquanto a crescente e aleatória interferência de Hitler na esfera de responsabilidade do OKH tornava a vida intolerável para Brauchitsch e Halder. O primeiro pensou em pedir exoneração, mas achou, provavelmente com acerto, que Hitler não a aceitaria.

Ao ser reiniciada a ofensiva contra Moscou em outubro, tudo correu bem durante umas duas semanas, com avanços substanciais e imensas capturas de prisioneiros. A carência de efetivos tornara-se tão aguda, porém, que o general Fromm, no comando do Exército de Reserva, insinuou a Brauchitsch que chegara a ocasião de fazer propostas de paz a Moscou. Com o início do inverno, o avanço na frente central tornou-se uma corrida desesperada para chegar a Moscou e arranjar abrigo. Em novembro, ficou evidente para a maioria dos comandantes de linha de frente (embora Halder permanecesse surpreendentemente otimista) que o Exército simplesmente não estava adequadamente apetrechado para a missão e teria que entrar na defensiva ou arriscar-se a ser aniquilado. Hitler tentou transmitir ao infeliz Brauchitsch sua crença fanática na força de vontade. No dia 28 de novembro, foi chamado à presença do Führer e recebeu ordens impossíveis de cumprir, juntamente com uma chuva de insultos. Alguns dias depois, a contra-ofensiva russa começou a empurrar para trás o Grupo de Exércitos Centro por quase 300km, dessa maneira obrigando Hitler a aceitar o fato de que a vitória não seria alcançada em 1941.[53]

Não é difícil imaginar o que essas entrevistas, juntamente com a situação militar desesperada, fizeram com a saúde já declinante de Brauchitsch. Ele sofreu um ataque cardíaco em novembro; logo depois era descrito como um "homem liquidado". Suas experiências com o Führer tornaram-se ainda mais humilhantes. No dia 29 de novembro, por exemplo, Rundstedt foi sumariamente demitido do Grupo de Exércitos Sul, sem que Brauchitsch fosse sequer informado. No dia 6 de dezembro, nem ele nem Halder conseguiram que Hitler aceitasse a realidade do estado de exaustão das tropas e das pavorosas condições da frente de combate, mas eles mesmos em parte tinham culpa, porque haviam suprimido relatórios dos comandantes de campo sobre o moral declinante da tropa. No seu diário, anotou Halder: "As experiências de hoje foram arrasadoras e humilhantes. O C-C pouco mais é do que uma caixa de correio."[54] O Führer, nesse momento, dirigia-se diretamente aos comandantes de grupos de exército, passando por cima da cabeça de Brauchitsch.

O general estivera pensando em pedir permissão para reformar-se, alegando questões de saúde, mas, no dia 19 de dezembro de 1941, Hitler suspendeu-o de seus deveres e assumiu pessoalmente as responsabilidades de comandante-chefe do Exército. E deixou que esse que era o mais graduado dos oficiais superiores, que estivera ligado a algumas de suas maiores vitórias, voltasse para casa sem qualquer condecoração, apenas com uma modesta compensação financeira. Evidentemente, ele estava destinado a ser transformado no bode expiatório pelo fracasso na Rússia. A entrada no diário de Goebbels referente a 20 de março de 1942 resumia, em poucas palavras, a versão que o Führer queria que circulasse:

> O Führer referia-se a ele apenas em termos de desprezo, um pobre-diabo vaidoso e covarde, que não podia nem mesmo avaliar a situação, quanto mais controlá-la. Com sua interferência constante e repetidos atos de desobediência, ele estragou inteiramente o plano para a campanha na Frente Oriental, que fora elaborado com cristalina clareza pelo Führer.[55]

Até mesmo Halder parece ter ficado aliviado com a dispensa de Brauchitsch, e pensou, inclusive, durante alguns dias, que poderia recuperar a autoridade sobre o Exército, operando através de Hitler, mas descobriu apenas que teria que canalizar todas as suas comunicações através de Keitel.[56]

Brauchitsch não voltou a encontrar-se com Hitler após sua exoneração. Foi mantido informado das conspirações para depô-lo, mas não tomou parte ativa nelas. Na verdade, após o fracasso da conspirata de 20 de julho de 1944, publicou um artigo no *Völkischer Beobachter* condenando o abortado golpe e aplaudindo a nomeação de Himmler para o comando do Exército Metropolitano. Pior ainda, denunciou vários antigos camaradas. Em Nuremberg, Brauchitsch tentou justificar-se perante Halder, alegando que publicara o artigo na esperança de salvar um parente condenado. Fosse isso verdade, ou estivesse ele simplesmente tentando salvar a própria pele bajulando Hitler, isso foi, para usar o termo de Harold C. Deutsch, uma grande sacanagem.[57]

Em agosto de 1946, Brauchitsch prestou falso testemunho no Julgamento de Nuremberg no caso do alto comando. Negou, mentirosamente em todos os casos, que tivesse recebido dinheiro de Hitler para facilitar seu divórcio, que houvesse tido conhecimento antecipado de planos para uma guerra agressiva entre 1938 e 1941 e que houvesse recebido qualquer informação sobre a implementação da Ordem do Comissário na Rússia em 1941. Foi em seguida enviado para o campo de prisioneiros de guerra de oficiais superiores em Bridgend, Gales do Sul, de onde foi trazido de volta para Münsterlager a fim de responder a processo perante um tribunal britânico. Ocorreram, porém, várias demoras e ele faleceu antes do fim do ano (1948).[58]

Robert O'Neill resumiu a personalidade de Brauchitsch, descrevendo-o como "homem com uma notável fé-de-ofício militar, mas... incapacitado por uma fraqueza de propósito que o tornava ineficiente quando enfrentava problemas incomuns".[59] Nos seus quatro anos como comandante-chefe, Brauchitsch foi um caráter torturado, mas menos do que heróico. Se, por um lado, carecia da coragem e das convicções políticas de um Beck, que preferiu exonerar-se e arriscar vida e reputação em uma conjura contra Hitler, por outro não foi oportunista subserviente como Keitel e Jodl. No início, em 1939, impressionou os colegas como um dos melhores de meia dúzia de generais do Exército, um homem de cultura, encanto e honestidade profissional, ainda que de limitada introvisão política. Sua ambição consumidora de tornar-se comandante-chefe, alimentada em parte pelo elogiável desejo de manter longe Reichenau, mas provavelmente ainda mais como meio de obter divórcio e reativar uma carreira em declínio, levaram-no a tornar-se inteiramente dependente da boa vontade daqueles que o haviam promovido, como Keitel e, por trás dele, Hitler. A maneira como obteve o posto não podia granjear-lhe a estima de muitos dos principais generais, e sua reputação declinou ainda mais quando baixou ordens de cunho nazista, absteve-se de salvar Fritsch da desonra, e foi humilhado por Hitler quando protestou contra o despreparo do Exército para a guerra no oeste. Tendo suas advertências se revelado prematuras por uma série de espantosas vitórias em 1940 e princípios de 1941, não era difícil imaginar que ele poderia ter reprimido suas apreensões sobre a capacidade de julgamento de Hitler e decidindo-se a servi-lo lealmente como soldado, quaisquer que fossem as conseqüências.

As conseqüências seriam desastrosas para ele, o Exército e o Estado. Ele e Halder não conseguiram preservar a independência e integridade do OKH como centro de diretrizes estratégicas contra as usurpações do OKW e de Hitler. Embora ambivalentes sobre a invasão da Rússia, elaboraram esboços de planos que Hitler, mais tarde, alterou profundamente. Nem Halder nem Brauchitsch se exoneraram, e parece provável que tenham compartilhado da euforia geral durante a fase inicial de *Barbarossa*. Quando as operações começaram a fracassar seriamente, devido à insuficiência de forças e sua dispersão excessiva, protestaram repetidamente, mas não conseguiram convencer Hitler. Pior ainda para sua reputação, Brauchitsch tornou-se inextricavelmente emaranhado na expedição e execução de criminosas ordens nazistas, que desempenharam um papel importante para dar um caráter peculiarmente horripilante à guerra no leste. Caracteristicamente, Brauchitsch foi finalmente aliviado de seu comando por motivos de saúde e depressão, e não por qualquer gesto nobre em nome das tropas ou de sua honra profissional. A sua história pessoal, portanto, não é particularmente edificante; talvez o melhor que se possa dizer a seu respeito é que, em uma era menos ideológica e sob um caudilho menos demoníaco do que Hitler, Brauchitsch poderia ter exemplificado as tradições mais respeitadas do corpo de oficiais alemães.

Dados cronológicos | Walter Von Brauchitsch

1881, 4 out	Nasce em Berlim
1900	Recebe a patente de *Leutnant*, 3º Regimento de Guardas a Pé
1901	3º Regimento de Artilharia de Campanha de Guardas
1906	Ajudante de batalhão
1909	Ajudante regimental e *Oberleutnant*
1910-12	Estudos na Academia de Guerra e Estado-Maior, Berlim
1913	*Hauptmann*
1914	Estado-Maior do Exército e, com o irrompimento da guerra, Estado-Maior do 16º Corpo de Exército
1915	Oficial do Estado-Maior da 34ª Divisão

1918	Major e oficial de Estado-Maior, 1ª Divisão de Guardas da Reserva e primeiro-oficial de Estado-Maior, Corpo de Reserva da Guarda. Condecorado com a Cruz de Ferro, Primeira Classe
1919	Oficial de Estado-Maior do *Wehrkreis II*
1921	Comandante, 2ª Bateria, do 2º Regimento de Artilharia de Campanha
1922	Oficial de Estado-Maior no *Truppenamt*, onde organizou manobras para submeter a teste as possibilidades de usar tropas motorizadas em conjunto com aviões
1925	*Obersleutnant* e comandante do 2º Batalhão, do 6º Regimento de Artilharia
1927	Chefe do Estado-Maior do *Wehrkreis VI*
1928	*Oberst*
1930	Major-general e chefe de departamento no *Truppenamt*
1932	Inspetor de artilharia
1933	Tenente-general e sucessor de Blomberg como comandante do *Wehrkreis I* (na Prússia Oriental) e da 1ª Divisão
1935	Comandante do 1º Corpo de Exército
1936	Promovido a general de artilharia
1937	Comandante da *Heeresgruppe* 4, em Leipzig
1938, 4 fev	Coronel-general e comandante-chefe do Exército
1939	Condecorado com o Emblema de Ouro do Partido (mar) e a Ritterkreuz (set)
1940, 19 jun	Marechal-de-campo
1941, 19 dez	Aposenta-se
1948	Falece

Brauchitsch casou-se com Elizabeth von Karstedt em 29 de dezembro de 1910 e divorciou-se em fevereiro de 1938. Em setembro de 1938 casou-se com Charlotte Schmidt.

Halder | 4

Coronel-general Franz Halder

BARRY A. LEACH

Em retrospecto, o coronel-general Franz Halder parece ser o mais polêmico, e mesmo paradoxal, dos generais que estiveram a serviço de Hitler. Ao assumir o cargo de chefe do Estado-Maior Geral em 1938, declarou que era fundamentalmente contrário ao regime nazista. Ainda assim, ajudou-o a obter suas vitórias militares mais espetaculares. No cumprimento de seus deveres no dia-a-dia, procurou exemplificar a frase de Moltke: "Gênio é aplicação", embora tenha elaborado planos de operações contra a Tchecoslováquia em 1938 e a França em 1939 que provocaram o desprezo de Hitler e embaraço entre seus subordinados. Pareceu apoiar conspirações para derrubar Hitler, mas nunca foi às conseqüências finais. Dirigiu uma organização dedicada ao aperfeiçoamento da liderança militar, mas criticou acerbamente comandantes de campo bem-sucedidos, como Guderian e Rommel, que demonstraram habilidade tática e iniciativa operacional. Até mesmo sua conduta como homem foi paradoxal. A despeito do porte rígido, cabelos cortados à escovinha, bigode aparado curto e pincenê, seu esforço para manter a aparência de disciplinador frio, controlado, burocrático, era superado pela tendência a tornar-se, quando sob tensão, emocional a ponto de derramar lágrimas. Nisso, talvez, esteja a pista para decifrar o paradoxo, uma vez que ele, mais que qualquer um de seus colegas, esteve sob tensão desde o dia em que assumiu o cargo de chefe do Estado-Maior Geral, em meados da crise tcheca, até o dia de sua dispensa diante da catástrofe que se formava em Stalingrado. Em última análise, os fatos obrigaram todos os colegas de Halder a enfrentar a evidência de que o apego aos padrões tradicionais de honra e decência havia-se transformado em traição; e, em crime, a lealdade ao chefe de Estado. O dilema cindiu o Estado-Maior Geral e, finalmente, em 20 de julho de 1944, destruiu-o.

O Estado-Maior Geral já estava, aliás, dividido e debilitado, quando Halder foi convocado para substituir no cargo o isolado e decepcionado Ludwig Beck. Seu *status* fora reduzido pela derrota em 1918 e pelos termos do Tratado de Versalhes, que o obrigou a ter uma existência clandestina (como *Truppenamt*) dentro de um Exército que tinha os efetivos de uma força policial e servira a uma república que não podia respeitar. Mesmo quando emergiu de seu estado de dissimulação em 1935, a criação de uma Luftwaffe independente, com Estado-Maior próprio, e a controvérsia sobre a criação do Estado-Maior Geral do *Reich*, englobando as três armas, impediram o restabelecimento do status e influência desfrutados pelo Estado-Maior Geral de Moltke e Schlieffen. A criação do Estado-Maior das Forças Armadas (*Oberkommando der Wehrmacht*, OKW) foi, de certa forma, compensada pela disposição demonstrada por Hitler, nos preparativos para invadir a Áustria em 1938, de tratar o novo Estado-Maior meramente como sua secretaria militar e depender diretamente do Estado-Maior do Exército para realizar o planejamento operacional de que necessitava para atender às necessidades imediatas. Não obstante, o Estado-Maior Geral ficou adicionalmente subordinado ao Estado-Maior do Exército (*Oberkommando des Heeres*, OKH), que incluía também o gabinete do comandante do Exército de Reserva, o gabinete das Inspetorias de Artilharia e Armas do Exército, o Departamento de Administração e o de Pessoal. Embora o chefe do Estado-Maior Geral fosse considerado o *primus inter pares* entre esses chefes de departamento, este fato não lhe dava acesso direto ao chefe de Estado, direito este reservado ao comandante-chefe. Hitler, contudo, permitia que von Brauchitsch trouxesse para as audiências e conferências subordinados de alta patente, se o tópico em discussão lhes justificasse a presença. Mas deixou bem claro que o chefe do Estado-Maior Geral devia limitar-se ao nível operacional de planejamento e aos assuntos organizacionais e administrativos a ele ligados. A recusa de Beck em ser excluído do grande planejamento estratégico e sua insistência em submeter memorandos, advertindo Hitler das conseqüências a longo prazo de sua política de expansão, minaram-lhe a carreira e demonstraram os limites da competência do Estado-Maior Geral. Hitler considerava os atos de Beck como "sabotagem", ficava enfurecido porque o Estado-Maior Geral, "em vez de sentir-se grato pela oportunidade de trabalhar em sua autêntica área especializada... rejeita a própria idéia de guerra".[1] Beck debilitou ainda mais sua posição com a recusa em comparecer às conferências de Hitler. Em vez disso, enviava Halder, que, como *Oberquartiermeister I* (OQuI) era seu vice. Halder, aliás, já chamara a atenção de Hitler como sendo um "general moderno". Naquele momento, ele parecia, em contraste com Beck, ser um soldado que "apresentava com franqueza suas idéias".[2]

Brauchitsch, que substituíra Fritsch como comandante-chefe do Exército, respeitava Halder como subordinado eficiente e confiável, que o servira bem na Divisão de Treinamento em 1930 e que voltara a chefiar esse serviço em 1936. Fora von Brauchitsch quem escolhera Halder para substituir em fevereiro o brilhante mas intratável Erich von Manstein como OQuI. Ao exonerar Beck, em 26 de agosto de 1938, Halder parecia ser o seu sucessor natural. Havia, contudo, grandes problemas. Halder era considerado por muitos oficiais superiores, incluindo o próprio Beck, como uma mediocridade aplicada, mas limitada, "um soldado muito bom, mas dificilmente um homem de grande calibre".[3] Segundo a própria versão de Halder no pós-guerra, teria ele dito a von Brauchitsch que, em vista de sua conhecida atitude antinazista, seria melhor que fosse escolhida outra pessoa, talvez Manstein. Von Brauchitsch, porém, que ficara ofendido com a arrogância de Manstein ao tempo em que fora OQuI, apelou a Halder para que não lhe faltasse nessa ocasião. Halder pediu tempo para pensar no assunto e foi consultar Beck. As relações entre Halder e Beck estavam tensas desde fevereiro, quando von Brauchitsch escolhera seus antigos subordinados da Divisão de Treinamento — Halder, von Stülpnagel e von Greiffenberg — para substituir os protegidos de Beck, von Manstein e seus colegas. Embora ele mesmo tivesse criado a situação que colocara Halder em seu lugar, ao designá-lo para comparecer às conferências de Hitler, Beck ficou ressentido com ele, especialmente quando Halder demonstrou falta de tato, criticando-lhe os memorandos como meio ineficaz de influenciar Hitler. A prontidão de Halder em desempenhar o papel de Beck aumentara ainda mais o isolamento do chefe do Estado-Maior. Não obstante, Beck reconhecia que, se havia alguém capaz de continuar a luta contra Hitler, esse homem era Halder. Assim, alega Halder que voltou a von Brauchitsch no dia seguinte e disse-lhe que aceitaria o cargo de chefe do Estado-Maior Geral "apenas para usar de todas as oportunidades que... se oferecessem para lutar contra Hitler e seu sistema".[4] Em vista do esforço que von Brauchitsch fazia nesse momento para permanecer leal a Hitler, é muito duvidoso que Halder pudesse ter sido tão franco assim. Não obstante, o comandante-chefe sabia que, como monarquista, que cultivava velhos laços com o príncipe-herdeiro da Baviera e, como cristão praticante, seu candidato não era admirador de Hitler e de seu regime.

Versões baseadas em declarações de Halder no pós-guerra informam que a antipatia dele por Hitler retroagia à década de 20. Contudo, uma carta escrita por ele em 6 de abril de 1934 revela uma atitude mais ambivalente, fazendo uma distinção entre "as intenções sinceras do Chanceler" e a influência de "seus satélites, realmente de segunda classe".[5] Não obstante, a maneira inescrupulosa como Hitler usou a aquiescência do Exército ao expurgo de

Röhm para assassinar o general von Schleicher, sua esposa e seu ex-assessor-chefe, obrigou Halder e seus colegas a reconhecerem que o mal inerente ao movimento nazista originava-se do próprio Führer. Em fins de 1934, ele enviava relatórios a seus superiores, descrevendo as atitudes e atos da SA, SS e Gestapo e a situação tensa no *Wehrkreis VII*, resultante da crescente pressão do regime sobre as igrejas. Halder, contudo, certamente exagerou quando disse mais tarde que seus relatórios críticos levaram o Ministro da Guerra, general von Blomberg, a exigir sua exoneração, mas que ele era protegido pelo general von Fritsch. Quatro anos depois, quando o próprio von Fritsch foi obrigado a exonerar-se do posto de comandante-chefe, em conseqüência da sórdida acusação forjada pela SS, Halder, segundo sua própria versão, insistiu com Beck para que enviasse tropas para ocupar o quartel-general da Gestapo em Berlim.[6] Qualquer que seja a verdade, Himmler certamente conhecia a hostilidade de Halder para com o Partido e avisou a Hitler que ele não tinha experiência de combate e que era conhecido no Exército como o "general da mãe de Deus".[7] Esse apelido, baseado na suposição errônea de que todos os bávaros eram católicos, pode ter preocupado um pouco Hitler. Ao contrário das Igrejas Evangélicas, a Igreja de Roma adotara uma atitude reservada em relação ao movimento nazista, e seus membros ainda eram considerados como alemães de lealdade dividida entre Berlim e Roma. De modo que, quando ouviu dizer que von Brauchitsch escolhera esse general bávaro e cristão praticante como sucessor de Beck, Hitler imediatamente perguntou: "Ele é católico?"

Na verdade, ele era protestante, nascido em 1884 em uma família de Würzburg, que há mais de 300 anos tinha filhos no oficialato bávaro. Conquistara notas altas nos estudos acadêmicos como cadete e fora designado como oficial, em 1904, para a Real Artilharia de Campanha bávara. Sua capacidade como oficial de Estado-Maior fora rapidamente reconhecida e, a despeito de seus esforços para ser designado para a linha de frente, fora, como dissera Himmler, utilizado durante toda a Primeira Guerra Mundial em vários estados-maiores, incluindo o do Grupo de Exércitos comandado pelo príncipe-herdeiro Rupprecht. Suas observações em Verdum e no Somme despertaram-lhe profunda aversão pela guerra de trincheiras e fortaleceram-lhe a convicção de que "operações exigem movimento". Na *Reichswehr*, desenvolveu reputação como especialista em treinamento e manobras, e foi a direção que deu às manobras da Wehrmacht em 1937 que lhe mereceram, pela primeira vez, a atenção de Hitler.[8]

Essas manobras eram importantes para Hitler como maneira de exibir o poderio crescente da Wehrmacht para potenciais amigos e inimigos. Halder, porém, estava mais interessado em submeter a teste a nova divisão *panzer*, como meio de conduzir operações profundas e decisivas contra os flancos e a retaguarda do inimigo. Por isso mesmo, causa espanto que a primeira grande missão de Halder como chefe do Estado-Maior Geral — a apresentação do plano do Exército para a invasão da Tchecoslováquia a Hitler no dia 9 de setembro de 1938 — tivesse sido um "retumbante fracasso", porque ele não dispusera as forças *panzer* e motorizadas de modo a satisfazer ao Führer. Hitler reagiu com uma crítica devastadora, acusando von Brauchitsch e Halder de empregarem divisões motorizadas contra objetivos que não lhes permitia explorar ao máximo sua mobilidade e amarrar as divisões *panzer* a uma infantaria que avançava a pé.[9]

O ajudante-de-ordens de Hitler, major Gerhard Engel, que descreve essas dolorosas cenas em seu diário, já observara que o novo chefe do Estado-Maior parecia estar "muito nervoso" e "quase perdendo o autocontrole". Na primeira reunião de ambos, Halder espantara o jovem oficial, pondo uma pistola em cima da mesa e dizendo que sabia que estava sendo seguido e que não ia se "deixar matar sem defender-se".[10] O comportamento estranho de Halder se devia ao fato de que, mesmo quando planejava a invasão da Tchecoslováquia, mantivera sua palavra a Beck e se envolvera na conspiração contra Hitler. Através do coronel Hans Oster, vice-chefe da *Abwehr* (Serviço de Informação e Contra-Informação Militar) estabelecera contato com Hjalmar Schacht, ministro sem pasta, e com o dr. Hans Gisevius, um procurador jurídico do Ministério do Interior. Na primeira reunião dos dois no início de setembro, Halder pareceu a Gisevius um "funcionário obediente", lembrando um "mestre-escola comum, de óculos, e traços algo tensos em um rosto inexpressivo". Contudo, começou a falar "desse louco", Hitler, com tal aspereza, que Gisevius não conseguiu recordar-se de ter ouvido "uma explosão tão eloqüente de ódio contido".[11] Não obstante, suas primeiras impressões voltaram quando Halder revelou profundos escrúpulos em levar o Exército para uma guerra civil e envolver o corpo de oficiais em uma revolta declarada. Ele preferia montar um "acidente fatal", ou, na eventualidade de guerra, um bombardeio anônimo do trem de Hitler. Mais tarde, ele avisou aos conspiradores que não dispunha de autoridade executiva e que podia apenas aconselhar o comandante-chefe do Exército. Uma vez que von Brauchitsch não emitira sinais de apoio, as esperanças voltaram-se para o general Erwin von Witzleben, comandante do Distrito Militar de Berlim, e para vários de seus subordinados de confiança, que se declararam dispostos a tomar a capital e prender ou fuzilar Hitler, se ele insistisse em levar a Alemanha à guerra. Embora Halder desse a impressão de "estar disposto a dar o primeiro passo, sem ousar dar o segundo",[12] ele, evidentemente, no íntimo, permaneceu comprometido com a conspiração, porque, quando a conferência de Munique esvaziou a conjura, Halder, longe de sentir-se aliviado, entrou em um "estado de colapso completo, chorando e declarando que estava tudo perdido".[13] Até mesmo em retrospecto, esse fato ainda provocava uma reação emocional em Halder. Em uma entrevista com este autor, no dia 23 de junho de 1969, ele se tornou agitado ao rememorar a conspiração de 1938, levantou-se da cadeira e sacudiu um dedo acusador, dizendo: "Foi o primeiro-ministro de vocês [Chamberlain] que arruinou nossas esperanças, cedendo à pressão de Hitler!"

Nas semanas que se seguiram, Halder voltou à sua rotina característica e mergulhou nos detalhes da administração militar. Acordava às 5h da manhã e cavalgava até às 7h30min. Após o desjejum, recebia os relatórios matutinos de seus chefes de divisão, conferenciava com oficiais do OKH e de ligação até o meio-dia, quando o resto do pessoal ia almoçar. Permanecia em seu gabinete e lia a massa de documentos que diariamente chegava à sua mesa. Em seguida, recomeçava o fluxo de visitantes até a hora do jantar, entre 8h e 9h da noite, e em seguida tirava um pequeno cochilo. Trabalhava depois na correspondência e em seu diário até mais ou menos 1h da manhã ou mais tarde.[14]

Começara a tomar notas taquigráficas já ao tempo de tenente-coronel e manteve esse hábito durante todo o resto de sua carreira. Perderam-se os volumes anteriores à guerra, mas os cadernos que encheu durante o conflito foram recuperados do local onde os escondeu e vieram a ser conhecidos como os *Kriegstagebücher*, ou diários de guerra de Halder. As anotações diárias sumariavam o trabalho de cada dia, servindo como *aide-mémorie*. Como resultado, assuntos de importância secundária, que poderiam ser esquecidos mais facilmente, recebiam muitas vezes mais espaço do que grandes tópicos. Além disso, por motivo de sigilo, numerosas notas eram curtas, mesmo crípticas. Não obstante, retratam o vasto conjunto de detalhes rotineiros a que dava atenção, bem como as discussões nas sessões de planejamento e as conferências com Hitler, que deram forma às operações alemãs nos três primeiros anos da Segunda Guerra Mundial.[15]

Nos meses anteriores à guerra, a principal preocupação de Halder foi formar no Estado-Maior Geral fortes grupos de planejamento que, por sua virtuosidade, pudessem desafiar a influência rival de Wilhelm Keitel e Alfred Jodl no OKW. Por isso, para planejar a invasão da Polônia, formou um "grupo de trabalho", sob a direção do respeitado coronel-general von Rundstedt, que se compunha de três notáveis oficiais de Estado-Maior — o tenente-general von Manstein, o coronel Günther Blumentritt e o major Reinhard Gehlen. Era óbvio que, avançando a partir da Prússia Oriental, Silésia e

Eslováquia, os exércitos alemães, tendo como pontas-de-lança formações mecanizadas e apoiadas por uma poderosa força aérea tática, poderiam rapidamente envolver as forças polonesas em uma operação rápida do tipo que veio a ser conhecido como *Blitzkrieg*. A maior preocupação de Halder era que a Grã-Bretanha e a França pudessem declarar guerra à Alemanha e atacar as débeis forças que o país mantinha no oeste. Não obstante, após estudar o problema, concluiu que nada de grave poderia ocorrer antes que o grosso das forças alemãs houvesse completado a conquista da Polônia e fosse transferido para posições defensivas diante da França e dos Países Baixos.[16] O acordo com a Rússia e a rápida e decisiva vitória sobre a Polônia poderiam mesmo convencer as potências ocidentais de que deviam fazer a paz com a Alemanha. Por isso mesmo, foi um choque quando, após a campanha polonesa, o OKH soube que Hitler resolvera lançar uma grande ofensiva de inverno no oeste.[17]

A notícia chegou no auge de uma crise nas relações entre Halder e von Brauchitsch, que passara grande parte de seu tempo, durante a campanha polonesa, visitando a linha de frente, deixando a Halder as operações diretas a partir do quartel-general de campo do OKH, situado em Zossen, nos arredores de Berlim. Durante as viagens, von Brauchitsch enviara instruções confusas e, às vezes, contraditórias. Hitler começara também a interferir em decisões operacionais e, para agravar ainda mais a situação, não mantinha os quadros militares informados dos acordos políticos e diplomáticos correntes. No dia 10 de setembro, escreveu Halder em seu diário que "o comando do Exército não deve ser empurrado de um lado para outro pelos caprichos da política, ou sofrerá um colapso de confiança".[18] Perto do fim da campanha polonesa, Hitler chegara a esse ponto, de modo que convenceu von Brauchitsch a deixá-lo, na qualidade de chefe do Estado-Maior Geral, no controle inequívoco das operações. Em vista disso, incumbiu-se da tarefa de planejar um ataque no oeste, que ele e a maioria de seus comandantes de linha achavam que era duvidoso em qualquer tempo, mas que só podia resultar em desastre no inverno.

Após a guerra, Halder alegou que ele e o Estado-Maior Geral tentaram opor-se à "réplica, sem imaginação, do Plano Schlieffen" sugerido por Hitler, com a proposta de permanecerem na defensiva até que os Aliados tivessem entrado nos Países Baixos e, em seguida, reagirem com um ataque a partir de Ardennes.[19] Não há prova histórica que confirme essa versão. Na verdade, Halder atendeu às exigências de Hitler, embora tenha feito repetidas críticas e protestos contra a idéia de uma ofensiva de inverno, ao que o Führer teria respondido com uma série de diretrizes e memorandos.[20] Da mesma forma que durante a crise tcheca, Halder estava encurralado entre as exigências de ação militar decisiva da parte de um impaciente e crítico Führer e os apelos da oposição para que apoiasse o golpe de Estado. Mais uma vez, a recusa de von Brauchitsch de participar de qualquer ação contra Hitler colocou Halder sob tal tensão, que ele deixou de funcionar eficazmente. No dia 16 de outubro, após uma reunião em Zossen, um chocado almirante Canaris disse ao tenente-coronel Groscurth que Halder sofrera "um completo colapso nervoso". O coronel, igualmente desapontado, anotou em seu diário que "um chefe de Estado-Maior não pode fazer isso. Exatamente como em 1914".[21] A comparação de Groscurth justificava-se plenamente. A exigência arbitrária do Kaiser, de uma mudança completa do plano nas vésperas da Primeira Guerra Mundial, reduzira o conde von Moltke, o Jovem, a "um desespero quase completo", no qual "fé e confiança foram despedaçadas". Mais tarde, quando seus exércitos tropeçaram e recuaram do Marne, Moltke foi descrito como um homem que "sofrera um colapso completo". Além do mais, nos meses finais da guerra outra crise no Marne produzira um colapso semelhante no primeiro vice-chefe, Erich Ludendorff, que foi descrito por um de seus coronéis de Estado-Maior como "inteiramente arrasado". Evidentemente, só um chefe de temperamento inusitadamente fleumático, como von Hindenburg, pôde manter a disciplina de ferro, o rígido autocontrole e o alto desempenho profissional exigidos dos altos escalões do Estado-Maior Geral sem cair, em condições de tensão extrema, em uma crise de falta de confiança ou mesmo de histeria, que não raro se esconde sob a superfície da personalidade autoritária.[22]

Helmuth Groscurth constituía, na verdade, um dos responsáveis pelo estado de tensão em que se encontrava Halder. Ele e o conselheiro de legação Hasso von Etzdorf haviam sido designados como adidos ao Estado-Maior Geral pelos seus respectivos chefes, almirante Canaris, chefe da *Abwehr*, e Ernst von Weizsäcker, secretário de Estado do Ministério das Relações Exteriores, para fortalecer a determinação de Halder de agir contra Hitler.[23] Os conspiradores utilizavam em seu trabalho de persuasão três razões principais: a política nazista na Polônia, a rivalidade entre a SS e o Exército e a exigência aparentemente irracional de Hitler de uma ofensiva de inverno. Outras preocupações e recomendações de ação constaram também do "memorando Etzdorf-Kordt", apresentado a Halder na terceira semana de outubro de 1939. Reagindo a essas pressões, o estado de espírito de Halder variava do "júbilo à mais negra depressão".[24] Mas ele parecia disposto a agir e, em fins de outubro, deu a Groscurth permissão para preparar um plano semelhante ao que fora elaborado em 1938. Esta tarefa foi supervisionada pelo OQuI, general Karl-Heinrich von Stülpnagel. Com lágrimas nos olhos, Halder confessou a Groscurth que "fora conversar com Emil (Hitler) durante semanas, levando uma pistola no bolso, para matá-lo, finalmente". Enquanto Halder partia numa visita aos seus comandantes de campo no oeste, von Stülpnagel alocava as tropas necessárias para o golpe e tratava de outras "questões importantes", que finalmente convenceram Groscurth de que, afinal, "haveria ação", se, no dia 5 de novembro, Hitler confirmasse a decisão de atacar.[25]

Nesse dia fatídico, von Brauchitsch entrou na Chancelaria do Reich armado de todos os argumentos possíveis contra a ofensiva. Quando, 20 minutos depois, saiu cambaleante da reunião, "branco como giz... o rosto contorcido", Halder, que o esperava na ante-sala, teve certeza de que devia ser esperada confirmação da ordem de ataque.[26] Não obstante, ao voltar a Zossen, o chefe do Estado-Maior Geral, em vez de ordenar que fosse iniciado o *Attentat*, disse nervosamente a Stülpnagel e a Groscurth que cancelassem seus planos e queimassem todos os documentos incriminadores. A razão da perda de coragem de Halder fora aparentemente uma observação de Hitler, citada por von Brauchitsch durante a descrição da desastrosa reunião, que fez na volta de carro ao quartel-general de campo. Num acesso de raiva, Hitler dissera que estava plenamente ciente do "espírito de Zossen" e resolvera esmagá-lo. Halder, supondo que a conspiração fora traída e que as forças de segurança de Himmler poderiam chegar a qualquer momento, evidentemente entrou em pânico.[27]

Enquanto os conspiradores se ocupavam destruindo a prova de culpa, o estado de choque de von Brauchitsch estava sendo substituído por uma sensação de ressentimento com o tratamento a que fora submetido. Nesse momento, disse a Halder que embora não fosse fazer nada, ele "também nada faria se alguém fizesse alguma coisa".[28] Estas palavras não foram suficientes para encorajar Halder a ordenar o início do *Attentat*. Em vez disso, enviou Groscurth com o objetivo de convencer Wilhelm Canaris a agir, sugestão esta que foi irritadamente rejeitada pelo espantado e ressentido almirante. Nas semanas que se seguiram, os conspiradores no OKH e na *Abwehr* tentaram improvisar planos alternativos, mas tiveram todos apenas limitado encorajamento de Halder, que saiu das traumáticas experiências do dia 5 de novembro resolvido a concentrar-se em seus deveres profissionais.

Simultaneamente, o mau tempo causara um adiamento suficientemente longo da ofensiva para dar a Hitler oportunidade de mexer ainda mais no plano de Exército, sugerindo que uma força *panzer* e de divisões motorizadas devia ser formada no Grupo de Exércitos A, a fim de atacar Sedan através de Arlon, ao sul da floresta de Ardennes.[29] Pouco antes de o coronel-general von Rundstedt assumir o comando do Grupo de Exércitos A, no dia 25 de outubro, seu chefe de Estado-Maior, tenente-general von Manstein, visitara Zossen para pegar sua cópia do plano *Fall Gelb* (Plano Amarelo). Tal como Hitler, ficou decepcionado ao descobrir que o plano era uma repetição, sem imaginação, de "uma velha receita" e passou a traçar um plano alternativo, destinado a obter uma vitória decisiva, colocando o peso principal da ofensiva no Grupo de Exércitos A, com um ataque de surpresa através de Ardennes. Este movimento permitiria aos atacantes não só expulsar da Bélgica as forças inimigas, mas também "isolá-las do Somme".[30] Em janeiro de 1940, o Estado-Maior do Grupo de Exércitos A expediu sete longos memorandos e numerosos ofícios, insistindo na mudança de plano, mas sem resultado.

É compreensível a incapacidade inicial de Halder de reagir positivamente à proposta de Manstein, de mudança de plano. Até o longo adiamento de janeiro, a ofensiva "nunca esteve a mais de duas semanas de seu início".[31] Simplesmente não havia tempo para uma grande redistribuição das forças no terreno. Até mesmo os ajustamentos limitados exigidos por Hitler resultariam aparentemente em uma dispersão perigosa de forças móveis, de importância crucial. Quanto ao plano de Manstein, ele parecia ser uma operação arriscada, dependente de tempo atmosférico claro para apoio aéreo eficaz e mobilidade completa, através do terreno difícil de Ardennes. Além disso, logo que passasse a surpresa inicial de sua localização, o ataque principal acabaria em um grande obstáculo fluvial, o Meuse. Para um homem cético sobre as possibilidades de qualquer sucesso, esse plano aparentemente não oferecia vantagens, em comparação com o primeiro, mais cauteloso, que já fora montado. Nem estava Halder sozinho nesse ceticismo. O coronel-general Fedor von Bock, um arrogante prussiano que, em geral, se referia a Halder como "o bávaro", queixava-se amargamente da redução das forças móveis de seu Grupo de Exércitos B, sob o fundamento de "ao tentarmos ser fortes em toda parte não somos fortes em lugar nenhum".[32] Heinz Guderian, cujo 19º Corpo *Panzer* fora, por insistência de Hitler, destacado para o Grupo de Exércitos A, queixou-se inicialmente de que suas forças não eram suficientemente fortes para obter ali resultados decisivos.[33] Não obstante, von Brauchitsch e Halder mantinham a opinião de que o esforço principal poderia ser mudado para qualquer grupo de exércitos que alcançasse o maior sucesso no ataque inicial. Isto provocou em von Manstein a lembrança de que, "de acordo com um ditado de Moltke, erros no desdobramento inicial das tropas não podem ser corrigidos no curso da operação".[34] Esses comentários dificilmente teriam melhorado a reputação de von Manstein junto a Halder, que provavelmente ficara ofendido porque Beck passara por cima dele e chamara von Manstein para planejar a invasão da Áustria em 1938. Ele tinha ainda divergências com Manstein pela maneira como este conduzira as operações na Polônia. Nesse momento, os sentimentos de von Brauchitsch e Halder explodiram e transformaram-se em ressentimento, quando esse oficial subordinado arrogou-se o direito de questionar a validade de todo o seu plano operacional. Paradoxalmente, as próprias dúvidas que ambos sentiam sobre as possibilidades do plano que haviam elaborado serviram apenas para aumentar a hostilidade em relação a esse crítico sem papas na língua.

Mesmo antes da controvérsia sobre o Plano Amarelo, Halder estivera cultivando a idéia de afastar von Manstein do Estado-Maior Geral, promovendo-o ao comando de um corpo de exército. O terceiro memorando de Manstein, datado de 30 de novembro, selou a decisão. Na mesma ocasião, resolveu expurgar do Estado-Maior Geral sete outros oficiais, notadamente o tenente-coronel Groscurth, cuja presença contribuíra para as tensões e tempestades dos últimos meses, e von Stülpnagel, ao qual atribuía nesse momento a culpa pelo fracasso dos planos do *Attentat*. Na verdade, a doença poupou von Stülpnagel da humilhação de uma transferência. Von Manstein, porém, ficou chocado com o gesto inescrupuloso de Halder. Tentativas posteriores de questionar a sabedoria da transferência de von Manstein, ou colocá-lo no comando do grupo *panzer* formado como ponta-de-lança de seu plano, deram em nada.[35]

Groscurth ficou também perturbado com o tratamento que recebera de Halder. No dia 13 de janeiro, fora chamado para ouvir uma longa aula sobre a situação política, da parte do chefe do Estado-Maior Geral, que se mostrara "muito nobre e sincero em sua postura, às vezes falando em voz muito alta e agitada e, uma vez, quase prorrompendo em lágrimas". O principal objetivo de Halder era justificar o motivo por que não agira contra Hitler e, desde que a reação de Groscurth não parecera positiva, dez dias depois tomou a decisão de transferi-lo para o comando de um batalhão de infantaria ("uma degradação").[36]

As reuniões de Halder com Groscurth em janeiro e, um mês depois, com Canaris, revelam a sua atitude em princípios de 1940. Não via ele base real para um *putsch* contra o regime, "porque as tropas ainda acreditam no Führer". Além disso, estava convencido de que o ditador tinha atrás de si um grande e unificado corpo de oficiais. Como em 1914, apenas "os oficiais velhos estavam pessimistas". Obcecado com o medo de que a incapacidade de levar avante a ofensiva pudesse ser atribuída à falta de coragem, como acontecera com seu predecessor, von Moltke, o Moço, em 1914, Halder preferiu comparar sua situação com a de Ludendorff, que "fizera também um último e desesperado esforço em 1918 e que, por esse motivo, não prejudicara sua reputação histórica". Ele evidentemente esquecera que o fracasso da ofensiva alemã e o sucesso das contra-ofensivas aliadas haviam sido resultado do colapso da confiança de Ludendorff. A preocupação de Halder com sua reputação histórica chocava os conspiradores, mas ele, nesse momento, considerava-os "reacionários" que queriam "dar as costas à roda da história". Quanto aos atos do regime nazista na Polônia, eles não haviam sido "tão maus assim" e "seriam esquecidos depois". Para indignação de Groscurth, Halder disse mesmo a Canaris que ignorava os planos de assassinar Hitler em novembro e botou toda a culpa em von Stülpnagel. A SS, alegou Halder, não constituía uma ameaça séria. Tal como outros problemas internos, o caso dela poderia ser resolvido quando o Exército fosse fortalecido por seu futuro sucesso na luta inevitável com a Grã-Bretanha.[37]

A demonstração de confiança de Halder na ofensiva iminente não era simplesmente resultado de desespero. Enquanto estivera manobrando a transferência de Manstein, começara a perceber a possibilidade de obter um sucesso decisivo, apropriando-se das idéias do rival. A mudança do interesse de Hitler para a invasão da Noruega, quebras de segurança no oeste e um inverno incomumente rigoroso combinaram-se para adiar indefinidamente a ofensiva e deram-lhe oportunidade de comparecer a jogos de guerra de grupos de exército e exércitos na primeira metade de fevereiro. Estes jogos confirmaram a validade de colocar o peso principal por trás de operações que culminassem em uma arremetida profunda até a costa do canal da Mancha. Enquanto isso, Hitler, ainda ansiando por uma grande concentração de blindados no setor de Ardennes, teve suas idéias confirmadas por von Manstein em um almoço na Chancelaria do Reich. Posteriormente, Hitler aplaudiu as propostas de von Manstein e condenou von Brauchitsch e Halder por "pensarem como cadetes".[38] Mas, na conferência do dia seguinte, descobriu Hitler que os dois generais haviam se antecipado às exigências e estavam prontos para transferir três divisões *panzer* e todo o 4º Exército para o Grupo de Exércitos A. A conversão total de Halder ao novo plano foi demonstrada quando ele secamente rejeitou as dúvidas manifestadas por von Rundstedt e seu Estado-Maior sobre a travessia do Meuse com seus tanques, e quando, calma e firmemente, rebateu os receios de von Bock sobre os riscos da localização e caráter do novo ataque principal, com o argumento de que estes eram os próprios elementos que lhe davam a vantagem da surpresa.[39] Não obstante, as tentativas de Halder no pós-guerra de reivindicar o plano *Sichelschnitt* como de sua autoria não são confirmadas pela prova da época.[40]

A despeito da irritação e raiva despertadas pela interferência de Hitler, especialmente sua conhecida confirmação da "ordem de parada" a von Rundstedt diante de Dunquerque no dia 24 de maio, Halder ficou feliz porque a ofensiva no oeste desenvolvera-se de uma "maneira positivamente clássica". Logo que as pontas-de-lança *panzer* cruzaram o Meuse, o sucesso da campanha passou a depender de um fluxo complexo de homens, materiais e suprimentos, no estreito corredor que ligava Sedan ao mar. A coordenação e controle desses movimentos maciços têm que permanecer como uma das grandes realizações do Estado-Maior Geral. As cartas de Halder à esposa refletiam-lhe o senso de satisfação pessoal e orgulho: "Minhas operações estão se desenrolando como um filme bem editado", escreveu: "Eu... empurro as pedras pelo tabuleiro de xadrez, de acordo com minha concepção de como devem entrar no jogo... e depois de dois ou três dias... lá estão elas, prontas para a ação, no lugar certo." O coronel Eduard Wagner, intendente-geral, dizia que "é fantástico como toda a máquina está funcionando" e descrevia Halder como o "alto sacerdote do Estado-Maior Geral, com sua técnica e grande habilidade operacional sem precedentes". Ainda assim, no momento da vitória, Halder confessava à esposa que "tremia por dentro, ante a escala dos acontecimentos".[41]

Derrotada a França, Halder teve que enfrentar duras realidades. Em vez de o Exército consolidar sua posição, como esperara, ele tornara Hitler senhor não só da Alemanha mas da Europa Central e Ocidental. Fora o Führer, que emergira triunfante da luta, aos olhos do povo alemão. O triunfo, no entanto, tinha uma falha. A Grã-Bretanha recusava-se a reconhecer a irremediabilidade de sua situação e, no leste, a União Soviética ganhara com as políticas de Hitler e, nesse momento, confrontava o Reich em pé de igualdade, sua própria existência transformada em ameaça e desafio à "Nova Ordem" na Europa. Quando, uma semana após a queda da França, Halder visitou Berlim, von Weizsäcker, do Ministério das Relações Exteriores, disse-lhe que "Só podemos manter os sucessos desta campanha com os meios com os quais ela foi ganha, isto é, pela força militar".[42] Weizsäcker lamentava o fato de que, mesmo após tal vitória, o regime de Hitler jamais pudesse esperar estabelecer relações em tempos de paz com outras potências. Para Halder, no entanto, isso implicava a confirmação de que Hitler continuava a depender do Exército, o que não era desagradável para o chefe do Estado-Maior Geral. Embora Hitler recebesse o crédito pelas vitórias da *Blitzkrieg*, Halder estava nesse momento pessoalmente confiante em que ele e o Estado-Maior haviam sido os reais arquitetos dos triunfos militares alemães. Com um amador intrometido como Chanceler e um ineficaz marechal-de-campo como comandante-chefe do Exército, achava sua posição semelhante à de Lundendorff na Primeira Guerra Mundial, exceto que seu Exército conquistara no oeste a vitória que fugira ao velho general. Para Halder e para os chefes do Exército, pareceu mais lógico nesse momento garantir suas posições na nova ordem, enfrentando os desafios militares restantes, do que ressuscitar as dúvidas morais que haviam reduzido tanto a sua estatura aos olhos do Führer nos sombrios meses do inverno anterior.

As anotações de Halder no diário deixam claro que ações russas nos Estados Bálticos e na Bessarábia e Bukovina haviam-lhe atraído a atenção para o leste, mesmo antes da queda da França. No dia 18 de junho, deu instruções ao major Gehlen, chefe do Grupo de Fortificações, da Divisão de Operações, para que passasse em revista as medidas já tomadas para uma defesa vigorosa das fronteiras orientais do Reich. Uma semana depois, reforçou a "força de ataque" no leste com divisões *panzer* e motorizadas, subordinadas ao QG do Grupo *Panzer* de Guderian. Em uma visita a Berlim em 30 de junho, dia de seu aniversário, soube por von Weizsäcker que os olhos de Hitler também estavam voltados para o leste, embora, no dia seguinte, uma visita ao chefe do Estado-Maior naval, almirante Schniewind, confirmasse que a primeira prioridade era o problema britânico, ainda a ser revolvido no oeste. Ao chegar ao quartel-general do OKH, nesse momento localizado em Fontainebleau, e sem esperar confirmação do OKW sobre as futuras intenções de Hitler, disse ao coronel von Greiffenberg para formar, na Divisão de Operações, dois grupos especiais para dar ao Estado-Maior meios de estudar simultaneamente os problemas do oeste e do leste: como ocasionar a rápida derrota da Grã-Bretanha e "como desfechar na Rússia um golpe militar que a force a reconhecer o papel dominante da Alemanha na Europa".[43]

As soluções desses problemas rivais, mas ainda assim inter-relacionados, continuaram a ser para ele os dois principais objetivos do planejamento do Estado-Maior Geral durante o resto de sua carreira. Além do mais, ele iniciou o planejamento preliminar contra a Rússia, com base em sua própria estimativa da situação política. O pacto de Hitler com a Rússia comunista, e a subseqüente entrega da Lituânia e de territórios alemães conquistados com sangue alemão, eram anátemas para ele.[44] Sua suposição de que, a longo prazo, as intenções soviéticas em relação à Alemanha forçosamente seriam agressivas, justificava planejar uma redistribuição de forças que evitaria a ameaça de intervenção russa durante a Operação *Leão-Marinho* e, mais tarde, em 1940, permitiria à Alemanha atingir seus "objetivos políticos" no leste, descritos por von Brauchitsch na conferência com Hitler no dia 21 de julho de 1940. Estes objetivos destinavam-se a restabelecer as condições impostas à Rússia pelo tratado de Brest-Litovsk em 1918 e que criara uma cadeia de Estados-tampão, sob domínio alemão, das praias do Báltico até o mar Negro.[45] A despeito de sugestões posteriores de que esse conceito era o de uma "guerra preventiva", ele diferia do de Hitler apenas na área a ser tomada e no grau de desumanidade do tratamento a ser dado ao povo russo.

A convicção inicial do OKH, de que a União Soviética podia ser derrotada, como a Polônia, em uma rápida campanha de outono, evidentemente se baseou em um estudo apressadamente feito pelo "grupo oriental" Feyerabend-Gehlen, e nas estimativas inexatas sobre os pontos fortes e a capacidade russa, produzidas pela divisão "Exércitos Estrangeiros Leste", sob a direção do coronel Eberhardt Kinzel. O otimismo pode ter sido também fomentado pela disposição da União Soviética de fazer a paz em Brest-Litovsk em 1918 e em Riga em 1921, mesmo ao custo de renunciar a vastas extensões de territórios no oeste. Não obstante, Hitler estava compreensivelmente duvidoso da viabilidade de derrotar a Rússia antes de fins de 1940 e, em 31 de julho, confirmou sua decisão de preparar uma invasão da Rússia que deveria ocorrer em maio de 1941. Para ele "a conquista de uma certa área não será suficiente", e o objetivo da campanha teria que ser o de "destruir o poder vital da Rússia".[46]

A decisão de Hitler de não atacar até a primavera de 1941 foi bem recebida, porque, em fins de julho, von Brauchitsch e Halder haviam sido obrigados a reconhecer as dificuldades que teriam que solucionar para derrotar a Grã-Bretanha. Halder há muito tempo considerara isso essencial para pôr um fim à posição dos alemães, como um "*Helotenwolk*" dos britânicos. "A luta da Inglaterra", disse ele ao chefe do Departamento de Economia de Guerra e Armamentos, general Thomas, "não se dirige apenas contra o regime [nazista], mas contra toda a nação alemã".[47] No início, os chefes do Exército haviam encarado com otimismo a perspectiva de uma invasão através do canal. No dia 17 de julho, porém, o almirante Raeder advertiu von Brauchitsch de que "o risco era grande o suficiente para envolver a perda de todos os exércitos de invasão".[48] Só em fins de julho é que a Marinha admitiu que as perdas e danos havidos na campanha da Noruega haviam reduzido o poderio de superfície disponível a um cruzador, quatro destróieres e três barcos torpedeiros. Isso, na opinião de Halder, significava que todas as informações anteriores da Marinha eram "lixo" e que o desembarque nessa ocasião era "inteiramente impossível".[49] Como resultado, na noite de 30 de julho, ele e von Brauchitsch fizeram uma reavaliação completa da estratégia alemã e examinaram objetivos alternativos no Mediterrâneo e no Oriente Médio. Concluíram que seria preferível manter a "amizade com a Rússia" e encorajar-lhe as aspirações na direção dos Dardanelos e do golfo pérsico. Hitler, contudo, não estava ainda pronto para essas mudanças e, no dia seguinte, quando anunciou a decisão de atacar a Rússia em 1941, informou também aos chefes de Estado-Maior que a *Luftwaffe* deveria experimentar os efeitos de uma ofensiva aérea total contra a Inglaterra, na esperança de produzir o colapso da vontade britânica de resistir.[50]

Da mesma forma que na campanha polonesa, Halder delegou o planejamento do ataque à Rússia a vários subordinados. Por essa orientação, recebeu mais tarde críticas de von Manstein.[51] Mas, na verdade, a decisão de Halder foi provavelmente motivada não por falta de confiança, resultante de suas dificuldades anteriores no planejamento das campanhas na Tchecoslováquia e no oeste, nem, como alegou mais tarde, por sua "rejeição íntima" à idéia de atacar a Rússia,[52] mas pela multiplicidade das tarefas que enfrentava. Conforme revelam seus diários, ele sempre tentara exercer supervisão pessoal de todos os aspectos do trabalho do Estado-Maior, mas, por volta do verão de 1940, eles haviam se tornado tão diversificados que ele e o OKH como um todo estavam seriamente sobrecarregados. Não obstante, quando o coronel von Greiffenberg e o tenente-coronel Feyerabend propuseram um grande ataque através da Ucrânia, Halder, indeciso sobre o uso do território romeno, interveio para sugerir que o principal esforço deveria ser dirigido ao longo da costa báltica, em seguida virar na direção de Moscou, e daí descer para o sul a fim de engajar, pela retaguarda, as forças russas na Ucrânia.[53] Interferiu também no planejamento realizado pelo general Erich Marcks, chefe do Estado-Maior do 18º Exército, frisando, mais uma vez, a importância de Moscou, menosprezando a arremetida na direção de Kiev que Marcks e também Hitler haviam privilegiado em seus conceitos iniciais da campanha.[54]

Em setembro de 1940, o novo OQuI, general Friedrich Paulus, recebeu a missão de elaborar os planos para a operação contra a Rússia. Paulus foi escolhido porque, tendo servido sob as ordens de Guderian e von Reichenau, ambos ligados a operações *panzer*, ele daria ao Estado-Maior Geral um ponto de vista mais "moderno". Ele, contudo, era um homem reservado, que podia metodicamente apresentar ambos os lados de um argumento, mas tinha dificuldade em chegar a uma decisão. Ordenou aos chefes de Estado-Maior dos três grupos de exércitos alocados ao leste que fizessem seus próprios estudos operacionais.[55] Mas até mesmo quando Georg von Sodenstern, do Grupo de Exércitos Sul, repetiu suas próprias apreensões sobre a relação entre as forças disponíveis, as distâncias a serem cobertas e o tempo disponível, Paulus deixou de transformar essas dúvidas em uma justificação efetiva de uma reconsideração completa do plano do Exército.

Dúvidas semelhantes sobre a viabilidade de derrotar a Rússia mediante uma única e curta campanha de *Blitzkrieg* foram manifestadas pelo adido militar alemão em Moscou, general Ernst Köstring, e em um estudo geográfico militar da Rússia européia produzido pela Divisão de Levantamentos Topográficos e de Mapeamento de Guerra, do Estado-Maior Geral. Este último frisou a importância do Cáucaso e do tamanho e poderio econômico da Rússia asiática e observou que ambas as regiões se situavam além do alcance de uma única campanha.[56] Hitler, desde o começo, incluíra o Cáucaso entre os objetivos a serem conquistados em 1941, mas Halder não estudou esse problema durante o planejamento e só se voltou para ele após iniciada a campanha.[57] Além disso, o general Marcks, tendo completado seu estudo operacional, focalizou a atenção nas implicações estratégicas mais amplas da invasão da Rússia e, um mês depois, submeteu ao OQuIV, von Tippelskirch, um memorando mencionando suas profundas preocupações com a perspectiva de combater a coalizão anglo-americano-russa que provavelmente resultaria, a menos que a campanha russa fosse completada em 1941. Isso, por seu lado, parecia improvável por razões logísticas. Tippelskirch e Kinzel nada fizeram para dissipar as preocupações de Marcks, mas não há prova de que ele ou o OQuIV tivessem feito qualquer esforço para levá-las ao conhecimento de Halder.[58] O "espírito de equipe" fomentado por Halder no Estado-Maior Geral estava evidentemente produzindo um efeito sufocante sobre a livre manifestação de idéias.

Em conseqüência, foi num estado de espírito otimista que von Brauchitsch e Halder, no dia 5 de dezembro de 1940, apresentaram a Hitler o plano do Exército para a invasão da Rússia. O Führer, contudo, talvez sob influência do estudo realizado pelo coronel Lossberg, membro da Divisão de Operações do OKW, de Jodl, rejeitou a importância do ataque contra Moscou e sugeriu que parte do Grupo de Exércitos Centro fosse, em vez disso, desviada para o norte, a fim de ajudar a cortar a retirada do inimigo dos Estados Bálticos (ver mapa 3). Esse novo conceito foi consubstanciado na Diretriz nº 21 para a Operação *Barbarossa* e na Diretriz de Distribuição de Tropas, do Exército, mas, em nenhuma das duas, realmente aceita ou categoricamente rejeitada por Halder. Essa falta de decisão clara lançou os alicerces de grave conflito no curso da campanha.[59]

Outra decepção ocorreu algumas semanas mais tarde, quando Hitler pediu um estudo dos pântanos de Pripet, que os planejadores haviam até então considerado inconvenientes para operações militares. O estudo concluiu que, a despeito das estradas ruins, as estradas de ferro secundárias permitiriam de fato que os russos movessem forças em todas as direções, de modo que "uma ameaça partida de Polesie [Pripet] aos flancos e retaguarda dos exércitos que avançassem sobre Moscou ou Kiev podia existir no reino das possibilidades". Essa oração, no entanto, foi omitida da versão final do estudo, datado de 21 de fevereiro de 1941, apresentado a Hitler.[60]

Além do mais, nessa ocasião preocupações logísticas e econômicas muito reais estavam emergindo. Em janeiro de 1941, Halder foi informado de que a demora a ser esperada, enquanto se convertiam as estradas de ferro russas para a bitola alemã, tornaria o fluxo do suprimento dependente de transporte em caminhões por uma distância de 960km. A falta de estradas pavimentadas e a deficiência alemã de 50% em pneumáticos tornavam muito duvidoso que comboios de caminhões, muitos dos quais teriam que ser retirados, e convertidos, da economia civil, pudessem atender às necessidades da campanha. Pior ainda, o general Thomas revelou que os suprimentos de óleo combustível e gasolina eram suficientes apenas para a concentração das forças e dois meses de combate. Ainda assim, Halder nada fez para levar essa informação arrasadora ao conhecimento de Hitler, e a tentativa de Thomas de fazer isso foi bloqueada por Keitel. Durante a conferência com o Führer em 3 de fevereiro, Halder sustentou obstinadamente a convicção de que "tudo terá que ser realizado por caminhões".[61]

As prioridades estratégicas de Halder para o inverno de 1940-41 podem ser conhecidas por suas notas às conferências que manteve com oficiais superiores do Estado-Maior Geral, nos dias 13 e 14 de dezembro de 1940. Embora a improvisada "estratégia de periferia" de Hitler e o oportunismo de Mussolini houvessem tornado necessário o planejamento de operações contra Gibraltar, França de Vichy e Grécia, Halder ainda considerava um ataque direto à Grã-Bretanha como preferível a uma esparramada estratégia mediterrânea, dependente das Marinhas de Guerra italiana e alemã para proteção de suas vitais linhas de abastecimento. Mas compartilhava também da opinião de Hitler de que, se a invasão da Inglaterra não fosse viável, "a decisão sobre a hegemonia na Europa seria tomada na luta com a Rússia". "Não procuramos um conflito com a Rússia", disse Halder, "mas, a partir da primavera de 1941, temos que estar preparados também para essa tarefa." A maior parte das discussões, no segundo dia da conferência, foi dedicada aos preparativos para um ataque ao leste.

E ele aproveitou também a oportunidade para dissipar a preocupação de que os oficiais de Estado-Maior estavam sendo preteridos em promoções e reconhecimento pelos oficiais de linha. Reafirmou suas idéias sobre os princípios e práticas do Estado-Maior Geral, baseado na tradição de "Realizar muito, aparecer pouco". Disse à sua platéia que era uma grande sorte deles trabalhar com "os grandes nomes de nossa profissão... Gallwitz, Kuhl, Ludendorff e Hindenburg". Era claro que Halder achava que o manto da grandeza desses homens cobria-lhe agora os ombros, e continuou:

> Enquanto eu for o "Guardião do Santo Graal", não nos afastaremos nem por um fio de cabelo desse espírito do Estado-Maior Geral alemão. E espero que os senhores eduquem o Estado-Maior Geral dessa maneira.[62]

Ainda assim, alguma coisa estava faltando na educação e desempenho do Estado-Maior alemão sob Halder. A chama que queimara fulgurante sob

Moltke, o Velho, fora reativada sob von Seeckt, a despeito das restrições de Versalhes. Beck, também, à sua maneira remota, distante, conseguira quase instintivamente mantê-la ardendo. Manstein revelara a diferença sob Halder quando, magoado com a baixeza de seu banimento, dissera ao coronel Schmundt que "Halder não consegue tolerar que alguém discorde dele. Com Beck, as coisas eram muito diferentes".[63] Beck, como aliás Halder, fora um trabalhador incansável, que se devotava a seus deveres e exigia dos demais os mesmos altos padrões que estabelecia para si mesmo, mas não era um homem mesquinho. Halder, carecendo do toque de gênio, não suportava originalidade e exigia lealdade antes de tudo mais. Um dos mais talentosos oficiais de Estado-Maior do OKH, Henning von Tresckow, disse ao secretário de Halder que "Somos treinados para ser máquinas e temos que adaptar nossas opiniões. Pouco valor se dá ao nosso desenvolvimento como indivíduos".[64]

Para o Estado-Maior Geral, o indivíduo importava menos que o sistema, que fora desenvolvido para prover metodologia militar com enfoques padronizados de solução de problemas, planejamento, formulação e emissão de ordens. Possuía estilo de comunicação e jargão próprios. Achava que havia força em clareza e coerência. A uniformidade resultante, porém, limitava também o pensamento independente e reduzia a perspectiva. Esse perigo podia ser evitado apenas se homens de visão excepcionalmente ampla ocupassem o mais alto posto. Halder não era um deles. Nem intelecto nem temperamento eram suficientemente fortes para levá-lo além do treinamento que recebera e da experiência que acumulara como oficial de Estado-Maior e instrutor de oficiais de Estado-Maior. Suas idéias baseavam-se ainda nos conceitos de guerra dos séculos XVIII e XIX. O *Blitzkrieg* fornecera uma ponta-de-lança blindada, apoiada pela "artilharia aérea" da Luftwaffe, que servia muito bem para as necessidades operacionais e táticas de campanhas limitadas, como na Polônia e no oeste. Era nisso que Halder e seus subordinados escolhidos demonstravam seu "virtuosismo em técnica operacional".[65] Após a queda da França, porém, a guerra assumira dimensão continental, para a qual eles estavam mental e materialmente mal equipados. Suas reações aos perigos e possibilidades do Mediterrâneo permaneceram isoladas e sem coordenação. Suas dúvidas persistentes sobre o ataque à Rússia antes de terminar a guerra com a Grã-Bretanha, porém, não foram inteiramente manifestadas dentro do Estado-Maior Geral, e ainda menos para conhecimento de seus colegas da Marinha e Força Aérea. A importância de objetivos econômicos na Rússia e, ainda mais, a conquista do apoio do povo soviético contra o regime de Stálin, não foram consideradas de igual importância, em comparação com o desafio de tentar vencer, com operações de

Blitzkrieg e batalhas, a vitória decisiva que escapara a Carlos XII e Napoleão. Mas mesmo que Halder e seus chefes de divisão tivessem possuído um nível mais alto de visão estratégica, o regime de Adolf Hitler pouco encorajamento lhes teria dado para usá-la.

Oficiais como von Tresckow, que conservaram a independência de pensamento e julgamento, já haviam se tornado cada vez mais indignados com a incapacidade ou má vontade de seus superiores de agir contra os crimes da SS na Polônia. Naquele momento, em que os planos de ocupação dos territórios orientais na Rússia e a denominada "Ordem do Comissário" deixaram claro que esses crimes iam ser estendidos em escala ainda maior, numerosos membros do quadro encheram-se de vergonha e fúria. O próprio Hitler deixava de bom grado a maior parte do fardo de ligação com a SS nas mãos do marechal-de-campo von Brauchitsch e seu general para Missões Especiais, Eugen Müller. Não obstante, o Grupo de Assuntos Jurídicos de Müller ficava diretamente subordinado a Halder, de modo que não teve a menor credibilidade sua justificação, no pós-guerra, de que não teve responsabilidade alguma pelo envolvimento do Exército na guerra ideológica.

Enquanto isso, o chefe do Estado-Maior Geral concentrou-se, na primavera de 1941, na tarefa de sustentar a frente italiana no Norte da África e garantir o flanco da *Barbarossa*, invadindo a Grécia e, dessa maneira, impedindo a criação de uma frente balcânica com apoio britânico. Hitler escolheu pessoalmente Erwin Rommel para o comando do *Afrika Korps*. Halder teria preferido um homem mais adaptado à guerra defensiva e, em pouco tempo, começava a dar vazão à sua irritação com a maneira como Rommel estava "correndo demais" e "desperdiçando suas forças". No início, pensou em voar até a Líbia para "disciplinar esse soldado que havia enlouquecido", mas resolveu, em vez disso, enviar Paulus, que outrora servira no mesmo regimento que Rommel.[66] Foi uma sorte para os britânicos, nos meses que se seguiram, que Halder carecesse de imaginação para reconhecer as oportunidades abertas pela perícia tática e operacional de Rommel.

A campanha balcânica apresentou também dificuldades. O terreno, o tempo, e, acima de tudo, as incertezas sobre o momento oportuno da cooperação búlgara e a atitude da Iugoslávia levaram a repetidas mudanças de plano. A mais drástica de todas, a resultante do golpe de Estado dado pelo general Simovic em Belgrado no dia 27 de março, porém, não encontrou Halder inteiramente despreparado, como ele mais tarde alegou, quando afirmou que o esboço do plano de invasão da Iugoslávia teve que ser improvisado durante a viagem de automóvel de Zossen até a Chancelaria do Reich. Na verdade, Halder e o coronel Adolf Heusinger, chefe da Divisão de Operações, haviam elaborado o plano em outubro de 1940, e até mesmo realizado negociações secretas, em novembro e dezembro, para conseguir a participação de uma força húngara.[67] A irada decisão de Hitler de atacar a Iugoslávia certamente tornou mais fácil e mais rápido o ataque à Grécia do que Halder esperara, mas aumentou também os fardos da ocupação e lançou a Wehrmacht em uma longa e desgastante guerra de guerrilhas. Ainda assim, o fato de que apenas 17 das 30 formações alocadas à campanha nos Bálcãs foram realmente lançadas sugere que outros fatores, notadamente as condições do tempo e atrasos no apetrechamento das forças motorizadas e colunas de abastecimento, contribuíram para a necessidade de retardar a *Barbarossa* de maio até 22 de junho de 1941.[68]

Desde 1940, quando começara o planejamento para a invasão da Rússia, Halder fizera um conjunto de suposições que, no fim, produziram efeitos desastrosos para o resultado da campanha. O primeiro foi a convicção de que o ataque, o *Blitzkrieg*, liderado por quatro grupos *panzer*, alcançaria uma vitória decisiva, destruindo inteiramente o grosso das numerosas, mas mediocremente comandadas forças soviéticas nas batalhas da fronteira. Em segundo, acreditava que a necessidade de defender as regiões industrializadas do oeste forçaria o alto comando russo a lançar suas reservas tão à frente quanto possível, pelo menos até a linha Dvina-Dnieper, que seria rapidamente rompida pelos grupos *panzer* que arremetiam na direção de Leningrado, Kiev e, acima de tudo, Moscou. A terceira suposição era que a batalha pela capital seria decisiva, porque as últimas reservas russas seriam certamente comprometidas em sua defesa.

Os fatos que se seguiram ao ataque alemão logo forçaram Halder a modificar suas suposições sobre a força, capacidade de combate, disposição das tropas no terreno e intenções russas. As forças soviéticas ofereceram brava e resoluta resistência e montaram contra-ataques que, não raro, foram de natureza suicida. Grande número de soldados soviéticos escapou dos imensos bolsões, difíceis de serem mantidos fechados, especialmente porque os comandantes das unidades *panzer* estavam ansiosos para continuar a arrancada na direção leste. Além disso, os russos repetidamente estabeleciam novas linhas defensivas à frente e nos flancos do avanço alemão. As memórias de chefes militares soviéticos dão a impressão de que não havia um plano global e que as batalhas defensivas foram improvisadas, utilizando-se as reservas de homens e material à medida que chegavam ao oeste, vindas do interior. Desta maneira, pode-se argumentar que as forças russas foram salvas, em parte, por sua dispersão, resultante não de planejamento hábil, mas da incerteza e confusão nas semanas imediatamente precedentes ao ataque alemão e durante as batalhas iniciais.[69]

A despeito do fracasso alemão em atingir os objetivos da primeira fase da Operação *Barbarossa*, Halder apegou-se, com crescente desespero, à crença de que a questão final seria decidida diante dos portões de Moscou. E fez isso, a despeito ou talvez por causa do conflito crescente que esse aspecto do problema ocasionava entre ele e Hitler. Isso porque, a partir de novembro de 1939, Halder orientara sua oposição a Hitler não no sentido da conspiração e do assassinato, mas da imposição de sua vontade na direção de operações para obtenção de uma vitória que asseguraria o lugar do Estado-Maior Geral no Terceiro Reich e em sua história.

Logo que se tornou claro que as grandes batalhas na fronteira não iam ser decisivas, Hitler renovou todas as exigências anteriores de conquista da costa báltica e Leningrado no norte e da riqueza econômica da Ucrânia, bacia do Donetz e o Cáucaso, no sul. Mas, a essa altura, Halder estava também disposto a reconhecer a importância dos objetivos econômicos no sul, mas associava estes não a Leningrado, mas a Moscou. Abandonando todas as evasivas anteriores, apresentou sua justificação para um ataque contra Moscou na conferência com o Führer no dia 23 de julho. Quando Hitler rejeitou a proposta, ficou reduzido quase ao desespero. Escreveu à esposa:

> Posso prever... exatamente aonde este absurdo nos levará. Sem minha fé em Deus e autoconfiança, eu ficaria igual a Brauchitsch, que perdeu toda a energia e se esconde por trás de uma arrogância de aço para ocultar seu desvalimento interior.[70]

No dia 23 de agosto, dia em que Hitler deu instruções a Guderian para que desviasse seu grupo *panzer* na direção do sul e de Kiev, Halder reconheceu que o objetivo de liquidar os russos em 1941 não poderia ser cumprido. A despeito das grandes batalhas de envolvimento que ocorreram em Kiev no mês de setembro e em Viasma e Briansk em outubro, a vitória decisiva continuou a fugir ao Exército alemão.

O próprio Hitler, amargurado com as evasivas, demoras e fracassos que atribuía ao OKH, deixou a Halder a tarefa de convocar a comparecer a Orsha os chefes de Estado-Maior dos grupos de exército e exércitos para discutir os objetivos operacionais do reinício da ofensiva, quando o terreno congelasse. Com o ofício de convocação, o chefe do Estado-Maior Geral distribuiu um mapa marcado com as duas projetadas linhas a serem alcançadas. A "linha mínima" estendia-se da margem oriental do lago Ladoga na direção sudeste, passando por Kovroff (a meio caminho entre Moscou e Gorki), virando para o sul até o rio Don em Pavlovsk, e daí acompanhando a curva do Don até Rostov. A "linha máxima a ser tentada" estendia-se do lago Onega na direção sul, ultrapassando Vologda até Gorki, daí acompanhando o rio Oka na direção sul até o Don, de onde viraria para leste, chegando até mesmo a Stalingrado, prosseguindo a partir dessa cidade e cruzando a estepe até Voroshilovsk, Maikop e Tuapse. Halder reconhecia que a tentativa de alcançar esses objetivos tão distantes, antes do início pleno do inverno russo, envolvia riscos, especialmente em vista do estado de exaustão das tropas e das dificuldades de continuar a abastecê-las. Não obstante, argumentava, deixar de pressionar quando o inimigo estava fraco e desorganizado seria lamentado na primavera seguinte.[71] No dia 12 de novembro, chegou a Orsha acompanhado de membros destacados de "sua equipe" do Quartel-General Geral. A discussão no dia seguinte foi tomada por duas forças: a vontade desesperada de Halder de continuar a pressionar, sem dúvida inspirado pela recordação acauteladora do colapso de Moltke, o Moço, no Marne em 1914, e o colapso de Ludendorff em julho e agosto de 1918, após o fracasso de suas ofensivas e em face dos bem-sucedidos contragolpes francês e britânico e, por outro lado, as realidades enfrentadas pelas tropas, exaustas e expostas, sem vestimenta de inverno ou abrigo conveniente e ao fim de linhas de suprimento que começavam a falhar. Ou como o chefe de Estado-Maior de Guderian, tenente-coronel von Liebenstein, lembrou rudemente a Halder: "Não estamos no mês de maio e não estamos lutando na França!"[72] O resultado foi um meio-termo: ofensivas limitadas para chegar à curva do Don no sul, à margem leste do lago Ladoga no norte e, acima de tudo, Moscou no centro. Isso porque Halder ainda se apegava à esperança de que a captura da capital ocasionara o colapso da União Soviética. O esforço para realizar essa esperança custou a vida de milhares de soldados, que lutaram em condições apavorantes. E expôs os avançados exércitos alemães à contra-ofensiva lançada pelo marechal Zhukov no dia 6 de dezembro.

Brauchitsch havia sofrido um ataque cardíaco no dia 10 de novembro. Mais tarde, quando foi demitido como bode expiatório do fracasso em Moscou, Halder, há muito embaraçado pela redução do comandante-chefe à condição de moço de recados entre Hitler e o OKH, não lamentou sua partida. Embora Hitler resolvesse assumir pessoalmente o posto de comandante-chefe, Halder permaneceu como chefe do Estado-Maior Geral. Assim procedeu para manter continuidade na direção das operações e para fomentar a continuação da lealdade no Estado-Maior Geral. Seu senso de dever para com as tropas no campo de batalha conservou-o também no posto, especialmente porque a crise que elas enfrentavam na neve russa era, em parte, de sua própria autoria. A ambição pode ter desempenhado também algum papel nisso. Removido von Brauchitsch e não havendo ninguém entre ele e o chefe de Estado, talvez tenha pensado que o Estado-Maior Geral finalmente recuperara algo de seu velho status. Se pensou assim, foi uma desilusão, porque muitas das responsabilidades tradicionais do OKH tiveram, nesse momento, que ser divididas com o OKW. Hitler, interessado apenas em exercer o controle sobre as operações e o ramo de pessoal, delegara, indiferente, a Keitel o restante de suas responsabilidades como comandante-chefe. Pior ainda, a divisão do comando das operações, em diferentes teatros de guerra, entre os dois estados-maiores, implicava deterioração ainda maior nos detalhes do emprego de todas as divisões. Segundo Heusinger, Halder de fato examinou a questão de passar à defensiva no leste. Mas "era impossível em 1942 sequer mencionar isso a Hitler", porque ele odiava o pensamento de ceder a iniciativa aos russos e aos norte-americanos.[73]

Não obstante, Halder realizou um esforço autêntico para fazer com que funcionasse a nova estrutura de comando. Escreveu aos comandantes de campo saudando o novo papel de Hitler em termos tão obsequiosos que essa circular deve ser considerada como mais um passo na degradação da honra e dignidade de seu autor.[74] O ajudante-de-ordens de Hitler para o Exército descreveu como, embora Halder comparecesse às conferências do Führer acompanhado dos mesmos "chorões" do tempo de Brauchitsch, as coisas correram inesperadamente bem no começo, porque "o chefe do Estado-Maior Geral fazia um esforço visível para criar uma boa atmosfera". Não obstante, vários oficiais de Estado-Maior ficaram logo ofendidos, quando Halder passou a aproveitar todas as oportunidades para criticar von Brauchitsch e culpá-lo por decisões anteriores que "entravam em conflito com as opiniões do Führer".[75]

Desde setembro de 1939, Halder participara de 54 conferências com o Führer, ou uma média de menos de duas por mês. Nesse momento, era obrigado a comparecer diariamente, passar muito tempo em preparativos, gastar duas horas na estrada entre Angerburg e Rastenburg, e agüentar longos períodos em discussões que a nada levavam, debruçado sobre a mesa de mapas. Não obstante, conseguiu evitar grandes brigas com Hitler durante o inverno de 1941-42 e apoiou-o em sua ordem de manter a Frente Oriental durante a ofensiva de inverno russa. Se isso impediu a *débâcle*, grande parte do crédito pelas improvisações de operações, organização e abastecimento que ajudaram os exércitos alemães a sobreviver ao inverno tem que caber a Halder e à sua equipe de chefes de departamento, especialmente a Heusinger e a Wagner. Não obstante, importa notar que, quando Hitler aposentou compulsoriamente, demitiu ou mesmo mandou prender generais da mais alta patente, Halder nada fez para defendê-los. Mais compreensível foi sua decisão de substituir o coronel Kinzel, cuja grave subestimação das potencialidades russas havia contribuído para o fracasso da *Barbarossa*. Seu sucessor como chefe da Divisão de Exércitos Estrangeiros Leste foi o implacável, operoso e ambicioso coronel Reinhard Gehlen. Mas quando Halder levou a Hitler os resultados do trabalho de Gehlen, com revelações sobre a produção russa de tanques e outras informações desagradáveis, elas provocaram apenas explosões de incrédula fúria.

Halder soube desde o início que as ofensivas alemãs na direção de Stalingrado e do Cáucaso em 1942 tinham tanto o caráter de um jogo de azar quanto a *Barbarossa* em 1941. Seus receios sobre o poderio das reservas russas e a fraqueza dos ataques divergentes das forças alemãs, dependentes como estavam, de proteção nos flancos, de mal-equipados exércitos húngaros, italianos e romenos, eram compartilhados pelos comandantes de campo.[76] Uma séria quebra de segurança e a insistência de von Bock em desviar seus blindados para a batalha pela posse de Voronezh criaram uma atmosfera de acrimônia e desconfiança no QG de Hitler. A despeito das advertências de Halder, a interferência de Hitler resultou inicialmente em "uma concentração inútil de blindados em Rostov" e, em seguida, em um avanço prematuro e débil na direção do Cáucaso, enquanto parte do exército de von Manstein era transferida da Criméia para Leningrado. Apenas um mês após o início da ofensiva, Halder anotou em seu diário que a "tendência crônica" de Hitler, de subestimar os russos, estava tornando-se "grotesca" e perigosa. A liderança do Führer deteriorava-se para a "reação patológica a impressões do momento e para uma falta total de compreensão da maquinaria de comando e suas funções".[77] À medida que o 6º Exército era empurrado para sua batalha fatal nas ruínas de Stalingrado, e o grupo de exércitos de List estendia-se em excesso no difícil terreno do Cáucaso, Halder foi incluído entre os bodes expiatórios pelo zangado, mal-humorado e ressentido Hitler.

Ao ocorrer finalmente sua dispensa no dia 24 de setembro, Halder descreveu-a em seu diário em termos frios e controlados. Mas foi uma cena desagradável, e Halder deixou sozinho a sala de mapas, evitado pelos oficiais do *entourage* de Hitler. Engel recebeu nesse momento ordens de um embaraçado Schmundt para acompanhar o ex-chefe do Estado-Maior Geral que, com lágrimas nos olhos, agradeceu-lhe dizendo: "Se tivesse experimentado o que acabou de me acontecer, você compreenderia como estou grato por me acompanhar."[78] Talvez Engel tenha se lembrado então de seu primeiro encontro com Halder, em 1938. Nessa ocasião, também, ele encontrara o general isolado e ameaçado. Desde então, percorrera um caminho longo e difícil. Iludido pelas esperanças de grandeza para si mesmo e para o Estado-Maior Geral, esquecera sua promessa de opor-se a Hitler e seguira um curso de serviço sem lealdade e dever sem honra, que resultara na derrota dos exércitos alemães e na divisão e humilhação do Estado-Maior Geral.

Após a tentativa contra a vida de Hitler no dia 20 de julho de 1944, foi preso e passou o resto da guerra como prisioneiro da Gestapo. Comparado com muitos de seus camaradas do Estado-Maior Geral, teve sorte. Sua associação anterior com a oposição não ficou suficientemente provada para lhe justificar a execução. Mas, depois da guerra, foi suficiente para exonerá-lo de responsabilidade por seus atos posteriores. Trabalhou 14 anos na Divisão de História do Exército dos Estados Unidos e foi condecorado, em 1961, com a Medalha de Serviços Civis Meritórios, a mais alta condecoração civil norte-americana por serviços ao Estado.

Dados cronológicos | Franz Halder

1884, 30 jun	Nasce em Würzburg, filho de Maximilian Halder (mais tarde major-general) e Mathilde, *née* Steinheil
1902, 30 jun	Aprovado em *Abitur*, Theresien Gymnasium, Munique
1902, 14 jul	Senta praça no 3º Real Regimento de Artilharia de Campanha da Baviera
1904, 9 mar	Promovido a *Leutnant* ao completar o curso na escola militar
1906-7	Estuda na Escola de Artilharia, Munique
1907, 23 set	Casa-se com Gertrud Erl
1911-14	Matriculado na Escola de Estado-Maior, Munique
1912, 7 mar	Promovido a *Oberleutnant*; aprovado no exame de intérprete em francês
1914, 2 ago	Oficial de artilharia, QG do 3º Corpo de Exército (bávaro)
1915, 6 jan	Segundo oficial do Estado-Maior Geral, 6ª Divisão de Infantaria (bávara)
1915, 9 ago	Promovido a *Hauptmann*
1917, 26 mar	QG do 2º Exército
1917, 14 jun	Oficial do Estado-Maior Geral, 4º Exército
1917, 12 jun	Oficial do Estado-Maior Geral, Divisão de Cavalaria da Baviera (Frente Oriental); Oficial do Estado-Maior, Comando Supremo, Leste
1917, 30 out	QG, 15º Corpo de Reserva; QG, Corpo de Exército do príncipe-herdeiro Ruprecht, Oeste
1918, 20 dez	Ajudante, Estado-Maior Geral da Baviera
1919, 1º out	Divisão de Treinamento, Ministério da *Reichswehr*
1920, 17 ago	*Kommandatur*, Munique
1921, 1º out	Instrutor de Tática, Cursos de Estado-Maior, *Wehrkreis VII*, Munique
1923, 1º out	Oficial comandante, 4ª Bateria de Montanha, 7º Regimento de Artilharia, Landsberg am Lech
1924, 1º mar	Promovido a *major* com retroação a 1º de abril de 1923

1925, 1º dez	Diretor-geral de Treinamento do Estado-Maior Geral, *Wehrkreis VII*, Munique
1927-29	Oficial de Estado-Maior Geral Ia do *Wehrkreis VII*, Munique
1929, 1º fev	Promovido a *Obersleutnant*
1929, 1º abr	Chefe de Grupo II, mais tarde I, Divisão T4 (Treinamento), Ministério da Reichswehr
1931, 1º out	Chefe do Estado-Maior, *Wehrkreis VI*, Münster, Westfália
1931, 1º dez	Promovido a *Oberst*
1934, 1º out	Promovido a *Generalmajor*, Comandante de Artilharia 7, Munique
1935, 15 out	Comandante, 7ª Divisão, Munique
1936, 1º ago	Promovido a *Generalleutnant*, a cargo do grupo de manobras do Exército, 1936
1936, 12 nov	Chefe, Divisão de Treinamento, Estado-Maior do Exército, Berlim. Diretor, Quadro de Manobras da Wehrmacht, 1937
1937, 12 out	*Oberquartiermeister II* (OQuII), Treinamento, Estado-Maior do Exército
1938, 1º fev	Promovido a *General der Artillerie*
1938, 10 fev	*Oberquartiermeister I* (OQuI), Operações, Estado-Maior do Exército
1938, 1º set	Chefe do Estado-Maior do Exército
1939, 29 out	Condecorado com a Cruz de Cavaleiro da Cruz de Ferro
1940, 19 jul	Promovido a *Generaloberst*
1942, 24 set	Demitido do cargo e transferido para a reserva
1944, 21 jul	Preso pela Gestapo
1945, 31 jan	Expulso do Exército
1945, 7 fev	Recolhido ao campo de concentração de Flossenburg
1945, 7 abr	Transferido para o campo de concentração de Dachau
1945, 30 abr	Libertado
1945, 5 mai	Prisioneiro de guerra
1947, 30 jun	Libertado
1948-61	Chefe, Grupo de Ligação de História, Divisão de História, Exército dos Estados Unidos
1961, nov	Condecorado com a Medalha de Serviços Civis Meritórios dos Estados Unidos
1972, 2 abr	Falecimento

Blomberg | 5

Marechal-de-campo Werner von Blomberg

WALTER GÖRLITZ

Em fins do século XIX, o general de infantaria Herman von Blomberg (1836-1924), general-comandante do 2º Corpo de Exército em Stettin (Pomerânia), era considerado um dos mais notáveis soldados do Exército prussiano. Não pertencia, porém, à nobreza tradicional. Durante a Guerra dos Sete Anos, um certo capitão von Blomberg procurara emprego no Exército de Frederico, o Grande. Alegava ter servido no pequeno Exército do duque de Kurland e ser de ascendência aristocrática (o que não pôde ser provado nem desmentido). Insinuou também que era aparentado dos barões von Blomberg, do ducado de Lippe (o que não era absolutamente verdade). Não obstante, provou que era um oficial valente, motivo por que o Real Instituto de Heráldica de Berlim não opôs objeção a que ele usasse o nome aristocrático. A família não possuía riqueza material e tinha apenas a honra de usar as Armas e conduzir a Espada do Rei, como acontecia a muitas famílias prussianas menores da "nobreza militar" pobre.

Seu sobrinho, Werner von Blomberg, nascido no dia 2 de setembro de 1878 em Stargard, Pomerânia, filho do capitão e de Emma von Tschepe und Weidenbach (da nobreza silesiana), subiria ainda mais alto do que o tio, isto é, chegaria a marechal-de-campo e a ministro da Guerra do Reich, e daí em diante arriscaria tudo e perderia sua herança e o alto cargo.

Tal como o tio e o pai, Werner von Blomberg formou-se no corpo de cadetes, que era na ocasião um curso extremamente exigente. Ingressou na infantaria, tornou-se oficial como seus ancestrais e, em 1911, foi transferido para o Estado-Maior Geral por causa de sua notável inteligência. Ele, na verdade, superava todos os seus camaradas no que dizia respeito a interesses intelectuais e ânsia de conhecimentos. Precisamente por causa dessas qualidades, numerosos generais consideraram-no mais tarde como um estranho. Na Primeira Guerra Mundial, fez carreira como oficial do Estado-Maior Geral, tornou-se primeiro-oficial do Estado-Maior (Ia) no 7º Exército na Frente Ocidental e, após a revolução de 1918, que acabou com a monarquia Hohenzollern e levou ao Armistício, foi aceito, com recomendações muito elogiosas, na *Reichswehr*, o pequeno exército profissional de 100 mil homens permitido à nova república alemã pelo Tratado de Versalhes. Nessa corporação serviu de 1927 a 1929 como chefe da Diretoria (*Truppenamt*), o pequeno Estado-Maior Geral disfarçado. Como chefe do *Truppenamt* fez a viagem obrigatória à Rússia soviética, o fruto das boas relações (secretas) entre a *Reichswehr* e o Exército Vermelho.

Dada sua agilidade intelectual, Blomberg era sumamente suscetível a novas impressões e idéias. Ficou muito impressionado com a imagem transmitida pelo Exército Vermelho — a de um forte exército profissional equipado para os tempos modernos. Formou também a impressão de que o regime comunista soviético assentava-se sobre dois pilares, o Partido e as Forças Armadas. Mas o fato de que quase todos os comandantes eram membros do Partido Comunista da União Soviética e que, por conseguinte, o Partido e as forças militares estavam estreitamente ligados, escapou aos visitantes alemães. Nem podiam eles prever, com base nessas visitas esporádicas, que o secretário-geral do Partido, Joseph Stálin, estava realizando, em 1929-30, um silencioso expurgo do oficialato, especialmente dos velhos oficiais tzaristas que haviam jurado lealdade à bandeira vermelha.

De qualquer modo, Blomberg ficou entusiasmado com a visita à União Soviética. Ao contrário da maioria dos oficiais de patentes mais altas do comando do Exército, que ainda alimentava recordações sentimentais da monarquia que desaparecera em 1918 de forma tão deplorável, Blomberg demonstrava tendências democráticas, uma vez que o Estado a que o Exército nesse momento servia era uma república. Um fator decisivo para a futura carreira de Blomberg foi o fato de que não se dava muito bem com o poderoso chefe de gabinete do Ministério da Defesa, major-general Kurt von Schleicher. Schleicher, juntamente com o idoso presidente da república, marechal-de-campo von Hindenburg, e seu filho, coronel Oskar von Hindenburg, havia feito carreira nos quadros do 3º Regimento de Guardas. Nessa época, Schleicher ainda era *persona grata* no palácio presidencial da Wilhelmstrasse. Não sabemos até hoje a razão da antipatia mútua entre Schleicher e Blomberg. Pode ser que Schleicher, que ainda alimentava idéias de uma possível restauração da monarquia, considerasse Blomberg um general "democrático demais".

Blomberg, porém, desapareceu da cena de Berlim e tornou-se comandante do I Distrito Militar (*Wehrkreis I*), na Prússia Oriental, e comandante da 1ª Divisão de Infantaria aí sediada. A Prússia Oriental estivera geograficamente separada do Reich desde o acordo de paz de 1919, quando parte da Prússia Ocidental fora anexada à Polônia, a fim de dar a esta acesso ao Báltico. O chefe do comando do Exército nessa região era um velho amigo de Schleicher, o general barão von Hammerstein-Equord, que presumivelmente também não era amigo de Blomberg. Em 1932, Blomberg sofreu um sério golpe pessoal. Sua esposa, Charlotte, *née* Hellmich, faleceu à idade de apenas 43 anos. Ela fora também filha de oficial, mas, contrariando as tradições matrimoniais dos Blomberg, sua família não pertencia à aristocracia. Além disso, os "amigos" de Blomberg em Berlim nomearam-no para outra missão, que nada tinha a ver com ele. Foi enviado para a sede da Liga das Nações, em Genebra, onde deveria conduzir as arrastadas negociações de desarmamento, como chefe da delegação militar alemã — função para a qual inegavelmente possuía exatamente o grau certo de habilidade diplomática e suavidade de trato. Segundo o Tratado de Versalhes e a Carta da Liga das Nações, todos os signatários se haviam comprometido ao desarmamento. A Alemanha, como potência derrotada, já fizera isso na maior parte, sob compulsão. Mas desde que outras potências, lideradas pela França, não tinham a menor intenção de fazer o mesmo, surgiu para a Alemanha a questão de saber se tal conduta poderia justificar um modesto aumento de suas próprias forças.

Enquanto Blomberg trabalhava em Genebra, um cabo-de-guerra começou a ser disputado na Alemanha e, especialmente, em Berlim, para decidir se o poder político devia ser transferido para Hitler ou, na verdade, se *tinha* que ser transferido para ele. Schleicher, chanceler e ministro da Defesa desde 2 de dezembro de 1932, fracassou em sua tentativa de vencer politicamente Hitler. No dia 29 de janeiro de 1933, Blomberg recebeu em Genebra um telegrama determinando que, tão logo quanto possível, se apresentasse ao presidente von Hindenburg em Berlim, na manhã de 30 de janeiro. A fim de apressar as coisas, o coronel Oskar von Hindenburg foi pessoalmente receber Blomberg na estação. Estavam em andamento planos para formar uma dupla entre o nacional-socialista Hitler, como chanceler, e o conservador e católico ex-chanceler von Papen como vice-chanceler, em substituição ao general von Schleicher, o então chanceler e ministro da Defesa. Blomberg seria nomeado ministro da Defesa exatamente porque era inimigo de Schleicher. Juridicamente, essa nomeação equivalia a uma violação da Constituição, uma vez que, de acordo com a da República de Weimar, que estava ainda em vigor, apenas um civil poderia ser nomeado para o ministério da Defesa. Por isso mesmo, em maio de 1932, Schleicher pedira oficialmente baixa do Exército, antes de entrar para o gabinete de Papen como ministro da Defesa. E agora? O presidente da República, que freqüentemente invocava o juramento que fizera de defender a Constituição, queria nomear um general em serviço ativo como ministro da Defesa, como contrapeso a Hitler. Além do mais, de acordo com a velha tradição prussiana, o cargo de ministro da Defesa era vedado a civis. Em vista disso, a nomeação juridicamente muito duvidosa de Blomberg foi sancionada por um decreto especial.

Não há registro da reação de Blomberg a essa inesperada nomeação, mas ela foi, apesar disso, um triunfo para ele. O existente *Ministeramt* foi convertido em *Wehrmachtamt* (Ministério das Forças Armadas). Blomberg transferiu seu confidente e chefe de Estado-Maior, coronel Walther von Reichenau, de Königsberg para Berlim e confiou-lhe a direção desse cargo. Reichenau, atlético, musculoso, enérgico, disposto a assumir responsabilidades, um monóculo faiscante pregado no olho, contudo, não gostava de serviço burocrático. Mas, numa época de crise, o dinâmico chefe de Estado-Maior e um ministro da Defesa um pouco mais cauteloso complementavam-se admiravelmente. Além do mais, durante uma viagem na campanha eleitoral na Prússia Oriental, em princípios do verão de 1932, Reichenau fora apresentado ao Führer, que lhe garantira que a Alemanha se rearmaria, se ele se tornasse chanceler. Poderia acaso haver um oficial alemão que não gostasse de ouvir isso? Na ocasião, Reichenau trabalhava na questão da reforma da estrutura do Exército. A relação entre oficial e soldado tinha que ser reestruturada em uma era tecnológica. A partir desse momento, Reichenau apostou todas as suas fichas em Hitler, que considerava acessível. Não obstante, ele, amante do sistema feudal de vida, sentia menos entusiasmo pelo próprio Partido Nazista e seus figurões.

Após as respectivas nomeações, Blomberg e Reichenau enfrentaram imediatamente problemas sérios. Ao subir ao poder, Hitler controlava seu próprio exército paramilitar do Partido Nazista, a SA (*Sturmabteilung*) que, em janeiro de 1933, contava com cerca de 400 mil homens. Ocupava desde 1931 o posto de "Führer Supremo da SA", tendo como chefe de Estado-Maior executivo o capitão Ernst Röhm, um ex-oficial bávaro. Após o fracasso do golpe de Estado tentado por Hitler em 1923, Röhm fora para a Bolívia, onde, na qualidade de membro de uma missão militar alemã, subira até o posto de tenente-coronel. Ele indubitavelmente alimentara a esperança de que, caso Hitler houvesse galgado o poder, sua SA se combinaria com o pequeno exército profissional e formaria o núcleo de um novo "exército do povo", do qual seriam excluídos os generais "reacionários". Muitos dos líderes das unidades da SA eram antigos oficiais de linha de frente, que já se anteviam como futuros generais. Outros, do tipo mercenário, como o antigo moço de recados e garçom Karl Ernst, SA *Gruppenführer* (líder de grupo) de Berlim-Brandenburgo, e os ex-tenentes de linha de frente Hans-Peter von Heydebreck e Edmund Heines, em Stettin e Breslau, respectivamente, começaram a levar vidas extremamente desregradas, vestindo-se de maneira extravagante e supondo que podiam fazer o que queriam. Depois de completada a fusão da SA com a "Liga Stahlhelm de Soldados da Linha de Frente" (o exército particular do Partido Nacionalista) no outono de 1933, o exército partidário de Hitler, o dos camisas-pardas, subira para cerca de dois milhões de indivíduos. Não obstante, à parte estar equipado com metralhadoras para luta de rua e de casa em casa contra adversários políticos, esse exército, antes de 30 de janeiro de 1933, era na maior parte desarmado. Röhm organizou a formação de "guardas pessoais" armadas permanentemente, no equivalente SA de uma área de corpo de exército. E para si mesmo criou uma "guarda pessoal". A grande mudança esperada pelos líderes da SA, porém, não ocorreu. Nesse momento, falava-se confusamente de uma "segunda revolução". Röhm, homossexual conhecido e que em geral bebia mais do que podia agüentar, tonificando-se freqüentemente com forte champanha e conhaque franceses, passou a bravatear que ele, um capitão e oficial de Estado-Maior, podia "mandar" num antigo cabo (isto é, Hitler). Por essas e outras, finalmente perdeu a cabeça!

Nesse momento, no Ministério da Defesa, os generais Blomberg e Reichenau enfrentavam uma missão espinhosa. Por um lado, aumentava a tensão entre a SA e a *Reichswehr*, que resultava não só em choques desagradáveis, mas às vezes em ataques pessoais por desordeiros da SA contra oficiais do Exército, uma situação obviamente insustentável. Por outro, do ponto de vista dos generais era desaconselhável utilizar o Exército contra a SA. Afinal de contas, ela formava uma reserva de dois milhões de voluntários, que desempenhariam um papel fundamental, quando, conforme era esperado, Hitler restabelecesse o serviço militar obrigatório. O terceiro e mais preocupante aspecto era que, durante muito tempo, Blomberg e Reichenau não sabiam qual a postura de Hitler nesse confronto entre a SA e o Exército. De acordo com a Constituição de Weimar, cujo artigo mais importante já perdera a validade, o presidente da República, o idoso von Hindenburg, era ainda o comandante-chefe do Exército. Só ele, e em nenhuma circunstância o chanceler, Hitler, poderia *de jure* ordenar o emprego do Exército. Hindenburg, nessa ocasião com 78 anos de idade, retirara-se para suas propriedades na Prússia Oriental por questões de saúde, de maneira que os fatos estavam destinados a se desenvolverem longe de sua esfera de influência.

Em conseqüência, Blomberg agiu com cautela. Quando o comandante da infantaria do *Wehrkreis III*, major-general Keitel, comunicou-lhe a inusitada solicitação do líder da SA de Berlim, Ernst, de assumir a "supervisão" dos depósitos secretos de artilharia para defesa da fronteira oriental, pelos quais, ele, Keitel, era o responsável, Blomberg garantiu-lhe que as relações com a SA não davam motivo para preocupação. O comandante do *Wehrkreis II*,

Stettin, tenente-general von Bock, disse a jovens oficiais que haviam sido atacados pela SA que tais ataques eram absolutamente inaceitáveis e teriam que ser comunicados ao ministro, que não ficaria satisfeito com tais notícias. Ainda assim, existia também a oportunidade de usar grupos da SA para treinamento pré-militar de jovens oficiais. Blomberg tinha uma grande vantagem: com grande rapidez conquistara a confiança de Hitler. Mentalmente ágil e capaz de entusiasmo fácil, considerava o novo chanceler como simplesmente maravilhoso, e Hitler, por seu lado, possuía uma inimitável capacidade de reconhecer aqueles que o respeitavam e estavam dispostos a segui-lo incondicionalmente. Já há algum tempo, confiava mais em Blomberg do que em seu chefe de Estado-Maior da SA, Röhm, que, além disso, em várias ocasiões, o havia abertamente chamado de "maníaco".

Röhm, além do mais, tinha dois inimigos mortais na liderança do Partido. O primeiro era o ministro do Reich para a Avaliação, Hermann Göring, que, como ex-oficial da Força Aérea, odiava toda e qualquer falta de disciplina. O outro era o líder da SS, Heinrich Himmler, que pensava em transformar a SS (*Schutzstaffen*), a guarda pessoal uniformizada de preto de Hitler, na única força armada nacional-socialista importante em todo o Reich. Na primavera de 1934, o chefe da *Wehrmachtamt*, Reichenau, deve ter sabido que a SS estava se preparando para o choque declarado com a SA. Em junho, Blomberg finalmente conseguiu convencer Hitler a concluir uma aliança entre o Exército e o Partido para prevenir maquinações de parte da SA. Blomberg teve permissão para publicar um artigo no *Völkischer Beobachter* dizendo que Partido e Exército deveriam constituir os dois pilares do Terceiro Reich — o que era um inconfundível aviso à SA e, para Blomberg, uma lembrança da falsa impressão que formara sobre o papel do Exército Vermelho na União Soviética.

Uma coisa é certa: no Ministério da Defesa acreditava-se firmemente que Röhm tentaria um golpe. Röhm, contudo, gravemente afetado por reumatismo, não tinha a menor intenção de montar uma intentona, para a qual, de qualquer modo, sua força paramilitar de um milhão de membros não estava equipada. Em vez disso, tentou adiar qualquer decisão, ordenando à sua SA que tirasse férias de quatro semanas, a partir de 1º de julho de 1934. Antes disso, convocara uma reunião, marcada para 30 de junho de 1934, de todos os altos oficiais da SA em Bad Wiessee, a fim de informá-los de sua estratégia. Nessa cidade ele estava fazendo também uma cura de reumatismo. Himmler, Heydrich (chefe do serviço de segurança da SS de Himmler) e Göring aproveitaram a oportunidade para massacrar toda a liderança da SA, tendo conquistado o apoio do sempre irresoluto Hitler com falsos relatórios, comprovando que Röhm e seus *confrères* estavam planejando um *coup d'état*.

Em junho de 1934, Blomberg apresentou a Keitel uma lista de 78 nomes — não especificou quais — de pessoas que deviam ser detidas. Como medida de precaução, ordenou a toda a *Reichswehr* que entrasse em regime de prontidão a partir de 28 de junho. Nesse momento, Blomberg e Reichenau, que não haviam informado a alta chefia do Exército dos detalhes, tinham apenas que aguardar o resultado do que acontecesse nas reuniões em Bad Wiessee, Munique e Berlim, conservando-se de braços cruzados. Não era isso um golpe de mestre em termos político-estratégicos? O Exército permanecia pronto para entrar em ação. A SS, porém, poupou-o da sanguinolenta tarefa. Uma vez que o banho de sangue a que foram submetidos líderes da SA e conservadores, entre os quais os ex-generais von Schleicher e von Bredow caíram também como vítimas, era um ato contra a lei, o chanceler Hitler proclamou-se imediatamente "Juiz Supremo do Povo", alegando uma conspiração fictícia. Blomberg e Reichenau abstiveram-se de fazer quaisquer comentários sobre o caso. O importante era não sujar as mãos. A SA fora reduzida nesse momento à insignificância.

Outros problemas, outros conflitos e novas e imensas tarefas surgiram em 1935. Em março, Hitler iniciou o restabelecimento do serviço militar geral obrigatório e a formação de um exército de 36 divisões e 12 corpos de exército. O Ministério da Defesa transformou-se em Ministério da Guerra, e o *Truppenamt* voltou abertamente a ser o Estado-Maior Geral do velho estilo. No dia do aniversário de Hitler, 22 de abril de 1936, Blomberg foi promovido a marechal-de-campo. Ele precisava de um novo homem para dirigir o *Wehrmachtamt* (Diretoria das Forças Armadas), um novo organismo subordinado a ele e criado contra a oposição do comandante-chefe do Exército e do chefe do Estado-Maior. Para esse posto, nomeou o general Keitel, que desde a Primeira Guerra Mundial ele sabia ser um gênio organizacional e com o qual trabalhara em estreita ligação no *Truppenamt*.

Na qualidade de ministro da Guerra, Blomberg era, nesse momento, comandante-chefe da Wehrmacht, que compreendia todas as forças militares do Terceiro Reich. Göring, promovido a coronel-general, ficou encarregado da nova, mas independentemente formada, Força Aérea. Como coronel-general era subordinado ao marechal-de-campo. Simultaneamente, Göring era ministro da Aviação e, nessa condição, igual a seu colega de gabinete, Blomberg. Essas superposições eram comuns nesse Estado hitlerista oficial e rigorosamente departamentalizado, nessa autocracia que consistia de várias subautocracias.

A despeito dessa incontornável confusão, Blomberg passou a trabalhar na solução teórica de sua principal e favorita tarefa: a reorganização da estrutura de comando das Forças Armadas, a fim de atender à potencial situação de defesa. No *Wehrmachtamt* havia uma pequena seção de "Defesa

Nacional", o núcleo do futuro *Oberkommando der Wehrmacht* (Estado-Maior das Forças Armadas). Blomberg estava firmemente convencido de que, em uma emergência, devia haver esse comando tripartido das três forças, isto é, Exército, Marinha e Força Aérea, e que passara o tempo da guerra terrestre unilateral. Göring, comandante-chefe da Luftwaffe, porém, estava igualmente convencido de que nunca se submeteria a esse chefe, e ainda mais porque "sua" Força Aérea era um instrumento de poder na rivalidade política interna do Terceiro Reich. E em terceiro lugar, o comando do Exército — nesse momento conhecido como *Oberkommando des Heeres* (Estado-Maior do Exército), com o coronel-general barão von Fritsch como comandante-chefe e o general Beck como chefe do Estado-Maior — insistia em que, numa emergência, só ele tinha competência para liderar e que uma guerra só poderia ser decidida em terra. Blomberg encontrou ardentes defensores dessa idéia no seu chefe do *Wehrmachtamt*, general Keitel, e no chefe da "Seção de Defesa Nacional" desse órgão, tenente-coronel Jodl. Quando, finalmente, em junho de 1937, ousou baixar sua primeira diretriz geral sobre a organização do comando em uma guerra, um grito de indignação subiu do Estado-Maior do Exército. Seguiu-se uma batalha memorável entre os vários departamentos. Hitler, caracteristicamente, ficou fora da briga. Nessa ocasião ele raramente se preocupava com esses problemas, porque acreditava que, tendo Blomberg à frente da situação, tudo estava bem. E na verdade estava. Em uma emergência, ou assim argumentava Blomberg, um "*Generalíssimo*" com um pequeno OKW poderia ser utilizado. Em 1937, porém, o preenchimento desses postos não foi mais discutido, tanto quanto se sabe.

Ganhou realce a imagem pública do marechal von Blomberg. Em junho de 1937, representou Hitler na cerimônia de coroação do rei George VI. Em Munique, pronunciou o discurso em homenagem ao general Ludendorff, vice-chefe do Estado-Maior Geral e importante assessor de Hindenburg na Primeira Guerra Mundial, que faleceu no dia 20 de dezembro de 1937. O ajudante-de-ordens de Hitler, capitão Nikolaus von Below, da Luftwaffe, amigo dos filhos de Blomberg do primeiro casamento, confirma que Hitler confiava inteiramente nele.

O general Keitel e esposa, ativamente empenhados em atividades sociais, como era costumeiro nas famílias de oficiais, não conseguiam compreender por que Blomberg se mantinha arredio. O marechal, porém, estava levando uma vida secreta. Desde 1934 — segundo sua filha Dorothea, que lhe administrava a casa —, à noite ele vestia roupas civis, ordenava ao motorista que o levasse a um local escolhido de antemão, mas que variava, e que o viesse buscar novamente, após algumas horas. Depois do que, desaparecia na noite. O viúvo estava em busca de aventuras amorosas — um passatempo estranho para um ministro da Guerra. Durante essas escapadas, presumivelmente em começos de 1937, ou mesmo antes, deve ter conhecido uma jovem e atraente "senhora", chamada Margarethe Gruhn, que, como ele, procurava também fazer "conhecimentos". O viúvo, nesse momento com quase 60 anos, ficou inteiramente perdido de paixão por essa criatura "experiente no amor". Tornando-se quase seu escravo, chamava-a de "Eva" e resolveu casar com ela. Presumivelmente, "Eva" apaixonou-se também pelo alto, bonitão e aristocrático cavalheiro.

Em dezembro de 1937, Blomberg disse ao general Keitel que tinha intenção de voltar a casar, mas sua futura esposa era de origem humilde, o que não era motivo de vergonha no Terceiro Reich. Mais tarde, descreveu a mãe de "Eva" como uma passadeira. Na verdade, ela era lavadeira em Nova Cologne. No mesmo mês (embora soubesse que Göring estava manobrando para tomar-lhe o cargo), confidenciou a este que queria voltar a casar, mas que havia outro candidato à mão da moça. Poderia Göring dar um jeito de tirá-lo de cena? Göring, extremamente prestativo nessas situações, garantiu-lhe que o homem seria bem pago e enviado ao exterior. Caso a palavra "honra" ainda tivesse significação e continuasse intacto o mundo do corpo de oficiais e da aristocracia, Blomberg teria sido obrigado, por causa dessa mulher, a exonerar-se. Casamentos desiguais, afinal de contas, aconteciam nas melhores famílias. Blomberg, porém, queria tudo: a experiência sexual de "Eva" e seu cargo, reputação e uniforme. A fim de mantê-los, convidou Göring e Hitler para padrinhos, convencido de que eles o protegeriam inteiramente, caso houvesse algum problema. No dia 12 de janeiro de 1938, realizou-se a cerimônia civil, no salão de honra do Ministério da Guerra, estando ausentes, porém, os filhos de Blomberg do primeiro casamento. Duas semanas depois, desmoronou a farsa macabra. Margarethe Gruhn, nesse momento Frau von Blomberg, era conhecida da Delegacia de Costumes e fora antes condenada por posar para fotos pornográficas (algo que obviamente escondera de seu altamente colocado marido).

Inicialmente, Hitler ficou mudo e horrorizado porque achou que fora tapeado por um nobre. No dia 27 de janeiro de 1938, Blomberg teve que exonerar-se por, conforme versão oficial, "motivos de saúde". Ao despedir-se, porém, ele aconselhou Hitler a assumir pessoalmente o comando da Wehrmacht, tendo sabido que o general von Fritsch, comandante-chefe do Exército, fora acusado de práticas homossexuais. Hitler seguiu o conselho — em prejuízo próprio, das Forças Armadas e do Reich, e não nomeou sucessor para Blomberg no Ministério da Defesa. Blomberg tornou-se *persona non grata* na casa de Hitler. Ninguém podia mencionar o seu nome. A fim de tirá-lo dos olhos do público, Hitler, pessoalmente, deu-lhe dinheiro para fazer uma excursão em volta do mundo. Blomberg cumpriu apenas metade do percurso e instalou-se em seguida em Bad Wiessee.

Em começos de 1939, no maior sigilo, entrou em contato com Keitel: estava disposto a dissolver seu segundo casamento, se Hitler voltasse a nomeá-lo para o cargo — no que foi uma abordagem sumamente ingênua. Naturalmente, Hitler rejeitou o apelo e disse a Keitel que ele mesmo, inicialmente, oferecera essa solução a Blomberg, que na ocasião a recusara. A fim de disfarçar os antecedentes da segunda esposa, Blomberg tomou um medida inusitada: no *Almanach de Gotha* (o equivalente ao *Burke's Peerage* britânico) mencionou como "Elsbeth Grunow" o nome de "Eva", um procedimento muito duvidoso, considerando-se que notícias dessa natureza têm validade documentária. Com o colapso do Terceiro Reich em 1945, o antigo ministro da Guerra foi preso. Faleceu de ataque cardíaco no dia 14 de março de 1946, quando estava preso em Nuremberg. Seus dois filhos oficiais morreram no campo de batalha pelo "Führer, o *folk* e a pátria", como dizia então a encantadora frase.

Dados cronológicos | Werner von Blomberg

1878, 2 set	Nasce em Stargard (Pomerânia), filho de um capitão. Corpo de cadetes, oficial de infantaria
1911, a partir de	Oficial de Estado-Maior (Ia), no quartel-general do 7º Exército, na Frente Ocidental. Transferido para a *Reichswehr*
1927-29	Chefe do *Truppenamt* (Diretoria da Tropa)
1929-33	Tenente-general e comandante do *Wehrkreis I* (I Distrito Militar), Prússia Oriental
1932-33	Designado para a Conferência de Desarmamento em Genebra como chefe da delegação militar alemã
1933, 30 jan-**1935,** mar	Ministro da Defesa
1935, mar-**1938,** jan	(de 1936 em diante, com o posto de marechal-de-campo), ministro da Defesa. Exonerado das Forças Armadas em razão do escândalo do casamento. Não foi reconduzido
1945	Internado pelos Aliados
1946, 14 mar	Morte em uma prisão de Nuremberg

Keitel, Jodl e Warlimont | 6

Marechal-de-campo Wilhelm Keitel
General de artilharia Alfred Jodl
General de artilharia Walter Warlimont

Walter Görlitz

Wilhelm Keitel* nasceu no dia 22 de setembro de 1883 na propriedade de sua família em Helmscherode, situada próxima da atual estância de veraneio de Gandersheim, no sopé das montanhas Harz, zona ocidental do ducado de Brunswick. A propriedade, com uma área de cerca de 265ha, não podia ser facilmente administrada devido às condições do solo e à divisão da mesma entre a mansão da família e duas fazendas separadas. Fora propriedade dos Keitel desde 1871. Inicialmente, a família arrendara terras do príncipe-eleitor e, mais tarde, do rei de Hanover. O avô do futuro marechal-de-campo adquirira terras no Welf do ducado de Brunswick, porque não queria viver sob governo prussiano, depois que o último rei hanoveriano, George V, fora deposto por Bismarck. A primeira máxima em Helmscherode era lealdade à velha dinastia, mesmo na desgraça e por causa de seu infortúnio. Este conceito de lealdade bebido, por assim dizer, com o leite materno parece ter-se desenvolvido no marechal-de-campo talvez subconscientemente e em diferentes circunstâncias. Não obstante, oficiais interrogadores e psicólogos norte-americanos, ignorando os antecedentes de sua família, consideraram-no o protótipo do "Preussischer Junker".

---

* Este ensaio sobre Keitel baseia-se no livro do autor intitulado *Keitel, Verbrecher oder Offizier. Erinnerungen, Briefe und Dokumente des Chefs OKW* ("Keitel, Criminoso ou General. Memórias, Cartas e Documentos do Chefe do OKW"), Göttingen, 1961, do qual foram tiradas as citações mencionadas. Para outras fontes, ver a bibliografia combinada sobre Blomberg, Keitel, Jodl, Warlimont e Reichenau, à p.558.

Sua mãe era também originária de uma velha e tradicional família de meeiros agrícolas. Falecera quando ele tinha cinco anos de idade, ao dar à luz seu irmão, Bodewin. Não havia tradição militar na família, cujos interesses se limitavam à agricultura, aos cavalos e à caça. A política, para ela, restringia-se ao ódio à Prússia, e importava apenas na medida em que tarifas protecionistas ou livre câmbio no novo Reich alemão poderiam afetar a agricultura. O jovem Keitel teve professor particular, como era o costume entre os proprietários de terras agrícolas. Embora inteligente, foi aluno apenas comum. No Gymnasium, em Göttingen, passou apenas raspando pelo *Abitur*. Inicialmente, apenas a agricultura, os cavalos e a caça atraíram-no como vocação. Nas duas últimas décadas do século XIX, porém, o entusiasmo da geração de jovens da classe média pelo novo Reich e seu poderoso Exército tocou-o também. Ele, como muitos de seus colegas de escola, achava que a única carreira moderna era a militar. Em vista disso, o jovem Keitel tomou uma decisão que o levou ao mais alto posto no Exército e a uma morte vergonhosa na forca.

Em 1901, ingressou no 46º Regimento Prussiano de Artilharia de Campanha, em Wolfenbüttel, nas proximidades de Brunswick — a única bateria composta de naturais de Brunswick. Tão rigorosas eram as normas na família Keitel que o herdeiro de Helmscherode não podia, de maneira alguma, iniciar sua carreira sob os "prussianos". O segundo-tenente Keitel logo mostrou ser um oficial eficiente, inteligente e extraordinariamente trabalhador. Outro segundo-tenente, Günter Kluge, filho de um general que veio a receber posteriormente um título de nobreza, serviu no mesmo regimento. Embora as trajetórias dos dois tenentes fossem se cruzar muitas vezes mais tarde, os dois nunca se toleraram. Kluge considerava Keitel um "caxias" e um chato, e Keitel considerava o outro um produto típico do corpo de cadetes prussiano: ousado, arrogante e presunçoso demais.

Seus superiores cedo perceberam que o segundo-tenente possuía um notável talento para deveres organizacionais e táticos. Foi nomeado capitão do Estado-Maior do regimento, posto em que era responsável por todos os assuntos ligados à mobilização. Em 1909, casou-se em Lisa Fontaine, filha de um rico fazendeiro em Wüfel, perto de Hanover. Os Fontaine eram, com toda probabilidade, *Welfs* ainda mais intratáveis que os Keitel. A moça era intelectualmente muito mais aberta que o marido e grande apreciadora de boa literatura e de música. Talvez se complementassem ainda melhor por causa de seus interesses contrastantes. Nunca se disse em parte alguma que Wilhelm Keitel tenha jamais lido um livro que não fosse sobre assuntos militares, histórias de guerras e correlatos. Ele poderia ter, talvez, comentado que seus "deveres" não lhe davam tempo para tais leituras. E sua inclinação era viver permanentemente de serviço.

Na Primeira Guerra Mundial entrou em ação com o 46º Regimento de Artilharia. Em setembro de 1914, o tenente Keitel recebeu um ferimento de estilhaço de obus no antebraço direito. Sendo fisicamente robusto, logo se recuperou. Em março de 1915, ocorreu o grande momento de sua vida: o primeiro salto para os escalões mais altos. Foi convocado para o Estado-Maior Geral. Razão: sua capacidade organizacional, sólido julgamento em assuntos táticos e incansável dedicação ao dever. Não teve que passar pela educação clássica do Estado-Maior Geral prussiano, ou princípio de co-responsabilidade de seus oficiais pelas decisões do alto comando. Isso não mais importava. Contudo, se o adágio cunhado pelo lendário chefe do Estado-Maior Geral conde Schlieffen — "O dia tem 24 horas, e, se estas não forem suficientes, o *Herr* deve aproveitar também a noite" — foi corporificado alguma vez, o novo capitão do Estado-Maior foi seu exemplo típico.

Dois fatores, nesse particular, são de importância: o primeiro, que Keitel se tornasse absolutamente oficial de Estado-Maior, e, o segundo, que fosse originário da artilharia. Depois que a guerra na Frente Ocidental degenerou e se transformou em uma monótona luta de posições, que consumia homens e materiais em uma amplitude inesperada, o oficial de Estado-Maior das unidades mais baixas, divisões, corpos de exército e exércitos assumira as tarefas de organizar e administrar a batalha. Para esse tipo de guerra, a artilharia tornou-se a arma pesada básica; não mais a cavalaria — orgulho da aristocracia e a menina dos olhos dos monarcas, que fizera suas últimas cargas em 1914 em todas as frentes de combate e sangrara até a morte no fogo rápido dos fuzis e das metralhadoras. Examinando-se as carreiras dos oficiais mais destacados do Exército alemão na Segunda Guerra Mundial, observamos que muitos deles — Keitel, Jodl, Beck, Halder, Fritsch, Warlimont, Brauchitsch — foram oriundos da artilharia. Numa era em que a motorização plena consistia ainda em mero sonho, essa arma possuía certo caráter estático. E explica por que esses cavalheiros, após a Primeira Guerra Mundial, protestaram tão veementemente contra o nascente braço *panzer*, com sua mobilidade dinâmica, uma nova cavalaria de batalha cuspidora de fogo com enorme poder de penetração.

Keitel tornou-se primeiro-oficial de Estado-Maior (Ia) de uma divisão de infantaria da reserva e, em 1917-18, durante a última fase da guerra, Ia do Corpo de Fuzileiros Navais empregado em Flandres — tripulações supérfluas da Marinha Imperial, em geral considerado tropa de elite. Enquanto se encontrava na Divisão de Reserva, Keitel conheceu o major von Blomberg, Ia do 7º Exército, com o qual sua carreira se entrelaçaria estreitamente no futuro. Keitel ficou também muito impressionado com Blomberg, um oficial altamente educado, do calibre tradicional do Estado-Maior Geral, que se interessava por milhares de coisas fora do campo profissional, mas jamais chegou a privar de sua amizade. Obviamente, Blomberg adotava um modo de ser inabordável, a despeito de suas maneiras encantadoras no contexto social.

O Ia do Corpo de Fuzileiros nunca sentira o menor interesse pela política. Um fato, porém, já devia ter-se tornado óbvio para ele: que o alto comando do Exército, responsável pela arma e pela então subordinada Força Aérea, e o alto comando da Marinha aspiravam, cada um por seu lado, a travar sua própria guerra. O Kaiser alemão e rei da Prússia, Wilhelm II, no papel de "Primeiro Senhor da Guerra", devia ter sido o coordenador, mas, infelizmente, carecia inteiramente dessa capacidade. Podemos apenas imaginar quantos sonhos do Welf, instilados no jovem Keitel, desapareceram inteiramente com a imagem do Kaiser. No seu lugar, entrou a imagem vigorosa do marechal-de-campo von Hindenburg, nessa ocasião com 71 anos de idade. Ainda assim, a notícia do motim da Marinha em novembro de 1918, a dissolução das unidades da reserva e a fuga do Kaiser para a neutra Holanda devem ter atingido Keitel com a força de um terremoto. Em cartas à mãe, a esposa de Keitel deixa transbordar toda a sua zombaria e desprezo por "Willy", como sempre chamara o "monarca prussiano", e sua vergonhosa saída de cena após tantos discursos bombásticos.

Keitel, porém, nunca criticou a conduta do Kaiser. Isso teria sido indigno de um oficial e, além do mais, o soberano era assunto tabu. Ainda assim, durante longo tempo, uma foto pessoalmente autografada do príncipe-herdeiro Wilhelm adornaria sua escrivaninha até mesmo no Ministério da Guerra da República de Weimar. Um dia, ela desapareceu, e ninguém aparentemente sabia por quê! Keitel, o ex-guelfo, ainda demonstrava um estranho apego pela Casa de Hohenzollern (que Hitler veio mais tarde a odiar). Às vezes, Keitel podia ser sentimental.

Com grande aborrecimento, contudo, o Ia do Corpo de Fuzileiros foi obrigado a arvorar, em seu carro oficial, a bandeira vermelha da revolução, a fim de combinar os detalhes da retirada de sua tropa ao fim da guerra. Achou que não compreendia mais o mundo. Devia nesse momento licenciar-se e ir ajudar o pai na administração de Helmscherode? Isso se teria ajustado a seus instintos. Seu dever como soldado, porém, determinava que continuasse e servisse a uma nova e estranha república. Ao organizar o novo Exército profissional de 100 mil homens, permitido pelo Tratado de Versalhes, o general von Seeckt, o comandante-chefe, não esqueceu esse tigre de organização, Wilhelm Keitel. Nos termos do Tratado de 1919 não eram permitidos um Estado-Maior geral nem um quadro de treinamento. O novo Exército não poderia possuir armas pesadas, artilharia de mais de 10,5 de calibre, tanques ou aviões. Em vez disso, os oficiais tiveram que improvisar. Sob a superfície, as coisas permaneciam as mesmas. No alto comando, o Estado-Maior Geral foi disfarçado com a criação de uma Diretoria da Tropa (*Truppenamt*). Os denominados "assistentes de chefia" substituíram os oficiais de Estado-Maior.

À parte alguns períodos no comando de tropas, como era obrigatório para a carreira de um "assistente de chefia", Keitel serviu finalmente, até 1933, no posto de coronel e chefe de seção no *Truppenamt*, na 2ª Seção (T2), "Organização". Isso constituía indicação de como era apreciado o seu talento.

O general von Seeckt organizou de tal modo o Exército que as sete divisões de infantaria permitidas pelo Tratado de Versalhes poderiam ser triplicadas numa emergência. A cada Divisão foram designados três generais (um comandante divisionário, um de infantaria e outro de artilharia). Os dois últimos eram auxiliados por um "assistente de chefia", desta maneira forjando-se um pequeno núcleo para futuros estados-maiores divisionários. O chefe da Seção T2 era responsável não só pelos assuntos organizacionais do dia-a-dia, mas também pela supervisão da secreta e voluntária "defesa da fronteira oriental" (*Grenzschutz Ost*) contra usurpações polonesas de terras do Reich. Neste particular, constituiu uma vantagem a paixão de Keitel por cavalos. A defesa da fronteira, principalmente na Pomerânia, consistia principalmente de membros da aristocracia possuidora de terras, que trabalhavam em conjunto com a Liga Stahlhelm de Soldados da Linha de Frente (*Stahlhelm Bund der Frontsoldaten*). Keitel encontrou nesses autênticos *junkers* prussianos homens de um espírito muito parecido com o seu.

No *Truppenamt*, reencontrou velhos conhecidos e fez novos amigos, todos os quais desempenhariam um papel mais tarde em sua vida. O chefe da Seção Tl, de 1927 a 1929, foi um velho conhecido seu, o major-general von Blomberg. Mas nem mesmo nessa ocasião estabeleceram um contato social mais íntimo. Keitel, contudo, trabalhava em estreita colaboração com outro conhecido, o coronel Hermann Geyer, em planos de reorganização dos escalões do Comando Supremo das Forças Armadas, semelhantes àqueles em que Blomberg pensava no momento. As duas forças, o Exército e a Marinha, deviam ser levadas a uma cooperação mais forte sob um único Estado-Maior Geral Operacional da Wehrmacht. Keitel, com uma notável intuição, insistia altruisticamente em que ele mesmo não estava em condições de exercer a chefia desse Estado-Maior, porquanto carecia dos necessários e exaustivos conhecimentos básicos e qualidades de liderança.

Na era que então transcorria, a da década de 1920, essas idéias tinham apenas a forma de teorias, de jogos intelectuais em caixões de areia. Os assuntos práticos na época compreendiam uma viagem obrigatória à Rússia, uma vez que o governo do Reich mantinha relações secretas, mas sancionadas, com o Exército Vermelho da União Soviética. Reciprocamente, comandantes soviéticos (os oficiais do Exército Vermelho não ostentavam os títulos tradicionais dos postos) chegavam a Berlim para treinamento. Em 1931, Keitel e o major-general von Brauchitsch (da Seção T4, treinamento, do *Truppenamt*) viajaram a Moscou, em trajes civis, para manter o caráter confidencial da missão. A União Soviética possuía na ocasião um exército profissional muito forte e bem equipado, juntamente com algumas unidades de voluntários territoriais, estes não tão bem equipados. Aos convidados alemães, naturalmente, foi mostrado apenas o que os russos queriam que vissem. Keitel ficou inicialmente muito impressionado com o tamanho desse vasto império e, em segundo lugar, pelo exército profissional que coexistia com o partido dominante, o Partido Comunista da União Soviética. Os oficiais alemães não se deram conta de que as chefias militar e política estavam estreitamente relacionadas na Rússia pela filiação ao mesmo Partido. Em vez disso, formaram a impressão de uma estrutura em dois pilares. Partido e Exército, com direitos iguais.

O tempo de Keitel no *Truppenamt*, regulado pelo relógio sempre exato, mas permitindo a oportunidade de uma cavalgada restauradora pela manhã no Tiergarten, foi com toda probabilidade a última fase normal em sua vida. Não obstante, ocorreu à sombra da crise agrícola de 1932 e da agitação política no mesmo ano: inicialmente a substituição de Brüning por Papen como chanceler e, em seguida, do ministro da Guerra, tenente-general von Schleicher (aposentado), e, finalmente, a ascensão do NSDAP, de Hitler.

Se foi de qualquer maneira politicamente orientado, Keitel optou pela política autoritária de Franz von Papen como chanceler. Nem ele nem sua esposa confiavam nos nazistas. Ele jamais mencionou sequer Schleicher, ex-chefe do gabinete ministerial do Ministério da Guerra e, nesse momento, ministro da Guerra. Talvez, em seu diário, iniciado na prisão de Nuremberg, tivesse desejado apagar a recordação do assassinato de von Schleicher pela SS no dia 30 de junho de 1934. Além do mais, não tivera contatos oficiais com esse eterno intrigante e intrometido político. A maioria dos oficiais, sem dúvida alguma, não considerava mais Schleicher como um autêntico soldado.

Problemas de saúde obrigaram Keitel a ficar ausente da última e politicamente decisiva fase, entre dezembro de 1932 e janeiro de 1933, quando a República de Weimar jazia em seu leito de moribunda. Foi forçado a um involuntário repouso devido a uma inflamação negligenciada numa veia da perna, que se transformou em trombose. Ele e a igualmente doente esposa dirigiram-se para a Alta Tatra, na Tchecoslováquia, em busca de tratamento. Nesse local soube que, no dia 30 de janeiro de 1933, o idoso presidente da República, marechal-de-campo von Hindenburg, nomeara Hitler para o cargo de Chanceler do Reich. O presidente acumulava simultaneamente os cargos de comandante-chefe do Exército e da Marinha. Soldados tinham que obedecer, de acordo com o credo de Keitel. Nesse momento, porém, Wilhelm e Lisa Keitel sentiam-se menos que felizes com a decisão de Hindenburg. Não tinham conhecimento dos antecedentes dessa alegada "tomada do poder". Nem podiam prever o que Hitler reservava para ambos e que destino final teriam. A doença e a convalescença foram os dois únicos elementos que o levaram a ausentar-se do dever.

O general von Blomberg tornou-se o novo ministro da Guerra do Reich exatamente porque o fracassado chanceler von Schleicher nunca o suportara. O gabinete ministerial no Ministério da Guerra foi transformado no *Wehrmachtamt* (Diretoria das Forças Armadas), um quadro administrativo para o novo titular do cargo. Ligado ao mesmo, criou-se um pequeno departamento (L = *Land* [terra]) para a defesa nacional. O velho e íntimo amigo de Schleicher, general barão von Hammerstein-Equord, um cavalheiro com maneirismos de grão-sedutor, continuou como comandante-chefe do Exército, a despeito de sua antipatia por trabalho burocrático, especialmente numa época em que se precisava de mais administração, tendo em vista os planos de aumentar os efetivos do Exército. Começou um período de inquietação para Keitel. No dia 1º de outubro de 1933, tornou-se major-general e chefe de infantaria no *Wehrkreis III*, em Potsdam. Em seguida, em outubro de 1934, sob o disfarce de "Chefe da Artilharia 6" (isto é, da 6ª divisão — pois o Tratado de Versalhes continuava em vigor), foi-lhe confiada a formação da futura 22ª Divisão de Infantaria, em Bremen. Na qualidade de comandante em Potsdam, participara diretamente do conflito entre o Exército e a SA, o exército do partido de Hitler, que nessa ocasião contava com dois milhões de membros.

Como quase todos os oficiais superiores, Keitel acreditava, na ocasião, que um golpe estava sendo planejado pelo chefe do Estado-Maior da SA, o capitão Ernst Röhm, que se portava de forma arrogante com Hitler. Keitel recebeu com satisfação a sangrenta cutelada desfechada por Hitler contra a liderança da SA, em 30 de junho de 1934. Não obstante, reagiu com silêncio ao assassinato simultâneo, pela SS, de dois generais reformados, Schleicher, e seu antigo homem de confiança, von Bredow.

A opinião pessoal de Keitel sobre Hitler mudou de repente depois que conheceu o homem capaz de manter multidões fascinadas, em uma conferência de altos chefes da SA e oficiais do Exército em Bad Reichenhall, em

1933, onde ele e o austríaco trocaram algumas palavras. Keitel não era um *homo politicus*. Não possuía qualquer sólida convicção conservadora e carecia inteiramente de independência interna de caráter. Ficou profundamente impressionado com o Führer, como era então oficialmente conhecido o antigo pintor de paredes. Não se pode explicar essa capacidade de Hitler de enfeitiçar mesmo pessoas que tinham preconceitos contra ele. Tem que ser aceita como fato histórico. Na ocasião, Hitler esqueceu-o. Mas o mesmo não aconteceu com Keitel. O Führer lhe causara uma maravilhosa impressão.

De volta ao comando de tropa, ocupado com organização, treinamento e liderança tática de suas unidades durante manobras, Keitel sentia um novo estímulo. Nessa ocasião, porém, caiu o raio, procedente de Berlim. Ele ia ser, mais uma vez, agrilhoado a uma escrivaninha exatamente porque era considerado o trabalhador burocrático *par excellence*. O novo ministro da Guerra, von Blomberg, ex-comandante do *Wehrkreis I* na Prússia Oriental, trouxera de Königsberg seu chefe de Estado-Maior, coronel Walther von Reichenau (que conhecera Hitler nessa cidade) para ser o chefe do *Wehrmachtamt* (Diretoria das Forças Armadas). Reichenau, embora talentoso, ambicioso, excelente jogador de tênis e esportista completo, era tudo menos trabalhador burocrático. Blomberg precisava de um *chef du bureau* de confiança. Em vista disso, o general von Fritsch, desde fevereiro de 1934 comandante-chefe do Exército, e o chefe do Departamento de Pessoal da arma, general von Schwedler, recomendaram Keitel, que Blomberg também conhecia. Keitel não ficou absolutamente satisfeito. Hesitou. Não deveria assumir a administração de Helmscherode que, após a morte do pai, desempenhara apenas em tempo parcial? A propriedade precisava de um novo senhor. Sua madrasta, a segunda esposa do pai, residia ali, também, mas ela e Lisa Keitel não se davam muito bem. Além disso, Lisa preferia ter, como supunha que ia acontecer, uma vida social mais interessante em Berlim como esposa de um alto burocrata militar no Ministério da Guerra. Dessa maneira, no dia 1º de outubro de 1935, Keitel deu o último e decisivo passo na vida e tornou-se chefe do *Wehrmachtamt*.

No ano de 1935 ocorreram numerosas mudanças. Hitler suspendera unilateralmente as restrições do Tratado de Versalhes às Forças Armadas alemãs: seria criado um exército de 36 divisões (12 corpos de exército). Seria formada também uma nova Força Aérea sob o comando de um ex-aviador, o coronel-general Göring, adicionando-se uma nova arma às duas existentes. Blomberg tornara-se ministro da Guerra do Reich e, no aniversário do Führer, recebeu o bastão de marechal-de-campo e o cargo de comandante-chefe da Wehrmacht (compreendendo as três armas). Facilmente influenciável, sensível e prontamente impressionável, Blomberg era um ardente admirador de Hitler. Evidentemente, ele ganhara a confiança do demagogo austríaco que, após a morte do velho Hindenburg no dia 2 de agosto de 1934, tornou-se governante absoluto do Reich alemão nas qualidades de Führer e chanceler.

Keitel esperara que a transferência de responsabilidade para suas mãos, no início de outubro de 1935, fosse uma ocasião solene. Em vez disso, o major-general von Reichenau, com o inevitável monóculo firmemente plantado no olho, apareceu vestido para jogar tênis e murmurando alguma coisa sobre um torneio no "Azul-e-Branco" (um dos clubes de tênis mais finos de Berlim); e entregou ao seu sucessor os mais importantes documentos secretos, antes de voltar a desaparecer, aliviado por ter-se livrado do aborrecido trabalho burocrático. Keitel ficou chocado. Que concepção de dever era essa? O *Wehrmachtamt* era uma organização complexa, que consistia de vários ramos encarregados de defesa interna e externa, indústrias de guerra, aspectos jurídicos e finanças. O organizador Keitel (que não era, como freqüentemente se acreditava, um indivíduo estúpido, quaisquer que fossem suas limitações) estabeleceu áreas novas e rigorosamente definidas de responsabilidade. A de indústria era um dos pontos fracos. Esse departamento, dirigido por oficiais sob o comando do general Thomas, sem experiência de administração industrial, precisava de diretrizes claras de Hitler quanto a seus objetivos políticos. Mas tanto quanto se podia perceber, não era iminente uma guerra e, dessa maneira, o rearmamento foi concebido meramente para a missão tradicional de defesa do Reich.

Como chefe do *Wehrmachtamt*, o tenente-general Keitel acreditava que estava próxima a realização de seu conceito favorito, isto é, um único comando geral das três armas, caso surgisse a necessidade. A idéia despertou uma reação favorável do ministro da Guerra. Blomberg pensara em criar um Estado-Maior operacional da Wehrmacht, a fim de unificar os comandos do Exército, Marinha e Força Aérea. Em caso de guerra, um "*Generalíssimo*" comandaria todas as forças. Não sabemos se ele se imaginava nesse papel. Keitel encontrou um grande colaborador no chefe da Seção "L" (Defesa Nacional), tenente-coronel Alfred Jodl. Desde o início, contudo, os planos apresentaram defeitos. O comandante-chefe da Força Aérea era o coronel-general Göring, velho camarada do Partido e substituto eventual de Hitler na liderança do mesmo. Como coronel-general era subordinado a Blomberg, mas, como ministro da Aviação do Reich, tinha o mesmo status. Na luta disfarçada entre os sátrapas de Hitler, ele considerava "sua" Força Aérea como, pelo menos, uma alavanca política. Mais tarde, Keitel descreveu essa situação como "intolerável". Nada havia a fazer, contudo, uma vez que Hitler até apreciava essa confusão sobre esferas de autoridade.

Apesar disso, uma guerra de memorandos estourou entre o Ministério da Guerra e o Alto Comando do Exército — constituído do coronel-general barão von Fritsch e o chefe do Estado-Maior Geral, general Ludwig Beck — principalmente depois que, em junho de 1937, Blomberg baixou sua primeira diretriz a respeito do comando militar unificado. Fritsch e Beck consideraram essa medida como um chocante ato de audácia. Sempre fora tradicional na Alemanha que o Alto Comando do Exército, juntamente com o Estado-Maior dessa força, fosse o único encarregado de conduzir a defesa nacional. A Marinha e a Força Aérea eram consideradas apenas como forças auxiliares, indicação esta de que o pensamento do Alto Comando do Exército estava defasado. A briga continuava, quando explodiu o escândalo do casamento de Blomberg em 1938. O aspecto mais extraordinário dessas rivalidades internas foi que todos os participantes, Keitel, Jodl, Fritsch e Beck (ou o vice de Beck, tenente-general von Manstein) nunca deram importância à opinião do autocrata-mor, Hitler. Na opinião deles, esse assunto não lhe dizia respeito.

Permaneceu distante o relacionamento pessoal entre Keitel e Blomberg. Não ocorria o intercâmbio social relativamente antiquado e convencional entre as famílias dos oficiais. A esposa de Blomberg falecera em 1932, à idade de 43 anos, e Keitel acreditava que seu chefe levasse uma vida retirada como viúvo. Seus filhos, no entanto, tornaram-se amigos. O filho mais velho de Keitel, Karl Heinz, apaixonou-se pela filha de Blomberg, Dorle (Dorothea von Blomberg), uma bonita e encantadora moça que dirigia a casa do pai.

Em dezembro de 1937, Blomberg informou a Keitel que estava resolvido a casar novamente, que sua futura esposa era de origem humilde, mas que na Alemanha nacional-socialista não era vergonha tomar como esposa uma filha do povo. Algo surpreso, Keitel anotou a informação. No Natal de 1937, Dorle e a irmã foram hóspedes da casa de Keitel em Kielgenstrasse, enquanto o pai de ambas permanecia em Oberhof, uma estação de esquiagem na Turquia, presumivelmente em companhia da futura esposa. Em inícios de 1938, Dorle von Blomberg e Karl Heinz Keitel, segundo-tenente de cavalaria, noivaram. No dia 12 de janeiro de 1938 — exatamente no dia do aniversário de Göring, que era em geral comemorado com grande pompa — ocorreu o casamento civil de Blomberg com uma jovem e bonita "senhora", isso no mais absoluto sigilo, tendo como testemunhas apenas Göring e Hitler, e na ausência dos filhos e filhas do primeiro casamento de Blomberg. Keitel, que tampouco fora convidado, soube apenas que a moça se chamava "Fräulein Gruhn".

O casal partiu em lua-de-mel, que foi no entanto interrompida pela morte súbita, em Eberswalde, perto de Berlim, da idosa mãe de Blomberg.

No enterro, Keitel conheceu a nova Frau von Blomberg, mas ela usava véu nessa ocasião. No dia 23 de janeiro de 1938, o chefe de Polícia de Berlim, conde Helldorf, pediu uma audiência urgente a Keitel. Mostrou documentos e a fotografia policial da segunda esposa de Blomberg, que haviam vindo à luz apenas quando a jovem registrara como novo endereço o Tirpitzufer, o apartamento privado de Blomberg no ministério. Segundo esses documentos, ela era uma certa Margarethe Gruhn, nascida em 1913 e conhecida da Delegacia de Costumes, que tratava de prostituição. Keitel não conseguiu identificá-la pela foto, porquanto só a vira velada, mas encaminhou Helldorf a Göring, que, afinal de contas, fora testemunha no casamento e devia conhecer a nova Frau von Blomberg. O próprio ministro não estava à mão, uma vez que nesse momento cuidava da herança deixada pela mãe em Eberswalde. Keitel ficou sobremodo embaraçado, principalmente por causa do noivado de seu filho com a filha de Blomberg. Uma vez que desconhecia a ambição secreta de Göring de assumir o poder no Ministério da Guerra, achou que pô-lo a par dos fatos era, naquele instante, a maneira mais simples de abafar o caso.

O escândalo, no entanto, tornou-se conhecido nos mais altos círculos depois de Göring identificar Margarethe Gruhn na foto da polícia como a nova Frau von Blomberg e informar a Hitler. No início Hitler ficou sem saber o que fazer, chocado e indignado, porque Blomberg usara-o como testemunha do casamento. De qualquer modo, Blomberg estava acabado. Mal passara esse escândalo, quando a Gestapo ou a SD (*Sicherheitsdienst*) da SS desvendou outro com repercussões ainda maiores: um dossiê desajeitadamente compilado contra o comandante-chefe do Exército, coronel-general barão von Fritsch. Odiado pela SS como conservador e cristão, alegava-se que ele transgredira a lei contra a homossexualidade. Um prostituto cuidadosamente industriado, anteriormente condenado por chantagem, prestaria depoimento como testemunha.

Hitler, que nunca julgara possível que um aristocrata casasse com uma "puta", nesse momento acreditava em tudo. Fritsch, por mais popular fosse, estava liquidado também. Como sempre em tempos de crise, Hitler agiu brusca e imprudentemente. Considerava o "general *von* Keitel" (como então o chamava) como sua tábua de salvação militar. Obviamente esquecera que se haviam encontrado antes. Nesse momento, implorou a Keitel que ficasse a seu lado e o apoiasse quando ele (Hitler) assumisse pessoalmente o comando supremo da Wehrmacht. O sucessor temporário de Fritsch como comandante-chefe do Exército — até que o caso fosse investigado por um conselho de guerra — seria o general von Brauchitsch, uma proposta que Blomberg poderia ter feito antes, uma vez que o candidato do próprio Hitler, general von Reichenau, fora unanimemente rejeitado pelos generais.

Durante algum tempo, Keitel participou do planejamento de uma estrutura de comando unificada para a Wehrmacht. Hitler, um ex-cabo, tornou-se comandante-chefe. Aboliu-se o Ministério da Guerra. Em seu lugar, surgiu o *Oberkommando der Wehrmacht* (Estado-Maior das Forças Armadas, ou OKW), que funcionava também como administração militar sob a "chefia" do general de artilharia Keitel — mas sem qualquer poder executivo. Keitel, porém, agiu rapidamente a fim de que fosse nomeado seu irmão, major-general Bodewin Keitel, para o Departamento de Pessoal do Exército, de modo a garantir, pelo menos, alguma influência. Aconselhou Hitler a nomear o major Rudolf Schmundt, que o ditador conhecera antes, como seu ajudante-de-ordens da Wehrmacht. Pleiteou também com sucesso a nomeação do ex-comandante do Grupo de Exércitos 4 (Leipzig), coronel-general von Brauchitsch, para comandante-chefe do Exército. Brauchitsch, de velha nobreza silesiana (que dera à Prússia numerosos generais), era um produto da Artilharia de Campanha dos Guardas e do velho Estado-Maior Geral. Era, além disso, um excelente soldado, de maneiras finas, e menos crítico do nacional-socialismo que Fritsch. Segundo Keitel, tratava-se de um cavalheiro da velha escola, com sólida capacidade de julgamento em assuntos militares e possuidor do talento necessário para levar a estratégia ao longo de linhas clássicas. Hitler gostou dele também. Mas, como acontecera antes, na "guerra de memorandos", Keitel e Brauchitsch ignoraram o chefe de ambos, o "Oberästerreicher", como o velho general von Rundstedt, decano do corpo de oficiais, costumava chamar Hitler quando estava zangado. Nenhum dos dois cavalheiros trabalhara antes em estreita ligação com Hitler. E por isso mesmo estavam ambos condenados.

Uma tremenda carga de trabalho caíra nesse momento sobre os ombros de Keitel. Muitos oficiais esperavam dele mais do que ele podia dar. Nenhum deles, nem um único general, jamais disputou-lhe o posto ou procurou desalojá-lo. Durante seu tempo no ministério, a esposa, em cartas à mãe, mostrava-se preocupada com a "ansiedade de Wilhelm", com seu receio constante de ficar aquém das expectativas ou de não dar conta da carga de trabalho. A ansiedade tornou-se ainda mais aguda nesse momento. Ele estava sempre "trotando", uma situação que não se associava imediatamente a esse homem alto e bem-feito de corpo. Um de seus ajudantes-de-ordens da Força Aérea durante a guerra, capitão von Szymonski, cunhou a seguinte frase: "Lá vai correndo um marechal-de-campo alemão, enquanto seu ajudante-de-ordens segue-o em passo mais compassado." No período restante de paz, de 4 de fevereiro de 1938 a 1º de setembro de 1939, ele, como chefe do *Oberkommando der Wehrmacht* (OKW), e esposa tiveram que comparecer a freqüentes acontecimentos sociais. Mas ele considerava até esses momentos como "deveres". Nas suas últimas notas, datadas de setembro de 1946, quando esperava a morte, lamentava muito não ter sido um homem livre naquela ocasião, capaz de empregar seu tempo como lhe aprouvesse. Nem mesmo à noite estava livre de telefonemas de seu novo caudilho, que habitualmente transformava a noite em dia e metade do dia em noite. Além do mais, Keitel apreciava uma boa refeição e dava grande valor a uma boa noite de sono, a despeito de todo o trabalho. Finalmente, filosofou que a vocação de soldado era uma vida "sem liberdade" e que não exigia muito em matéria de intelecto crítico.

No dia 4 de fevereiro de 1938, depois de circularem no exterior boatos desencontrados e malucos sobre uma crise na liderança militar em Berlim, Hitler anunciou grandes mudanças. Foi esse também o dia em que começou o último capítulo na história da vida de Keitel: o tempo do "envolvimento". Nos Julgamentos de Nuremberg, a que responderam os principais criminosos de guerra, um tribunal militar internacional composto de representantes das quatro potências vitoriosas apresentou contra o marechal-de-campo Keitel as seguintes acusações, laboriosamente compiladas (e novas, no direito internacional): elaboração e implementação de planos para uma guerra de agressão; crimes contra a paz; crimes de guerra e crimes contra a humanidade. Embora em nenhum caso fosse o originador dos atos de que era acusado, Keitel, não obstante, conduziu-se como lacaio obediente. Assinou ordens que não dera, ordens contra as quais sua consciência se revoltava, como dizem suas notas no fim da vida, mas que, apesar disso, foram postas em execução por força de sua assinatura. Por quê? O general von Seeckt, comandante-chefe do Exército de 1920 a 1926 e criador da pequena força de 100 mil homens da República de Weimar, declarara que a obediência constituía a honra do novo corpo de oficiais. Isso significava obediência a Seeckt, em primeira instância, e só então ao estado republicano que ele, como monarquista teórico, não respeitava. O velho marechal-de-campo von Hindenburg, presidente do Reich de 1925 a 1934, certa vez resmungou que aquele homem (Seeckt) arruinaria o caráter de todo o corpo de oficiais. Além disso, havia o legado recebido por Keitel de seus antepassados, o legado de gerações como rendeiros de príncipes no Estado guelfo de Hanover. A vontade dos benévolos governantes e senhores de terras era a lei suprema. A vontade do monocrata em um "*Führerstaat*" de criação de Hitler era, segundo o direito público, também a lei suprema. No sentido material, o proprietário do feudo de Helmscherode era um homem independente. Keitel, contudo, não possuía o senso de independência do velho estilo.

Hitler logo se acostumou a ter a seu lado esse administrador sempre consciencioso e extraordinariamente trabalhador e a usá-lo como "pau-para-toda-obra", embora nunca confiasse inteiramente nele, considerando-o como um general do velho molde prussiano. Todos os generais permaneceram, até certo ponto, estranhos a Hitler. Keitel, igualmente, tinha a impressão de que o Führer, nascido na Áustria, sentia-se um tanto tímido e inseguro entre esses cavalheiros prussianos sumamente aristocráticos. Obedeceriam incondicionalmente — a ele, que só chegara ao posto de cabo? Em conseqüência disso mesmo, Hitler com freqüência reagia em excesso, em tom de voz e maneiras, tornava-se agressivo e rude ou fazia exigências praticamente impossíveis de atender. Por mais que inicialmente admirasse esse homem sinistro como estadista aparentemente sempre bem-sucedido e, mais tarde, após a vitória de surpresa sobre a França em 1940, como "general", Keitel nunca se sentiu inteiramente à vontade com ele. Nem pôde jamais compreender por que ele, tendo enfatizado que a responsabilidade por todos os seus atos cabia-lhe exclusivamente, pudera simplesmente dar um tiro na cabeça para escapar à justiça terrena. Em sua opinião, esse procedimento era indigno. Lembrava-lhe o de um jogador que, tendo perdido seu último tostão na roleta, simplesmente comete suicídio.

O ano de 1938 foi agitado. Em março, graças a uma cadeia de acontecimentos, Hitler anexou a Áustria. A Seção de Operações da Wehrmacht, sob a autoridade de Keitel, presenciou um fato embaraçoso. O chefe do Estado-Maior do Exército, general Beck, que Hitler quisera substituir sem demora, permanecera no cargo por insistência de Keitel e Brauchitsch. Beck conseguira colocar o maior-general von Viebahn, que respeitava muito como confidente, no OKW, como chefe da Seção de Operações (*Führungsamt*). Quando, no dia 10 de março de 1938, a fim de prevenir um plebiscito em prol de uma Áustria cristã e livre, convocado pelo último chanceler austríaco, von Schuschnigg, Hitler ordenou a invasão do país, Keitel descobriu com grande consternação que o *Oberkommando der Wehrmacht* não elaborara absolutamente nenhum plano de contingência, de modo que tudo teve que ser improvisado. Enquanto Keitel acompanhava o Führer em sua entrada na Áustria, no OKW, em Berlim, o general von Viebahn sofria um colapso nervoso, acreditando que a Segunda Guerra Mundial estava prestes a eclodir. Nada tão impressionante assim. Em vista disso Viebahn desapareceu, e o controle foi transferido mais uma vez para o confidente de Keitel, Jodl.

A Áustria tornou-se a "Ostmark" de Hitler, que iniciou seu segundo movimento, o esfacelamento da Tchecoslováquia, já profundamente flanqueada pela Áustria e pela Silésia. O pretexto de Hitler foi garantir o direito de autodeterminação da minoria sudeto-alemã residente no país. A operação recebeu o codinome de "Plano Verde". Neste caso, Keitel conheceu, pela primeira vez, a baixeza que se escondia em Hitler, quando este último discutiu o desenvolvimento das relações germano-tchecas, para o qual era preciso estar preparado. Ouviu Hitler mencionar em voz baixa que poderia acontecer, por exemplo, que o embaixador alemão em Praga fosse assassinado. Keitel não entendeu imediatamente o que o Führer insinuava. Lentamente, deu-se conta de que Hitler estava pensando em provocar um assassinato como pretexto para a invasão. Hitler continuou dizendo que, afinal de contas, a Primeira Guerra Mundial fora precipitada por um assassinato. Keitel começou a se perguntar que tipo de ser humano era aquele.

No verão de 1938, o chefe do Estado-Maior Geral, Beck, tentou travar uma campanha de memorandos contra uma ação militar tendo por alvo a Tchecoslováquia, que poderia resultar em uma nova guerra mundial. Fracassando nesse intento, pediu demissão, imediatamente aceita. Keitel disse que não derramaria uma única lágrima com a partida de Beck. E não esperava, na ocasião, que o sucessor de Beck, o general Halder, tivesse idéias semelhantes. No curso do planejamento do ataque contra a Tchecoslováquia, Hitler e os novos gêmeos do OKW, Brauchitsch e Halder, chocaram-se gravemente, dada a intenção do ditador de lançar uma ofensiva *panzer* concentrada contra Praga, passando por Pilsen. Brauchitsch e Halder opuseram-se tenazmente a Hitler, mas, claro, perderam a batalha no mapa. Keitel advertiu Brauchitsch por ter-se mostrado veemente demais. Será que eles (Brauchitsch e Halder) acreditavam realmente que ia haver guerra por causa do problema sudeto-alemão? Coisa muito pior poderia acontecer e, neste caso, sua posição como comandante-chefe ficaria debilitada. O pior era acontecer o que nenhum dos dois previra.

Em março de 1939, Keitel, juntamente com o *entourage* de Hitler, entrou no Castelo de Praga. O sucesso, refletiu ele, sempre impressiona favoravelmente o soldado. Absteve-se de apresentar objeções fundamentais às campanhas contra a Polônia, Dinamarca-Noruega (a primeira e última campanha em que o *Oberkommando der Wehrmacht* exerceu controle direto), Bélgica, Holanda e França. A vitória sobre a França, grandiosa em sentido militar, produziu um efeito devastador em todos os generais, incluindo ele mesmo, embora nunca tivesse reconhecido esse fato. Apesar disso, é possível que tenha realmente pronunciado a frase, amplamente ridicularizada, de que Hitler era "o maior general de todos os tempos". Conforme mencionado antes, ele podia ser muito sentimental.

Em julho de 1940, Hitler organizou uma cerimônia para homenagear os generais vitoriosos. Nessa ocasião, Keitel foi promovido a marechal-de-campo e recebeu uma dotação de 100 mil Reichsmarks. Como apropriado a seu caráter, sentiu-se profundamente embaraçado. Um homem tornava-se marechal-de-campo no campo de batalha, não sentado a uma escrivaninha! Jamais tocou no dinheiro. Depositou-o em uma conta bloqueada, a despeito do fato de que Helmscherode poderia ter aproveitado bem essa injeção de dinheiro. No verão de 1940, ele, acompanhado da esposa, permitiu-se as primeiras e únicas férias em toda a guerra. Depois, voltou às montanhas de papel e à administração do OKW. Mas houve baixas. Keitel, contra o que ele próprio pensava, sentiu-se muito magoado, quando Hitler, em março de 1940, criou o novo Ministério de Armamentos e Munições, sob o comando de seu grande engenheiro construtor de estradas, o dr. Fritz Todt. A administração da indústria, que nunca fora projetada para enfrentar uma grande guerra, não vinha ocorrendo suavemente. Em setembro de 1939 ocorreu uma crise de munições, que, no entanto, foi abafada com todo cuidado. Não fora à-toa que o general professor dr. Becker, chefe do Departamento de Artilharia do Exército, cometera suicídio em fins do outono de 1939.

Keitel, no entanto, ficou profundamente alarmado quando em fins do verão de 1940 soube do plano de Hitler de atacar a União Soviética, seu aliado oficial. Essa era a "guerra" que Hitler freqüentemente previra para os anos de 1942-45, quando o rearmamento alemão atingisse o auge. Erradicar o bolchevismo e obter *Lebensraum* no leste para o povo alemão haviam sido as primeiras e acalentadas idéias de Hitler. Devia ser a cruzada do Grande Reich Alemão, o renascimento do velho e desmoronado Reich, que incluía a Áustria, a Boêmia e a Morávia, e que devia ressuscitar em uma forma descristianizada. A campanha recebeu o nome *Barbarossa*, em homenagem ao poderoso imperador Friedrich I, o Barba Ruiva, que perecera em uma cruzada ao Oriente em 1190. Para Hitler, vitorioso em toda a Europa Ocidental e Setentrional, nada mais era impossível. Mas havia sem dúvida outro motivo: o medo disfarçado de que a saúde pudesse lhe faltar em breve.

Keitel, o *Reichsmarschall* Göring e o comandante-chefe da Marinha, grande-almirante Raeder, protestaram sem exceção contra uma ofensiva na Rússia. Keitel chegou mesmo a escrever um memorando a Hitler que se perdeu nos arquivos e provavelmente não sobreviveu à guerra. Todos os principais soldados do tempo acreditavam unanimemente que tal guerra excederia o poderio alemão, especialmente porque não acabara ainda a guerra com a Inglaterra. Hitler tentou convencer Keitel e outros militares de que a campanha contra a União Soviética começaria e terminaria no verão de 1941 e que o império de Stálin ruiria por terra antes do início do inverno russo.

Em fins de março de 1941, Hitler anunciou a seus generais e almirantes um novo tipo de guerra, em oposição às idéias em curso no mundo, e no qual seria decidida a questão de "ser ou não ser".

Seriam abandonadas todas as restrições à conduta das operações, todo cavalheirismo em relação aos adversários. Desse princípio desumano emanaram as ordens que Keitel assinou e pelas quais respondeu no tribunal militar depois de o principal culpado ter saído de cena. Incluíram elas a Ordem do Comissário, de acordo com a qual oficiais políticos, embora com status de combatentes no Exército Vermelho, deveriam ser liquidados; a Ordem de Jurisdição, que proibia procedimentos de conselhos de guerra contra alemães que houvessem cometido crimes contra a população civil; a denominada Ordem Noite e Nevoeiro, que permitia a detenção no Reich de membros da resistência, sem informação de seu paradeiro a parentes; a ordem de não reconhecer membros de "comandos" inimigos (mesmo quando usassem uniformes e fossem obviamente soldados) como prisioneiros de guerra, mas entregá-los aos serviços de segurança para "tratamento".

Em suas notas, confessou Keitel como se sentia infeliz no posto. Em três ocasiões pelo menos, após discussões, implorara a Hitler que o exonerasse de seus deveres, que o transferisse. Hitler, porém, não tinha intenção de deixálo partir. Como seu chefe da administração militar e representante em discussões com aliados do Reich contra a União Soviética em Budapeste, Bucareste e Hensinque, Keitel, de muitas maneiras, tornara-se indispensável ao caudilho. Em setembro de 1941, quando, após outra discussão, Hitler acusou-o de prestar falsa informação e disse que se sentia basicamente cercado de "estúpidos", Keitel estava pronto para apresentar seu pedido de exoneração e suicidar-se em seguida. Por acaso, Jodl interveio, tomou-lhe a pistola e disse, um tanto ingenuamente, que numa guerra todo soldado tinha que agüentar até o fim. Havia maneira de escapar desse círculo vicioso? Dificilmente, para um homem do temperamento de Keitel. Para isso, faltava-lhe o necessário orgulho e o sentimento de superioridade espiritual sobre esse plebeu que tomara o poder e, nesse momento, levava o Reich à ruína.

Quando, ao meio-dia de 20 de julho de 1944, uma bomba colocada pelo coronel conde Stauffenberg explodiu em uma cabana no quartel-general do Führer na Prússia Oriental, Keitel reagiu de maneira característica. Profundamente indignado, ele levou para fora o Führer, ligeiramente ferido, ao que Hitler, aparentemente, teria dito que, pelo menos, o marechal-de-campo Keitel merecia confiança. Enquanto Stauffenberg, em sua volta a Berlim naquela tarde e, durante a noite, tudo fazia, pelo telefone, visando à organização de um golpe com a ajuda do Exército de Reserva, Keitel, de idêntica maneira, tentava pelo telefone impedir que os comandantes de distrito e unidades obedecessem a ordens vindas de Berlim. Ganhou a batalha telefônica — um triunfo macabro, aliás. Em sua opinião, tudo aquilo era uma vergonhosa perfídia. O indivíduo tinha que permanecer ao lado de seu chefe, especialmente na hora do infortúnio. A honra, como a entendia, exigia exatamente isso.

A queda iminente do Terceiro Reich liberou-o, de uma maneira estranhamente triste, de um fardo que se tornara quase insuportável. O chefe do

OKW, juntamente com o quadro de operações, já deixara Berlim e estava em "retirada" contínua, para não dizer em fuga, diante do Exército Vermelho, passando por Mecklenburg a caminho de Holstein, quando, no dia 30 de abril de 1945, Hitler acabou com a própria vida. Nesse momento, o marechal-de-campo era um homem livre, o oficial mais graduado da Wehrmacht, que se encontrava em estado de colapso. A maior parte do Reich já fora ocupada pelo inimigo. O preço desse tipo de liberdade era alto demais.

Keitel e o Estado-Maior operacional do OKW reuniram-se ao grande-almirante Dönitz, que assumira o governo do que restava do Reich, depois que Hitler, em seu testamento, o designou ironicamente para o cargo de presidente. Dönitz queria substituir Keitel pelo marechal-de-campo von Manstein. Ninguém, porém, sabia que Manstein já se entregara aos britânicos na propriedade do conde Waldersee, em Waterneverstorf, no Holstein. Seguiram-se 13 dias dessa chamada "liberdade" na residência do grande-almirante, em Flensburg-Mürvik. No dia 13 de maio de 1945, a polícia militar britânica prendeu Keitel, que seria mais tarde submetido a julgamento por um tribunal militar internacional como um dos principais criminosos de guerra.

Foi difícil encontrar um advogado de defesa alemão para o acusado, principalmente porque era muito limitado o que podia fazer um causídico dessa nacionalidade em Nuremberg. Durante o julgamento, soldado até o fim, Keitel aceitou a responsabilidade por ter executado ordens dadas por pessoa que não podia responder mais perante a justiça terrena. Seu advogado de defesa, dr. Otto Nelte, um especialista em direito comercial conhecido da família Fontaine, achou extremamente difícil seguir a maneira de raciocinar de seu cliente. Quanto às acusações apresentadas, declarou-se "inocente". O marechal manifestou apenas um último desejo, que sua execução fosse por fuzilamento, como era apropriado a seu posto. O tribunal militar nenhuma clemência demonstrou. A sentença, lavrada no dia 1º de outubro de 1946, determinou "morte por enforcamento". O também acusado e condenado *Reichsmarschall* Göring evitou a morte na forca no último momento, tomando veneno na noite de 15 de outubro. Ao amanhecer do dia 16 de outubro de 1946, o marechal-de-campo Keitel foi enforcado.

No dia 25 de agosto de 1939, três pessoas se encontraram em frente ao antigo Ministério da Guerra, na Bendlerstrasse: o major-general Alfred Jodl, chefe da Seção de Operações da Wehrmacht, sua primeira esposa, Irma, *née* condessa von Bullion, e uma amiga de longa data do casal, Luise von Benda, recepcionista do general de artilharia Halder, chefe do Estado-Maior do Exército. O ataque à Polônia fora planejado para o dia 26 de agosto, mas só Jodl conhecia esse fato. Não obstante, o *suspense* e o medo de uma guerra dominaram durante dias o estado de espírito do OKW e do Estado-Maior Geral. Luise von Benda perguntou se isso era justamente outro "blefe", como no ano anterior, na crise dos sudetos. Jodl respondeu que receava muito que, desta vez, a coisa fosse para valer. E nesse momento usou as seguintes palavras: "Se embarcarmos nesse bote, não haverá maneira de sair dele." Irma Jodl não conseguiu conter as lágrimas... Em 1914, 25 anos antes, o Exército e o povo juntos haviam recebido jubilosos a Primeira Guerra Mundial, emoção que não podia ser mais racionalmente entendida ou mesmo despertar simpatia em 1939. Após o dia 30 de janeiro de 1933, o dia em que Hitler tomou o poder e foi nomeado chanceler do Reich, o major Jodl, na ocasião membro da Seção de Operações do *Truppenamt* (o Estado-Maior Geral camuflado), disse que sentia grande receio de que esses fatos provocassem outra guerra.

Alfred Jodl nasceu no dia 10 de maio de 1890 em Würzburg, filho de um capitão de artilharia bávaro aposentado. O pai, embora soldado de todo o coração, fora obrigado a deixar o serviço ativo porque tencionava casar-se com uma moça originária de uma família franconiana de agricultores. Para começar, devido a seus antecedentes agrícolas, a futura esposa não preenchia os requisitos sociais então costumeiros para uma esposa de oficial e, em segundo lugar, a base financeira para um estilo de vida conveniente, ou um patrimônio de pelo menos 20 mil marcos em ouro, nem existia nem podia ser conseguido. Desse casamento resultaram cinco filhos: três filhas, todas as quais morreram jovens, e dois filhos, Alfred, que estava destinado a cumprir um papel histórico e ser enforcado, e Ferdinand, que ao fim da Segunda Guerra Mundial, em 1945, era o general-comandante de um corpo de montanhas no norte da Noruega. Por mais hostis que os noruegueses se sentissem em relação aos ocupantes alemães, o governo do país nunca o acusou de crimes de guerra.

Alfred Jodl cursou a escola primária e, após ingresso no corpo de cadetes, passou a servir no 4º Regimento de Artilharia de Campanha da Baviera. Sob o império alemão, em tempos de paz, o Real Exército Bávaro era um corpo independente. Seu ideal de oficial diferia do Exército prussiano na medida em que uma boa educação geral era requisito indispensável. Não obstante, não conhecemos qualquer interesse intelectual especial que Jodl possa ter cultivado. Tornou-se segundo-tenente em 1912. Logo depois, casou com uma "mulher de um mundo diferente" (nas palavras dele mesmo), Irma, condessa von Bullion, cinco anos mais velha que ele e também, ainda nas palavras dele, muito mais inteligente. Ela era originária de uma velha e tradicional família de príncipes suábios, sem herdeiro masculino. O pai da moça, o coronel (reformado) conde Bullion, tentara em vão dissuadir a filha de fazer tal casamento, tanto por diferença de idade quanto de classe social.

Jodl serviu como oficial de artilharia na Primeira Guerra Mundial. Conquistou boa reputação e, após qualificar-se para serviço no Estado-Maior Geral, foi aceito, após a guerra, na *Reichswehr* de 100 mil soldados. De 1920 em diante, fez treinamento como "assistente de chefia", um eufemismo para oficial de Estado-Maior, porque a manutenção do Estado-Maior Geral fora proibida pelo Tratado de Versalhes. Mais tarde, ele elogiou em especial duas pessoas como sendo excelentes mestres: o general Wilhelm Adam, um bávaro nativo como ele, e o coronel Hierl. Este fora demitido do Exército pelo general von Seeckt, o comandante-chefe da *Reichswehr*, que não concordava com sua idéia de instituir um serviço trabalhista obrigatório em lugar do, na época, proibido serviço militar obrigatório. Hierl, à sua rude maneira bávara, foi nacional-socialista desde o começo. Numerosos colegas, porém, classificaram também Jodl como "revolucionário", devido às suas idéias muito pessoais sobre as futuras relações entre trabalhadores e soldados e sobre a reestruturação das relações entre soldados e subordinados em uma era tecnológica. Eram idéias de caráter reformista que Jodl, no fim, não levou adiante, uma vez que sua condição de militar não lhe dava oportunidade para tanto. Não obstante, no que não diferia do restante do oficialato, mantinha uma distância cética do nacional-socialismo, da forma então pregada por Hitler.

Foi importante a nomeação de Jodl, nos últimos dias da República de Weimar, para servir na seção de operações do *Truppenamt*, no alto comando do Exército. O chefe da seção era seu velho instrutor, general Adam, que em outubro de 1933 teve que ceder o posto ao tenente-general Beck. Adam não era amigo do nacional-socialismo, ao passo que Beck, cabe notar, aceitava na ocasião esse "engrandecimento nacional", na esperança justificada de que Hitler restabelecesse a liberdade do país de rearmar-se. Ludwig Beck, tanto soldado quanto filósofo da guerra do tipo de Clausewitz, deve ter possuído uma personalidade sumamente impressionante. O adido militar polonês disse a seu respeito: "*C'est Moltke lui-même.*" Jodl sentia profunda admiração por ele e, embora desaprovasse *coup d'états*, ainda assim lamentou a morte de Beck, quando, após duas tentativas de suicídio frustradas, em seguida ao fracasso do ataque a bomba contra Hitler em 1944, teve uma morte horrível, vitimado pela pistola de um sargento, na noite de 20 de julho daquele ano. O general Beck, por sua parte, como disse em uma avaliação, reconhecera em Jodl "um homem de futuro".

Por recomendação de Beck, Jodl, em 1935, passou a servir no *Wehrmachtamt* (Diretoria das Forças Armadas), subordinado ao ministro da Guerra, von Blomberg. Chefiava a Seção de Defesa Nacional, encarregada de planejar o comando tripartido das Forças Armadas. Blomberg, Keitel e também Jodl (para grande desapontamento de Beck) eram convictos defensores desse conceito. O general Beck, desde 1935 chefe do Estado-Maior do Exército, e o comandante-chefe do Exército, coronel-general barão von Fritsch, mantinham a convicção de que, em assuntos de defesa, o alto comando do Exército e o Estado-Maior Geral deviam controlar exclusivamente todas as operações. Nessa batalha burocrática, na qual Hitler não se envolveu, Keitel desenvolveu antipatia pessoal por Beck. Jodl, contudo, continuou a admirar Beck discretamente, a despeito de todas as divergências de opinião entre ambos. Os deveres de Jodl na Seção de Defesa Nacional e seu íntimo contato com Keitel e Blomberg, porém, produziram complicações imprevistas.

Em 5 de novembro de 1937, em um discurso que durou várias horas, Hitler descreveu seus planos futuros para Blomberg e para os três comandantes-chefes das forças, isto é, Exército, Marinha e Força Aérea, respectivamente Fritsch, Raeder e Göring, e para o ministro das Relações Exteriores, barão von Neurath. Embora o texto completo do discurso não tenha remanescido, sabemos, de fato, que Hitler anunciou que a anexação da Áustria e o esmagamento da Tchecoslováquia eram seus objetivos "inalteráveis". Keitel e Jodl não levaram isso a sério, o que não aconteceu com o extremamente assustado Fritsch. Sabia ele que risco algum podia ser assumido com um novo Exército incompleto e apressadamente estruturado. Blomberg, por seu lado, já se acostumara às tiradas intermináveis do Führer. Além do mais, Hitler imediatamente tranqüilizou-os, dizendo que a guerra não ocorreria antes de 1942 ou 1945. Jodl, juntamente com muitos outros oficiais, ficara fascinado pelos sucessos não-violentos de Hitler — o restabelecimento do serviço militar obrigatório em 1935 e a ocupação da zona desmilitarizada da Renânia em 1936. E os vencedores de 1918? Haviam concordado com tudo aquilo.

Nessa fase, Jodl nenhum contato pessoal teve com Hitler. Explodiu nesse momento o escândalo do casamento de Blomberg com "Fräulein Eva Gruhn". Jodl, conforme deixou consignado em seu diário, teve uma surpresa completa com tudo isso. Seguiu-se a queda de Fritsch, sob suspeita de homossexualidade. Jodl não acreditou nessa mentira. Foi bem característico que os oficiais que então serviam no Ministério da Guerra e que defendiam a liderança de Hitler mostraram-se, apesar disso, preocupados com a possibilidade de que, como resultado desses escândalos, reais ou forjados, os chefes do Partido Nazista e a SS de Himmler pudessem ganhar influência sobre as Forças Armadas. Era essencial que as Forças Armadas permanecessem unidas, não contra, mas ao lado do Partido. Isso mais uma vez confirmava a teoria dos dois pilares, formulada por Blomberg em 1934, antes do golpe de Estado de Röhm, ou seja, Exército e Partido como suportes gêmeos do estado.

Após o desaparecimento de Blomberg e de sua duvidosa esposa e após a reforma de Fritsch, o Ministério da Guerra foi convertido no *Oberkommando der Wehrmacht* (Estado-Maior das Forças Armadas), tendo Keitel como chefe, sob o comando pessoal de Hitler. O coronel Jodl permaneceu no Departamento de Defesa Nacional. Beck estava prestes a colocar o general Max von Viebahn, a quem pessoalmente respeitava muito, como novo chefe do Departamento de Operações do OKW. Jodl, de uma maneira peculiar, experimentou com a nomeação de von Viebahn a primeira de uma série de "crises de liderança" que deveria enfrentar ao longo de sua carreira. Quando, no dia 10 de março de 1938, Hitler ordenou inesperadamente a invasão da Áustria, a fim de impedir um plebiscito em favor de uma Áustria germânica, cristã e livre, convocado pelo chanceler austríaco von Schuschnigg, o OKW nada teve a fazer, pois a condução das operações coube ao OKH (o Estado-Maior do Exército). O general Keitel, chefe do OKW, acompanhou Hitler na entrada triunfal em sua antiga pátria. O coronel Jodl enfrentava uma tarefa mais difícil. Seu superior, o general von Viebahn, sofreu um grave colapso nervoso, porque acreditava que o ato de violência de Hitler desencadearia a Segunda Guerra Mundial. Afinal de contas, em 1919, nos Tratados de Versalhes e de Saint-Germain, os Aliados vitoriosos haviam enfaticamente excluído qualquer união entre a Alemanha e a Áustria. Viebahn teve ataques de choro, trancou-se em seu gabinete, e Jodl teve grande trabalho para acalmá-lo. O general foi substituído e internado num asilo. As potências vitoriosas em 1919 não dispararam um único tiro pela causa da "Áustria livre". Keitel, aliviado por desvencilhar-se de Viebahn dessa maneira incrível, transferiu novamente o controle para Jodl.

Contudo, seu departamento não foi consultado quando Hitler arriscou seu segundo golpe em 1938, o "Plano Verde", um plano de contingência para anexar os sudetos ao Reich pela força e esmagar a Tchecoslováquia. Durante a crise tcheca, que culminou com a entrega dos sudetos, por Chamberlain e Daladier na conferência de Munique, Hitler agiu em colaboração apenas com o Estado-Maior do Exército (OKH), composto do coronel-general von Brauchitsch, o comandante-chefe, e o chefe do Estado-Maior Geral, general Ludwig Beck (que se exonera em agosto), e seu sucessor, o general de artilharia Franz Halder.

Finalmente, uma maneira de escapar ao dilema surgiu para Jodl. Promovido a major-general, após seis anos de trabalho de carteira, foi-lhe confiado um comando de tropa. Tornou-se "chefe de Artilharia 44", baseado temporariamente em Viena, que era uma das bases para a formação da futura 44ª Divisão de Infantaria com reservas austríacas ou, como nesse momento era chamada, da "Ostmark". O "grande K", como Jodl às vezes denominava

Keitel em suas cartas, insinuou que ele poderia ser nomeado comandante da 2ª Divisão de Montanha, a partir de 1º de outubro de 1939. O passatempo favorito de Jodl era o montanhismo, e essa perspectiva encheu-o de prazer. Keitel providenciou para que o coronel de Estado-Maior Warlimont o substituísse.

O sonho de Jodl de tornar-se comandante divisionário terminou bruscamente quando o "grande K" telegrafou-lhe no dia 23 de agosto de 1939, com ordens de apresentar-se em Berlim. O "Plano Branco", o plano de contingência para a invasão da Polônia, estava chegando aos estágios finais. A Polônia, interpretando de maneira totalmente errônea sua situação real e confiando em seu Exército valente, mas inadequadamente equipado (juntamente com as "garantias" da Grã-Bretanha), rejeitou a exigência de Hitler de que a Cidade Livre de Danzig, administrada pela Liga das Nações, e o "corredor polonês", entre a Prússia Ocidental e a Oriental, fossem devolvidas à Alemanha. Hitler, por outro lado, estava inteiramente convencido de que nem a Grã-Bretanha nem a França interviriam em defesa da Polônia.

No planejamento da invasão, o Departamento de Operações da Wehrmacht, mais uma vez, não foi consultado, cabendo a tarefa exclusivamente ao Estado-Maior do Exército (OKH). O planejamento não exigia muita perícia estratégica, uma vez que, nesse momento, a Polônia podia ser atacada no seu flanco sul a partir da Morávia e da Eslováquia e no norte pela Prússia Oriental.

Jodl, porém, como chefe do Departamento de Operações do OKW, e o general Keitel, nesse momento, acompanharam o Führer e comandante-chefe das Forças Armadas à frente de batalha tão logo começou a guerra. No dia 3 de setembro de 1939, o major-general Jodl foi apresentado a Hitler. Alfred Jodl era de uma estirpe bávara de quatro gerações. O alto oficial, com suas feições angulosas e olhar aberto e franco, deve ter impressionado Hitler de uma maneira diferente de como o faziam aqueles aristocráticos cavalheiros, afeiçoados segundo o molde prussiano, e que às vezes usavam monóculo (uma ajuda visual pela qual Hitler sentia profunda antipatia). Os prussianos sempre o haviam deixado constrangido. De Jodl, porém, gostou imediatamente.

Para Jodl, começaram nesse momento seus últimos seis anos de serviço como chefe do Departamento de Operações do OKW. Em agosto de 1940, seu departamento passou a chamar-se "OKW Operações". Continuou a ser, contudo, um Estado-Maior sem poder de comando, sem deveres claramente definidos, funcionando ao lado do OKW como centro administrativo de recebimento e processamento de despachos e relatórios procedentes da frente de combate e execução de ordens emanadas do autocrata todo-poderoso e onisciente, Adolf Hitler, que sempre tinha razão. A única grande exceção, quando Jodl agiu realmente como chefe do Estado-Maior e conseguiu demonstrar suas qualidades de comando, ocorreu na Operação *Weserübung* (Exercício Weser) em abril de 1940, isto é, a ocupação rápida da Dinamarca e da Noruega, prevenindo a invasão britânica da Noruega, que visaria a cortar o suprimento de minério de ferro da Suécia para o Reich, passando por Narvik. Jodl, com todo sucesso, executou essa missão no dia 9 de abril de 1940, numa ocorrida disputa no espelho com uma força expedicionária anglo-francesa.

No planejamento contra o tempo da Operação *Weserübung*, um comando tripartido das forças da terra, mar e ar, fora da autoridade do Estado-Maior do Exército (OKH), entrou efetivamente em operação, provando, pela primeira e única vez, e graças à competência de Jodl, que o velho conceito Blomberg-Keitel de uma estrutura de comando das três armas sob o OKW realmente funcionava.

Durante a campanha norueguesa, Hitler interferiu apenas quando as operações de *Blitzkrieg*, tal como ocorre com a maioria das operações militares, enfrentou momentos de crise. No porto de minérios de Narvik, tropas de montanha sob o comando do general Dietl foram encurraladas por tropas britânicas, francesas, polonesas e norueguesas, depois que forças navais britânicas superiores destruíram inteiramente a flotilha de destróieres alemães ao largo de Narvik. Os meios de divulgação de massa alemães freqüentemente louvaram a férrea determinação de Hitler. Naquele momento, tornou-se óbvio para os mais próximos a ele que esse comandante-chefe das Forças Armadas tinha maus nervos, afinal de contas. Narvik, resolveu ele, deveria ser evacuada. As forças de Dietl deveriam retirar-se para o vizinho território sueco e lá ser internadas. A ordem foi dada. Jodl e o oficial de Estado-Maior do exército posto à sua disposição, coronel von Lossberg, consideraram a ordem absurda. Dentro de semanas, os Aliados seriam atacados na Frente Ocidental, na França e Países Baixos, o que os obrigaria a retirar da Noruega a força expedicionária. Dietl tinha simplesmente que resistir. A ordem de Hitler foi contrariada com sucesso. Mas isso teve conseqüências inesperadas. O autodidata aprendera uma nova lição; em qualquer crise subseqüente a ordem seria: "Resistir a todo custo."

Durante as arrebatadoras vitórias na França e nos Países Baixos no verão de 1940, Jodl, mais uma vez, desempenhou apenas o papel de chefe do gabinete militar de Hitler. Os soldados não ficaram imunes aos sucessos de Hitler. Não seria ele, afinal de contas, um gênio? O próprio Jodl acreditava nisso, como também o "grande K".

Na onda de promoções que se seguiu à vitória, em 19 de julho de 1940, Jodl tornou-se general de Artilharia, passando por cima do posto de tenente-general. Mesmo nos círculos mais chegados a Hitler, supunha-se nesse momento que a Inglaterra faria a paz. O primeiro-ministro Churchill, porém, manteve-se irredutível. O general Jodl foi o primeiro oficial a ser informado da intenção de Hitler de atacar a Rússia, porque o caudilho temia que, um dia, os soviéticos pudessem apunhalar a Alemanha pelas costas. Hitler não sentia absolutamente quaisquer escrúpulos com o fato de que, desde agosto de 1939, estava em vigor um pacto de amizade com Stálin. A "cruzada" no leste e a eliminação do "bolchevismo judaico" haviam sido sempre idéias fundamentais do ditador. Era isso o que tinha em mente quando insinuou sombriamente, na década de 30, que uma guerra não explodiria antes de 1942 ou 1945. Naquele instante, em 1940, o homem que conquistara a Europa Ocidental e Setentrional convenceu-se de que podia fazer o que quisesse com apoio do "melhor Exército do mundo". Além disso, a questão de por quanto tempo sua saúde suportaria a tensão da vida que levava parecia preocupá-lo cada vez mais. Jodl recebeu com ceticismo o plano de Hitler. Outros, como Keitel, criticaram-no abertamente. Mas, como se fosse um sonâmbulo, Hitler prosseguiu em seu caminho. Em uma campanha de verão maciça em 1941, o Exército alemão demoliria o gigantesco império de Stálin. Ao começar o inverno russo, estaria tudo terminado.

Na crise de inverno de 1941-42, após o fracasso alemão em tomar Moscou e a maciça contra-ofensiva russa, quando o Exército alemão pareceu quase derrotado, o general Jodl teve oportunidade de admirar a vontade de ferro com que Hitler ordenou que formações de linha de frente resistissem até o fim, não raro tomando medidas impiedosas contra generais relutantes. Mas as conseqüências da crise do inverno afetaram-no também. O comandante-chefe do Exército, marechal-de-campo von Brauchitsch, pediu demissão devido a um ataque cardíaco. Hitler assumiu pessoalmente o comando do Exército e dividiu as responsabilidades do Estado-Maior. O Estado-Maior do Exército (OKH) passou a responsável exclusivo por todos os assuntos da Frente Oriental. O Estado-Maior das Forças Armadas (OKW) continuou a tratar de outros teatros de operação. Nessa ocasião, havia realmente outro teatro de operações ativo à parte o russo — o Norte da África, onde foi dada a Rommel, em 1942, a missão de chegar até as fronteiras egípcias com sua *Panzerarmee Afrika* germano-italiana. No papel, Hitler possuía nesse momento dois chefes de Estado-Maior, Halder (OKH) e Jodl (OKW), embora este último com menos responsabilidade que o primeiro.

Para Jodl, a vida no quartel-general do Führer na *Wolfschanze* (Covil do Lobo) na Prússia Oriental e mais tarde durante o sufocante verão de 1942 no quartel-general avançado *Werwolf* na Ucrânia ocidental, nas proximidades de Winniza, foi pura agonia. Mais tarde, antes dos Julgamentos de Nuremberg, ele descreveu o posto de comando de Hitler como uma mistura de claustro e campo de concentração. O dia começava com assuntos rotineiros banais. Tal como Keitel, que apreciava um bom charuto, Jodl gostava de seus cigarros, ao passo que Hitler era um não-fumante fanático. Ninguém podia fumar em sua presença. Keitel gostava de um bom vinho ou de uma cerveja gelada, o que acontecia também com Jodl; Hitler era abstêmio fanático. Mulheres eram tabu absoluto. As discussões sobre assuntos estratégicos, presididas em geral pelo intelectualmente inepto Führer, eram com freqüência arrastadas e cansativas. Hitler tinha o hábito de desviar-se do assunto e cair em monólogos irrelevantes, ao passo que os oficiais de Estado-Maior estavam acostumados a discutir problemas factuais em uma maneira clara e concisa, tomando as decisões necessárias e não raro urgentes. Em conseqüência, instalava-se um clima de tensão.

Na opinião de Hitler, a ofensiva de verão em 1942 deveria produzir a decisão final na campanha, com a captura de Stalingrado às margens do Volga e com a de Astracã nas praias do mar Cáspio, e ocupação das jazidas petrolíferas do Cáucaso. Os arredores de Stalingrado foram alcançados em agosto de 1942, com as forças alemãs já debilitadas. A batalha entrou em um impasse, com lutas de rua e de casa em casa. O Grupo de Exércitos A, sob o comando do marechal-de-campo List, chegara também ao sopé do Cáucaso, mas igualmente exausto e sem reservas. O 49º Corpo de Montanha, sob as ordens do general Konrad, devia seguir em frente até os portos do mar Negro. A capacidade de combate de suas forças, porém, estava acabando, e surgiram problemas devido à falta de reservas. List sentiu-se inclinado a abandonar a missão, que nesse momento lhe pareceu impossível. Uma discussão com Hitler ao fim de agosto de 1942 resolveu esse desacordo. Quando, apesar disso, a ofensiva não apresentou progressos importantes, Hitler determinou a Jodl que visitasse o marechal-de-campo List e o general Konrad, em vez de, o que seria mais correto, o chefe do Estado-Maior Geral, coronel-general Halder, em quem Hitler não mais confiava. No dia 7 de setembro de 1942 Jodl voltou, mas apenas para confirmar os relatórios de List e Konrad, de que as tropas estavam nas últimas. Hitler sugeriu o lançamento de tropas pára-quedistas na região de Tuapse, mas isso não era exeqüível devido ao terreno difícil na área de desembarque. A discussão que se seguiu foi privada, e há diferentes versões sobre seu resultado. De qualquer modo, Jodl, que estava acostumado ao temperamento horrível de Hitler, presenciou a mais extraordinária explosão de raiva do ditador, e ele, como autêntico bávaro, deu tanto quanto recebeu. Pode-se afirmar, com grande certeza, que o dia 7 de setembro de 1942 foi aquele em que Hitler compreendeu que, de maneira nenhuma, poderia ganhar a guerra na Rússia. Jogara tudo em uma única carta e esta não servira de trunfo. Jodl, por seu lado, deixou bem claro a

Hitler que considerava abaixo de sua dignidade passar eternamente adiante ordens impossíveis de cumprir, e que ele (Hitler) poderia encontrar outra pessoa para fazer isso. Bateu em seguida a porta e deixou o local.

Hitler ficou indignado. O quê, agora? Claro, tudo aquilo era culpa dos generais, não sua — ou seria, porque permitira que generais incompetentes permanecessem em seus postos? Daí em diante, recusou-se a apertar a mão de oficiais do seu Estado-Maior e não compareceu mais à mesa comunal de refeições. Convocou ao quartel-general estenógrafos do Reichstag para que anotassem *verbatim* todas as discussões estratégicas, de modo que, insistiu, os generais não lhe torcessem as palavras.

Desde o dia do início da campanha polonesa, Hitler começara a usar uniforme de campanha cinzento. Nesse momento, passou a abominar essa cor porque era a usada por todos os oficiais. Planejou também uma grande reorganização: Jodl seria dispensado, como também Keitel e o chefe do Estado-Maior Geral, coronel-general Halder, que ele viera a considerar cada vez mais hostil a suas idéias. No fim, porém, Hitler despediu apenas o coronel-general Halder, no dia 24 de setembro de 1942, em uma explosão sumamente indigna de mau humor. Logo se tornou claro que ele não queria ver caras novas em volta. Pode até ser que a maneira gelada com que Jodl continuava a cumprir seus deveres o tenha impressionado, pois ele o promoveria finalmente para o posto de coronel-general, no dia 30 de janeiro de 1944.

No inverno de 1942-43, houve novas discussões sobre a nomeação de um chefe do Estado-Maior da Wehrmacht, com autoridade global. Isso teria dado um novo peso ao pessoal de operações do OKW. O marechal-de-campo von Manstein era o candidato preferido para o posto. Jodl, porém, achava improvável que Hitler tolerasse perto de si um homem de personalidade tão forte. Além do mais, poderia um autocrata da constituição de Hitler delegar jamais o poder? Isso equivaleria quase a uma abdicação parcial. O círculo vicioso fechou-se em torno de todos eles, e não apenas de Jodl. Ele adotou uma atitude estóica, dizendo a Luise von Benda que todos tinham que acreditar na vitória: quem quer que não fosse capaz de tal, melhor faria em meter uma bala na cabeça...

Na primavera de 1943, faleceu em circunstâncias trágicas a esposa de Jodl. Ela precisara submeter-se a uma grande cirurgia na coluna e viajara para Königsberg, na Prússia Oriental, que era um lugar ainda a salvo de ataques aéreos. Contudo, durante o primeiro grande bombardeio aéreo da cidade ela fora obrigada a ficar em um frio e úmido abrigo contra bombas e contraíra pneumonia, com conseqüências fatais. Em novembro, Jodl casou-se com Luise von Benda, que há muito tempo fora secreta admiradora sua. Oito meses depois, durante a tentativa de assassinato de Hitler, ao meio-dia de 20 de julho de 1944, Jodl foi lançado ao chão pela força da explosão da bomba, colocada pelo coronel conde Stauffenberg. Ele ficou sem sentidos e seus cabelos foram tão queimados que, durante algum tempo, teve que usar uma bandagem branca na cabeça, em vez do quepe de general. Não compreendeu absolutamente os motivos dos conspiradores, entre os quais havia muitos jovens oficiais de Estado-Maior. Nem aprovou o comportamento do coronel-general reformado Beck, que os conspiradores haviam escolhido como futuro chefe de Estado. Nessa ocasião, confessou com grande amargura e desespero que, para ele, o corpo de oficiais não existia mais. Aumentou sua desconfiança, mesmo de camaradas íntimos. Mas perseverou. Como dissera certa vez a Keitel — em guerra, o soldado tinha de sobreviver no posto que lhe fora designado.

Dessa maneira, encurralado por um conceito exagerado, funcionalizado de obediência, caminhou diretamente para a catástrofe, para o colapso do Terceiro Reich, criado e destruído por Hitler. E como soldado leal, cumpriu sua última tarefa, que o grande-almirante Dönitz, ficticiamente nomeado presidente do Reich no testamento de Hitler, lhe impôs. Foi ela a de assinar a capitulação incondicional das forças alemãs, em 7/8 de maio de 1945, no quartel-general aliado em Rheims, em solo francês. A assinatura da capitulação teve de ser repetida no dia 9 de maio pelo marechal-de-campo Keitel perante o marechal Zhukov, comandante-chefe soviético, em Karlshorst, nas proximidades de Berlim. À meia-noite de 8/9 de maio de 1945, um cessar-fogo foi declarado na Europa. Para os Aliados vitoriosos, a rendição incondicional do Terceiro Reich fora conseguida, e não reconheceram o governo interino de Dönitz. No dia 23 de maio de 1945, o coronel-general Jodl, juntamente com o grande-almirante e seu governo, foram presos pelos ingleses.

Tal como Keitel, Jodl foi acusado de ser um dos "principais criminosos de guerra" pelo Tribunal Militar Internacional de Nuremberg e, como Keitel também, ele nunca teve qualquer poder real de comando, mas apenas transmitira instruções e ordens baixadas pelo homem que detinha o poder real. O Tribunal de Nuremberg condenou-o por crimes de guerra e crimes contra a humanidade e pronunciou a sentença de morte por enforcamento. Um apelo foi rejeitado. A sentença foi executada no dia 16 de outubro de 1946, às 2h da manhã.

Em setembro de 1938, o coronel Walter Warlimont, comandante interino do 26º Regimento de Artilharia, sediado em Düsseldorf, foi nomeado chefe interino da seção de Defesa Nacional do novo Estado-Maior das Forças Armadas (OKW). O chefe do OKW, general Keitel, que o conhecera dos dias da *Reichswehr*, aparentemente pensava que fizera uma boa escolha. Teoricamente, não errava muito, embora o coronel Warlimont não aceitasse as idéias de Keitel de criação de um quadro regular de operações no OKW. Warlimont, nascido em 3 de outubro de 1894 em Osnabrück, filho de um editor, tinha nessa ocasião quase 44 anos de idade, era um oficial de educação acima da média, de maneiras imaculadas, cauteloso quando em sociedade, sempre mantendo uma distância ligeira dos interlocutores e dotado de um intelecto perspicaz e crítico.

Após freqüentar um ginásio de humanidades em Osnabrück, sua cidade natal na Westfália, Warlimont, como tantos filhos da classe média educada e rica da época, ingressou na artilharia de campanha em Estrasburgo, Alsácia, como oficial prussiano. Na Primeira Guerra Mundial, participou de combates na linha de frente, inicialmente como oficial artilheiro e posteriormente como ajudante de batalhão, posto este que freqüentemente servia de trampolim para uma carreira mais destacada. Não há indicações de sua reação à revolução de 1918 e à fuga do Kaiser alemão e rei da Prússia para a Holanda. Mas, em vista do fato de que o jovem oficial ingressou em um dos novos *Freikorps* (corpos de voluntários), os corpos de fuzileiros dos *Lander* (condados, municípios) que se formavam sob as ordens do general Maercker, a fim de restabelecer a ordem e a paz no país e combater quaisquer tentativas bolchevistas de derrubar o governo e a nova República alemã, temos que concluir que ele não só resolveu dar prosseguimento à carreira militar, mas que se sentia também politicamente envolvido. Para ele, ser soldado obviamente significava servir à futura Constituição, isso porque, em 1919, unidades dos corpos de fuzileiros dos *Lander* estavam protegendo a Assembléia Nacional Constitucional, em Weimar, contra agitadores.

Warlimont, qualificado para o Estado-Maior Geral, foi aceito no pequeno corpo de oficiais da *Reichswehr*, passou pelo treinamento de "assistente de chefia" (o treinamento camuflado para serviço de Estado-Maior) e, em 1926, foi servir no Alto Comando do Exército no Ministério da Defesa. Tornou-se segundo ajudante-de-ordens do chefe do *Truppenamt* (Diretoria da Tropa), general von Blomberg, que o tinha em alta conta. Warlimont possuía um evidente talento para línguas estrangeiras. Foi-lhe concedida uma licença de três meses para aprender inglês na Inglaterra. Em 1929-30, chegou aos Estados Unidos a fim de estudar métodos norte-americanos de mobilização industrial. Daí em diante, o serviço na artilharia alternou-se com uma designação para a seção de Economia Militar do novo *Wehrmachtamt* (Diretoria das Forças Armadas). Após o irrompimento da Guerra Civil Espanhola em 1936, o ministro da Guerra von Blomberg despachou-o como adido militar ao general Franco, em um papel semidiplomático. O Reich alemão, isto é, Hitler — sob o manto do mais absoluto sigilo —, apoiava o general Franco com uma esquadrilha da Luftwaffe, a Legião Condor, que consistia de voluntários. Essa unidade, naturalmente, não estava subordinada ao Ministério da Guerra. Foi enviada também uma pequena missão de assessores e instrutores do Exército, bem como uma seção de treinamento.

Devido a seu serviço nos Estados Unidos e na Espanha, o coronel Warlimont obteve uma posição muito especial no corpo de oficiais. Um dos pouquíssimos oficiais com experiência prática no exterior e uma visão mundial realista, era, por conseguinte, a pessoa indicada para dirigir a seção de Operações do OKW, ainda mais porque possuía experiência industrial. Mas seriam oficiais muito viajados, dotados de um sóbrio senso de realismo ainda necessários no OKW, ou adquirira um novo significado o eufemismo inicial de "assistente de chefia"? O ideal do dogma e tradição do Estado-Maior Geral prussiano, desde os dias de Scharnhorst e Gneisenau, fora a co-responsabilidade do oficial de Estado-Maior e do comandante de tropa pelas decisões da chefia. E o que sobrava disso nesse momento?

Warlimont gostava bastante de seu novo chefe no Departamento de Operações do *Wehrmachtamt*, coronel Alfred Jodl, um ardente defensor da estrutura tripartida, com um pequeno Estado-Maior central. Mas não aprovava a maneira autoritária de Jodl tratar seus subordinados e de tomar decisões sem prévia discussão. Além disso, Jodl estava sob total fascínio do comandante-chefe das Forças Armadas, Adolf Hitler. Por outro lado, o próprio Warlimont tornara-se parte também da "*maison militaire*" de Hitler, como a chamava em seu francês antiquado. E, na verdade, ela era exatamente isso, uma real corte militar, sem responsabilidades definidas de autoridade de comando. Jodl, segundo disseram a Warlimont, sabia como dirigir o "grupo de trabalho" de Hitler. Jodl, contudo, com o posto de major-general, foi transferido para um comando de tropa em outubro de 1938, e Warlimont tornou-se chefe interino do *Wehrmachtamt* e da seção de Operações, trabalhando sob as ordens diretas do general Keitel. Teoricamente subordinado, mas na prática paralelo ao OKW, havia o gigantesco bloco do OKH, o *Oberkommando des Heeres*, sob as ordens do coronel-general von Brauchitsch, comandante-chefe, e do chefe do Estado-Maior Geral, Halder. Aí Warlimont encontrou amigos. Estava convencido de que, da maneira como se desenvolviam as coisas, o OKH assumiria o papel decisivo numa emergência — contanto que o novo comandante-chefe da Wehrmacht, Hitler, não interferisse. Warlimont, entrementes, não mantinha contato estreito com os membros da "*maison militaire*". Esse coronel de cabelos pretos e estatura mediana do Estado-Maior, com suas maneiras reservadas e inescrutáveis, e expressão viva, jamais demonstrando admiração servil, não impressionou bem a Hitler, que nunca confiava nesse tipo de oficial.

Em seguida ao agravamento da crise polonesa em fins de agosto de 1939, o general Keitel chamou de volta o general Jodl a Berlim, e Warlimont foi rebaixado para o papel de assistente. Em agosto de 1940, a seção recebeu o nome mais marcial de "Estado-Maior de Operações da Wehrmacht", mas sem ampliação de seus deveres ou responsabilidades ou — o que era absurdo imaginar — ascensão a uma posição superior sobre os estados-maiores das três armas. Hitler considerava a coexistência simultânea de estados-maiores, centros de comando e esferas de responsabilidade como uma situação ideal. Ela lhe permitia jogar um cargo contra o outro. Quase esperava que um superasse o outro em rivalidade obsessiva. Em última análise, a decisão final era sua, do Führer, que estava sempre certo e nunca se enganava.

Mais tarde, perante o tribunal de Nuremberg, o general Warlimont disse que nunca antes o Exército alemão entrara mais despreparado para uma guerra do que em 1939. O estoque de munições era insuficiente, os tanques pesados não estavam ainda operacionais, até mesmo o estoque de bombas de aviação era inadequado. O general Keitel ficou aterrado quando ouviu Hitler declarar no dia 11 de setembro de 1939, em seu primeiro discurso de guerra, que 90 milhões de Reichsmarks haviam sido gastos em armamentos. De que maneira podia alguém dizer tal mentira? Acontecia que Keitel sabia aproximadamente quanto fora gasto em armamentos: entre 35 e 40 milhões de marcos. Tudo isso era resultante da estranha mentalidade de Hitler. Ele nunca tivera objetivos claros, que exigiam sólido e apropriado planejamento prévio. Em vez disso, alimentava idéias, fantasias desiderativas de que o que aconteceria algum dia, na verdade, teria que acontecer, pouco importando quando e como. De que maneira o pessoal militar, acostumado a diretrizes precisas, reagiria a isso?

Na noite de 1º de setembro de 1939, o dia em que os exércitos alemães invadiram a Polônia por três lados, Warlimont presenciou uma cena em que não só altos oficiais se reuniram em torno de Hitler no Jardim de Inverno da velha Chancelaria, mas também certo número de "dignitários" (como os chamou), ou, em linguagem simples, chefões do Partido Nazista. Citando-a ainda, ele ficou "profundamente chocado". Não era assim que ele esperava que um quartel-general se conduzisse na primeira noite de um conflito que, achava, inevitavelmente descambaria em uma nova guerra mundial. Embora não tivesse muito a fazer no *Wehrmachtamt*, Warlimont ficou apesar de tudo aliviado, porque não houve lugar para ele no *entourage* de Hitler, quando uma caravana inteira sobre trilhos começou a mover-se na direção da Polônia na noite de 3 de setembro, não obstante o fato de que a França e a Inglaterra haviam declarado guerra à Alemanha.

Se Jodl (que estava no trem do Führer) considerava-se como chefe do grupo de trabalho militar de Hitler, posição destituída de poder, assim também Warlimont, banido para uma escrivaninha e, no curso da guerra, chegando mesmo ao posto de general de artilharia, considerava-se relegado ao ingrato posto de vice, ou "substituto". Ainda assim, pôde observar, com muito maior clareza e tranqüilo espírito crítico, as situações mais desagradáveis à sua volta, no quartel-general cada vez mais numeroso do Führer, com seus românticos nomes, tais como "Felsennest" e "Wolfschanze" ("Ninho de Falcão" e "Covil do Lobo"). Em um extenso volume sobre o que fora o quartel-general alemão entre 1939 e 1945 — uma análise histórica da guerra —, ele descreveria sua experiência de cinco anos de serviço ativo e 12 anos de prisão como suposto criminoso de guerra. Julgava inútil publicar memórias pessoais, uma vez que ele mesmo pouco experimentara que fosse emocionante e nunca tivera que tomar decisões, certas ou erradas. Nessa análise histórica, preferiu conservar-se em segundo plano. Só raramente, em momentos de agitação, conhecemos seu ponto de vista pessoal ou, na verdade, lemos palavras que teria pronunciado na época. Esse trabalho, altamente valioso, revela com freqüência o estilo pesado da correspondência militar, mas mostra também, em sua factualidade sóbria, a honestidade com que evita zombarias supérfluas em relação a Hitler, descrevendo-lhe apenas o método e as falhas de liderança, que falam por si mesmas. Quanto ao próprio autor, não há no livro qualquer queixa ou auto-acusação, qualquer protesto contra tarefas freqüentemente irritantes e quase sempre ingratas (em comparação, por exemplo, com Keitel). Em fotografias, Warlimont apresenta um ar frio, impenetrável, e tal é o estilo de sua análise: descrever aquilo que foi e que se tem de tolerar. Rebelião contra o Führer, cujas falhas de liderança cresciam visivelmente? Inconcebível para sua geração de oficiais. Isso teria implicado invasão da esfera política, e a política não era assunto para oficiais. Sermões pós-catástrofe a esses soldados de nada adiantam agora. Temos que aceitá-los como foram...

Em sua análise, o general Warlimont descreve o processo mediante o qual Hitler tomou o poder militar, para o qual o escândalo Blomberg em janeiro de 1938 forneceu os meios. Em 4 de fevereiro de 1938, ele assumira pessoalmente o comando das Forças Armadas, substituíra o Ministério da Guerra pelo *Oberkommando der Wehrmacht* (OKW) e forjara por si mesmo o instrumento necessário para a administração e suprimento das forças militares. Durante a campanha da Polônia, ele basicamente concedeu rédea livre ao OKH, ao comandante-chefe do Exército e ao chefe do Estado-Maior Geral. Mas, durante o *Blitzkrieg* contra a Dinamarca e a Noruega, planejado pelo Departamento de Operações da Wehrmacht, Warlimont tomou conhecimento da ordem fatal de Hitler na crise de Narvik, em abril de 1940, que só pôde ser interceptada e anulada no último minuto. O *Blitzkrieg* contra a Rússia, iniciado no dia 22 de junho de 1941, que devia terminar com o esmagamento do regime soviético, colheu inicialmente brilhantes sucessos para a liderança e interferência de Hitler nas operações. Em seguida, ocorreu o fracasso diante de Moscou, a contra-ofensiva russa de inverno e a crise do Exército alemão no terreno e no alto comando. No dia 19 de dezembro de 1941, em meio à crise, o comandante-chefe do Exército, marechal-de-campo von Brauchitsch, pediu demissão. Na especulação que se seguiu sobre o potencial sucessor, Warlimont aparentemente introduziu no jogo o recém-nomeado comandante-chefe do Grupo de Exércitos Sul, marechal-de-campo von Reichenau. Hitler, porém, recusou-lhe o nome. "Ele é político demais para meu gosto. Gato não pode deixar de caçar ratos." Finalmente, em vista da situação instável na frente de combate, o próprio Hitler resolveu assumir o comando direto do Exército — o ato final de sua "tomada do poder militar" (segundo Warlimont). Fundamentalmente, esse último passo correspondeu à lei inexorável da autocracia, como Hitler a interpretava — isto é, a acumulação de todos os cargos e funções na mesma mão. Mas com isso, conforme veremos adiante, o Führer superestimou seus recursos mentais e físicos.

As funções do Departamento de Operações da Wehrmacht estavam nesse momento separadas das do Estado-Maior do Exército. Este (OKH) continuava como responsável exclusivo pela Frente Oriental. Ao Departamento de Operações do OKW cabia a administração de todos os demais teatros de guerra, mas sem que lhes fossem designados quaisquer objetivos claros ou, na verdade, autoridade de comando.

Por conseguinte, a ofensiva de verão de 1942 na Frente Oriental não foi um assunto do Departamento de Operações do OKW, sob a direção de Jodl e Warlimont. Tinham eles que concentrar sua atenção na ofensiva do marechal-de-campo Rommel no Norte da África, na direção de Alexandria e do canal de Suez. Não obstante, inesperadamente, envolveram-se na crise de agosto/setembro de 1942 na Frente Oriental, porque Hitler rompera definitivamente com o chefe do Estado-Maior do Exército, coronel-general Halder. Em fins de agosto de 1942, a ofensiva do Grupo de Exércitos A, sob o comando do marechal-de-campo List, deteve-se nos sopés setentrionais do Cáucaso. Fracassaram as tentativas de romper as linhas russas até os portos do mar Negro, no Cáucaso ocidental. As tropas precisavam de descanso, e os problemas de suprimento agravavam-se a cada dia. O marechal-de-campo List foi convocado ao quartel-general avançado de Hitler, o *Werwolf*, situado em Winnitza, na região ocidental da Ucrânia. Keitel aconselhou-o a entregar imediatamente seu pedido de exoneração. List, segundo se diz, teria respondido que esta era a primeira palavra sensata que jamais ouvira Keitel pronunciar. List era natural da Suábia, um soldado experimentado e imperturbável. Seu relatório sobre a situação acalmou inicialmente o levemente agitado Führer. Hitler pareceu mesmo disposto a adiar, para o ano seguinte, a batalha pela posse de Baku e de suas ricas jazidas petrolíferas.

Em seguida, List voltou para seu quartel-general em Stalino, no Cáucaso. Mas, à parte pequenos sucessos, nada de importante foi conseguido daí em diante, e Hitler mais uma vez tornou-se impaciente. No dia 7 de setembro enviou Jodl, que era nesse momento seu homem de maior confiança — e, contrariando todas as regras, de avião —, para conversar com List. Jodl discutiu a grave situação com ele e com o general Konrad, que comandava o corpo de Montanha na zona noroeste do Cáucaso. Todos concordaram que a situação era insustentável. Quando, ao voltar, Jodl transmitiu fielmente o resultado de sua conversa, presenciou uma explosão de fúria de Hitler como nunca vira antes ou sequer julgara possível (ver acima, p.195-6). O marechal-de-campo List foi demitido no dia 9 de setembro. A despeito de estar fisicamente muito longe do campo de batalha, Hitler assumiu pessoalmente o comando do Grupo de Exércitos A. A atmosfera nas sessões de instrução tornou-se enregelante. O general Jodl, obviamente sabendo que Hitler não estava muito interessado em ver o general Warlimont, aconselhou-o a abster-se temporariamente dessas sessões. Além disso, perguntou a Warlimont se ele, Jodl, podia conciliar com sua auto-estima a permanência no cargo. Warlimont respondeu friamente que não podia dar conselhos a esse respeito. Ao que Jodl, subitamente deprimido, pensou de repente que ele, talvez, tivesse reagido erroneamente; que não devia ter apontado suas falhas para o ditador, porque isso poderia ter-lhe solapado a autoconfiança; que Hitler jamais encontraria melhores "nacionais-socialistas" do que ele e o general Scherff (que fora encarregado de escrever a história da guerra). Mas o que era que esses oficiais realmente compreendiam de nacional-socialismo? O nacional-socialismo alemão, ao contrário do marxismo-leninismo, não se baseava em uma doutrina semicientífica. O "nacional-socialismo", da maneira definida por oficiais como Jodl, significava simplesmente fé cega no gênio e força de Hitler, sem os quais a pátria estaria perdida.

Quando, algum tempo depois da crise de Jodl, o general Warlimont voltou a aparecer nas "sessões de instrução", notou que Hitler fitava-o com olhos cheios de ódio. Escreveu Warlimont: "Aquele homem perdera o prestígio, compreendeu que seu jogo mortal terminara." Não há dúvida de que, durante a crise de Jodl, Hitler chegou à conclusão de que não poderia vencer a guerra contra a Rússia soviética e que se metera em um *cul-de-sac*. Quando, meio ano depois, o marechal-de-campo Rommel, chamado da Tunísia, aconselhou-o a pedir um armistício, Hitler respondeu que sabia que a guerra estava perdida, mas que lutaria até o fim.

O general Warlimont, igualmente, continuou a desempenhar seus deveres. Ou estaria procurando uma maneira de escapar da armadilha dessa "*maison militaire*"? Quanto a isso, podemos apenas especular. Um bom número de oficiais do quartel-general de Hitler chamava-o de "raposa" por causa de sua reserva cautelosa na manifestação de opiniões. O 4 de junho de 1944 no quartel-general do Führer em Berchtesgaden constituiu uma situação típica, na qual ele tinha de desempenhar seus deveres sem jamais poder baixar ordens corretas e sensatas. Hitler dirigira-se para esse retiro nas montanhas a fim de relaxar. Os postos de comando alemães na área do Grupo de Exércitos B na Normandia e no Pas de Calais estavam convencidos de que o inimigo não iniciaria a invasão por causa de um período de mau tempo. O comandante do Grupo de Exércitos, marechal-de-campo Rommel, fora, por via aérea, passar umas curtas férias com a família, em Herrlingen. Em Rennes, o Estado-Maior do 7º Exército estava realizando uma conferência de planejamento de defesa para enfrentar a invasão. Quando os comandantes de corpos e divisões voltaram da conferência, descobriram que, em alguns casos, já estavam sob ataque de tropas pára-quedistas norte-americanas, que haviam desembarcado na Normandia nas primeiras horas do dia 6 de junho. Era o Dia D, o começo da invasão decisiva no Oeste, e ninguém estava no comando do lado alemão. O Departamento de Operações do OKW, alojado no quartel de Strub, em Berchtesgaden, onde se encontrava também o general Warlimont, fora posto em estado de alerta máximo desde as 5h da manhã. Warlimont e o general Blumentritt, chefe do Estado-Maior do comandante-chefe do Oeste, estavam convencidos de que começara a grande invasão. Ambos queriam lançar as divisões *panzer* e *panzer-grenadier* disponíveis mais próximas, as denominadas reservas do OKW. Warlimont telefonou para Jodl, que estava hospedado na "pequena" Chancelaria do Reich, em Berchtesgaden. Jodl não quis tomar qualquer decisão. Ele, como Hitler, esperava que a invasão fosse lançada contra o Pas de Calais. O ataque de pára-quedistas na Normandia poderia ser uma "manobra de despistamento". Ele, por conseguinte, não achava que o momento estivesse maduro para liberar as reservas. E Hitler? Após um longo chá noturno, altamente dosado com drogas para dormir, ele se encontrava em profunda modorra e não pôde ser acordado até altas horas da manhã. Rommel previra que o primeiro dia decidiria o sucesso ou o fracasso da invasão. Mas, conforme mencionado, o lendário marechal estava em casa, passando curtas férias com a família. Grande parte do dia em Berchtesgaden foi também ocupado por uma visita oficial do governo húngaro. No dia seguinte, Warlimont, com a aprovação de Hitler, dirigiu-se para a Itália numa longamente planejada visita às defesas alemãs na região.

O trovão de uma explosão de bomba ao meio-dia no quartel-general, no dia 20 de julho de 1944, acabou finalmente com uma existência que Warlimont vinha considerando cada vez mais intolerável. À parte os efeitos de choque da própria conspiração, ele, inicialmente, pareceu ter ficado ileso e continuou a desempenhar seus deveres a despeito da deterioração de seu estado geral de saúde. Só em setembro é que seu senso de equilíbrio e movimentos descoordenados levaram os médicos a diagnosticar concussão grave. Este fato implicou o fim da carreira militar do vice-chefe do Departamento de Operações do OKW. Transferido para a reserva do Führer no OKW, após sua recuperação, não foi mais aproveitado.

Em um período de inatividade, esperou pelo fim do Terceiro Reich. Mal terminou esse período e ocorreu um novo e inteiramente inesperado teste. Warlimont, como ex-general do OKW, foi preso pelos norte-americanos e no 12º e último julgamento de Nuremberg de criminosos de guerra, sentenciaram-no à prisão perpétua. A acusação, dificilmente compreensível, era de crimes de guerra e crimes contra a humanidade. Em 1951, a sentença foi reduzida para 18 anos de prisão. Em 1957, ganhou a liberdade. Os julgamentos de destacados oficiais alemães não permaneceram como matéria pacífica nos Estados Unidos. O general, tendo feito uma das carreiras mais estranhas que o velho Exército conhecera, faleceu no dia 9 de outubro de 1976 em Kreuth, Alta Baviera, com a idade de 82 anos.

Dados cronológicos | Wilhelm Keitel

1883, set	Nasce em Helmscherode, nas proximidades de Gandersheim, ducado de Brunswick. Ingressou no Exército no 46º Regimento de Artilharia de Campanha. Oficial de artilharia na Frente Ocidental
1917-18	Primeiro-oficial do Estado-Maior Geral (Ia) do Corpo de Fuzileiros Navais em Flandres
1926-33	Chefe do Departamento de Organização (T2) do *Truppenamt* (Estado-Maior Geral disfarçado)
1933-34	Major-general e chefe de infantaria 2, em Potsdam
1934-35	Chefe de artilharia (nova organização da 2ª divisão de Infantaria) em Bremen
1935, 10 out-1938, 4 fev	Chefe do *Wehrmachtamt* no Ministério da Guerra

1938, 4 fev-1945, 13 mai	Chefe do *Oberkommando der Wehrmacht* (*OKW*)
1940	Marechal-de-campo
1945-46	Julgado pelo Tribunal Militar Internacional de Nuremberg
1946, 15 out	Executado

Dados cronológicos | ALFRED JODL

1890, 10 mai	Nasce em Würzburg, filho de um capitão (reformado) da Real Artilharia Bávara
1910	Ingressa no 4º Regimento de Artilharia de Campanha da Baviera
1911	Segundo-tenente, serviço ativo na Primeira Guerra Mundial,
1914-18	Transferido para a *Reichswehr* (Exército alemão, 1921-35)
1932	Major na Diretoria da tropa (Estado-Maior Geral)
1935	Chefe do Departamento I (Defesa Nacional), no Departamento das Forças Armadas
1938, out-1939, 23 ago	Major-general, chefe de artilharia 44, em Brunn, base temporária em Viena
1939, 23 ago-1945, 23 mai	Chefe do Departamento de Operações do OKW (quadro de operações do OKW)
1940	General de artilharia
1944	Coronel-general
1946	Sentenciado à morte em Nuremberg, no julgamento dos principais criminosos de guerra
1946, 16 out	Executado
1976	Sua segunda esposa, Luise Jodl, *née* von Benda, publica o livro *Jenseits des Endes — Leben und Sterben des Generaloberst Alfred Jodl* ("Além do fim — A vida e a morte do coronel-general Alfred Jodl"), memórias muito pessoais.

Dados cronológicos | WALTER WARLIMONT

1894, 3 out	Nasce em Osnabrück, filho de um editor. Educado no Humanistisches Gymnasium, em Osnabrück

1914	Segundo-tenente no 10º Regimento Prussiano de Artilharia a Pé em Estrasburgo, Alsácia
1914-18	Serviço na linha de frente na Primeira Guerra Mundial. Serviu no Freikorps *Land Jäger* do general Maercker. Transferido para a *Reichswehr*. Treinamento de Estado-Maior
1927	Segundo ajudante-de-ordens do chefe do *Truppenamt*, general von Blomberg
1929-30	Enviado aos Estados Unidos para estudar mobilização industrial
1936-37	Adido militar do Ministério da Guerra junto ao general Franco, na Espanha
1938	Oficial-comandante, 26º Regimento de Artilharia, em Düsseldorf
1938, set	Chefe da Seção de Defesa Interna e chefe interino do Departamento de Operações da Wehrmacht
1939, 24 ago em diante	Vice-chefe de Operações da Wehrmacht
1944	General de artilharia
1944, set	Licença para tratamento de saúde após concussão grave no ataque a bomba de 20 de julho de 1944. Transferido para a reserva do Führer no OKW, não reaproveitado
1945	Preso pelos Aliados. No "julgamento do OKW", em outubro de 1948, é sentenciado à prisão perpétua pelo tribunal militar de Nuremberg
1951	Redução da sentença para 18 anos de prisão
1957	Anistia, libertado. Estudos históricos sobre a guerra
1962	Publica sua principal obra, *Im Hauptquartier der deutschen Wehrmacht 1939-1945*, publicado na Grã-Bretanha em 1964 sob o título *Inside Hitler's Headquarters*
1976, 9 out	Falece em Kreuth, Wiesbach, Alta Baviera

Mapas

1. Distritos militares alemães, em 1933

2. *Barbarossa*: o plano de invasão de Hitler

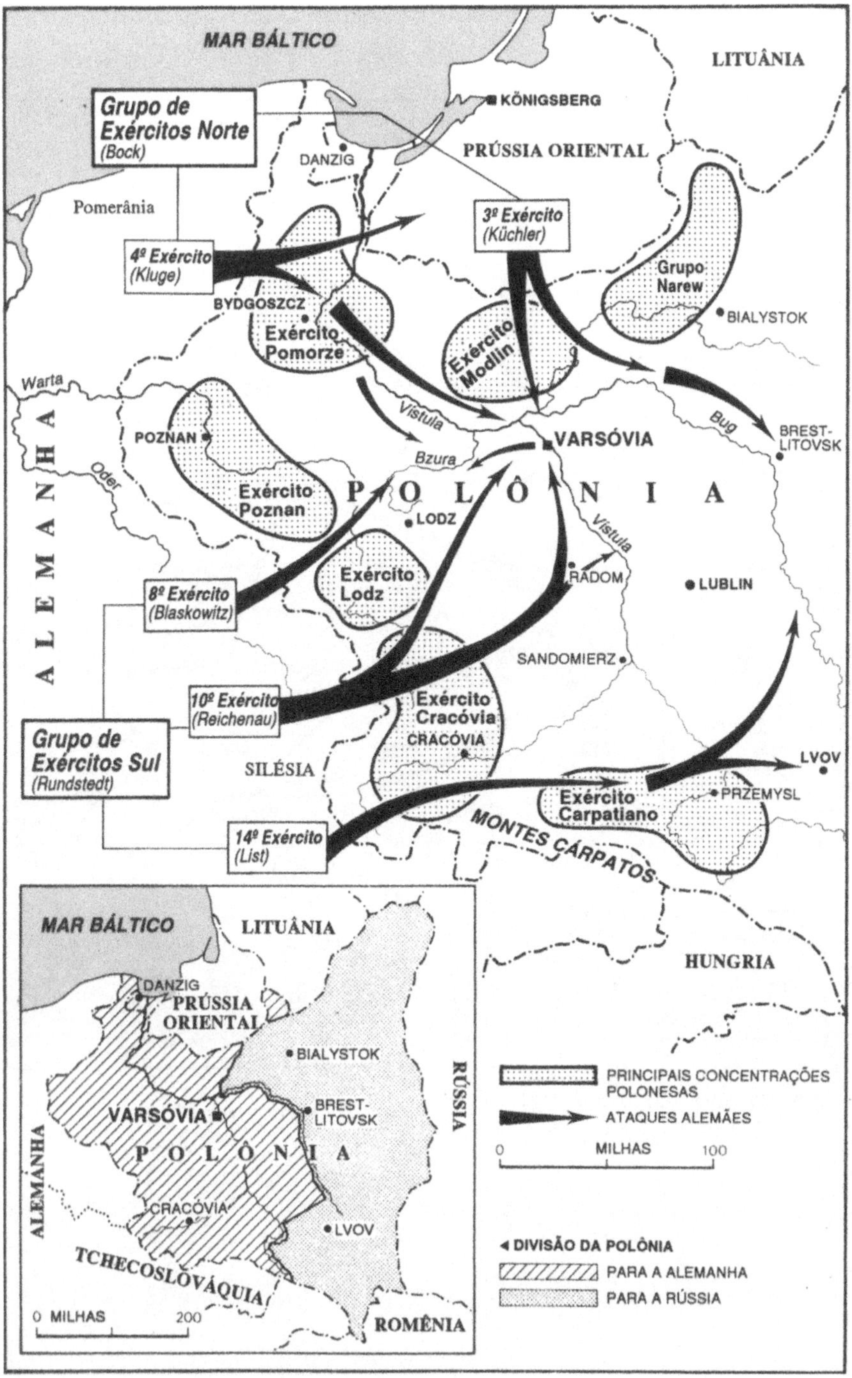

3. A invasão da Polônia, setembro de 1939

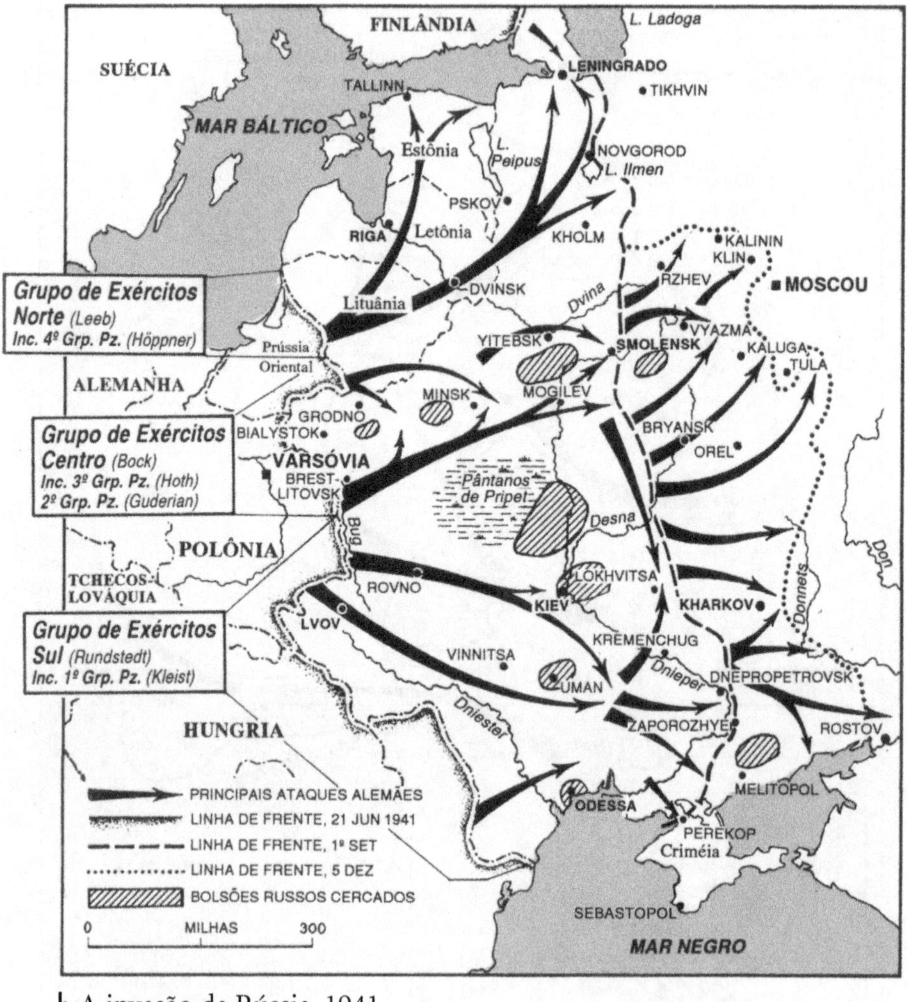

4. A invasão da Rússia, 1941

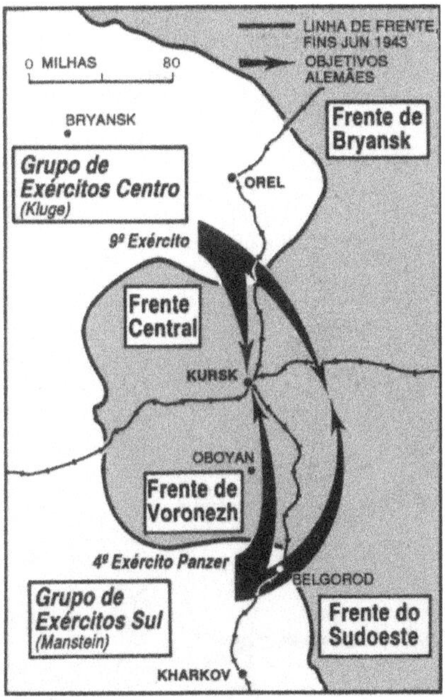

5. Operação *Citadel* e o saliente de Kursk

6. Vitórias russas, 1942-43

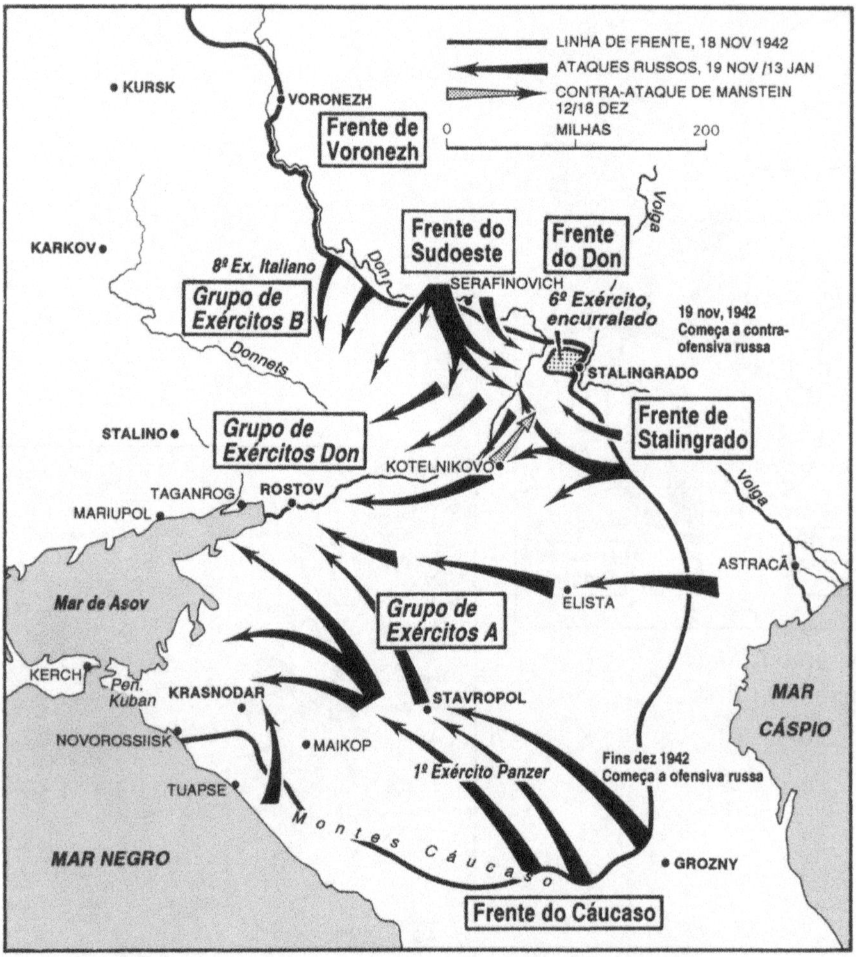

7. Reviravolta na Rússia, novembro de 1942-janeiro de 1943

8. Itália, 1943-45

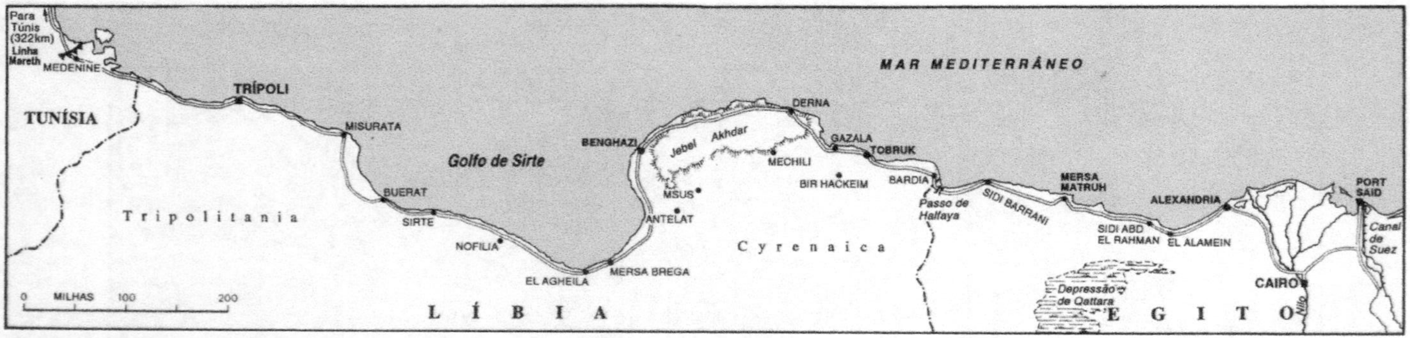

9. África do Norte: o campo de batalha do deserto

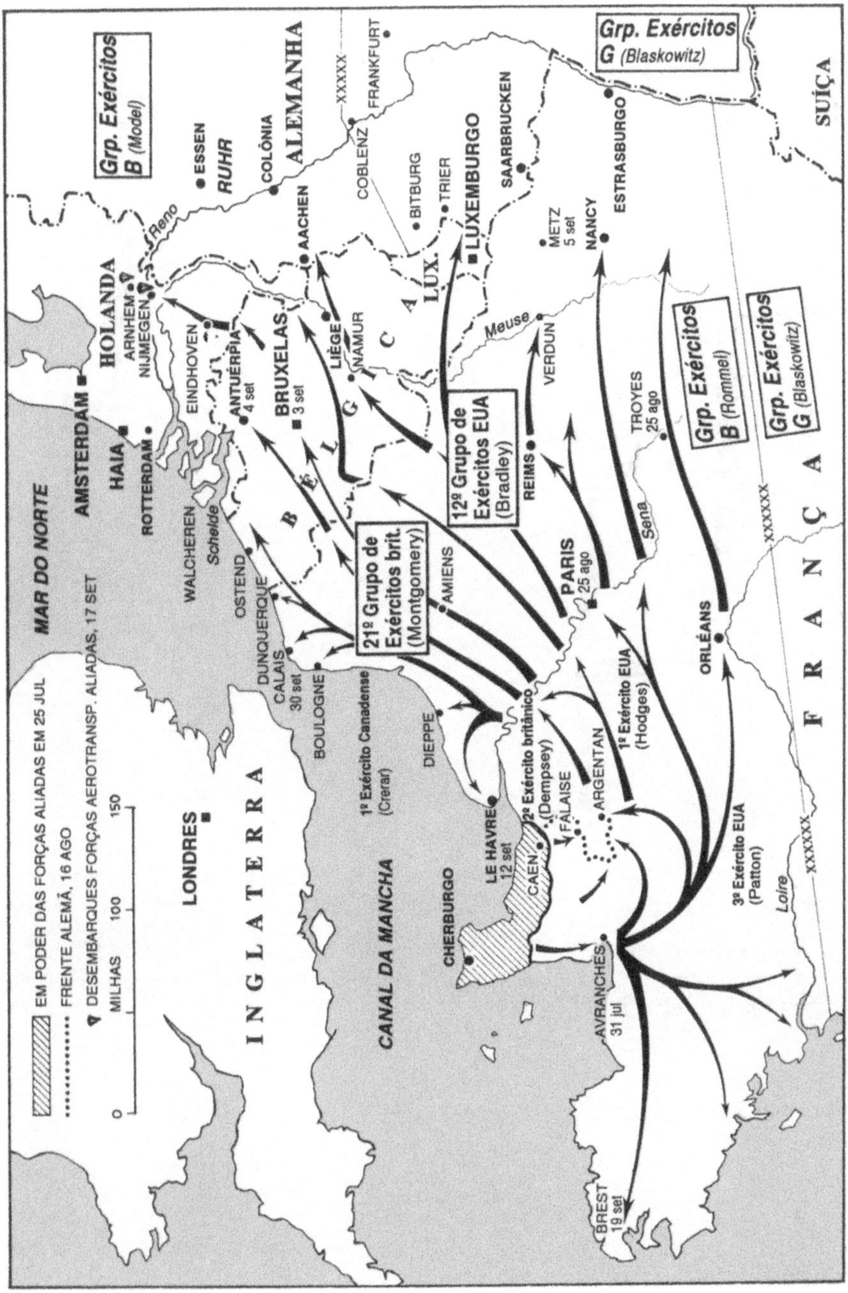

10. O avanço sobre o Reno, junho-setembro de 1944

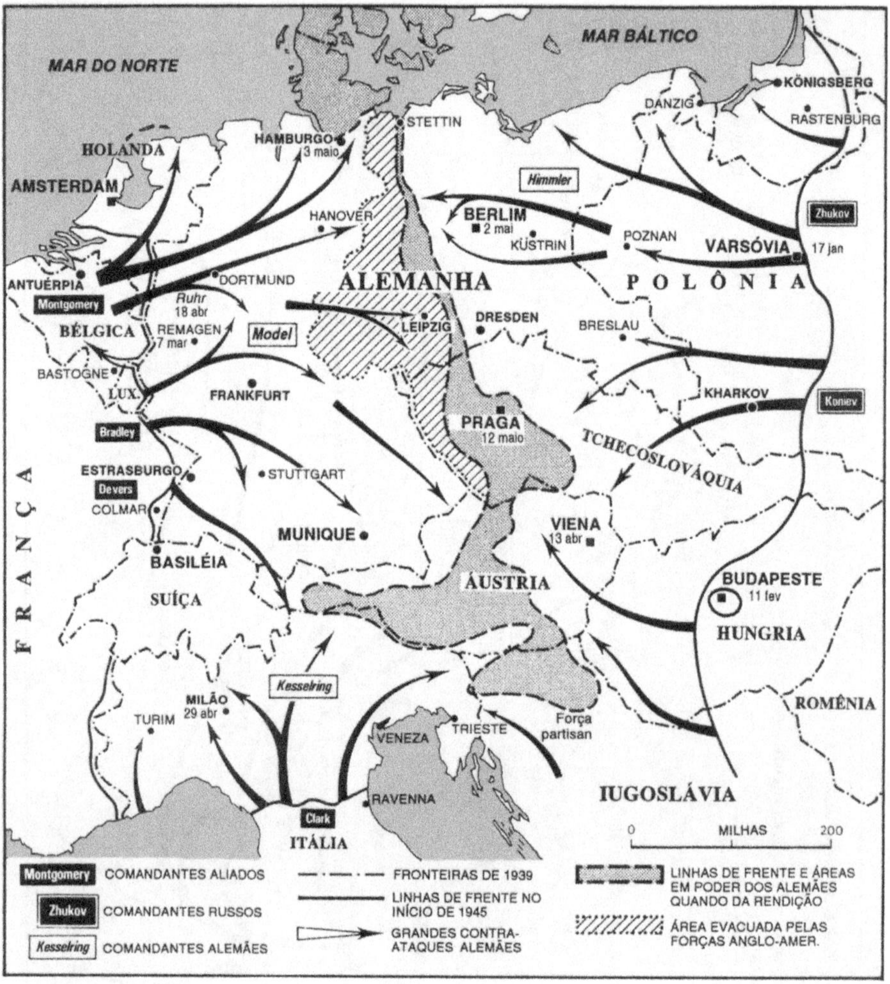

11. O fim do Terceiro Reich, 1945

12. Tunísia, fevereiro de 1943

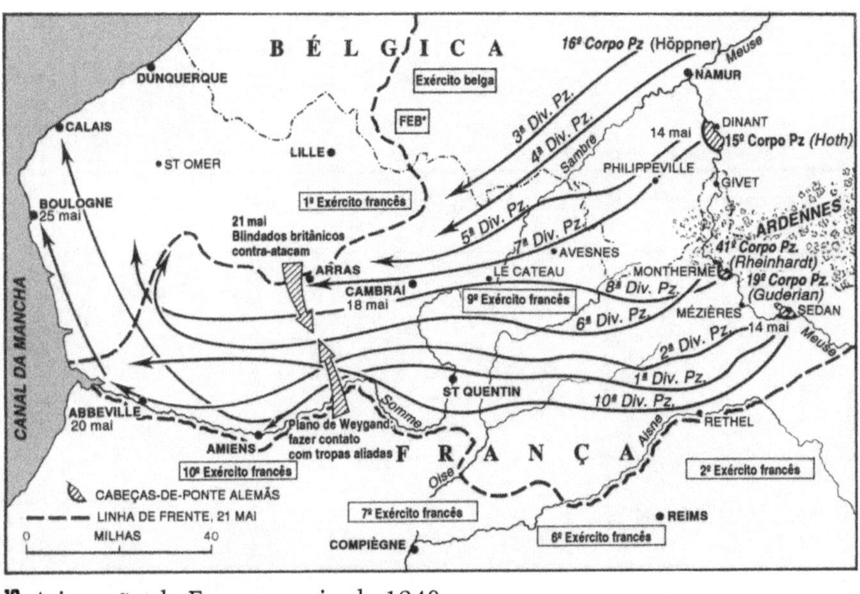

13. A invasão da França, maio de 1940

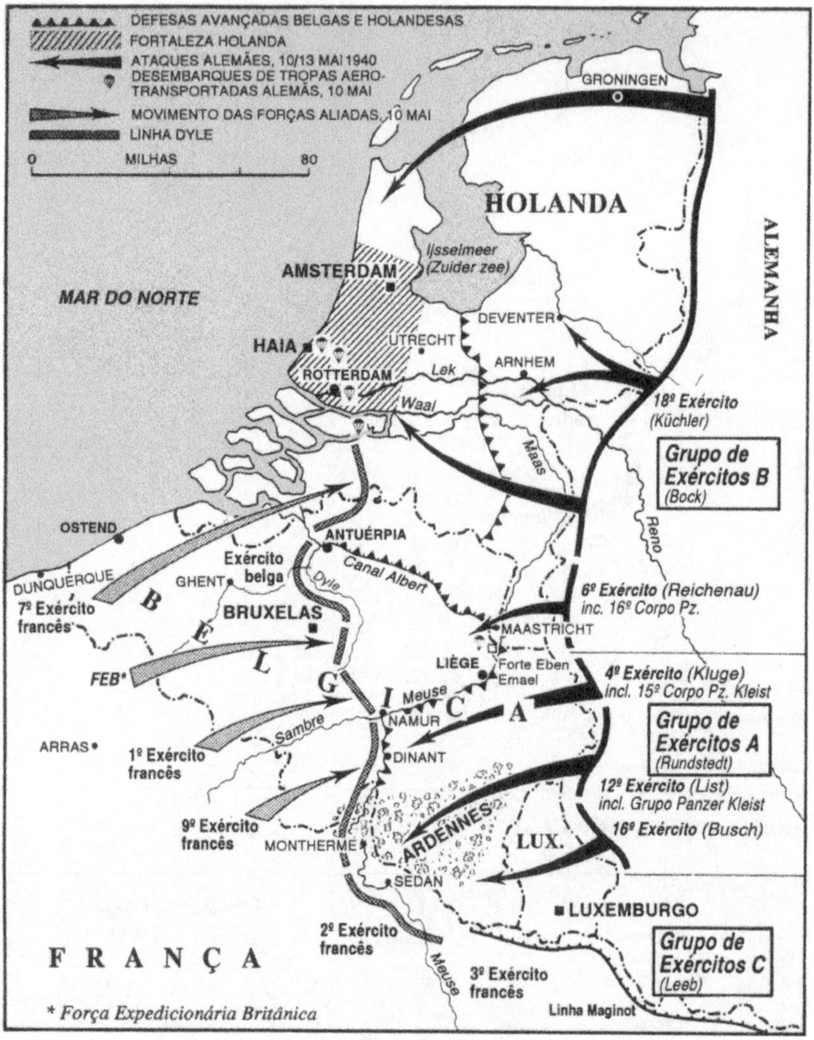

14. A invasão da Holanda e da Bélgica, maio de 1940

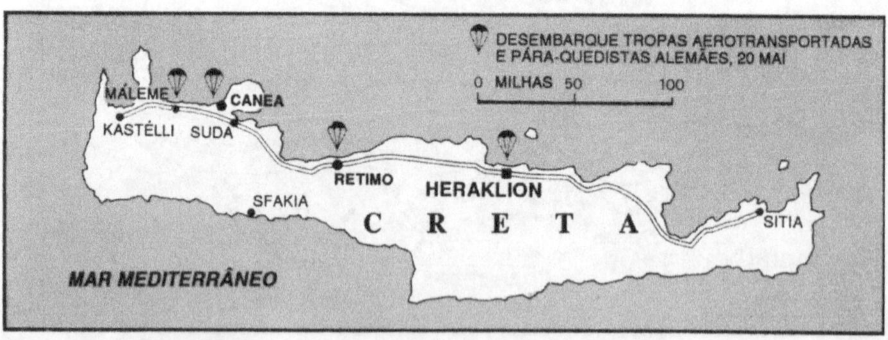

15. Creta, maio de 1941

Os Feldherren

PARTE III

Rundstedt | 7

Marechal-de-campo Gerd von Rundstedt

EARL F. ZIEMKE

Um Rundstedt é mencionado em princípios do século XII como grande intendente do bispo de Halberstadt. Subseqüentemente, outros membros da família participaram da expansão alemã para leste, entrando no Mark de Brandenburg e ingressando na emergente classe *junker* de fidalgos rurais, que viviam do trabalho de seus camponeses e da espada. A terra era uma fonte segura de status social, mas não de dinheiro, e os filhos mais jovens tinham em geral de procurar um serviço militar onde quer que o pudessem encontrar. Nos princípios do período moderno, os Rundstedt serviram em praticamente todos os Exércitos europeus ocidentais. Nos séculos XVIII e XIX, a predominância *junker* no corpo de oficiais prussianos garantiu-lhes emprego permanente na pátria. Karl Rudolf Gerd von Rundstedt nasceu no dia 12 de dezembro de 1875 em Aschersleben, no Harz, perto de Halberstadt. Primogênito de um oficial de hussardos, aparentemente ele nunca pensou em outra vocação senão a de soldado prussiano, embora se diga que, em jovem, revelou talento para o desenho, a música e o teatro, especialmente para este último.

Após quatro anos como cadete e formatura na escola avançada de cadetes de Gross Lichterfelde, Gerd von Rundstedt (como preferia ser chamado) iniciou o serviço militar ativo em 22 de março de 1892, oito meses antes de completar 17 anos de idade. O mês, dia e ano foram importantes: deram-lhe um lugar permanente na escada das promoções em relação a todos os demais oficiais de carreira. Tendo completado o semestre de serviço obrigatório nas fileiras e um período como candidato a oficial, tornou-se tenente no 83º Real Regimento Prussiano de Infantaria, no dia 17 de junho de 1893. Ele teria preferido servir na cavalaria, mas os recursos da família, que tinha que sustentar quatro filhos, não lhe permitiram a matrícula nessa arma — ou em um dos quase tão dispendiosos regimentos da infantaria de guarda.

A infância passada na casa de um pai oficial e em escolas militares desde a idade de 12 anos despertou nele um senso excepcionalmente forte de dever, bem como lhe limitou a visão a assuntos militares. Embora houvesse aprendido inglês em criança com uma babá inglesa e dominasse o francês suficientemente bem para passar no exame de intérpretes do Exército, seus principais interesses intelectuais extramilitares eram a leitura de romances de aventura e policiais, interesse adquirido na juventude e que conservou durante toda a vida. O almirante Friedrich Ruge lembrou-se de ter discutido com ele as obras de Karl May — o Joseph Conrad ou Jack London alemão — em maio de 1944, nas vésperas da invasão da Normandia.[1] Mais importante, ele não adotou os maneirismos de campo de parada que prevaleciam entre os oficiais prussianos. Talvez devido à influência da mãe e sua ascendência huguenote, ou quem sabe por deliberada representação de papel, cultivava um comportamento cortês que, anos mais tarde, lhe permitiria encantar Adolf Hitler e impressionar B.H. Liddell Hart como sendo "um cavalheiro até os ossos".[2]

Após dez anos de serviço, principalmente como ajudante de batalhão e regimento, Rundstedt alcançou seu grande marco seguinte na carreira em 1902, quando passou no vestibular para a Academia de Guerra, em Berlim. No mesmo ano, foi promovido a primeiro-tenente e fez um casamento eminentemente apropriado com Louise von Goetz, filha de um major reformado. A Academia de Guerra aceitava anualmente apenas 160 alunos, e o vestibular eliminava habitualmente todos menos um em cada seis ou oito candidatos. Quatro em cada cinco dos aceitos eram reprovados no curso de três anos. Os 35, mais ou menos, que passavam, cumpriam um estágio probatório de 18 meses no Grande Estado-Maior Geral sob observação direta do chefe do órgão e de seus auxiliares mais graduados, entre eles o *Oberquartiermeister*, antes de terem o direito de usar os distintivos de prata na gola e as listras carmesins nas calças de oficial do Estado-Maior Geral. Ter a preposição *von* antes do nome ajudava de alguma maneira em todos os estágios. Rundstedt completou seu período no Grande Estado-Maior Geral em princípios de 1909 e passou em seguida à segunda divisão do Estado-Maior Geral, e Estado-Maior Geral da Tropa como capitão, no efetivo do quartel-general.

A rigorosa seleção e treinamento do Estado-Maior Geral eram utilizados para perpetuar um conjunto de oficiais dedicados e extraordinariamente capazes, podendo funcionar harmoniosamente como cérebro coletivo do Exército. Esperava-se que o oficial do Estado-Maior Geral fosse um técnico militar extremamente competente — e apenas isso —, que trabalhasse em silêncio, no segundo plano, evitando a publicidade e subordinando-se sem reservas ao interesse comum. Com uma coerência férrea e, às vezes, míope, Rundstedt exemplificou essas características durante toda a carreira. Foi do princípio ao fim o oficial de Estado-Maior modelo na tradição Moltke-Schlieffen, o técnico superior, reservado na fala a ponto de mostrar-se taciturno e estudadamente desdenhoso da fama pessoal.

O irrompimento da guerra em agosto de 1914 encerrou o período obrigatório na tropa, como comandante de companhia de infantaria, e trouxe-o de volta ao Estado-Maior Geral da Tropa como oficial de operações na 2ª Divisão de Infantaria da Reserva. A Divisão, uma das três do 4º Corpo de Reserva, acompanhou o 1º Exército do general Alexander von Kluck pela Bélgica e norte da França, perdendo destacamentos no caminho a fim de cuidar da segurança das áreas de retaguarda. Debilitada em efetivos, a Divisão, ainda assim, conseguiu obter o único claro sucesso alemão na Batalha do Marne. No dia 5 de setembro, a oeste do rio Ourcq, atacou a vanguarda do 6º Exército francês, que saía de Paris por trás do flanco direito descoberto de Kluck, e repeliu-o, tornando-se, assim, a Divisão alemã que mais se aproximou de Paris. O desempenho da 22ª Divisão de Infantaria da Reserva, no qual Rundstedt teve papel significativo, pareceu mais tarde confirmar que o "Milagre do Marne" não foi predominantemente uma façanha das armas aliadas, mas conseqüência de erros alemães. Ele mesmo, anos depois, aceitou a teoria que atribuía a derrota a mau funcionamento do sistema de Estado-Maior, que teve como resultado a perda de contato do alto comando do Exército com a frente de luta, e ao fato de Kluck e seu chefe de Estado-Maior terem permitido que seu flanco direito se tornasse exposto e, ao mesmo tempo, uma brecha se abrisse no esquerdo.[3]

Transformando-se a luta na Frente Ocidental, em novembro de 1914, em guerra de trincheiras, Rundstedt, promovido a major, foi destacado para o quartel-general do governo militar na Bélgica. Na primavera seguinte, seguiu para a Frente Oriental como chefe de Estado-Maior de divisão. Nesse teatro de guerra, serviu com o 12º Exército, do general Max von Gallwitz, no rompimento da linha no rio Narew que, em julho e agosto de 1915, completou a metade norte da ofensiva de verão dos alemães na Polônia contra os russos. A guerra de movimento no leste (o 12º Exército avançou mais de 400km entre 13 de julho e 28 de novembro) permitiu que oficiais do Estado-Maior Geral exercitassem suas habilidades e construíssem reputações.

Estabilizada a Frente Oriental, Rundstedt foi designado para o governo militar na Polônia, onde permaneceu até o verão de 1916, quando, transferido para a Hungria, passou a chefiar o Estado-Maior do Grupo de Exércitos do grão-duque Karl, o que o colocou nominalmente no Exército austro-húngaro. A missão do grupo de Exércitos era defender a linha dos montes Cárpatos, e a dos chefes de Estado-Maior alemães restabelecer a eficiência que os comandos austro-húngaros haviam perdido quase inteiramente durante a bem-sucedida ofensiva russa em 1916, planejada pelo general Brusilov. O general Hans von Seeckt, cujo papel no planejamento da ofensiva de verão austro-alemã de 1915 lhe merecera uma promoção precoce e a ordem *Pour le Mérite* (honras raramente concedidas a oficiais de Estado-Maior), era o chefe do Estado-Maior Geral do Grupo de Exércitos e o superior de Rundstedt.

Manter desanimados e ressentidos aliados sob tutela exigia pelo menos tanto habilidade diplomática como proficiência militar. Rundstedt cumpriu a missão com o tato e a *finesse* que demonstraria mais tarde em grande variedade de circunstâncias. Em fins do outono de 1917, após a revolução bolchevista ter destruído inteiramente a capacidade ofensiva russa, foi realocado: inicialmente como chefe do Estado-Maior do 53º Corpo de Exército, que avançava na direção Petrogrado (Leningrado) em princípios de 1918, a fim de obrigar os bolchevistas a aceitarem as condições de paz alemãs e, em seguida, após a entrada em vigor do Tratado de Brest-Litovsk, em março de 1918, como chefe do Estado-Maior do 15º Corpo do 1º Exército (sob o comando do general Bruno von Mudra) na Frente Ocidental.

Em julho de 1918, o 15º Corpo tomou parte na quinta e última ofensiva alemã, de uma série com que Ludendorff pretendia forçar os Aliados a fazer a paz: a tentativa de eliminar o saliente aliado em volta de Rheims e que terminou em um esmagador revés. Daí em diante, o 1º Exército tomou parte na retirada alemã, de meses de duração, diante das ofensivas aliadas e que culminaram no Armistício de novembro de 1918.

A derrota alemã e as cláusulas do Tratado de Versalhes, que restringiam o país a um Exército profissional de 100 mil homens e proibiam o Estado-Maior Geral, lançou ao léu numerosos oficiais de carreira. Entre eles, porém, não figurava o major Gerd von Rundstedt. A *Reichswehr* não podia oferecer postos a mais de um em cada seis oficiais do antigo Exército, mas que Rundstedt figuraria entre os escolhidos aparentemente nunca foi motivo de dúvida. O general von Seeckt, o primeiro chefe do *Truppenamt*, o Estado-Maior Geral disfarçado, enunciou o princípio: "A forma muda, mas o velho espírito permanece."[4] Para ele, os oficiais do nível intermediário que, como Rundstedt, haviam completado todo o aprendizado antes da guerra e provado seu valor na luta, e que tinham alguns anos ainda a servir, constituíam os meios mais eficazes, através dos quais o velho espírito podia ser mantido no novo Exército.

A proibição do Estado-Maior Geral pelo Tratado não se aplicava também ao Estado-Maior Geral da Tropa, que continuou a funcionar — embora não tivesse mais essa designação — em dois grupos de comando (quartéis-generais de corpos), sete distritos militares e dez quartéis-generais de divisão. Ao tornar-se comandante-chefe da *Reichswehr* em junho de 1920 Seeckt atribuiu tantas das antigas responsabilidades do Grande Estado-Maior Geral ao *Truppenamt* quanto pôde sem atrair atenção externa, e distribuiu o resto pelo Estado-Maior Geral da Tropa. Mais tarde no mesmo ano, promoveu seis oficiais de Estado-Maior ao posto de tenente-coronel. Todos receberam suas patentes no mesmo dia, 1º de outubro, e foram designados como chefes de Estado-Maior dos comandos de tropa. Foram eles Werner von Blomberg, Fedor von Bock, Kurt von Hammerstein-Equord, Wilhelm von Leeb e Gerd von Rundstedt. Daí em diante, todos eles tiveram carreiras brilhantes sob a República. Rundstedt, que era o mais graduado em tempo de serviço, foi designado inicialmente para a 3ª Divisão de Cavalaria, como chefe de Estado-Maior. Nos oito anos seguintes, chegou a coronel e comandante do 18º Regimento de Infantaria (o primeiro comando de tropa que lhe cabia desde agosto de 1914), major-general e chefe de Estado-Maior, *Wehrkreis III*, e tenente-general e general-comandante da 2ª Divisão de Cavalaria.

Os três anos transcorridos após 1929 foram ruins para a República alemã, mas relativamente bons para o Exército e deram início à subida de Rundstedt como figura importante na história. A Grande Depressão e a ascensão do Partido Nacional-Socialista paralisou o *Reichstag* (parlamento), e o poder de governar passou, por omissão, ao presidente Paul von Hindenburg e aos que ele pessoalmente nomeou, entre os quais o general Kurt von Schleicher desempenhou por algum tempo uma posição de relevo. O Exército considerava-se acima da política partidária e esperava firmemente que seus oficiais, como indivíduos, agissem na mesma conformidade, mas tinha preocupações políticas, e Schleicher foi seu agente no tocante a elas durante toda a década de 20. Em princípios da década de 30, a crise no governo e uma estreita amizade com o filho de Hindenburg permitiram que Schleicher promovesse os interesses do Exército e, simultaneamente, manobrasse para adquirir importância política. Graças à sua influência, progrediram mais as carreiras dos relativamente menos graduados e politicamente mais aventureiros colegas de Rundstedt, Hammerstein-Equord e Blomberg, o primeiro para o posto de comandante-chefe do Exército e o segundo para o comando do *Wehrkreis I*.

Rundstedt, nesse momento em fins da casa dos 50 anos e aproximando-se dos 40 anos de serviço, parecia destinado à reforma. Schleicher, porém, apreciava muito também — tanto por razões práticas quanto cosméticas — o soldado apolítico, do qual Rundstedt era o exemplo máximo. Em janeiro de 1932, Rundstedt recebeu o comando do *Wehrkreis III*, que, tendo seu quartel-general em Berlim, era o principal distrito militar. Quando Franz von Papen, o chanceler, e Schleicher, o então ministro da Defesa, arquitetaram a destruição do governo social-democrático no Estado da Prússia em julho de 1932, o controle, discreto, das tropas empregadas emprestou um toque de decência ao mais vergonhoso ato político perpetrado antes da subida de Hitler ao poder. Dois meses depois, Rundstedt passou ao comando do 1º Grupo de Exércitos, com promoção a general de infantaria.

Em seguida ao Alto Comando do Exército, o 1º Grupo de Exércitos era o comando alemão mais importante. De Berlim controlava quatro *Wehrkreise* e seis divisões, mais da metade do Exército, e era responsável pela defesa de toda a fronteira oriental. Superior ao comandante-chefe do Exército em tempo de serviço, seu igual em posto e com o direito, como ele, ao título de "*Oberbefehlshaber*" (comandante-chefe), Rundstedt tornara-se o primeiro soldado simbólico do Reich. Daí em diante, parece que ele se considerou como, acima de todos, o guardião e o exemplo das virtudes militares — tais como as entendia.

A crise do Gabinete de janeiro de 1933, que terminou com a nomeação de Hitler para a Chancelaria, acabou também com a incursão de Schleicher na política e trouxe Blomberg a primeiro plano como ministro da Defesa. Hindenburg escolheu-o na suposição de que, porque ele recentemente representara os interesses militares alemães, com grande eficiência, na Conferência de Desarmamento de Genebra, ele também lidaria com igual eficiência com os nazistas. Rundstedt, que dissera após a guerra que nunca concordara com Blomberg sobre coisa alguma, pensava de modo diferente. Ele e outros generais graduados sabiam que Blomberg era facilmente influenciado e dado a entusiasmos políticos e religiosos. Na década de 20, ele pregara a democracia. Mais recentemente, parecia sentir-se atraído pelo nazismo.[5] A preocupação desses oficiais aumentou quando Blomberg trouxe o coronel Walter von Reichenau, seu chefe de Estado-Maior no *Wehrkreis I*, para ser seu principal auxiliar no Ministério da Defesa, e redobrou um ano depois, quando ele nomeou Reichenau, que acabava de ser promovido a major-general, para substituir Hammerstein-Equord como comandante-chefe do Exército. Reichenau era um brilhante, enérgico e não-conformista radical que se acreditava tão próximo de ser nazista que, se era ou não membro do Partido, deixava de ter importância. A capacidade evidente, a ambição sem limites e um relacionamento pessoal direto com Hitler tornavam-no, na estimativa de Rundstedt, a maior ameaça isolada ao lugar tradicional do Exército no Estado alemão. Rundstedt e Leeb, que comandava o 2º Grupo de Exércitos, disseram a Hindenburg que não poderiam servir sob Reichenau, cujo nome Hindenburg daí em diante recusou.[6] Tendo sido nomeado para o posto o general Werner von Fritsch, antigo subordinado de Rundstedt no *Wehrkreis III* e cinco anos mais jovem que ele em tempo de serviço, mas oficial da velha escola, Rundstedt apresentou seu pedido de reforma, que Hindenburg recusou conceder, dizendo que precisava dele mais do que nunca. Rundstedt, como faria posteriormente várias vezes, atendeu ao apelo do dever.

Os primórdios de 1934 foram, na verdade, tempos perigosos. As tropas de assalto nazistas, as SA, sob o comando do ex-capitão Ernst Röhm, estavam ameaçando desalojar o Exército profissional, que superavam grandemente em números, e lhe tomar o lugar como Exército nacional. No dia 30 de junho, contudo, Hitler, cujos planos militares exigiam muito mais do que uma milícia partidária, resolveu a questão a favor do Exército, mandando assassinar todo o comando da SA — e alguns que não eram membros dessa corporação, entre os quais Schleicher. O Exército voltou às boas graças um mês depois quando, ao falecer Hindenburg, reconheceu Hitler como comandante-chefe supremo das Forças Armadas e lhe prestou um juramento pessoal (que Reichenau redigira), comprometendo-se a servi-lo lealmente "até a morte". Rundstedt presidiu pessoalmente a cerimônia de juramento nas divisões do 1º Grupo de Exércitos e compareceu, juntamente com Blomberg, Fritsch e outros generais e almirantes graduados, como convidados de honra, ao comício anual do Partido Nazista em Nuremberg, em setembro de 1934. Mais cedo naquele ano, Eugen Ott, um tenente-coronel que servia no Ministério da Defesa, ouvira Rundstedt e Schleicher "descomporem Hitler de uma maneira pavarosa".[7] No seu depoimento nos julgamentos por crimes de guerra em Nuremberg, Rundstedt, que com freqüência menosprezara em particular Hitler e os nazistas, sustentou que sempre fora contra o nazismo, mas que não pudera fazer isso abertamente porque "um soldado não pode participar de atividades políticas".[8]

Os três anos seguintes foram de lua-de-mel entre Hitler e as Forças Armadas. O Exército estava crescendo, até mesmo mais rapidamente do que teriam desejado Rundstedt e seus colegas. Fritsch mantinha-o afastado da política, e o SA permanecia em seu lugar. A Marinha expandia-se também, uma Força Aérea surgiu quase que da noite para o dia, e o *Truppenamt* tornou-se, mais uma vez, o Estado-Maior Geral. Fritsch, um solteirão inteiramente dedicado ao trabalho, delegava grande parte de seus deveres sociais e cerimoniais cada vez maiores a Rundstedt, que embora não fosse absolutamente de temperamento gregário, desempenhava-os com superior *aplomb*. Em 1936, representou o Exército alemão nos funerais do rei George V.

Embora um terceiro comando de Grupo de Exército houvesse sido ativado, o 1º Grupo de Exércitos compreendia, em fins de 1935, dez divisões, quase tantas quantas haviam existido em todo o Exército três anos antes. Podia-se, mais uma vez, pensar na guerra mais do que em termos de suposição. Novas idéias estavam no ar. Estavam sendo criadas as primeiras divisões *panzer*. Ainda assim, Rundstedt não era um inovador. Sua grande preocupação era instilar os padrões do Exército profissional no Exército, em expansão, de convocados. Para ele, a infantaria continuava a ser a principal e decisiva arma e considerava os blindados, como qualquer outra coisa que fosse apenas um apoio para a infantaria, com certo ceticismo. Mas era capaz de tolerar idéias novas — exceto, em um notável exemplo, o novo *Wehrmachtamt* que Blomberg e Reichenau propunham para substituir o Estado-Maior Geral em tempo de guerra, como árbitro supremo de estratégias e operações. Que o Estado-Maior do Exército não fosse, particularmente em tempo de guerra, o órgão supremo das Forças Armadas alemãs era puro anátema para Rundstedt.

No dia 30 de janeiro de 1938, observava jogos de guerra na Prússia Oriental quando recebeu um despacho do chefe do Estado-Maior Geral, general Beck, solicitando-lhe que voltasse imediatamente a Berlim. Ao chegar no dia seguinte, Beck contou-lhe que a esposa de algumas semanas de Blomberg (a segunda, e muito mais jovem que ele) tinha ficha na polícia, que ele fora convidado a exonerar-se, e que Fritsch estava sendo demitido por acusações de homossexualidade. Que Blomberg tivesse casado com uma mulher de passado duvidoso dificilmente surpreendeu Rundstedt, que o considerava inteiramente capaz dessas excentricidades. Recusou-se, no entanto, a acreditar absolutamente na acusação contra Fritsch, por quem sentia muito maior consideração. Naquela noite, em uma entrevista com Hitler, que o chamara à Chancelaria do Reich — e instruíra a usar trajes civis e entrar por uma porta dos fundos — exigiu, em nome do Exército e como o oficial mais antigo em serviço, uma corte de investigação para Fritsch.

Por outro lado, exigir também que Fritsch conservasse o posto enquanto se procedia à investigação aparentemente não lhe ocorreu. Quando Hitler mencionou Reichenau e o general Walther von Brauchitsch como possíveis sucessores de Fritsch, Rundstedt rejeitou imediatamente o primeiro, "em nome do Exército", e apressou-se a dar seu apoio a von Brauchitsch, que "seria inteiramente aceitável ao Exército como sucessor de Fritsch". (Outros, notadamente Hermann Göring e Heinrich Himmler, cujas opiniões tinham mais peso para Hitler do que as de Rundstedt, já se haviam manifestado contrários a Reichenau.) Ainda mais notável, Rundstedt parece ter pensado que, embora Hitler estivesse disposto a demitir Fritsch do cargo de comandante-chefe do Exército com base em uma acusação forjada, ele mais tarde estudaria a possibilidade de nomeá-lo generalíssimo de todas as Forças Armadas. Durante a conversa, Hitler revelou também que pensava em abolir o Ministério da Defesa e criar um Estado-Maior das Forças Armadas (*Oberkommando der Wehrmacht*, OKW), com ele mesmo como comandante supremo. Rundstedt concordou, mas insistiu, quando Hitler mencionou o general Wilhelm Keitel, sucessor de Reichenau no Departamento das Forças Armadas, como chefe do Estado-Maior do OKW, que "nunca" fosse dada autoridade de comando a Keitel porque "nós [o Exército] não queremos isso". Hitler respondeu que ele também não queria (e a posterior nomeação de Keitel como chefe do OKW tornou-o apenas um extranumerário altamente colocado na cadeia de comando).[9]

Durante os casos Blomberg-Fritsch, parcialmente para abafar os escândalos e até certo ponto para colocar em posições-chave oficiais mais flexíveis, Hitler ordenou uma série extensa de realocações e reformas de pessoal. Leeb foi reformado. Rundstedt, mais antigo em cerca de um ano que Leeb, permaneceu no 1º Grupo de Exércitos com promoção para coronel-general.

Depois de ter a corte de investigação rejeitado como falsa a acusação, e de ter sido reformado, apesar de tudo, Fritsch pediu a Rundstedt que entregasse a Himmler uma carta, desafiando-o para um duelo, isto é, ao homem cuja polícia secreta forjara a acusação. Rundstedt guardou a carta no bolso durante vários dias, antes de voltar à presença de Fritsch com o conselho de esquecer aquela idéia, porque provocaria apenas uma confusão inútil, uma vez que Hitler não permitiria que um de seus principais subordinados aceitasse o desafio e que Himmler não lutaria, mesmo que ele permitisse.[10]

A crise tcheca no verão de 1938 deu a Rundstedt (por curto espaço de tempo) seu primeiro grande comando de campo, o 2º Exército. E levou-o ao primeiro confronto com o programa de guerra de Hitler: no dia 4 de agosto, quando Brauchitsch reuniu os chefes militares mais graduados para lhes dar conhecimento do memorando, preparado pelo chefe do Estado-Maior Geral, Beck, aconselhando Hitler a não arriscar-se a uma guerra geral por causa dos sudetos. Rundstedt apoiou o ponto de vista unânime de que nem o Exército nem o país estavam preparados para a guerra. Mais tarde, porém, foi ouvido aconselhando Brauchitsch a que evitasse advogar o caso com veemência demais perante Hitler, a fim de não comprometer sua posição como comandante-chefe — e dessa maneira dar novo impulso à candidatura de Reichenau.[11] Em setembro de 1938, quando a guerra parecia iminente e a oposição a Hitler procurava organizar um golpe para derrubá-lo, Rundstedt respondeu friamente à única tentativa de abordagem que lhe foi feita. Sua atitude nesse particular permaneceu rigidamente a mesma daí em diante. Quando interrogado a esse respeito durante os julgamentos de Nuremberg, respondeu: "Eu nunca teria pensado em tal coisa. Isso teria sido vil, uma desavergonhada traição..."[12]

Após comandar o 2º Exército na ocupação *Blumenkrieg* pós-Munique dos sudetos, Rundstedt aposentou-se com a nomeação honorária de coronel-em-chefe do 18º Regimento de Infantaria, uma distinção a que aparentemente deu mais valor do que a qualquer outra. Como marechal-de-campo sempre usou suas insígnias de marechal no uniforme de coronel do 18º Regimento de Infantaria.

A reforma, porém, teve curta duração. Em abril de 1939, foi nomeado chefe do Grupo de Trabalho Rundstedt (*Arbeitstab* Rundstedt), que consistia dele mesmo, de um chefe de Estado-Maior (general Erich von Manstein) e de um oficial de operações (coronel Günther Blumentritt). Hitler ordenara que se iniciasse o planejamento para o *Fall Weiss*, a operação "para destruir as Forças Armadas polonesas... se a Polônia adotar uma atitude ameaçadora em relação ao Reich".[13] O Grupo de Trabalho Rundstedt era um quartel-general em embrião para o Grupo de Exércitos Sul. A fim de preservar o sigilo, mas também porque Hitler não parecia ter qualquer grande pressa, Rundstedt trabalhava principalmente em sua residência particular em Kassel, enquanto Manstein continuava a desempenhar seus deveres de comandante de divisão e Blumentritt os seus como chefe da seção de treinamento do Estado-Maior Geral.

Hitler parecia muito menos disposto a arriscar-se a uma guerra geral do que no verão anterior, e o resultado bem-sucedido da crise dos sudetos convencera os que duvidavam que ele não fosse apenas um jogador temerário. Quando, na segunda semana de agosto, Rundstedt reuniu seu grupo de trabalho, já mais numeroso, a impressão era de que estavam prestes a fazer pontinhas em um drama político internacional, com um enredo conhecido e um resultado pacífico previsível.[14] O deslocamento final das tropas começou no dia 19 de agosto e, quatro dias depois, em um mosteiro nas proximidades de Neisse, a 90km da fronteira polonesa, o Grupo de Trabalho Rundstedt tornou-se operacional como quartel-general do Grupo de Exércitos Sul.

Na tarde de 25 de agosto, as tropas começaram a avançar sobre a fronteira, tendo o dia seguinte sido marcado como início do ataque. Naquela noite, Hitler ordenou que fossem interrompidos os movimentos. (Rundstedt passara por experiência semelhante anteriormente: Hitler ordenara que as tropas de assalto tomassem posição ao longo da fronteira com a Tchecoslováquia, no dia 26 de setembro de 1938, três dias antes de ser assinado o Acordo de Munique.) Na noite de 31 de agosto, depois de receber ordens de iniciar o ataque na manhã seguinte, Rundstedt, que nunca dormia tarde, permaneceu acordado até depois de meia-noite, à espera de uma segunda ordem de suspensão. Que não chegou.

Embora os efetivos (1,5 milhão de alemães e 1,3 milhão de poloneses) não fossem tão desproporcionais assim, a esmagadora superioridade alemã em aviões, tanques e veículos a motor garantiram a derrota polonesa. A fim de apressá-la, os Grupos de Exércitos Norte e Sul lançaram ataques na direção sul, procedentes da Prússia Oriental, e nordeste, partindo da Silésia, na direção de Varsóvia, que encurralariam as principais forças polonesas a oeste do rio Vístula. Bock (que comandava o Grupo de Exércitos Norte) tinha o 3º e 4º Exércitos, cabendo a Rundstedt o 8º, o 1º e o 14º Exércitos. O 10º Exército, sob o comando de Reichenau, era o mais aguerrido. Sua missão era a de esmagar o Exército "Krakow" polonês e, com divisões *panzer* e motorizadas, fazer uma corrida de 390km até Varsóvia. O 8º Exército e o 14º Exército, o primeiro à esquerda e o último à direita, cobririam os flancos do 10º Exército, tendo cada um deles de enfrentar inicialmente um exército polonês. A velocidade era essencial para evitar que as forças polonesas escapassem para o leste através do Vístula e organizassem outra defesa atrás do mesmo. Durante nove dias, o avanço transcorreu melhor do que o esperado, e o Estado-Maior do Grupo de Exército pouco mais tinha a fazer do que comunicar sucessos. Na tarde de 8 de setembro, uma divisão *panzer* entrou nos subúrbios de Varsóvia. Descobrindo que a cidade era fortemente defendida, recuou, mas continuou a bloquear as estradas para o oeste.

No dia 10 de setembro, o 8º Exército comunicou que seu flanco esquerdo estava sofrendo pesado ataque. Na corrida para Varsóvia, os estados-maiores, incluindo o Estado-Maior Geral, haviam perdido de vista os exércitos poloneses "Poznan" e "Pomorze", que ambos os Grupos de Exército haviam ladeado, e que tentavam escapar para o leste. Rundstedt deixou que o general Johannes Blaskowitz, comandante do 8º Exército, resolvesse o problema no seu flanco e, desviando dois corpos de exército do avanço sobre Varsóvia, começou a construir uma frente voltada para o norte e o oeste ao longo do rio Bzura. Ele e seu Estado-Maior, na semana seguinte, manobraram elementos do 8º, 10º e 14º Exércitos para realizar o primeiro envolvimento em grande escala da Segunda Guerra Mundial. Embora os 120 mil prisioneiros feitos viessem a parecer mais tarde um número modesto, nada comparável fora visto numa guerra desde a Batalha de Tannenberg, em setembro de 1914.

Enquanto a batalha no Bzura aproximava-se do fim a 45km para o oeste, Rundstedt levava toda a artilharia pesada do Grupo de Exércitos para Varsóvia. Ele e Manstein haviam pensado que teriam tempo suficiente para obrigar a cidade a render-se pela fome, mas, depois de ter o Exército soviético cruzado a fronteira no leste no dia 17 de setembro, Hitler insistiu em uma solução mais rápida. Um bombardeio aéreo de artilharia de três dias de duração obrigou a guarnição de Varsóvia a render-se no dia 28, e a vizinha fortaleza de Modlin a fazer o mesmo na manhã seguinte. Uma vez que o governo polonês já fugira para o exílio, essas rendições no campo de batalha terminaram a guerra.

No dia 30 de setembro, Rundstedt recebeu a Cruz de Cavaleiro, da Cruz de Ferro. Nas três semanas seguintes, como comandante-chefe, Leste, foi o governador militar da Polônia. Em seguida, ele e seu Estado-Maior receberam ordens de se transferirem para Koblenz e instalar o quartel-general do Grupo de Exércitos A, um dos três Grupos de Exército que estavam sendo destacados para a Frente Ocidental. O antigo Grupo de Trabalho Rundstedt transformara-se numa equipe madura. Três oficiais que o conheceram bem, seus sucessivos chefes de Estado-Maior, Manstein, Blumentritt e Siegfried Westphal, tiveram oportunidade de comentar-lhe o estilo de comando. Descrevem-no como um comandante-chefe da velha (anterior à Primeira Guerra Mundial) escola; discípulo do último grande chefe de Estado-Maior Geral, conde Alfred von Schlieffen; um *grand seigneur*; e um mestre da arte de operações, com um instinto infalível para a avaliação correta de situações militares. Ele observava também o princípio, da Primeira Guerra Mundial, de que o general-comandante podia dirigir melhor a batalha de seu quartel-general, e não da linha de frente (como outros, entre eles principalmente os generais Heinz Guderian e Erwin Rommel, iriam fazer na guerra então em andamento); e se recusava a preocupar-se com detalhes, preferindo trabalhar a partir de mapas na escala de 1:1.000.000 (a escala, incidentalmente, que também era usada no quartel-general de Hitler) através dos quais poderia, com um único olhar, inteirar-se de toda a situação.[15] O desdém pelos detalhes fazia com que dependesse muito de seu chefe de Estado-Maior, o que poderia fazer com confiança, uma vez que Manstein, que fora chefe de operações de Beck e seu mais estreito colaborador no Estado-Maior Geral, era considerado a melhor mente militar do Exército. Em depoimento nos julgamentos de Nuremberg, deu sua opinião como encarava a relação que mantinha com o quartel-general superior, isto é, como sendo a de sugerir, se solicitado, como uma missão poderia ser mais eficazmente executada, mas "nunca" dizer a um superior: "O que o senhor está fazendo é errado..."[16]

A "Guerra de Mentirinha" começara na frente Ocidental, mas as coisas estavam longe de ser tranqüilas nos mais altos escalões do comando alemão. Hitler baixara diretriz para uma ofensiva contra a França e os Países Baixos, que queria que começasse em meados de novembro. Os generais mais graduados, por seu lado, estavam mais inquietos com as declarações de guerra britânica e francesa do que encorajados com o sucesso do *Blitzkrieg* na Polônia. Quando ouviu os comandantes de Exércitos e Grupos de Exércitos, Brauchitsch descobriu que eles concordavam unanimemente com a conclusão, que ele mesmo e seu chefe de Estado-Maior, Halder, haviam alcançado, isto é, que uma ofensiva no oeste não poderia lograr qualquer resultado positivo. Hitler rejeitou o relatório de Brauchitsch e, daí em diante, ignorou-o. Quando Leeb, que fora retirado da aposentadoria (reforma) para comandar o Grupo de Exércitos C, acreditando que Brauchitsch estava prestes a exonerar-se, sugeriu a Rundstedt e a Bock (que comandava o Grupo de Exércitos B), que ele e eles fizessem o mesmo, seus interlocutores responderam que se consideravam, por questão de dever, obrigados a executar o ataque, se tivessem ordens nesse sentido.[17]

O plano do Estado-Maior Geral para a ofensiva baseava-se na suposição de que o máximo que o Exército poderia fazer era atravessar a Bélgica, Luxemburgo e parte do noroeste da França até a linha dos rios Aisne e Somme, onde os exércitos aliados — se não tivessem feito isso antes — se entrincheirariam. O plano atribuía o principal esforço ao Grupo de Exércitos B, que, dispondo de cerca de dois terços das divisões *panzer* e motorizadas, faria uma ampla varredura através da Bélgica até a costa do canal da Mancha e a foz do Somme. A missão do Grupo de Exércitos A seria cobrir o flanco esquerdo de Bock, avançando através do Luxemburgo e da floresta de Ardennes na direção do rio Aisne.

Em pontos muito separados da estrutura de comando, Hitler e o chefe do Estado-Maior de Rundstedt, Manstein, duvidavam da necessidade de conduzir a ofensiva de uma maneira que forçosamente acabaria em um impasse. Hitler, nessa ocasião, ainda se curvava à opinião dos profissionais mais graduados, em questões puramente militares. Manstein bombardeou Brauchitsch e Halder com comunicações, propondo a transferência do esforço principal para o Grupo de Exércitos A e um poderoso ataque blindado através do Luxemburgo e de Ardennes, que cruzaria o rio Meuse ao norte de Sedan e daí em diante seguiria paralelo ao Aisne e o Somme até o canal. Todo o flanco esquerdo aliado, previu, poderia ser envolvido e destruído, e a esperada frente aliada no Somme e no Aisne se tornaria, em vez disso, um buraco de 250km de largura, através do qual os Grupos de Exército poderiam mergulhar nas direções sul e leste, por trás da Linha Maginot. Por várias razões, a mais válida das quais relacionava-se com a máxima de von Schlieffen, de que a dificuldade em executar uma manobra de envolvimento era superada apenas pela facilidade com que o comandante podia ver-se frustrado, Brauchitsch e Halder não receberam bem as importunações de Manstein e tiveram todo cuidado para impedir que suas idéias chegassem ao conhecimento de Hitler.

Rundstedt, porém, aprovara o plano de Manstein "com aquele único e rápido olhar que lhe era característico" e, subseqüentemente, dando-lhe seu apoio, abriu-lhe oportunidade de enviar suas propostas a Brauchitsch através do canal de comando, o que, de outra maneira, Manstein não poderia ter feito.[18] Manstein, Blumentritt, e o vice de Blumentritt, tenente-coronel Henning von Tresckow, encarregaram-se do desenvolvimento do "Novo Plano", como o chamava Manstein, enquanto Guderian, o criador da Divisão *Panzer* e o mais bem-sucedido comandante de corpos blindados na campanha polonesa, garantia-lhe que os blindados poderiam operar naquele terreno e cobrir as distâncias necessárias.

Rundstedt teve uma audiência com Hitler em fins de novembro de 1939, na qual, porém, não apresentou o "Novo Plano" ao Führer — embora pudesse ter feito isso — porque, segundo Manstein, temeu que, ao fazê-lo, debilitasse ainda mais a posição já gravemente prejudicada de Brauchitsch, mas Reichenau fora promovido a coronel-general após a vitória na Polônia, e a possibilidade de ele suceder a Brauchitsch como comandante-chefe do Exército tornara-se, mais uma vez, uma aguda preocupação de Rundstedt. E, mais uma vez, essa preocupação pareceu ser irrelevante para o caso. Hitler dissera a Guderian que Reichenau era inaceitável como substituto de Brauchitsch.

No dia 12 de janeiro de 1940, Rundstedt subscreveu o que estava destinado a ser o último e mais veemente memorando de Manstein sobre o plano que sugeria. Nele, Manstein reduziu o argumento a uma opção entre derrotar inteiramente os Aliados ou meramente prolongar a guerra, e solicitava que, se como Brauchitsch sustentava, Hitler reservava para si mesmo decisões sobre mudanças de plano, que então o memorando fosse encaminhado a ele. Duas semanas depois, Rundstedt, atendendo o conselho de Brauchitsch, aprovou a nomeação de Manstein para comandar um corpo de Exército em Stettin, bem longe da Frente Ocidental. Aparentemente, Rundstedt chegara à conclusão de que era esse o momento de separar-se de Manstein e do "Novo Plano", uma vez que Brauchitsch respondera secamente ao memorando de 12 de janeiro, particularmente à sugestão de que o mesmo fosse enviado a Hitler, passando por cima de sua cabeça, por assim dizer. E o apoio que dera a Manstein chegara perigosamente perto de quebrar sua regra de nunca dizer a um superior que ele estava errado.[19]

Manstein e seus colegas não eram tão formalistas como Rundstedt e haviam aberto um canal provisório de comunicações com Hitler, através de seu principal ajudante-de-ordens, tenente-coronel Rudolf Schmundt. Eles haviam mantido Schmundt (que visitava periodicamente o Grupo de Exércitos a fim de certificar-se das condições de tempo e terreno para Hitler) a par da direção geral que o pensamento do grupo estava seguindo e, logo que soube que fora afastado, Manstein deu todos os detalhes a Schmundt. Voltando a Berlim, Schmundt, impressionado com a precisão com que Manstein dera forma a idéias que ele ouvira também Hitler manifestar, insistiu com ele para que o chamasse. No dia 17 de fevereiro, após um almoço oferecido a recém-nomeados comandantes de corpos de Exército, a fim de ocultar a razão real da presença de Manstein na Chancelaria do Reich, em um raro encontro durante o qual o Führer muito ouviu e pouco disse, Manstein descreveu-lhe o "Novo Plano" e ao seu assessor militar, general Alfred Jodl, chefe do Departamento de Operações da Wehrmacht (OKW). Um dia depois, Hitler chamou Brauchitsch e Halder e disse-lhes que resolvera mudar o principal ataque para o sul e para o Grupo de Exércitos A. Na semana seguinte, o "Novo Plano" tornou-se o *Sichelschnitt* (Plano "Foiçada").

Mais tarde, disse Guderian, que apenas três pessoas, ele, Manstein e Hitler, acreditavam no plano.[20] O fato de alguém acreditar ou não, sem reservas, foi menos importante do que a maneira como se enfrentaram as dúvidas. Com Manstein fora de cena, treinando um corpo de infantaria, e Hitler absorvido na preparação e execução da invasão da Noruega e Dinamarca, os participantes principais do planejamento final do *Sichelschnitt* foram Halder, Brauchitsch, Rundstedt e seu novo chefe de Estado-Maior, general Georg von Sodenstern. Logo que o plano foi perfilhado por Hitler e se tornou propriedade do alto comando do Exército, Halder e Brauchitsch se entusiasmaram rapidamente por ele, colocando um terço mais de divisões *panzer*, na ponta-de-lança blindada do que Manstein havia projetado, o suficiente, juntamente com o corpo de Exército de Guderian e um corpo motorizado, para constituir um grupo *panzer* (na realidade, um exército *panzer*, embora ainda não designado com esse nome). Halder afirmou também que, pelo fato de ser a missão extraordinariamente difícil, era necessário assumir riscos e era essencial evitar superestimação de obstáculos.[21]

Rundstedt, por outro lado, tinha em alta conta o comandante-chefe Aliado, general Maurice Gamelin, que conhecera nos funerais de George V em 1936 e acreditava que ele e o Estado-Maior Geral Francês saberiam como criar obstáculos que seriam difíceis de superestimar.[22] Sodenstern, talvez repetindo a opinião de seu superior, lembrou a Halder que ele estava, nesse momento, planejando uma ofensiva contra o Exército francês, não o Exército polonês. E Rundstedt, pouco disposto a assumir riscos, preocupava-se com a possibilidade de seu flanco esquerdo ficar exposto e com a travessia do Meuse, que esperava estivesse fortemente defendido.[23] Guderian ficou desolado ao descobrir que Rundstedt acreditava que divisões *panzer* e motorizadas não podiam cruzar rios sem ajuda da infantaria.[24] Dada uma opção na nomeação de um general para comandar o grupo *panzer*, Rundstedt escolheu o general Ewald von Kleist, um cavalariano da velha escola, de preferência ao especialista em tanques, Guderian. Como sempre, a prudência era sua divisa e contentava-se em deixar para outrem as inovações.

A ofensiva *Sichelschnitt* começou ao amanhecer do dia 10 de maio de 1940 (ver mapa 14). Durante o dia, enquanto tanques alemães corriam para o sul através do Luxemburgo e penetravam na floresta de Ardennes, dois exércitos britânicos e dois franceses dirigiam-se a toda velocidade para o norte e o oeste, de acordo com o plano de Gamelin, de enfrentar e deter o ataque alemão através da Bélgica na linha do rio Dyle. Os dois corpos *panzer* do Grupo *Panzer* Kleist, o 19º de Guderian e o 41º do general Hans Reinhardt, chegaram ao Meuse no dia 13, dois dias antes do programado e cruzaram o rio no dia seguinte, Guderian em Sedan e Reinhardt a 30km ao norte, em Monthermé (ver mapa 13). No dia 14, Rundstedt, visitou os postos de comando de Kleist e Guderian para se congratular com as tropas e encorajar os dois generais a prosseguir a toda velocidade com o avanço para o oeste, a partir do Meuse. Em fins daquele mesmo dia, de volta ao seu próprio quartel-general, soube que forças francesas estavam supostamente dirigindo-se para a cabeça-de-ponte, vindas das vizinhanças de Paris. Sem dúvida lembrando-se do "Milagre do Marne" e de sua própria experiência no rio Ourcq em 1914, começou a pensar duas vezes sobre a conveniência de deixar que os blindados corressem à solta e subordinou o Grupo *Panzer* Kleist ao 12º Exército (infantaria) do general Wilhelm List.

Em seguida, encarregou List de pôr infantaria e blindados a trabalhar "em uníssono" na construção de uma forte cabeça-de-ponte no Meuse, sem "manter rédea apertada demais" nos blindados.[25] Depois que os blindados de Guderian deram um salto de 60km em um único dia, no dia 16, chegando a 25km do rio Oise, o ponto médio intermédio entre o Meuse e a costa do canal da Mancha, Rundstedt concluiu que o risco para seu flanco sul estava tornando-se grande demais e reservou para si mesmo a decisão de cruzar a Oise.[26] Para Halder no OKH, contudo, o irrompimento parecia estar desenvolvendo-se em "puro estilo clássico", e não acreditava que os franceses fossem jogar suas últimas reservas disponíveis em um contragolpe. Na manhã seguinte, disse a Sodenstern, chefe de Estado-Maior de Rundstedt, que o Grupo de Exércitos deveria continuar direto para a frente e cruzar o Oise sem parar. Na mesma ocasião, na conferência matutina sobre a situação, Hitler admoestava Brauchitsch a providenciar a segurança do flanco sul.[27]

No quartel-general do Grupo de Exércitos A, na tarde do dia 17, Hitler deu pleno apoio a uma avaliação na qual Rundstedt "enfatizava a situação delicada do flanco sul", e acrescentava que nada era mais importante para toda a operação do que uma prontidão defensiva, absolutamente segura, no Aisne e no Somme.[28] Entrementes o Grupo *Panzer* Kleist parara. Quando Kleist transmitira a ordem de parada de Rundstedt a Guderian e a Reinhardt em princípios da manhã, Guderian pedira para ser substituído no comando.

Enquanto Hitler se encontrava em Bastogne em companhia de Rundstedt, List se dirigia no posto de comando de Guderian, negociando uma solução conciliatória, que permitiria ao especialista em tanques realizar um "reconhecimento com grandes efetivos" a oeste do Oise.

O general Jodl anotou em seu diário que o 18 de maio foi um "dia de grande tensão".[29] No quartel-general do Führer, Hitler, "espumando e gritando", vituperou Halder e Brauchitsch, acusando-os de terem estragado toda a operação e preparado o palco para a derrota.[30] Keitel, em nome de Hitler, visitou Rundstedt e recebeu garantias de que o flanco sul estava recebendo toda a atenção — e a sugestão de que o perigo talvez não fosse tão grande quanto parecera, uma vez que os franceses haviam destruído praticamente todas as pontes sobre o Aisne, o que não teriam feito se estivessem pensando em um contra-ataque.[31] Guderian ultrapassou sua licença, para conduzir um "reconhecimento com grandes efetivos", o suficiente para tomar St. Quentin, a 16km além do Oise, mas considerou o dia como outro quase todo perdido. Finalmente, em fins do dia, depois de ter apresentado a Hitler provas de que elementos do Grupo de Exércitos Norte dos Aliados estavam se retirando da Bélgica na direção do Somme e cruzando-o, Halder conseguiu permissão para lançar novamente os blindados em movimento.

Os tanques de Guderian chegaram a Abbeville, na foz do Somme, após o anoitecer do dia 20 de maio (ver mapa 13). Virando para o norte, isolaram Boulogne e Calais e aproximaram-se do canal Aa, entre Gravelines e St. Omer, a cerca de 25km a oeste de Dunquerque, três dias depois. Halder e Brauchitsch esperaram, nessa ocasião, que os blindados continuassem na direção norte, passando por Dunquerque e ao longo da costa de Flandres até Ostende, a fim de cortar a retirada dos Aliados para o mar. Os blindados assim agiram até fins do dia 24, depois de Hitler e Jodl terem voltado de um vôo ao quartel-general de Rundstedt, que fora transferido para Charleville, às margens do rio Meuse. Rundstedt sugerira que as divisões *panzer* parassem no canal Aa, onde poderiam "interceptar" o inimigo, enquanto as divisões de infantaria do Grupo de Exércitos B o empurraria a partir do norte. Hitler concordara imediatamente, acrescentando que os blindados teriam de ser conservados para futuras operações e que uma maior redução na área cercada impediria as operações aéreas.[32]

No vôo de volta, Hitler disse a Jodl que estava "muito satisfeito" com a disposição que Rundstedt dera às tropas e que se ajustavam perfeitamente ao que ele mesmo pensava.[33] Mais tarde, Brauchitsch, nas palavras de Halder, "voltou de outra discussão extremamente desagradável com o Führer, trazendo a ordem de que sustasse o avanço dos blindados e deixasse que a Luftwaffe acabasse com o inimigo".[34] Horas depois, Brauchitsch pediu que a ordem fosse rescindida, ao que Hitler deixou a resposta inteiramente a Rundstedt, que pessoalmente decidiu na manhã seguinte que, porque as tropas precisavam de repouso e reagrupamento para a fase seguinte da campanha francesa, ele não daria, "por ora", ordem às divisões *panzer* para que avançassem novamente.[35]

Vinte e quatro horas depois, estando a frente de combate paralisada por mais de dois dias completos, nervos começaram a rebentar. Bock queixou-se a Brauchitsch de que se Dunquerque não fosse capturada, os britânicos "levarão tudo o que quiserem, debaixo de nossos narizes".[36] Halder e Brauchitsch tiveram premonições de uma grande perda de prestígio e de semanas de demora antes do início da segunda fase da campanha. Levaram ambos essas preocupações a Rundstedt. Em princípios da tarde, Rundstedt, depois de consulta com Kleist, solicitou a liberação das divisões *panzer*, o que Hitler concedeu com a condição de que os tanques não se aproximassem mais de Dunquerque que o necessário para colocar o porto sob fogo de artilharia.

Após o anoitecer do dia 26 de maio, o transporte britânico *Mona's Isle* ancorou em Dunquerque e começou a embarcar tropas. Um grupo da Marinha Real, sob as ordens do capitão W.G. Tennant, chegou na manhã seguinte para organizar a evacuação em massa a partir das praias. Contra o perímetro defensivo aliado nem os tanques de Rundstedt nem a infantaria de Bock puderam recuperar o *momentum* anterior. Um milagre militar, o segundo de que participava Rundstedt, começara.

Em uma conferência em Charleville no dia 29, quando a evacuação de Dunquerque estava em pleno andamento, Rundstedt disse a Bock que continha suas divisões *panzer* porque receava que os britânicos lançassem todo o seu peso contra elas e as derrotassem. Bock acreditava que nada disso poderia acontecer, uma vez que seus próprios exércitos "apertavam os ingleses com tanta força pela goela que eles precisariam de muita sorte para escapar com vida".[37] Após a guerra, Rundstedt deu uma explicação diferente a um oficial de informações canadense, o major Milton Schulman, a quem disse: "Se eu pudesse ter feito o que queria, os ingleses não teriam escapado tão facilmente de Dunquerque. Minhas mãos, porém, estavam atadas por ordens diretas do próprio Hitler."[38]

O envolvimento do Grupo de Exércitos A na cabeça-de-praia de Dunquerque terminou em fins do dia 30 de maio. Suas unidades haviam, por essa altura, sido redistribuídas a leste do Oise, de frente para o sul no rio Aisne. Com o 2º, 12º e 16º Exércitos e um recém-formado Grupo *Panzer* Guderian, Rundstedt devia atacar na direção sul o que restava do Exército francês, cruzando o rio Marne a leste de Paris e continuando por trás da

Linha Maginot até a fronteira suíça e cabeceiras dos rios Loire e Rhône. A fim de proteger o flanco direito de Rundstedt, Bock atacou através do Some, entre o rio Oise e a costa, no dia 5 de junho, um dia depois da cessação da luta em Dunquerque. O Grupo de Exércitos A pôs-se em marcha no dia 9, cruzando o Marne perto de Château Thierry no dia 11 e tomando, no dia 15, Verdun, a mais famosa fortaleza da Primeira Guerra Mundial. A posição francesa, desoladora desde o começo, tornou-se irremediável quando grupos do Exército alemão ultrapassaram Paris. No dia 17, duas horas depois de ter sido nomeado para formar um novo governo, o marechal Philippe Pétain transmitiu um pedido de armistício através da embaixada espanhola.

Hitler pronunciou seu discurso de vitória perante o *Reichstag* — e o mundo — no dia 19 de julho. Os generais, em ordem de posto, estavam presentes no salão como convidados de honra. Como clímax emocional de seu esparramado discurso sobre "os fatos historicamente excepcionais que experimentamos", Hitler anunciou 12 promoções a marechal-de-campo, mencionando em primeiro lugar Brauchitsch, e em seguida Rundstedt, Bock e Leeb e mais abaixo na lista Keitel e Reichenau.[39] Rundstedt e os demais receberam seus bastões de marechal, feitos artesanalmente, em uma cerimônia realizada quatro semanas depois na Chancelaria do Reich.

Entrementes, a Diretriz nº 16 do Führer, baixada no dia 16 de julho sob o codinome *Leão-Marinho*, dera às Forças Armadas outra missão: planejar a invasão da Inglaterra. Prevendo que a guerra poderia ter que continuar contra a Inglaterra, o Estado-Maior Geral mudara-se para Fontainebleau, a 45km a sudeste de Paris. Em princípios de julho, oito exércitos permaneciam acantonados na França. Rundstedt alojou seu Estado-Maior no Hotel Henri IV, em St. Germain, às margens do Sena, a alguns quilômetros de Paris. Se a *Leão-Marinho* tivesse sido executada, o Grupo de Exércitos A teria sido responsável inicialmente pela captura de uma cabeça-de-ponte de 160km de largura a sudeste de Londres. Mas, embora algum esforço sério tivesse sido despendido em seu planejamento, a *Leão-Marinho* nunca teve a confiança de Hitler. Em almoço com os marechais-de-campo no dia 14 de agosto, depois de lhes ter entregue seus bastões, disse-lhes que esperaria para ver o que a Luftwaffe conseguiria contra a Real Força Aérea, antes de tomar uma decisão e, privadamente, confidenciou a Rundstedt que considerava os preparativos para a invasão "uma decepção".[40]

O adiamento da *Leão-Marinho*, do dia 12 de outubro de 1940 para a primavera de 1941 (na verdade, para sempre), e o surgimento de novas possibilidades operacionais, particularmente no leste, ocasionaram uma nova e geral divisão de comandos. Bock, nomeado comandante-chefe, Leste, levou o Estado-Maior do Grupo de Exércitos B e dois exércitos para a Polônia ocupada. Leeb, com o Estado-Maior do Grupo de Exércitos C e mais outro exército, voltou à Alemanha, como também o Estado-Maior Geral. No dia 26 de outubro, Rundstedt tornou-se comandante-chefe, Oeste, e assumiu o comando de todas as formações de campo do Exército na Holanda, Bélgica e França. Suas forças consistiam de seu próprio Grupo de Exércitos A (dois exércitos de prontidão para a *Leão-Marinho*) e um recém-ativado Grupo de Exércitos D (três exércitos em funções de ocupação na França). Ele conseguiu com isso, por algum tempo, a distinção excepcional de ter dois marechais-de-campo sob seu comando, Erwin von Witzleben, que comandava do Grupo de Exércitos D, e Reichenau, que como comandante do 6º Exército era subordinado a Witzleben.

No dia 31 de janeiro de 1941, Brauchitsch conferenciou com Rundstedt, Leeb e Bock em seus aposentos em Berlim. Disse-lhes que eles haviam sido designados comandantes de Grupos de Exército da Operação *Barbarossa*, a invasão da União Soviética, e que poderiam esperar receber ordens de operação dentro de alguns dias. A informação não causou grande surpresa. Bock vira uma cópia da diretriz estratégica para a *Barbarossa* em começos daquele mês, e os outros, com toda probabilidade, também sabiam algo a esse respeito. O chefe de Estado-Maior de Rundstedt, Sodenstern, fizera um estudo operacional para o Estado-Maior Geral, em princípios de dezembro. O tom da reunião foi discreto, e ninguém levantou os tipos de objeções que todos haviam manifestado antes da campanha no oeste.

A ordem de operação chegou no dia 3 de fevereiro. Dois dias depois, em Saint-Germain, Halder passou em revista a mesma, juntamente com Sodenstern e os chefes de Estado-Maior de exércitos subordinados. A ordem dava ao Grupo de Exércitos A — que passaria a chamar-se Grupo de Exércitos Sul — o 6º Exército de Reichenau, o 12º Exército de List, o 17º Exército do general Karl Heinrich von Stülpnagel, e o 1º Grupo *Panzer* de Kleist, e lhe atribuía o setor entre a borda meridional dos pântanos de Pripet e a costa do mar Báltico (ver mapa 2). O objetivo estratégico geral era o mesmo para todos os três Grupos de Exército, Sul, Centro (Bock) e Norte (Leeb) na *Barbarossa*: encurralar as principais forças soviéticas, em manobras de envolvimento perto da fronteira russa, e destruí-las ali. A missão do Grupo de Exércitos Sul seria a de destruir as forças soviéticas na Galícia, Moldávia e região ocidental da Ucrânia, a oeste do rio Dnieper. A ordem de operação previa inicialmente um grande envolvimento duplo que se fecharia no Dnieper, ao sul do Kiev: o 6º Exército e o 1º Grupo *Panzer* formariam o braço norte, e o 12º Exército o braço sul. Em março de 1941, porém, Halder retirou o 12º Exército para a invasão da Iugoslávia e Grécia, que se iniciou no dia 6 de abril, e substituiu-o por um pesado agregado constituído de 14 divisões romenas e sete alemãs, sob as ordens do quartel-general do 11º Exército, sob o general Eugen von Schobert, o que era um instrumento duvidoso para tal manobra de envolvimento. Rundstedt e Sodenstern, em vista disso, planejaram um único envolvimento, que empregaria o 6º e 17º Exércitos e o 1º Grupo *Panzer*, em um ataque passando pela borda meridional dos pântanos de Pripet até o Dnieper, em Kiev, de onde viraria e correria para o sul até a costa do mar Negro.

No dia 1º de abril, Rundstedt transferiu seu quartel-general para Breslau. Uma vez que razões de segurança impediam a concentração avançada de tropas em território húngaro e romeno, teve que reunir seu Grupo de Exército inicialmente na Polônia ocupada, ao longo dos 160km setentrionais de seu setor, de 800km de largura. Pela primeira vez na guerra, não comandava as forças ofensivas principais. O plano do Estado-Maior Geral atribuíra o principal esforço ao Grupo de Exércitos Centro, que operaria ao norte dos pântanos de Pripet na direção de Moscou. Hitler, contudo, não aceitara a alegação do Estado-Maior Geral de que Moscou era estrategicamente um objetivo mais importante que a Ucrânia, cujos recursos agrícolas e industriais ele considerava como o maior prêmio a ser conquistado na campanha.

No dia 30 de março, a fim de inaugurar a disposição final das forças que seriam empregadas na Operação *Barbarossa*, Hitler reuniu os comandantes de Grupos de Exércitos, Exércitos e Corpos e seus respectivos chefes de Estado-Maior na Chancelaria do Reich. Ali encarregou-os de um papel que para sempre lhes mancharia as reputações, incluindo a de Rundstedt. Os oficiais, determinou, teriam que conduzir contra a União Soviética um tipo diferente de guerra, uma guerra de extermínio, na qual a Convenção de Genebra e os ideais de cavalheirismo não se aplicariam. Mais tarde, obedientemente, Rundstedt transmitiu a seus comandos subordinados a "Ordem do Comissário" e a ordem sobre a justiça militar, a primeira negando a comissários políticos capturados o status de prisioneiros de guerra e determinando sua execução sumária até os postos de comando de regimento; a segunda sujeitando civis soviéticos à execução, sem julgamento, por atos contra as forças alemãs, encorajando represálias coletivas e garantindo aos soldados alemães virtual imunidade total contra acusações por atos cometidos contra a população civil.

No sábado, 21 de junho de 1941, Rundstedt recebeu e passou adiante o codinome "Dortmund", determinando o início da *Barbarossa* às 3h10min da manhã seguinte. O Grupo de Exércitos Sul enfrentava dois Grupos de Exército soviéticos: o da Frente Sudoeste, do general M.P. Kirponos, que contava com quatro exércitos, desdobrados em linha ao sul dos pântanos de

Pripet e guardando os acessos a Kiev, e o da Frente Sul, do general I.V. Tiulenev, com dois exércitos que cobriam a fronteira romena. Em conjunto, as *frentes* soviéticas possuíam 89 divisões, contra as quais o Grupo de Exércitos Sul dispunha de 43 divisões alemãs e 14 romenas. Josef Stálin, cujo pensamento estratégico assemelhava-se muito ao de Hitler em alguns aspectos, esperara que a atração dos recursos ucranianos atraísse para essa região o ataque alemão mais forte. Ainda acreditando que este seria o caso ao começar a invasão, Stálin enviou o general Georgi Zhukov, o chefe do Estado-Maior Geral soviético, para o quartel-general da Frente Sudoeste, em Ternopol, no dia 22 de junho. Zhukov comandara anteriormente o Distrito Militar Especial de Kiev, que se transformou na Frente Sudoeste logo que começou a guerra. Embora ele e Kirponos não conseguissem executar o plano anterior à guerra, de deter o inimigo na fronteira e empurrá-lo para trás, conseguiram (antes que Zhukov voltasse a Moscou no dia 27) organizar uma resistência mais eficaz do que estava sendo conseguida em qualquer outro local na Frente Oriental — tão eficaz que Rundstedt e Sodenstern começaram a pensar, no dia 26, em um envolvimento relativamente modesto bem antes do rio Dnieper (ver mapa 4).

Pesadas chuvas na primeira semana de julho, queixas de Reichenau de que o 5º Exército soviético, que se retirara para os pântanos de Pripet, estava pondo em risco seu flanco esquerdo, e a perspectiva de luta renhida na Linha Stálin, as fortificações fronteiriças soviéticas de antes de 1939, levaram Hitler a aceitar também a idéia de envolvimentos mais modestos. As decisões que se seguiram lembraram as hesitações diante de Dunquerque. No dia 9 de julho, o 1º Grupo *Panzer* começou a explorar o caminho em uma abertura conseguida na Linha Stálin. Rundstedt propôs enviar um dos corpos de Kleist em um rápido ataque na direção de Kiev, a fim de capturar a cidade e estabelecer nela uma cabeça-de-ponte, e lançar os dois outros corpos de exército de Kleist ao longo do rio Bug, em uma tentativa de envolvimento. Uma cabeça-de-ponte em Kiev, acreditava ele, proporcionaria um trampolim ideal para um envolvimento subseqüente do Dnieper e, desta maneira, uma proteção contra um fracasso do envolvimento no Bug. Hitler aprovou o movimento na direção sul e o avanço contra Kiev, mas manifestou a "mais grave preocupação" de que divisões *panzer* fossem "inutilmente sacrificados", caso fosse feita uma tentativa de tomar a cidade.[41] Rundstedt, embora houvesse acreditado que o prêmio valia alguns riscos, ordenou então que o ataque a Kiev só fosse tentado se pudesse ser feito sem pôr em perigo as divisões *panzer*.

O mais rápido avanço em dois dias até então conseguido na campanha levou a 13ª Divisão *Panzer* através do anel externo de defesa de Kiev no dia 11 de julho, mas ali ele virou para o sul na direção do Dnieper, que corria abaixo da cidade. O movimento de envolvimento ao longo do Bug prosseguiu lentamente. Depois de fechados dois bolsões na primeira semana de agosto, em volta de Uman, a 240km a oeste do Dnieper, conseguiram os alemães capturar 103 mil prisioneiros, mas as forças principais das Frentes Sul e Sudoeste dos soviéticos escaparam para construir uma linha de defesa na margem esquerda do Dnieper e manter uma cabeça-de-ponte em Kiev.

Hitler, Brauchitsch e Halder empenhavam-se, enquanto isso, em debates sobre a maneira de pôr os retoques finais em uma guerra que os três julgavam virtualmente ganha — se, como Brauchitsch e Halder estavam convencidos, o comando soviético sacrificaria suas últimas forças para defender Moscou, ou se, como argumentava Hitler, era mais importante garantir a posse dos recursos econômicos na Ucrânia. No dia 6 de agosto, Hitler foi de avião ao quartel-general do Grupo de Exércitos Sul, situado em Berdichev, a fim de condecorar o chefe de Estado e comandante-chefe romeno, general Ion Antonescu, com a Cruz de Cavaleiro da Cruz de Ferro, e demonstrar seu apreço a Rundstedt, que desenvolvera relações muito cordiais com o ditador romeno. Após a cerimônia, Hitler ouviu, com satisfação, o relatório de Rundstedt sobre sua vitória em Uman, mas seu comportamento mudou quando Rundstedt "frisou a importância estratégica de Moscou", como prometera a Halder que faria. O general Friedrich Paulus, o substituto eventual de Halder, que esteve presente ao encontro, comunicou — para grande desolação deste — que Hitler "mais uma vez, rejeitou essa linha de raciocínio".[42]

No dia 25 de agosto de 1941, tendo Hitler resolvido previamente o debate sobre estratégia, da forma que mais lhe agradava, o 2º Grupo *Panzer* de Guderian virou para o sul, deixando o flanco direito do Grupo de Exércitos Centro a leste de Smolensk e dirigiu-se em linha quase reta para Rommy, a uns 200km a leste de Kiev. No dia 10 de setembro, depois de Guderian ter cruzado o rio Desna, o último obstáculo em seu caminho, o Grupo *Panzer* de Kleist (integrado no Grupo de Exércitos Sul) dirigiu-se para o norte, saindo da cabeça-de-ponte à margem do Dnieper, em Kremenchug, 250km rio abaixo a partir de Kiev. Stálin ajudou a manobra de envolvimento alemã recusando-se a permitir que os exércitos russos, que se encontravam dentro do bolsão em formação, se retirassem. Seis dias depois, as pontas-de-lança *panzer* se encontraram em Lokhvitsa, a 40km ao sul de Rommy. Nas operações de limpeza, o Grupo de Exércitos Sul fez 665 mil prisioneiros. Na ravina Babi Yar, nos arredores de Kiev, um destacamento especial da SS matou 34 mil civis judeus no dia 29 de setembro.

Após a vitória em Kiev, Guderian rodou para nordeste, a fim de reunir-se ao Grupo de Exércitos Centro para a Operação *Tufão*, a marcha final sobre Moscou, enquanto Kleist prosseguia na direção sudeste, a caminho da bacia industrial do Donets. Seus grupos *panzer* haviam sido elevados nesse momento à categoria de "exércitos *panzer*". Um excelente tempo de outono prevaleceu durante princípios de outubro, e o Grupo de Exércitos Centro completou maciços envolvimentos duplos em Vyazma e Bryansk. Os exércitos do Grupo de Exércitos Sul mantinham a superioridade sobre as atordoadas Frente Sudoeste e Sul russas. O 11º Exército penetrou na Criméia. Em 24 de outubro, o 6º Exército capturou Kharkov, a segunda cidade da Ucrânia, enquanto o 17º Exército chegava ao rio Donets, abaixo de Kharkov, e o 1º Exército *Panzer* tomava Stalino, o centro industrial mais importante da bacia do Donets. A perseguição, no entanto, estava terminando: começaram as chuvas de outono, e as tensões de quatro meses de campanha passaram a ser visíveis nas tropas, equipamentos e comandos. Reichenau insistiu em que o 6º Exército estava exausto e não podia avançar mais. Kleist comunicou que os tanques de seu 1º Exército *Panzer* precisavam de grandes revisões, que só podiam ser feitas na Alemanha.

Enquanto isso, no OKH, Brauchitsch e Halder conversavam sobre o "objetivo terminal ideal" de ambos, para a campanha do ano: uma linha, ainda a 450km de distância, que se estendesse de Stalingrado, às margens do Volga, até Maikop no norte do Cáucaso. Ao visitar Brauchitsch no quartel-general do Grupo de Exércitos Sul no dia 3 de novembro, a fim de obter a concordância de seu comandante, disse-lhe Rundstedt que o máximo que seu grupo de exércitos poderia fazer seria avançar uns 120km até Rostov, no baixo Don.[43] Uma semana depois, Rundstedt propôs que as operações do Grupo de Exércitos Sul fossem suspensas, a fim de "preservar o poder de ataque das tropas" para a primavera seguinte.[44]

Quando Hitler, Brauchitsch e Halder insistiram em que o avanço continuasse pelo menos até Rostov, o 1º Exército *Panzer*, em meio à chuva e à lama, fincou uma estreita cunha a leste, ao longo das praias do golfo de Taganrog. A Divisão SS *Leibstandarte Adolf Hitler* tomou Rostov no dia 21 de novembro. No dia seguinte, a *Leibstandarte* foi submetida a furiosos contra-ataques partidos de três lados. Kleist ordenou-lhe e ao 3º Corpo *Panzer*, do qual ela fazia parte, que evacuassem Rostov e se retirassem cerca de 75km para o rio Mius. Mas depois de Brauchitsch exigir que Rostov, que era o portão para as jazidas petrolíferas do Cáucaso, fosse mantida, porque evacuá-la teria graves conseqüências militares e políticas, Rundstedt, obedientemente, rescindiu a ordem de Kleist.

Na manhã de 29 de novembro, Hitler voltou a seu quartel-general na Prússia Oriental, procedente de Berlim, onde estivera na última semana participando de um espetáculo de publicidade ligado à renovação do Pacto Anticomintern de 1936, a pedra fundamental do Eixo Roma-Berlim-Tóquio. Pela primeira vez na guerra, esperavam-no os piores tipos de notícias: as tropas alemãs estavam em retirada, a *Leibstandarte*, sua própria Guarda Pretoriana, fora expulsa de Rostov no dia anterior.

No dia 30, depois de Kleist ter ordenado novamente uma retirada para o Mius, Hitler, "disparando acusações e insultos", obrigou Brauchitsch a exigir novamente de Rundstedt que interviesse junto a Kleist. Rundstedt diria a seus interrogadores do Ministério da Guerra britânico, em julho de 1945, que respondera: "É loucura tentar resistir. Solicito que essa ordem seja rescindida ou que arranje outra pessoa para me substituir."[45] Segundo as notas de Halder, a resposta de Rundstedt foi dada a Brauchitsch, não a Hitler, e não continha a palavra "loucura" e tampouco colocava a opção entre cancelamento da ordem e sua substituição em termos tão categóricos.[46] Rundstedt aparentemente mencionou também saúde debilitada (resultado de um ataque cardíaco em princípios de novembro) como razão para sua substituição.[47] Nas primeiras horas do dia 1º de dezembro, tendo concluído, apesar de tudo, à vista do relatório verbal de Brauchitsch, que Rundstedt recusara obstinadamente cumprir uma ordem direta, Hitler enviou-lhe um telegrama, ordenando-lhe que passasse a Reichenau o comando do Grupo de Exércitos.

Semanas depois, Brauchitsch e Bock seriam também substituídos — e mais tarde também Leeb. Dos quatro, apenas Rundstedt voltou para casa em trem especial, com guarda de honra. Depois que Reichenau e o seu amigo íntimo no Partido Nazista, o general SS Josef Dietrich, que comandava a *Leibstandarte*, convenceram-no de que a única opção real fora uma retirada para a linha do Mius ou a perda de quatro divisões, Hitler desculpou-se com Rundstedt pelo "mal-entendido", desejou-lhe uma pronta recuperação e mandou-o embora com todas as honras.

No dia 17 de janeiro de 1942, em seguida à morte súbita de Reichenau, vitimado por um derrame cerebral, Hitler pediu a Rundstedt que o representasse nos funerais. No dia 10 de março, chamou novamente Rundstedt, que apenas 12 dias depois completaria 50 anos de serviço militar, ao seu quartel-general e nomeou-o para substituir o adoentado Witzleben como comandante-chefe, Oeste.

O quartel-general desse teatro de guerra continuava em St. Germain, que, em junho de 1941, tornara-se um comando do OKW, ao qual ficava diretamente subordinado. Em conseqüência, Rundstedt, como comandante do teatro de guerra e do Grupo de Exércitos D, passou, daí em diante, a tratar de assuntos operacionais com a Divisão de Operações do OKW, subordinada a Jodl, e não mais com o Estado-Maior do Exército — um fato um tanto irônico à luz de seus esforços anteriores para preservar a primazia do Estado-Maior do Exército. Por outro lado, uma vez que Hitler não dera a Keitel (o chefe titular do OKW) qualquer autoridade real de comando e se proclamara comandante-chefe do Exército, após a dispensa de Brauchitsch, o canal de comando pouco diferia do que teria sido se Rundstedt houvesse permanecido na Frente Oriental.

No Oeste, 1942 foi um ano de "alarmas e incursões". A entrada dos Estados Unidos na guerra e os apelos soviéticos para a abertura de uma "segunda frente" levaram Hitler a iniciar a construção da denominada "Muralha do Atlântico" e a ordenar um alto estado de prontidão e alerta constante na costa, da Holanda à fronteira espanhola. Ataques de comandos britânicos a St. Nazaire em março e a Dieppe em agosto aumentaram-lhe a ansiedade, embora eles fossem rápida e contundentemente repelidos. No dia 10 de novembro, dois dias depois do desembarque aliado ao norte da África, Hitler ordenou a Rundstedt que executasse a Operação *Anton*, ou ocupação da França de Vichy. A *Anton* acrescentou cerca de 560km de costa ao longo do Mediterrâneo às responsabilidades de Rundstedt, juntamente com a missão de manter relações amigáveis com o marechal Pétain, tarefa na qual o domínio do idioma francês e a capacidade de bancar o *grand seigneur* e o rude soldado tornaram-no notavelmente eficaz.

As ofensivas soviéticas de inverno e verão em 1943 exigiram também pesado tributo do oeste, que se transformou em um reservatório de efetivos para a Frente Oriental. Nos primeiros dez meses de 1943, 38 divisões (a maioria composta de apenas três regimentos) e quase meio milhão de soldados dirigiram-se para o leste. Rundstedt não recebera de má vontade essa ajuda à Frente Oriental, mas, finalmente, no dia 25 de outubro de 1943, enviou a Hitler uma estimativa geral de situação em que, fria e precisamente, descrevia seus próprios recursos e os dos Aliados ocidentais. Os Aliados, concluiu ele, possuíam forças suficientes, reunidas na Grã-Bretanha, para atacar quando quisessem e não deixariam passar muito tempo sem que assim agissem. Suas forças, por outro lado, haviam passado por um ano de declínio, em quantidade e qualidade. Suas 29 divisões de infantaria, muitas delas com apenas dois regimentos, estavam sendo obrigadas a usar soldados classificados para serviços limitados e elementos "turcos" (minorias soviéticas) e, das suas seis divisões *panzer* e motorizadas, nenhuma tivera treinamento completo e todas precisavam de pessoal e equipamento. Hitler respondeu uma semana depois, dando ao Oeste prioridade absoluta sobre a Frente Oriental em tropas e material de guerra até que a "batalha decisiva" contra uma invasão dos Aliados tivesse sido travada.[48]

A preocupação de Hitler era real e, em fins de novembro de 1943, ele trouxe da Itália o marechal-de-campo Erwin Rommel e o Grupo de Exércitos B (não o mesmo que em 1939-41) e determinou-lhes que inspecionassem as defesas da costa atlântica. Sem dúvida em grande parte para evitar que uma figura tão poderosa e ambiciosa andasse por toda parte em seu teatro de guerra, Rundstedt, em meados de janeiro de 1944, colocou Rommel no comando do Grupo de Exércitos B, responsável pela defesa da costa, desde a foz do rio Loire para o norte até a fronteira holandesa-alemã.[49]

A personalidade e o estilo de Rommel contrastavam com os de Rundstedt em quase tudo. Tendo justamente completado 51 anos de idade, era o mais jovem dos marechais-de-campo e não mantinha quaisquer laços com a velha tradição militar prussiana ou com o sistema de Estado-Maior Geral. Fora oficial de baixa patente na Primeira Guerra Mundial e, desde então, sempre estivera em comando de tropa ou treinamento. Vivia em movimento constante, liderando suas tropas a partir do campo de batalha. Mantinha um relacionamento mais franco com Hitler do que qualquer outro alto oficial, mas conservava-se também suficientemente próximo da crescente conspiração contra o ditador para ser considerado por seus membros como seu sucessor interino. Rundstedt, nessa ocasião com 69 anos de idade e sofrendo de problemas cardíacos e reumatismo, conservava-se mais do que antes em seu quartel-general. Seus contatos com Hitler eram poucos e formais. Desde a primeira reunião em dezembro, Rundstedt e Rommel divergiram também em suas idéias sobre a estratégia para enfrentar o esperado desembarque aliado.

A presença de Rommel na estrutura de comando do teatro de operações gerou uma controvérsia estratégica que, em alguns aspectos, lembrava a que surgira a respeito do Plano *Sichelschnitt*, em 1939-40. Em sua avaliação de outubro de 1943, Rundstedt propusera que a invasão fosse repelida nas praias, mas levara também em conta a possibilidade de que o inimigo pudesse, afinal de contas, firmar-se no terreno. A fim de enfrentar tal eventualidade, projetara manter uma reserva central de divisões *panzer*. Rommel alegou que a decisão só poderia ser conseguida à beira d'água e que todas as forças, incluindo as divisões *panzer*, deveriam estar presentes desde o primeiro momento, uma vez que a superioridade aérea dos Aliados impediria movimentos subseqüentes. As vantagens de cada uma dessas metodologias eram as desvantagens da outra. A estratégia de Rundstedt conservava juntas as divisões *panzer* e criava a possibilidade de derrotar o inimigo em uma batalha de blindados, depois de ter ele desembarcado — contanto que as reservas pudessem ser movimentadas. A de Rommel assegurava o emprego imediato de blindados, mas os dispersaria. Rundstedt possuía base mais forte na doutrina militar ortodoxa e, como comandante do teatro de operações, maior autoridade. Manteve-se, porém, distante da discussão, deixando a defesa de seus argumentos ao seu chefe de tropas *panzer*, o general Leo Geyr von Schweppenburg. Geyr, contudo, era dois postos menos graduado e infinitamente menos influente que Rommel, que tinha acesso direto a Hitler e não hesitava em usá-lo.

Em fins de abril de 1944, tendo estacionado dez divisões *panzer* no oeste, Hitler impôs uma solução conciliatória, pela qual apoiava Rommel na forma e Rundstedt em substância. Deu ao Grupo de Exércitos B de Rommel três divisões *panzer*, reuniu as forças ao sul do Loire como Grupo de Exércitos C, concedendo-lhes também três divisões *panzer*, e deixou as quatro restantes como reserva do teatro de guerra. Daí em diante, a questão não era apenas se a reserva poderia ser lançada em ação, mas se poderia também travar uma batalha *panzer* decisiva nessa eventualidade. Como mais um resultado da acomodação patrocinada por Hitler, Rundstedt não exercia mais comando direto em parte alguma. O próprio Hitler assumiu o controle da reserva *panzer* do teatro de guerra e as restantes 54 divisões foram postas sob as ordens de Rommel (35 divisões) e do comandante do Grupo de Exércitos G, general Johannes Blaskowitz. Em termos práticos, o comandante-chefe, Oeste, tornara-se virtualmente supérfluo, exceto como um conduto entre Hitler e os grupos de exércitos. Ou conforme disse Rundstedt mais tarde: "Minha única prerrogativa era de mudar a guarda de meu portão".[50]

Os desembarques dos Aliados na Normandia no Dia D, 6 de junho de 1944, criaram uma situação na qual nem a experiência de Rundstedt nem a de Rommel, nem a intuição de Hitler serviram bem à Alemanha. Todos os três esperavam outro desembarque, mais forte e mais perigoso, ao norte do rio Sena, no Pas de Calais, que ficava no caminho mais curto e fácil para o coração da Alemanha. Alimentado por essa burla dos Aliados, esse erro de cálculo persistiu até julho, turvando decisões e, provavelmente, fazendo mais do que as forças aéreas do inimigo para impedir que reforços chegassem à frente da Normandia, procedentes de outros setores. Em três semanas, os Aliados consolidaram a cabeça-de-ponte e expandiram-na na direção oeste, cruzando a península de Cotentin, e para leste no rumo de Caen. No dia 27 de junho, o 1º Exército dos Estados Unidos tomou Cherburgo. Essa sólida cabeça-de-ponte e a posse de um porto garantia a presença aliada permanente no continente europeu, estivesse ou não para ser feito outro desembarque. De acordo com todos os cálculos alemães anteriores, incluindo os do próprio Hitler, a guerra estava perdida.

Quando Hitler chamou Rommel e Rundstedt para uma conferência em seu retiro na Baviera, próximo a Berchtesgaden, no dia 30 de junho, Rundstedt tencionava dizer a Hitler que era tempo de terminar a guerra, mas não teve oportunidade.[51] Se ele realmente queria ou não uma oportunidade, é matéria de dúvida. Sabidamente, nas discussões preliminares à reunião ou em outra havida duas semanas antes, ocasiões em que haviam concordado que Hitler teria que ser informado da gravidade da situação, ele dissera a Rommel: "Você conhece e ama o povo. Faça isso você."[52] De qualquer modo, Hitler pronunciou um sermão sobre a necessidade de defender a linha em volta da cabeça-de-ponte, exatamente onde ela estava, custasse o que custasse, e não deu a nenhum dos dois marechais oportunidades de manifestar opinião. (A observação freqüentemente citada de Rundstedt falando ao telefone com Keitel — "Façam a paz, seus idiotas!" — tem origem em uma versão de seu chefe de Estado-Maior, Blumentritt, e é provavelmente apócrifa.)[53]

Rundstedt, contudo, de fato endossou e enviou a Hitler uma estimativa de situação, com a qual haviam concordado Rommel e o general SS Paul Hausser, que comandava o 7º Exército na Normandia. Redigida por Geyr, que comandava a reserva blindada na linha de frente, a estimativa considerava a manutenção da atual defesa estática como "uma colcha de retalhos tática inútil" e recomendava uma retirada na área de Caen, onde estavam imobilizadas as quatro divisões *panzer* de Geyr, a fim de libertá-las para um subseqüente contra-ataque.[54] No dia 1º de julho, Hitler resolveu destituir Geyr e Rundstedt. Comunicou o fato pelo telefone a Geyr e acusou-o de derrotismo. Com os seus marechais-de-campo, três dos quais demitira até então naquele ano, adotara uma abordagem menos direta, e o próprio Rundstedt forneceu um pretexto. Conversando com Keitel em Berchtesgaden, manifestara dúvidas sobre por quanto tempo mais poderia "atender às exigências" de seu cargo.[55] No dia 2 daquele mês, um ajudante-de-ordens levou a Rundstedt o Ramalhete de Folhas de Carvalho, para sua Cruz de Cavaleiro, e uma carta pessoal de Hitler, concedendo "com pesar" o "pedido de exoneração" e dizendo-lhe que o marechal-de-campo Günther von Kluge seria o seu substituto.[56] Em seu encontro de despedida com Rommel, Rundstedt disse que se sentia grato porque não estaria no comando durante a "próxima catástrofe" e que "nunca mais" aceitaria um comando.[57]

A nota à imprensa sobre a mudança insinuava que "motivos de saúde" impediriam que Rundstedt recebesse outro comando ativo, mas que o Führer esperava utilizá-lo em "missões especiais" no futuro.[58] Uma missão muito especial não demorou muito a ser encontrada. Após a tentativa fracassada de assassinar Hitler em julho de 1944, Rundstedt foi nomeado para presidir uma "corte de honra", cuja finalidade seria expulsar das Forças Armadas os oficiais implicados na conspiração e, dessa maneira, negar-lhes o direito a um conselho de guerra e a morrer como soldados ante um pelotão de fuzilamento. A corte de honra não poderia interrogar os acusados ou inquirir testemunhas e devia tomar sua decisão exclusivamente na base da prova apresentada pela Gestapo. Em quatro sessões de um dia inteiro de duração cada, nos meses de agosto e setembro, a corte julgou culpados 55 oficiais, incluindo um marechal-de-campo (Witzleben), 11 outros generais e 18 oficiais de Estado-Maior. Excetuados os nove que já haviam morrido, esses tornaram-se passíveis de enforcamento ou decapitação após humilhantes julgamentos em "cortes populares" nazistas. Disse Guderian que ele e vários outros membros da corte de honra, com o "apoio constante" de Rundstedt, tudo fizeram para salvar todos os que puderam, mas só tiveram êxito em alguns casos.[59] Rundstedt guardou silêncio sobre isso, como aliás sobre muitos outros assuntos.

A corte de honra, com toda probabilidade, teria que estudar os casos de dois outros marechais, Rommel e Kluge, se já não houvessem cometido suicídio. Da forma como ocorreu a coisa, a morte de Rommel por veneno, que ele mesmo tomou após a opção que lhe fora dada por Hitler, de suicídio e um funeral de honra, ou julgamento por alta traição, representou outra "missão especial" para Rundstedt — o de pronunciar o elogio no funeral de Rommel, como representante de Hitler. Em depoimento em Nuremberg, Rundstedt disse que não ouvira "boato" nenhum sobre a causa da morte de Rommel e que, se tivesse ouvido, teria se recusado a representar a Hitler, porque "isso teria sido uma infâmia indescritível".[60]

Enquanto a corte de honra trabalhava, fatos em outros locais estavam, mais uma vez, atraindo Rundstedt para participação ativa na guerra. Em meados de julho, depois de ter sido Rommel gravemente ferido em um ataque aéreo, Hitler acrescentara o comando direto do Grupo de Exércitos B às responsabilidades do comandante-chefe, Oeste. Quando, em meados de agosto, substituíra Kluge, o marechal-de-campo Model assumira ambos os cargos, mas, ao fim do mês, os Aliados já avançavam rapidamente na direção dos Países Baixos e à fronteira alemã e haviam desembarcado no sul da França. Model comunicou nessa ocasião que não podia mais responder pelos comandos do teatro de operações e o Grupo de Exércitos. Keitel recomendou que Rundstedt fosse reconduzido ao posto de comandante-chefe. Vários dias depois, Hitler convocou-o ao seu quartel-general. Segundo Keitel, quando se encontraram, Hitler disse: "Marechal-de-campo, eu gostaria de colocar novamente a Frente Ocidental em suas mãos", ao que Rundstedt teria respondido: "Meu Führer, o que quer que ordene, cumprirei até meu último alento."[61] No dia 5 de setembro, seu Estado-Maior deu-lhe as boas-vindas na volta ao quartel-general do teatro de operações, que nesse momento se encontrava em Arenberg, Alemanha, nas proximidades de Koblenz.

O que Hitler esperava conseguir reconduzindo Rundstedt era e continua a ser obscuro. Evidentemente, ele não queria confiar-lhe literalmente a

Frente Ocidental ou, uma vez que Model (que era uma personalidade tão obstinada como Rommel) permanecia no comando do Grupo de Exércitos B, dar-lhe mesmo tanta autoridade quanto Kluge e Model haviam exercido por algum tempo. Falou em termos muito elogiosos a Keitel sobre o "grande respeito" que Rundstedt despertava em todas as Forças Armadas, e esse pode ter sido o motivo determinante.[62] Com a frente de combate em pedaços e a estrutura de comando seriamente abalada, precisava de um símbolo de estabilidade e um elo com um passado mais brilhante, o que Rundstedt, o aparentemente infatigável "primeiro soldado do Reich", podia fornecer.

E um quase milagre de fato aconteceu. Tropas do 1º Exército dos Estados Unidos cruzaram a fronteira alemã no dia 11 de setembro, mas começava a parar a perseguição que os Aliados haviam iniciado do outro lado do rio Sena, na última semana de agosto. Em fins do mês, o Grupo de Exércitos B derrotou redondamente a Operação *Market Garden*, uma tentativa de tropas aerotransportadas aliadas de capturar as pontes sobre o Maas, o Waal, e o baixo Reno na Holanda. Em outubro de 1944, o avanço aliado parou em toda parte, do mar do Norte até os Alpes. O principal problema dos Aliados — exceto no caso da *Market Garden*, na qual Model mostrara por que fora conhecido na Frente Oriental como "o leão da defesa" — era que haviam ultrapassado suas linhas de suprimento.

A recuperação alemã teve o aspecto de uma vitória merecida — particularmente porque os comandos aliados não podiam revelar que haviam parado simplesmente por falta de vapor logístico — e a volta de Rundstedt foi considerada por ambos os lados como o elemento-chave na situação. Sob a manchete "Gerd von Rundstedt, o melhor general da Wehrmacht, assume a defesa ocidental da Alemanha", a mais lida de todas as revistas norte-americanas, *Life*, considerava-o "de longe, o maior dos mestres prussianos, que quase ganhou a guerra para Hitler, a última esperança alemã, e um inimigo mais mortal do que Rommel ou qualquer outro general nazista poderia ter sido".[63] Model, que realmente se podia considerar como general nazista, era, de longe, inimigo muito mais perigoso. Ele, como Manstein, possuía um virtuosismo no campo de batalha que Rundstedt não igualava e uma autoconfiança no trato com Hitler que o marechal não tinha, mas, para os Aliados, ele parecia ser um carreirista favorito de Hitler, com nada dos êxitos sólidos de Rundstedt. Conseqüentemente, no quartel-general do general Dwight D. Eisenhower, era Rundstedt "que sempre consideramos como o mais hábil dos generais alemães".[64]

A ofensiva de Ardennes, em fins de dezembro de 1944, tornou-se imediatamente a "ofensiva de Rundstedt". A surpresa total e a profunda penetração de 80km nas linhas do 1º Exército dos Estados Unidos pareciam trazer inconfundivelmente a marca registrada de Rundstedt. Em uma entrevista largamente divulgada, disse o marechal-de-campo sir Bernard Montgomery: "Eu pensava que Rommel era bom, mas minha opinião é que Rundstedt daria nele de dez a zero. Rundstedt é o melhor general alemão que até hoje enfrentei."[65] Na verdade, o plano da "ofensiva de Rundstedt" pertencia a Hitler e seu planejamento foi realizado exclusivamente pelo OKW, antes que Rundstedt e Model tivessem oportunidade de conhecê-lo. Ambos haviam acreditado que o objetivo proposto, Antuérpia, era inatingível, mas Rundstedt, como fizera antes com subordinados, deixara a argumentação principalmente a Model. De qualquer modo, foi o enfatuamento norte-americano e uma semana de mau tempo que mantiveram no chão as forças aéreas aliadas, e não a proficiência alemã, que deram à ofensiva o grau limitado de sucesso temporário que conseguiu.

A hábil defesa subseqüente da Renânia por Model atrasou a programação dos Aliados em quase dois meses, mas uma derrota rápida tornou-se inevitável quando, no dia 7 de março de 1945, a 9ª Divisão Blindada norte-americana capturou uma ponte sobre o Reno, em Remagen. No dia seguinte, Keitel alertou Rundstedt sobre uma possível mudança de comando e, no dia 11, Hitler disse ao ministro da Propaganda, Joseph Goebbels, que Rundstedt não estivera à altura do comando no oeste porque era velho demais e antiquado demais em sua visão de guerra. Não obstante, ele e Goebbels concordaram em que Rundstedt era um "oficial altamente respeitável" e que prestara grandes serviços à causa nazista, "principalmente na liquidação da conspiração de 20 de julho".[66] Naquela noite, Hitler recebeu-o na Chancelaria do Reich, concedeu-lhe as Espadas para sua Cruz de Cavaleiro, assumiu a responsabilidade pelo fracasso em Ardennes e disse-lhe que o marechal-de-campo Albert Kesselring fora nomeado comandante-chefe, Oeste.[67] Mais uma vez, a separação não era necessariamente irrevogável, mas os fatos logo depois a tornaram final.

Tropas norte-americanas capturaram Rundstedt em Bad Tölz, na Baviera, no dia 1º de maio e, depois de permitir que os correspondentes estrangeiros o entrevistassem, enviaram-no para a "Ashcan" ("Lata de lixo"), o centro de triagem dos suspeitos de crimes de guerra do mais alto nível, localizado em Spa, Bélgica, onde ele foi um dos primeiros a chegar. Aos correspondentes de guerra, ele pareceu frágil e um tanto belicoso, garantindo-lhes que, se não estivesse em um hospital, recuperando-se de um ataque cardíaco, não teria se rendido sem luta, porque fazer isso teria sido "desprezível e vergonhoso". Declarou também que teria derrotado a invasão nas praias, se os Aliados não possuíssem esmagadora superioridade aérea e ele não houvesse sofrido uma desesperada falta de combustível.[68]

Depois que conseguiu provar — facilmente, embora com certa diminuição de sua estatura profissional — que não estivera no centro do planejamento de guerra alemão ou, como se suspeitara, que fosse o espírito orientador do Estado-Maior Geral ou o poder por trás de Hitler, Rundstedt foi riscado da lista dos grandes criminosos de guerra que deviam ser julgados pelo tribunal militar internacional de Nuremberg. Não obstante, crimes de guerra menores, mas igualmente graves em suas conseqüências pessoais potenciais, mantiveram-no na prisão, passível de julgamento, durante quatro anos. Suas reações às ordens de Hitler sobre o tratamento a ser dado aos comissários soviéticos e aos civis, e à execução de judeus, foram consideradas, na melhor das hipóteses, como covardia. E sua velha *bête-noire* e ex-subordinado no Grupo de Exércitos Sul, Reichenau, acrescentara detalhes às ordens de Hitler, pelo menos uma das quais o Grupo de Exércitos fizera circular como modelo que devia ser adotado pelos demais comandos.

Depois de sua libertação em maio de 1949, de um período de detenção que, no todo, não fora dos piores, Rundstedt instalou-se em Celle, na zona britânica ocupada na Alemanha, onde faleceu no dia 24 de fevereiro de 1953. Um pequeno grupo de oficiais, usando fraque e cartola e alguns veteranos da Primeira Guerra Mundial, conduzindo um estandarte da cavalaria, seguiram o caixão até a sepultura. O sacerdote que presidiu à cerimônia falou da "conduta singela e nobre caráter" do morto e disse aos pranteadores que eles estavam presenciando "o enterro do último grande prussiano".[69]

A convenção militar que atribui crédito pelas realizações de uma força a seu comandante manterá em lugar de destaque o nome de Rundstedt na história da Segunda Guerra Mundial, mas ele não assumirá um lugar entre os prussianos realmente grandes. Um Yorck von Wartenburg ele certamente não foi, nem mesmo um Mackensen para o Seeckt de Manstein. Também não foi uma figura trágica verossímil, esmagada, como se alegou, em uma luta entre o dever e a consciência e um sistema implacavelmente mau. O dever e o serviço à nação foram para ele, com uma freqüência excessiva demais, um meio de furtar-se à responsabilidade moral e profissional, e como "primeiro soldado" do Reich e guardião dos princípios do Estado-Maior Geral prussiano da velha escola, seu desempenho aproximou-se do caricatural. Von Moltke, o Velho, advertiu aos oficiais do Estado-Maior Geral para que "sejam mais do que parecem". Gerd von Rundstedt pareceu ser mais do que era.

Dados cronológicos | Gerd von Rundstedt

1875, 12 dez	Nascimento
1892, 22 mar	Ingressa no serviço ativo
1893, 17 jun	Tenente
1896, 1º out	Ajudante de batalhão, 83º Real Regimento de Infantaria Prussiano
1900, 22 mar	Ajudante de regimento, 83º Real Regimento de Infantaria Prussiano
1902, 12 set	Primeiro-tenente
1902, 1º out	Aceito na Academia de Guerra
1907, 1º abr	Adido ao Estado-Maior Geral
1907, 24 mar	Capitão
1910, 1º out	Oficial de Estado-Maior, 11º Corpo
1912, 13 set	Comandante de companhia, 171º Regimento de Infantaria
1914, 1º ago	Oficial de operações, 22ª Divisão da Reserva
1914, 28 nov	Major
1914-15	Governo geral, Bruxelas
1915	Chefe de divisão de Estado-Maior, 12º Exército
1915-16	Governo geral, Varsóvia
1916-17	Chefe de Estado-Maior de corpo de exército, Grupo de Exércitos do grão-duque Karl
1917-18	Chefe de Estado-Maior, 53º Corpo
1918	Chefe de Estado-Maior, 15º Corpo
1920, 1º out	Tenente-coronel
1920, 1º out	Chefe de Estado-Maior, 3ª Divisão de Cavalaria
1923, 1º fev	Coronel
1923, 1º out	Chefe de Estado-Maior, 2ª Divisão de Infantaria
1921, 1º mar	Comandante 18º Regimento de Infantaria
1926, 1º out	Chefe de Estado-Maior, Comando de Grupo II
1927, 1º nov	Major-general
1928, 1º nov	Comandante, 2ª Divisão de Cavalaria
1929, 1º mar	Tenente-general
1932, 1º jan	Comandante do *Wehrkreis III* e 3ª Divisão de Infantaria
1932, 1º out	Comandante-chefe, Grupo de Comando I

1932, 1º out	General de infantaria
1938, 1º mar	Coronel-general
1938, 26 set	Comandante-chefe, 2º Exército e Comando do Grupo I
1938, 1º out	Reforma
1938, 1º nov	Coronel-chefe, 18º Regimento de Infantaria
1939, 23 ago	Comandante-chefe, Grupo de Exércitos Sul
1939, 1º out	Comandante-chefe, Leste
1939, 30 out	Comandante-chefe, Grupo de Exércitos A
1940, 19 jul	Marechal-de-campo
1940, 26 out	Comandante-chefe, Oeste
1941, 1º abr	Comandante-chefe, Grupo de Exércitos Sul
1941, 1º dez	Transferido para a reserva de comando
1942, 10 mar	Comandante-chefe, Oeste, e Grupo de Exércitos D
1944, 3 jul	Transferido para a reserva de comando
1944, 4 set	Comandante-chefe, Oeste
1945, 11 mar	Transferido para a reserva de comando
1945, 1º mai	Prisioneiro de guerra
1949, mai	Liberado do status de prisioneiro de guerra
1953, 24 fev	Falecimento

Reichenau | 8

Marechal-de-campo Walther von Reichenau

Walter Görlitz

Em 1914, o ano em que estourou a Primeira Guerra Mundial, uma revista satírica alemã publicou uma caricatura mostrando um oficial prussiano a cavalo, saltando obstáculos, de bermudas e colete, com esporas nos sapatos de tênis e armado com um gigantesco monóculo. O retratado era o tenente von Reichenau, do 1º Regimento de Artilharia de Campanha dos Guardas. Acompanhado de Carl Diem, o fundador do atletismo alemão, e de dois outros especialistas, ele visitara os EUA no ano anterior, como preparação para as Olimpíadas marcadas para 1916. Os norte-americanos chamavam-nos de "A Comissão Olímpica Alemã". O tenente prussiano, que já há muito tempo era membro da equipe de oficiais do Sports Club de Berlim, ficou muito impressionado com os norte-americanos; achou que eles possuíam muita prática, fé no futuro e senso de realismo. O pequeno corpo de oficiais dos Estados Unidos tratava o esporte como coisa normal. Para um oficial dos guardas prussianos, porém, esportes modernos, como futebol e esportes de pista, eram assuntos inteiramente diferentes. O "chique" eram os esportes eqüestres e o tênis, este último um favorito muito especial do tenente von Reichenau. O bom oficial tinha que ser bom de sela e de espada, e competente atirador de pistola. Tudo o mais era de mau gosto. A caça, que von Reichenau também apreciava, era aceitável, mas cavalos, como tais, não o interessavam. Não constituía grande consolo para ele que os jovens príncipes Friedrich Sigismund e Friedrich Carl, da Prússia, de ascendência real, também compartilhassem de seu entusiasmo pelo esporte e que o príncipe-herdeiro Wilhelm jogasse futebol. A aristocracia ortodoxa prussiana, de qualquer maneira, era de opinião de que os Hohenzollern estavam flertando abertamente demais com os tempos modernos.

Todos esses fatos eram indicações de uma carreira incomum, cheia de reviravoltas completas e que estava destinada a chegar a um fim abrupto e prematuro.

Walther von Reichenau nasceu no dia 8 de outubro de 1884 em Karlsruhe, filho de um tenente-general e de uma moça de família de classe média, originária de Münster. Por serviços militares, sua família fora elevada à nobreza pelos duques de Nassau, que haviam sido depostos por Bismarck em 1866. Os von Reichenau, por conseguinte, nem tinham propriedades nem tradições especificamente prussianas. Não obstante, a carreira de oficial era tradicional na família. Em 1903, Walther von Reichenau ingressou no 1º Regimento de Artilharia de Guarda como oficial-cadete. Em 1904, tornou-se segundo-tenente.

Seu pai pediu exoneração do serviço e, como especialista em balística, passou a trabalhar na diretoria da Erhardt, a então conhecida fábrica de armas de Düsseldorf, uma concorrente da Messrs Krupp, de Essen. Em 1908, solicitou e obteve licença para acompanhar o pai em uma viagem de negócios à América do Sul. O governo argentino estava muito interessado em modernos armamentos alemães. Essa viagem constituiu uma experiência incomum para o jovem oficial prussiano. Mais tarde, ele enfatizaria repetidas vezes como era vital para o oficial ambicioso possuir conhecimentos sobre o mundo externo e domínio de línguas estrangeiras. Ele mesmo falava excelente inglês, o que lhe serviu muito durante sua viagem em 1913 aos Estados Unidos. Como resultado dessas viagens e da paixão pelos esportes, permaneceu um estranho no Exército. Alguns notáveis *bons mots* de sua autoria foram preservados de seu tempo como segundo-tenente antes da Primeira Guerra Mundial. Durante uma discussão com um colega, este observou: "Tudo o que você diz, Reichenau, é inteiramente antimilitar." Reichenau respondeu: "Talvez, mas isso é a essência do que um oficial deve ser." Com essas palavras, ele traçou uma linha divisória entre o "militarismo" da era guilhermina, na qual o comportamento militar invadia a vida social civil, e o verdadeiro espírito do soldado. Quando novos convocados eram incorporados, a velha piada do Exército dizia: "Vocês chegam aqui como civis e sairão como seres humanos!" Reichenau argumentava de maneira diferente: não se devia nunca dizer a esses jovens "vocês não sabem de nada, não podem fazer nada", mas, sim, estimulá-los, dizer-lhes que já sabiam de um bocado de coisas, que eram capazes, mas que aprenderiam mais e se tornariam bons soldados. Ele sempre manteve seu amor pela tropa, mesmo como marechal-de-campo.

A Primeira Guerra Mundial pôs fim às provas esportivas e aos planos para as Olimpíadas. Reichenau fora cedido à Academia de Guerra quando do irrompimento da guerra, em agosto de 1914. Como ajudante de regimento, seguiu para a frente de batalha com o 1º Regimento de Artilharia de Campanha de Reserva da Guarda, foi transferido para o Estado-Maior Geral devido a seus talentos extraordinariamente variados e serviu em todas as frentes, no leste e no oeste. Sua dedicação à carreira de oficial em nada sofreu com a revolução de 1918. Ingressou na defesa da fronteira da Alta Silésia, como 1º oficial do Estado-Maior da 7ª Divisão de Fuzileiros Montados, uma formação de voluntários do novo exército provisório. A recriada República da Polônia emitira sinais de querer apropriar-se dessa área industrial vital, que contava com uma considerável minoria polonesa. Nessa região, na virada do ano de 1918, no castelo de Milisch, ele conheceu a condessa Alexandrine von Maltzen, de 24 anos de idade, filha do conde Andreas von Maltzen, senhor da mansão de Milisch e de três propriedades contíguas — um magnata latifundiário silesiano. Casaram-se em 3 de abril de 1919. Para o então capitão de Estado-Maior von Reichenau, um oficial da pequena aristocracia, o casamento na nobreza silesiana equivalia quase a ser elevado a uma classe mais alta. Reichenau era um "galanteador", como diz o ditado. Mais tarde, em Paris no ano de 1940, a famosa *chansonnier* Lucienne Boyer chamou-o de "*le plus charmant des maréchaux allemands*". Mas não há razão para supor que seu casamento não tenha sido feliz.

A despeito de algumas críticas, era conclusão antecipada que esse oficial de Estado-Maior altamente talentoso, com interesses tão variados, seria aceito na nova *Reichswehr*. Em 1920, Reichenau, com a patente de coronel, fora promovido a chefe do Estado-Maior do *Wehrkreis I* na Prússia Oriental, juntamente com o general von Blomberg, o novo comandante da 1ª Divisão. Blomberg era nessa ocasião considerado como "muito capaz", ao passo que Reichenau permanecia como um "estranho" muito pitoresco. Não era segredo que o chefe do *Ministeramt* (o gabinete do ministro do Ministério da Guerra), general von Schleicher, não gostava de Blomberg. Se Blomberg fosse mandado para a distante Prússia Oriental, que era geográfica e politicamente separada do resto do Reich, e Reichenau o seguisse como chefe de Estado-Maior, seria possível livrar-se, de uma única vez, de dois tipos impopulares. É fato sabido que Reichenau também não morria de amores por Schleicher.

O ponto decisivo em sua carreira e vida ocorreu em 1932, depois de Blomberg ter sido enviado para Genebra como chefe da delegação alemã à conferência de desarmamento, e Reichenau teve que substituí-lo no *Wehrkreis*. Quando, no outono de 1932, Hitler chegou de avião a Danzig, a fim de fazer um discurso de campanha no pavilhão de exposições de Königsberg, Reichenau pediu à esposa que fosse escutar esse homem, que estava ganhando notoriedade cada vez maior, uma vez que oficiais da ativa como ele eram proibidos de comparecer a reuniões políticas, dado o caráter apolítico da *Reichswehr*. Frau von Reichenau ouviu o discurso de Hitler e, em suas próprias palavras, ficou "impressionada". Na mesma tarde, os Reichenau, juntamente com Hitler, foram convidados para um chá pelo pastor do *Wehrkreis*. O pastor (mais tarde "Bispo do Reich" da Igreja Evangélica leal ao regime nazista) era um nacional-socialista entusiástico. Essa era a primeira vez em que Hitler encontrava-se com um oficial de alta patente da *Reichswehr*. Iniciou um de seus habituais monólogos sobre o rearmamento, que ele, como chanceler, iniciaria. Reichenau perguntou: "Quem o senhor nomearia para fazer isso?" Hitler respondeu imediatamente: "Schleicher!" (Schleicher era nessa ocasião ministro da Defesa no Gabinete Papen.) Hitler estava até mesmo falando a verdade nesse momento, uma vez que Schleicher (que a jovem Frau von Hindenburg, enteada do idoso presidente da República e marechal, chamava de "Fouché") estava mantendo secretamente contato com o Partido Nacional-Socialista, embora a ele, por seu lado, não agradasse a possibilidade de Hitler tornar-se chanceler.

Hitler achou que havia "convencido" Reichenau, como costumava dizer, de que ele era "o homem". Ele, Reichenau, de fato formou a convicção de que Hitler podia ser o homem capaz de tirar a Alemanha de seu estado de calamidade. Precisou de sete anos para mudar de idéia. Não obstante, era um homem tão senhor de si mesmo que podia modificar implacavelmente suas próprias idéias.

Há várias versões da história seguinte: Reichenau, nos dias que precederam imediatamente a subida de Hitler ao poder, estivera supostamente no Ministério da Defesa, ou mesmo na antecâmara do próprio presidente, depois de este ter proibido terminantemente aos generais que manifestassem suas objeções ao Gabinete de Hitler ou, na verdade, a um Gabinete de oposição dirigido por Papen. Segundo depoimento de Frau von Reichenau, contudo, ele nunca esteve em Berlim nessa época, permanecendo em seu posto em Königsberg. As visitas a Berlim eram muito difíceis de organizar devido à sobrecarga de trabalho. O coronel von Reichenau aparentemente teria dito aos generais que protestavam contra um Gabinete de Hitler, bem como contra um Gabinete Papen contra Hitler: "Na verdade, os generais deviam nesse momento era prender o marechal-de-campo [Hindenburg]!" Qualquer que seja a verdade, esta continua a ser uma "história". Esse comportamento sarcástico, cínico, não se coadunava absolutamente com Reichenau. "Histórias" semelhantes, porém, seriam fabricadas a seu respeito durante toda a sua carreira, começando com o boato de que era um "nazista", continuando com histórias picantes sobre suas aventuras extramatrimoniais e terminando com mordazes referências de colegas generais ao "general do esporte".

No dia 30 de janeiro de 1933, no dia em que Hitler tornou-se chanceler, o comandante do *Wehrkreis* de Reichenau, Blomberg, foi nomeado ministro da Defesa a pedido do presidente. Imediatamente, Blomberg nomeou seu chefe de Estado-Maior como chefe do *Ministeramt* (Gabinete Ministerial), que nesse momento, contudo, passara a chamar-se *Wehrmachtamt*. O ex-chefe, coronel von Bredow, amigo pessoal de Schleicher, foi honrosamente reformado no posto de major-general. O chefe do *Wehrmachtamt*, nesse momento promovido também a major-general, logo depois ascenderia a um posto mais alto. No dia 1º de fevereiro de 1934, o chefe do alto comando do Exército, general barão von Hammerstein-Equord, o último colega do ex-chanceler e ministro da Defesa Schleicher, pediu reforma. Hitler, imediatamente, sugeriu Reichenau, que o impressionara na conversa que haviam tido em Königsberg, como seu sucessor. O presidente von Hindenburg, ainda comandante-chefe do Exército, opôs-se violentamente, alegando que Reichenau era jovem demais, superficial demais, "volúvel" demais. Não se sabe bem a que se referia essa última palavra: às atividades esportivas ou aos casos amorosos de Reichenau?

Ao tempo de suas nomeações, Reichenau e seu ministro tiveram que enfrentar imediatamente o problema do exército particular de Hitler no Partido Nazista, a SA, e alguns de seus vis chefes de grupo em Berlim-Brandenburgo, Pomerânia e Silésia — Karl Ernst, Hans Peter von Heydebreck e Edmund Heines. A declaração de que, acima de tudo, os "camisas-pardas" tinham que ser disciplinados, é atribuída a Reichenau. O chefe do Estado-Maior da SA, capitão Röhm, e seus colegas alimentavam idéias malucas sobre a SA "engolir" a *Reichswehr* e mandar embora os generais "reacionários". Durante longo tempo, contudo, tanto quanto Blomberg e Reichenau podiam julgar, permaneceu incerto o que Hitler iria fazer. Ambos abominavam o pensamento de um confronto sanguinolento entre a *Reichswehr* e a SA. Afinal de contas, a SA possuía nesse momento efetivos de dois milhões de homens e representava, assim, um potencial de voluntários que não podia ser ignorado, quando, esperava-se, fosse restabelecido o serviço militar obrigatório.

Na primavera de 1934, após hesitar durante muito tempo, Hitler decidiu-se em favor da *Reichswehr* contra a liderança da SA. Reichenau nunca comentou essa demorada indecisão, durante a qual pode ter usado sua influência pessoal sobre Hitler. Nem sabemos se ele aprovou ou desaprovou as decisões tomadas, os assassinatos sangrentos que a SS recebeu ordens de executar e que foram cometidos nos dias 30 de junho e 1º de julho de 1934, sob o pretexto de que Röhm estava planejando um *coup d'état*. Tampouco sabemos se Reichenau tomou absolutamente conhecimento desses crimes, abafados, à parte os assassinatos de Schleicher e von Bredow.

Em uma entrevista concedida a Stanislas de la Rochefoucauld, correspondente do *Petit Journal* de Paris, em agosto de 1934, Reichenau citou Hitler: "A *Reichswehr* pode confiar tanto em mim quanto eu confio na *Reichswehr*." Seus comentários sobre o "golpe de Röhm" foram: tornara-se óbvio que a SA não era mais um corpo militar, mas político. A isso seguiu-se uma observação forçada sobre os assassinatos de Schleicher e Bredow: a morte de ambos fora muito contristadora para os generais, mas, durante algum tempo, Schleicher dera a impressão de que não era realmente mais um soldado. E Bredow? Reichenau não respondeu. Em seguida, a entrevista passou ao tópico inevitável do rearmamento. Reichenau respondeu diplomaticamente, dizendo que, claro, eles — os alemães — eram a favor do desarmamento, mas apenas na base de direitos iguais. Ele mesmo estava surpreso de que Paris não compreendesse que uma Alemanha armada nessa base representava a garantia máxima da segurança da França e libertaria Paris de seu pesadelo de "*sécurité*". O general, qualificado em negociações esportivas internacionais, mostrou que era um diplomata escolado. Stanislas de la Rochefoucauld, porém, não confiou nele!

Os fatos de 30 de junho de 1934 produziram um efeito duradouro sobre Reichenau. Despertaram nele uma profunda antipatia pelo líder da SS, Heinrich Himmler, pelo chefe do Serviço de Segurança da SS (SD), Heydrich, e pelos demais responsáveis pelo fuzilamento. Ao tempo em que era o general comandante em Munique, evitava ostensivamente contato com o líder da SS, que freqüentemente passava tempos na cidade. Em certa ocasião, não teve como deixar de aceitar um convite de Himmler para uma visita à sua propriedade em Tegersee. Não obstante, nenhuma unidade SS foi agregada ao 6º Exército, que ele comandou na Bélgica, França, e Rússia.

Quando, em março de 1935, Hitler aboliu unilateralmente as restrições do Tratado de Versalhes, a carreira de Reichenau decolou. Tornou-se general comandante do 7º Corpo de Exército, com quartel-general em Munique, e, em seguida à crise Blomberg-Fritsch em 4 de fevereiro de 1938, comandante-chefe do Grupo de Exércitos 4, com sede em Leipzig. Durante a crise, Hitler propusera seu nome como novo comandante-chefe do Exército, em substituição a Fritsch. O mais recente confidente de Hitler no *Oberkommando der Wehrmacht* (OKW), general Keitel, bem como o resto dos generais, protestaram violentamente. Por unanimidade, rejeitaram o "general dos esportes", de quem também secretamente desconfiavam de estar planejando a reestruturação das forças. Este foi um caso de coragem mal colocada e de objeções contra o homem certo, o que realmente traçara planos para reforma do Exército precisamente por causa de sua experiência em eventos esportivos de equipe.

A paixão de Reichenau pelos esportes trouxe-lhe outros triunfos. Foi naturalmente encarregado dos preparativos para as Olimpíadas de Berlim, em 1936. Coube-lhe a idéia de criar a "Aldeia Olímpica", em Jüterborg, nas proximidades de Berlim. Ele mesmo não pôde participar dos Jogos porque, em maio de 1936, foi enviado para uma estada de vários meses na China, em uma viagem cujos objetivos permanecem sem explicação. Desde a década de 20, o chefe do Kuomintang, Chiang Kai-shek, tivera a ajuda de um grupo de assessores alemães, oficiais altamente qualificados, o que provocava uma fúria silenciosa em Berlim, onde todos os oficiais treinados eram, nesse momento, necessários para a expansão do Exército alemão, e uma fúria declarada em Tóquio, uma vez que o Japão conquistara a Mandchúria e podia muito bem passar sem um exército nacional chinês com assessoramento de alemães. Presumivelmente, Reichenau foi enviado à China para resolver esses problemas. Conforme sabemos, não teve sucesso. Em vez disso, no início de fevereiro de 1938, o maior tributo que um esportista pode desejar lhe foi prestado. Por sugestão do presidente da Comissão Olímpica Internacional, conde Baillet-Latour, ele tornou-se o membro alemão da Comissão.

Na campanha polonesa, que Hitler iniciou no dia 1º de setembro de 1939 sem declaração oficial de guerra, o general de artilharia von Reichenau foi encarregado do comando do 10º Exército. Esse exército dispunha, nesse momento, de certo número de divisões *panzer* e motorizadas e esperava-se que ele possuísse suficiente habilidade para comandar, por comunicação de rádio, essas unidades no campo de batalha. O 1º Exército era subordinado ao Grupo de Exércitos Sul, sob o comando do coronel-general von Rundstedt. O "general dos esportes" escolheu uma coletânea da mais bela poesia alemã, um pequeno volume lançado pela Editora Insel, para sustentá-lo espiritualmente no campo de batalha. Poucas pessoas sabiam que ele apreciava tanto a literatura alemã e a música clássica, mas, infelizmente, seu estilo de vida febril não lhe dava muito tempo para isso.

Na campanha-relâmpago contra a Polônia, o exército de Reichenau conseguiu efetuar o planejado ataque contra Varsóvia, cruzando o Vístula. O comandante do exército teve um ato de *bravura* que, em termos militares, era desnecessário. A fim de estabelecer contato com uma unidade avançada, ele mesmo cruzou a nado o rio, depois do que sofreu um primeiro leve ataque de tonteira. Nesse momento, contava quase 55 anos de idade. Sua aparência atlética era elogiada na propaganda nacional-socialista, em todas as ocasiões em que eram publicadas notícias a seu respeito. Estaria começando a lhe faltar a destreza física? Seu pai falecera relativamente jovem de derrame cerebral enquanto passeava em uma rua de Düsseldorf.

Pior ainda, conheceu o lado negro das operações militares hitleristas que, no lado alemão, deu à guerra uma máscara bifronte. O SS *Leibstandarte*

Adolf Hitler, um regimento motorizado, montou um massacre selvagem de judeus em Radom, sob a liderança, logo de quem, seu diretor de música! Centenas de homens, mulheres e crianças foram massacradas. Reichenau ficou indignado, ordenou um inquérito militar para apurar esses crimes e escreveu a Hitler, dizendo-lhe que não queria mais ver essa unidade incorporada a seu exército. Outros generais tentaram igualmente impedir esses *pogroms* na Polônia. Himmler reagiu, convencendo Hitler a conceder uma jurisdição independente a toda a SS. Os generais perderam a luta contra esses assassinatos.

Promovido a coronel-general, Reichenau e seu exército, nesse momento renumerado como 6º Exército, foram despachados para a Frente Ocidental. Depois da vitória surpreendentemente rápida sobre a Polônia e a divisão do país entre ele e Stálin, Hitler queria "resolver" a situação no oeste com um devastador golpe contra a França e a Inglaterra, envolvendo também as neutras Bélgica e Holanda. Queria que a ofensiva fosse lançada no outono de 1939. O alto comando do Exército — o coronel-general von Brauchitsch e o chefe do Estado-Maior Geral, general Halder —, que havia estabelecido quartel-general em Zossen, nas proximidades de Berlim, tentou retardar a ofensiva no oeste, e não apenas por causa do mau tempo, e conseguiu sucesso final. Disto resultou, em novembro de 1939, um estado de tensão entre Hitler e os generais, que durou várias semanas, durante o qual o Führer referia-se desdenhosamente ao "espírito de Zossen".

Tanto quanto pôde, Reichenau manteve contato pessoal com Hitler, ao mesmo tempo evitando contatos com Brauchitsch e Halder em Zossen. Agiu deliberadamente por conta própria e tentou, em novembro de 1939, em um encontro privado com Hitler, dissuadi-lo da ofensiva no oeste. Esperava ainda que pudesse haver uma paz negociada com as democracias ocidentais. Seu próprio 6º Exército estava programado para invadir a Bélgica neutra nos termos do *Fall Gelb* ("Plano Amarelo"). Reichenau achava isso "inteiramente criminoso", porquanto tivera contatos internacionais suficientes para compreender como o mundo reagiria a tal ato. A "grande guerra" no oeste não começara ainda. De qualquer modo, dever-se-ia deixar que o inimigo fizesse o primeiro movimento no tocante a essa grande ofensiva. Os alemães tinham que se conter e esperar. Parecia inteiramente claro que o inimigo avançaria através da Bélgica, a fim de lançar uma ofensiva contra a área industrial do Ruhr.

Hitler tomava grandes decisões apenas com grande dificuldade e após interminável hesitação, mas, uma vez decidido, elas se tornavam sua "vontade inalterável", como ele mesmo as descrevia. Por conseguinte, não deu ouvidos aos protestos de Reichenau de que a Alemanha perderia a Segunda Guerra Mundial, como perdera a Primeira. Achava Hitler que a Primeira

Guerra Mundial fora perdida apenas por causa da "punhalada nas costas" desfechada pelos "criminosos de novembro", principalmente os judeus, e não por fraqueza militar. Em suma, Reichenau, que durante anos acreditara que Hitler era um grande estadista, compreendeu nesse momento que ele, de fato, era um homem obcecado e que não podia haver uma discussão racional com ele, ainda mais porque ele não estava disposto a tolerar nenhum outro ponto de vista. Se, contudo, isso servia de consolo, ele, Reichenau, fizera tudo o que estava a seu alcance.

Em seguida, para seu total estarrecimento, ocorreu a surpreendentemente rápida e total vitória no oeste sobre a Holanda, Bélgica e França em maio e junho de 1940. Coroando sua carreira militar, ele aceitou pessoalmente, no dia 28 de maio, a capitulação do rei Leopoldo III da Bélgica e de seu exército. Mas, quando a paz não se seguiu à vitória, Reichenau, com sua inteligência superior, deve ter-se perguntado, novamente, se não poderia ter-se enganado em seu julgamento anterior sobre Hitler.

Em julho de 1940, juntamente com outros comandantes de exército, foi promovido a marechal-de-campo e recebeu um dote em dinheiro. Com essa soma, adquiriu uma fazenda no distrito de Torgau, na Saxônia (que, claro, perderia novamente em 1945). Pouco depois, voltou seu justificado ceticismo sobre a liderança de Hitler, quando este anunciou o plano de invadir a União Soviética, mas também constituía um enorme risco. Não obstante, ele não era mais um homem sadio, algo que não reconhecia nem para si mesmo, quanto mais para estranhos. No inverno de 1941, enquanto se encontrava de férias em Berlim, durante um jantar no "Horcher", ao qual esteve presente seu único filho, segundo-tenente Friedrich Karl von Reichenau, sofreu um ligeiro derrame cerebral. Não obstante, recuperou-se com grande rapidez.

Na qualidade de comandante do 6º Exército, participou do planejamento da campanha soviética no Grupo de Exércitos Sul, sob as ordens do marechal-de-campo von Rundstedt. Sua atitude foi característica. Diante de um enorme mapa do império soviético, instruiu em palavras curtas e precisas, como era seu costume, seus comandantes de corpos e divisões sobre a distribuição de cada um no terreno. Em seguida, apontando para o mapa, disse: "O Führer acredita que esta campanha terminará no outono" — uma pausa e um frio olhar através do monóculo: "Tomara que o Führer tenha razão." Outra pausa: "Obrigado, cavalheiros."

Antes da invasão da URSS, adoeceu com flebite e trombose severa. Durante o avanço pela Ucrânia, porém, parecia mais uma vez ser o "homem enrijecido pelo esporte" da propaganda. Para desespero de seu chefe de Estado-Maior, general Helm, e de seus oficiais, entrou pessoalmente em combate em situações difíceis, como na primeira batalha pela captura de Kharkov, a fim de inspirar a hesitante infantaria. Em meio a essa violenta luta, o lado negro da guerra emparelhou-se novamente com ele. Por ordem de Hitler, forças-tarefa SD (*Sicherheitdienst* — Serviço de Segurança SS) foram alocadas aos exércitos. Eles eram diretamente responsáveis perante o líder da SS, Heinrich Himmler, e sua principal missão consistia no extermínio dos judeus do leste. Os exércitos, embora não pudessem lhes impedir as "ações", deviam fornecer-lhes alimentação e alojamento. No dia 20 de agosto de 1941, a Força-Tarefa IVa, alocada ao 6º Exército, assassinou 90 judeus em Belaya Tserkov, entre eles mulheres e crianças. Isso, naturalmente, aconteceu sem conhecimento do marechal-de-campo, de modo que, depois de ter sido o crime cometido, ele nada mais pôde fazer do que chamar o comandante da força-tarefa e lhe dizer secamente que não queria que tais atos fossem praticados às costas do Exército. O comandante da força-tarefa recebeu friamente a repreensão: o marechal não tinha autoridade para lhe dar ordens e, de qualquer maneira, ele não passava de um "reacionário aristocrático".

Na segunda quinzena de setembro de 1941, o 6º Exército de Reichenau tomou Kiev, capital da Ucrânia. Ele nomeou um comandante para a cidade que, enquanto se instalava no antigo quartel-general da KGB, subiu pelos ares numa explosão, com todo o edifício. Os russos tinham o hábito de colocar bombas-relógio em prédios importantes, antes de suas tropas abandoná-los. Reichenau ficou particularmente amargurado com esse ato vil e com o fato de que os russos, em 1941-42, haviam assassinado prisioneiros e feridos imediatamente depois de serem capturados. Em conseqüência, foi um dos defensores das ordens "duras" baixadas em outubro de 1941, determinando que as tropas se mantivessem distantes da população civil russa.

O Grupo de Exércitos Sul devia não só conquistar a área industrial do Donetz, mas também os campos petrolíferos do Cáucaso. Em fins de novembro de 1941, tornou-se óbvio que as tropas avançadas haviam parado. O marechal-de-campo von Rundstedt foi substituído. Reichenau, embora conservando o comando direto do 6º Exército, tornou-se comandante-chefe Sul em dezembro de 1941. Imediatamente, tomou a única medida lógica e necessária, ordenando uma retirada para a linha do rio Mius. Em seguida, pegou o telefone e pediu que o pusessem em contato com o quartel-general do Führer, na distante Prússia Oriental. Comunicou ao Führer, sem rebuços, que, por iniciativa própria, dera ordem ao grupo de exércitos para que se retirasse para o rio Mius. Hitler nunca se acostumara a ser tomado de surpresa. Quem se arriscaria a isso? Este, porém, foi o último, mas bem-sucedido *coup de main* de Reichenau.

Pouco depois, as tropas russas que estavam diante de Moscou lançaram a contra-ofensiva de inverno contra as unidades inteiramente superesticadas do Grupo de Exércitos Centro. No dia 19 de dezembro de 1941, o comandante-chefe do Exército, marechal-de-campo von Brauchitsch, exonerou-se devido a grave problema cardíaco. Durante as discussões sobre seu sucessor, o nome de Reichenau foi mais uma vez mencionado. Hitler recusou-o imediatamente. Ele sabia, nesse instante, que aquele homem, que considerara "leal" durante tanto tempo, era na realidade um soldado inteiramente independente e politicamente perspicaz. Nesse momento, desconfiava tanto de Reichenau como Reichenau desconfiava dele. Um choque futuro estava nas cartas, por assim dizer. Esse jogo, porém, nunca foi disputado.

O dia 15 de janeiro de 1942 pareceu ser um dia normal no quartel-general do Grupo de Exércitos Sul, em Poltava. A despeito da forte geada, o marechal saiu para seu habitual trote pela manhã. Na hora do almoço, subitamente, sentiu-se mal. Dirigiu-se para a porta do salão de refeição dos oficiais, presumivelmente para respirar um pouco de ar fresco. Seu chefe de Estado-Maior, general Helm, seguiu-o e viu-o apoiando-se na parede. Ouviu-o murmurar: "Droga, droga", antes de tombar com uma hemorragia cerebral, da mesma maneira que acontecera com seu pai. Hitler ordenou a transferência do inconsciente Reichenau para a clínica do famoso especialista em medicina esportiva, Prof. Hochrein, em Leipzig. No dia 17 de janeiro de 1942, durante esse vôo, que devido ao nevoeiro foi interrompido com um pouso de emergência em um campo recém-arado nas proximidades de Cracóvia, o marechal-de-campo von Reichenau faleceu de um ataque cardíaco. Deixou para Hitler um memorando, delineando uma reorganização total da guerra na Frente Oriental. Hitler ordenou que se fizesse um funeral de Estado para Reichenau, ao qual, naturalmente, não compareceu.

Dados cronológicos | Walther von Reichenau

1884, 8 out	Nasce em Karlsruhe, filho de um futuro general
1903	Oficial-cadete no 1º Regimento de Artilharia de Campanha dos Guardas
1904	Segundo-tenente
1908	Viagem à América do Sul em companhia do pai
1913	Viagem aos Estados Unidos em companhia de Carl Diem e outras pessoas (Comissão Olímpica Alemã)
1914	Primeira Guerra Mundial, ajudante do 1º Regimento de Artilharia de Campanha da Reserva da Guarda
	Transferência para o Estado-Maior Geral

1918-19	Primeiro-oficial do Estado-Maior da 7ª Divisão de Fuzileiros Montados da Defesa da Fronteira da Alta Silésia. Ingressa na *Reichswehr* como oficial do Estado-Maior Geral
1929-33	Coronel e chefe do Estado-Maior do *Wehrkreis I*, Prússia Oriental
1933-35	Major-general, chefe do *Wehrmachtamt*
1935-38	General comandante do 7º Corpo de Exército, em Munique
1935-36	Planejamento para as Olimpíadas de 1936 (Aldeia Olímpica)
1936, mai-out	Viagem à China
1938	Membro da Comissão Olímpica Internacional
1938-39	General de artilharia, comandante-chefe do 4º Grupo de Exércitos, em Leipzig
1939, set	Comandante do 10º Exército na Polônia
1939-42	Comandante do 6º Exército. Campanhas na Bélgica, França e Rússia
1940, 19 jul em diante	Marechal-de-campo
1941, 1º/2 dez em diante	Comandante-chefe do Grupo de Exércitos Sul, na Frente Oriental
1942, 17 jan	Falece de ataque cardíaco em vôo de Poltava a Leipzig

Manstein | 9

Marechal-de-campo Erich von Manstein

MARECHAL-DE-CAMPO LORDE CARVER

Em seu livro *The Other Side of the Hill*, baseado em conversas e correspondência com generais alemães mantidos como prisioneiros de guerra após 1945, escreveu Liddell Hart:

> O mais capaz de todos os generais alemães, foi, com toda probabilidade, o marechal-de-campo Erich von Manstein. Este foi o veredicto da maioria daqueles com quem conversei sobre a guerra, de Rundstedt para baixo. Ele era possuidor de um soberbo senso estratégico, combinado com maior compreensão da arma mecanizada do que qualquer um dos generais que não pertenciam à própria escola de tanques.[1]

O general Keitel, que não era amigo de Manstein, corroborou essa opinião quando escrevia suas memórias, enquanto aguardava o julgamento de Nuremberg:

> Eu mesmo aconselhei Hitler por três vezes a me substituir (como chefe do Estado-Maior das Forças Armadas) por von Manstein... Mas, a despeito de sua admiração freqüentemente manifestada pelos notáveis talentos de Manstein, ele obviamente temia tomar essa medida e, em todas as vezes, recusou-a. Teria sido isso pura indolência de sua parte ou alguma outra objeção muda que lhe fazia? Não tenho a menor idéia.[2]

Andreas Hillgrüber, um dos mais ilustres historiadores militares alemães, descreveu-o como "sem dúvida nenhuma, a personalidade mais importante da Alemanha na Segunda Guerra Mundial".[3]

O futuro marechal-de-campo, nascido em Berlim em 1887, provinha de uma impecável linhagem militar, sendo seu pai, mãe e pais adotivos originários de famílias militares da nobreza prussiana. Décimo filho de Eduard von Lewinski, general de artilharia, ele foi adotado pela irmã sem filhos da mãe, Hedwig, *née* von Sperling, casada com Georg von Manstein, que chegou a general de infantaria.* Embora não fosse proprietário de terras, o general von Manstein era homem abastado, uma vez que sua família e a da esposa haviam recebido uma *dotation* por seus serviços na Guerra Franco-Prussiana, na qual o pai do general comandara um corpo de exército. Depois de cinco anos no Strasbourg Lycée, Erich, então com 13 anos, ingressou no *Kadettenkorps* e, quando em Berlim, prestou serviços no Corpo de Pajens da corte do Kaiser Guilherme II. À idade de 20 anos, ingressou como oficial no prestigioso 3º Regimento de Infantaria da Guarda, no qual servia Hindenburg. Contemporâneos seus no regimento incluíam von Brauchitsch, comandante-chefe do Exército de 1938 a 1941, e outros, notadamente o filho de Hindenburg, Oskar, e os generais Schleicher e von Hammerstein-Equord, que seriam figuras importantes nas intrigas militares da década de 30.

Tanto em casa como no Exército, por conseguinte, foi criado nas tradições e *ethos* geral da velha casta militar prussiana, reforçados pelo seu puritanismo luterano: o que descreveu como "idéias tradicionais de simplicidade e cavalheirismo e concepção militar de honra" do Exército.[4] Em sua correção extrema e insistência em rigorosos padrões de comportamento, disciplina e etiqueta, ele era um produto típico de seu ambiente; mas não em absoluto o rústico desbocado, carente de imaginação, grosseirão, representado pelos caricaturistas britânicos. Poderíamos ganhar essa impressão de uma de suas mais conhecidas fotografias, um retrato de busto inteiro, onde aparece com todas as suas condecorações, um olho ligeiramente fechado e as feições imobilizadas numa expressão sombria, dando-lhe um ar de arrogância. Outras fotos, porém, mostrando-o de lado, com o longo nariz encurvado, expressão viva e inteligente nos olhos e configuração da boca, colocam-no em uma luz diferente. Ambas contêm verdade. Ele era arrogante e intolerante ocasionalmente e uma espécie de "Caxias", mas também altamente inteligente, dotado de cérebro claro e rápido. Por trás do exterior frio e reservado, era um emotivo que mantinha seus sentimentos sob rígido controle. Acima de tudo, possuía grande força de caráter e enfrentava seus superiores, incluindo Hitler, se achava que estavam errados, arrostando uma situação crítica após outra com intrépida coragem e determinação, baseadas

*Outra irmã casou-se com o futuro marechal-de-campo e presidente Hindenburg.

em clara percepção da situação. Como resultado, ganhou o respeito e a afeição dos que o serviram, inspirados pelo exemplo que dava.[5]

Tal como Montgomery, era respeitado pela rapidez e agudeza com que analisava os pontos essenciais de um problema, pela brevidade e clareza de suas ordens e pelo cálculo calmo, frio com que tomava decisões. Sua visão de vida revela-se na descrição de suas recordações do filho, Gero, a cujo enterro, no campo de batalha na Rússia, esteve presente:

> A vocação de oficial foi sua missão na vida e ele a cumpriu com uma maturidade rara em pessoa tão jovem. Se, nesse sentido, podemos falar em um jovem aristocrata, ele o foi. Não apenas na aparência — ele era alto, esbelto, de membros finos, com feições longas e nobres —, mas sobretudo em seu caráter e idéias. Não havia uma única falha na constituição desse rapaz. Modesto, bondoso, sempre ansioso para ajudar os demais, simultaneamente sério na mente e alegre nos modos, não pensava em si mesmo, conhecia apenas a camaradagem e a caridade. Sua mente e espírito estavam eternamente abertos para tudo o que era fino e bom. Fora sua herança provir de uma longa linhagem de soldados, mas, pelo próprio fato de ser um ardente soldado alemão, foi simultaneamente um cavalheiro no sentido mais autêntico da palavra — cavalheiro e cristão.[6]

Nesse tributo ao filho, ouvimos ecos da ordem monástica militar dos Cavaleiros Teutônicos, dos quais von Manstein e seus iguais se julgavam descendentes diretos. *Chevaliers sans peur et sans reproche* era o que aspiravam a ser. Não era de espantar que olhassem de cima para baixo, com arrogante desdém, para os políticos e industriais *parvenus* que tentavam deslocá-los e ainda mais para a grosseira ralé que subiu ao poder em 1933, sob a bandeira da suástica do Partido Nacional-Socialista. Esse desdém, porém, era compensado por certo alívio, porque alguma ordem fora imposta à caótica situação política e econômica que prevalecera nos últimos anos da República de Weimar. Haviam considerado isso como um processo de autodestruição, que poderia acabar da mesma maneira que na Rússia. Manstein e seus contemporâneos consideravam sua missão preservar o Exército como garantia da manutenção da própria nação e de sua eventual ressurreição como grande potência. Aprovou a decisão de seus superiores de se oporem ao golpe Kapp em 1920, escrevendo que "o uso da força contra as autoridades (por mais repugnante que a forma existente de autoridade possa ser) não só é totalmente contrário à tradição militar alemã... mas põe em sério risco a posição do Exército *vis-à-vis* o povo",[7] atitude esta que assumiria quando abordado por aqueles que preparavam um *coup* contra Hitler. Apoiava von Seeckt na crença de que o fiasco do golpe Kapp, que fora apoiado por

Ludendorff e pelo general von Lüttwitz, demonstrava que o corpo de oficiais devia manter-se rigidamente longe da política, "desviando a vista" dos acontecimentos políticos da época e trabalhando por um futuro no qual a segurança externa da nação seria confiada a um novo Exército alemão. No mesmo ano do golpe casou-se com Jutta Sybille, filha de Artur von Loesch, proprietário de terras nas proximidades de Namslau, na Silésia. A perda da principal propriedade da família para a Polônia, na revisão de fronteiras determinadas pelo Tratado de Versalhes, influenciou-lhe a atitude no tocante à "Questão Oriental".[8]

A carreira de Manstein desmente a teoria, popular entre os ingleses, de que oficiais podem ser classificados em duas categorias: os que se tornam bons comandantes e os que se transformam em bons oficiais de Estado-Maior, e que, para qualificar-se a fim de exercer com sucesso comandos superiores, o indivíduo precisa ter possuído experiência de comando nos escalões mais baixos. A falta dessa experiência foi citada por Alanbrooke e Montgomery como crítica a Eisenhower. Após sete anos de serviço regimental, von Manstein ingressou na *Kriegsakademie* como aluno em 1913, mas a iminência da guerra em 1914 levou a um fim abrupto essa oportunidade de chegar à elite do Estado-Maior Geral. Com a mobilização, foi designado como ajudante do 2º Regimento da Reserva da Guarda, o equivalente, em termos do Exército britânico, a ajudante de brigadeiro em uma brigada de infantaria da reserva. Recuperando-se de ferimentos recebidos na Frente Oriental em novembro de 1914, serviu no Estado-Maior de operações de dois diferentes quartéis-generais de exército, o primeiro na Frente Oriental e, em seguida, na Frente Ocidental. Essas designações foram seguidas pelas de primeiro-oficial de operações do Estado-Maior de uma divisão de cavalaria na Frente Oriental e, mais tarde, de uma divisão de infantaria na Frente Ocidental. Não comandou qualquer corpo de tropa nessa guerra.

Entre as guerras, serviu quase ininterruptamente no Estado-Maior, sendo seus únicos períodos de comando o de comandante de companhia durante dois anos, no 5º Regimento de Infantaria, em Angermunde, na Pomerânia; de 1921 a 1923, um ano no comando do batalhão Jäger, do 4º Regimento de Infantaria em Kolberg (a moderna Kolobrzeg na Polônia) em 1933; e o comando da 18ª Divisão de Infantaria na cidade natal de sua esposa, Liegnitz, durante alguns meses em 1938. Nenhum deles envolveu qualquer operação ativa. O comando do 38º Corpo de Exército na invasão da França em 1940, à idade de 53 anos, foi por conseguinte, seu primeiro comando operacional. A falta de experiência não parece ter constituído para ele qualquer desvantagem nesse comando, que envolveu apenas três semanas de operações ativas para seu corpo de exército, pouca resistência sendo encontrada após a luta inicial para cruzar o Somme. Seu teste real foi o comando do 56º Corpo *Panzer* na invasão da Rússia, onde demonstrou todas as melhores qualidades de um comandante operacional no campo, fato este reconhecido pelas suas nomeações subseqüentes como comandante do 11º Exército e Grupo de Exércitos de Don, mais tarde rebatizado de Grupo de Exércitos Sul.

Von Manstein era um ardente admirador de Moltke, o Velho, e modelou sua estratégia, a organização de seu Estado-Maior e o exercício do alto comando nos princípios que esse grande soldado aperfeiçoou, a partir dos ensinamentos de Clausewitz e Scharnhorst. O princípio mais importante era que a estratégia tinha que ser certa: se fosse errada, nenhum volume de brilhantismo tático, determinação obstinada ou superioridade em moral ou material poderiam compensar-lhe a falta. Tendo formulado um plano para satisfazer a essa estratégia, e reunido as forças, dispondo-as no terreno conforme o mesmo, aos comandantes subordinados deveria ser concedida a maior liberdade possível para conduzir, daí em diante, as operações: o alto comando deveria intervir apenas se estivesse em jogo a coordenação de seus planos ou ações com unidades vizinhas. Ele teria que monitorar, não dirigir, a ação de seus subordinados. Se controle rigoroso demais fosse exercido, oportunidades não poderiam ser exploradas. Para que tal sistema tivesse sucesso, a organização, os procedimentos e os métodos táticos deveriam ser padronizados, desencorajando-se a especialização de estados-maiores e unidades. O plano geral e sua execução deveriam conservar o mais alto grau possível de flexibilidade. A fim de conseguir isso, o comandante deveria possuir sempre uma reserva e, de maneira nenhuma, imobilizar grandes forças em posições defensivas estáticas. A força do Exército alemão, acreditava von Manstein, residia em sua superior capacidade de conduzir operações móveis. O objetivo, por conseguinte, deveria ser o de criar condições para essas operações, nas quais pudessem ser exploradas a ação ofensiva e a surpresa. Era ele firme discípulo de Clausewitz, na convicção de que a destruição das forças inimigas era o único sólido objetivo estratégico e que devia refletir-se no nível inferior de operações e tática. Com sua experiência da Primeira Guerra Mundial, evitaria, se possível, ataques frontais.

Esses princípios, que von Manstein pôs em prática como chefe de Estado-Maior e comandante de corpos de exército, exército e grupo de exércitos, não eram exclusivamente seus, mas aceitos e em geral praticados pela maioria dos altos chefes militares alemães na Segunda Guerra Mundial, ao contrário da imagem enganadora mostrada aos oficiais do Exército britânico da época. Haviam-lhes ensinado que os oficiais alemães eram autômatos rígidos, obedecendo cegamente às ordens destituídas de imaginação, procedentes dos escalões superiores. Nada poderia estar mais longe da verdade, como demonstrou o exercício do comando por von Manstein. Eles foram mestres de flexibilidade e improvisação e, em geral, permitiram a seus subordinados maior liberdade de ação que a maioria dos comandantes britânicos. Esperavam, contudo, que suas ordens, quando dadas, fossem obedecidas.

Esses sólidos princípios contrastavam com os princípios e práticas em que eram treinados os oficiais britânicos da época, muito influenciados pelas operações em pequena escala no ultramar, que constituíam a maior parte de suas atividades comuns. Uma forte ênfase era dada à necessidade de reconhecimento — ou descobrir onde estava o inimigo e qual a sua força —, antes de se decidir que grupamento de forças era necessário e como elas deviam ser empregadas. As vidas separadas que as diferentes armas levavam em tempo de paz militavam contra procedimentos padronizados e bem praticados de cooperação no campo de batalha e encorajavam aquela especialização deplorada pelos herdeiros de Moltke, o Velho. Quando os britânicos enfrentaram os alemães na guerra de movimentos do norte da África em 1941, a superioridade dos métodos destes últimos tornou-se dolorosamente visível.

A despeito de não ser membro da elite do Estado-Maior Geral alemão, von Manstein exerceu importantes cargos nessa área, notadamente o de chefe da Seção de Operações do Estado-Maior Geral (*Operations Abteilung I*) em 1935, e, um ano depois, de *Oberquartiermeister I*, o vice de Beck que, como chefe do Estado-Maior Geral, era subordinado ao comandante-chefe do Exército, na ocasião von Fritsch. No primeiro posto, Manstein deu uma grande contribuição ao propor o conceito de "artilharia de assalto", o *Sturmgeschütz*, um veículo blindado de lagartas que transportava um canhão de curto alcance e fogo horizontal e disparava obuses de altos explosivos, a fim de atuar em apoio direto à infantaria. Esta era a tarefa para a qual a maioria dos tanques franceses foi projetada para executar, como também o tanque britânico de apoio à infantaria da época, embora seu armamento fosse irremediavelmente inapropriado para a tarefa, limitando-se a uma metralhadora e um canhão antitanque de limitado poder de penetração. Manstein teve que combater por igual o braço *panzer* e o da artilharia, que consideravam *Sturmgeschütz* como rival no campo de batalha e concorrente por recursos, da linha de produção até a linha de frente, como na realidade era. Pode-se argumentar que o Exército alemão teria sido melhor servido se o esforço dedicado a essa *Sturmartillerie* houvesse sido concentrado em tanques com torres que pudessem girar 360 graus. Válido ou não esse argumento, não há dúvida de que esses veículos, equipados mais tarde com canhões mais poderosos, incluindo armas antitanques em grande escala, eram populares com a infantaria e tratados com respeito pelos inimigos. O Exército soviético adotou-os também.

Nesses altos postos de Estado-Maior, von Manstein trabalhou na elaboração de planos para a reocupação e remilitarização da Renânia em 1936 e a possibilidade de guerra com a França e a Tchecoslováquia, posteriormente. Embora oficialmente demitido do posto de *Oberquartiermeister I* quando Fritsch foi exonerado em fevereiro de 1938, ajudou Beck, a quem muito admirava, a traçar os planos da invasão da Áustria no ano seguinte. Sua grande ligação com Fritsch e Beck tornaram-no suspeito a Hitler e ele foi relegado ao comando da 18ª Divisão de Infantaria, na Silésia. Sua capacidade e experiência como oficial de Estado-Maior, contudo, tornaram-no escolha natural como chefe de Estado-Maior, inicialmente, do exército de von Leeb na invasão da Tchecoslováquia em 1938 e, em seguida, do Grupo de Exércitos Sul, de Rundstedt, na invasão da Polônia em 1939. Manstein, aliás, não fingiu que a tarefa implicava qualquer grande dificuldade, uma vez que o Exército alemão podia invadir a Polônia de três direções diferentes — Prússia Oriental, Silésia e Eslováquia. O único problema era que riscos correr, deixando o oeste ligeiramente defendido contra a França, e isto não constituía preocupação sua. Mas ela foi uma experiência valiosa em operações ativas para o Exército alemão e para o próprio von Manstein, ao trabalhar com von Rundstedt. Eles, aliás, se complementavam bem, sendo von Manstein um mestre do detalhe e von Rundstedt recusando-se a cuidar disso, limitando-se às grandes pinceladas, emprestando seu peso, quando necessário, nos casos em que seu chefe de Estado-Maior chocava-se com oposição, como freqüentemente acontecia, porque nunca foi de ter paciência com tolos.

O teste de tudo isso viria quando von Rundstedt e seu Estado-Maior foram transferidos para oeste como Grupo de Exércitos A, no centro. A transferência ocorreu, em grande parte, devido à pressão de Manstein. Originariamente, fora intenção conservar von Rundstedt na Polônia como comandante-chefe, Leste. Manstein censurou o comandante-chefe do Exército, von Brauchitsch, e seu chefe de Estado-Maior, Halder, por não terem proposto, após a campanha da Polônia, um claro plano estratégico para o futuro, baseado ou na busca da paz com a França ou Grã-Bretanha ou na derrota de suas forças. Em vez disso, tiveram que reagir a uma decisão, anunciada por Hitler no dia 27 de setembro de 1939, sem qualquer consulta prévia, de assumir a ofensiva no outono, violando a neutralidade da Holanda, Bélgica e Luxemburgo. O único objetivo dado foi o de "derrotar os maiores elementos possíveis dos exércitos francês e aliados e, simultaneamente, ocupar tanto território quanto possível na Holanda, Bélgica e norte da França, como base para operações marítimas e aéreas bem-sucedidas contra a Grã-Bretanha e para servir como larga zona protetora para o Ruhr". Von Manstein rejeitou isso, considerando-o estratégia confusa, sem um objetivo claro a ser atingido com as forças que poderiam ser concentradas.[9] Uma possível estratégia poderia ter sido permanecer na defensiva e obrigar a Grã-Bretanha e a França a atacarem e enfrentarem o problema de violar a neutralidade dos Países Baixos. Isso, contudo, implicaria entregar-lhes a iniciativa, e o tempo eventualmente trabalharia a favor daqueles dois países. Ele, por conseguinte, queria uma estratégia que infligisse uma derrota decisiva às forças francesas e a quaisquer outras que os britânicos colocassem no continente europeu.

O plano proposto por von Brauchitsch, preparado pelo OKH (*Oberkommando des Heeres* — Estado-Maior do Exército) era uma mera repetição do plano de Schlieffen em 1914, devendo o principal esforço ser feito no flanco direito, através da Bélgica, pelo Grupo de Exércitos B, de von Bock, que, com três exércitos, receberia o grosso das forças, incluindo praticamente todas as divisões *panzer* e motorizadas de infantaria, e deixando a von Rundstedt dois exércitos, no total de 22 divisões de infantaria não-mecanizadas, com a tarefa subsidiária de proteger o flanco sul de von Bock. À parte o ressentimento de estar limitado a esse papel secundário, von Manstein considerava o plano estrategicamente falho, levando a um choque frontal entre o grupo de exércitos de von Bock e os exércitos combinados belga, britânico e francês. Propôs um plano mais ousado e ambicioso, destinado a destruir as forças britânicas e francesas em dois movimentos, em forma de foiçadas. Tendo consultado Guderian, o especialista em tanques, sobre a viabilidade de uma grande arremetida de forças *panzer* através da floresta de Ardennes e através do rio Meuse, e obtido sua concordância, propôs que o principal esforço fosse feito pelo Grupo de Exércitos A nessa direção. Um exército, cruzando o Meuse ao norte de Mézières, seguiria em linha reta para oeste, procurando chegar aos portos do canal da Mancha, ao norte do Somme, cortando a retirada dos exércitos britânico e francês, que se supunha terem entrado na Bélgica. Um segundo cruzamento ao norte e sul de Sedan viraria para sudeste e impediria um contra-ataque francês vindo daquela direção, enquanto um terceiro protegeria o flanco ao longo do Meuse, de Sedan até a Linha Maginot, nas proximidades de Longwy.

Von Rundstedt enviou o plano ao OKH, onde ele foi mal recebido. Pressão contínua exercida por ele e Manstein levou Hitler a concordar com uma modificação, que criaria uma reserva do OKH, a ser transferida para o grupo de exércitos que obtivesse maiores progressos. Manstein rejeitou essa idéia, considerando-a uma receita de fracasso, mas seu plano não lograra ainda aceitação quando foi promovido para comandar o 38º Corpo de Exército, após uma conferência para estudá-lo, no quartel-general de Rundstedt em

Koblenz, no dia 7 de fevereiro de 1940. Não obstante, quando comunicou a Hitler que assumiria seu novo posto no dia 17 de fevereiro, aproveitou a oportunidade para explicar em detalhe sua proposta e conseguiu convencer o Führer, que baixou uma ordem no dia 20 de fevereiro, determinando sua adoção. Manstein negou que a mudança de plano, como alegaram outras pessoas, tivesse sido causada pela captura na Bélgica, em janeiro, de um oficial de Estado-Maior da 7ª Divisão Aerotransportada, que ali fizera um pouso de emergência, levando uma cópia do plano operacional da *Luftflotte I*.

O plano final não seguiu inteiramente a proposta de Manstein, sendo o contra-ataque preventivo ao sudeste substituído por um papel menos ofensivo de proteção de flanco, mas foram seus elementos essenciais que indubitavelmente deram à Alemanha sua surpreendente vitória no *Blitzkrieg* em maio e junho de 1940, embora todos os frutos não fossem colhidos devido às hesitações do alto comando, impondo restrições à movimentação de Guderian.

A insistência de Manstein em pressionar para que seu plano fosse aceito tornou-o impopular no OKH. Ele, aliás, não tinha alta opinião de von Brauchitsch, a quem acusou em suas memórias de "uma inflexibilidade algo negativa, e não de resolução criativa" e de ter "preferido decisões que lhe eram sugeridas do que tomá-las e impô-las por iniciativa própria". E escreveu que ele "freqüentemente evitava tomar decisões, na esperança de ser poupado de uma briga para a qual não se sentia à altura".[10] Quanto a Halder, que iniciara a carreira no Estado-Maior Geral da Baviera, e não da Prússia, escreveu que ele "possuía uma notável capacidade de apreensão de todos os deveres do Estado-Maior e era um trabalhador infatigável... 'Um gênio de diligência' bem poderia ser seu lema. Ainda assim, ele dificilmente brilhava com o fogo sagrado que se diz inspirar os soldados realmente grandes".[11] Acreditava Manstein que sua nomeação nesse momento para o comando de um corpo de exército, que não estava destinado a desempenhar um papel importante no *Fall Gelb*, devia-se "ao desejo de parte do OKH de livrar-se de um chato importuno, que ousara apresentar um plano operacional que divergia do seu".[12]

A oportunidade de Manstein de mostrar que possuía alguma coisa desse fogo sagrado ocorreu em fins de maio de 1940, quando o 38º Corpo de Exército recebeu ordem de substituir o 14º Corpo *Panzer* em cabeças-de-ponte na outra margem do Somme, perto de Amiens. Tipicamente, em vez de permanecer na defensiva, como lhe haviam ordenado, enquanto o Corpo *Panzer* continuava operações na direção dos portos do canal, von Manstein propôs um ataque para impedir outro de britânicos e franceses. Mas não teve permissão para lançá-lo até que todo o 4º Exército, de von Kluge, ficasse pronto para desfechar um grande ataque através do rio, no dia 5 de junho. O ataque do 38º Corpo foi enfrentado por uma divisão franco-africana e por outra alsaciana. Uma vez cruzado o rio por suas divisões, Manstein passou a comandá-las da linha de frente. "O comandante de campo, cuja reação consiste em esperar relatórios impecáveis e irretratáveis do serviço de informações, a fim de esclarecer a situação, pouca esperança pode ter de ser brindado com um sorriso da Deusa da Guerra",[13] escreveu e, ignorando seu princípio de deixar aos subordinados liberdade de ação e a salvo da interferência restritiva de comandos superiores, correu de um lado para o outro em seu *Kübelwagen*, esporeando todo mundo, de comandante de divisão a comandante de companhia. Seu corpo de exército foi o primeiro a cruzar o Sena em Vernon, no dia 10 de junho. Solicitou permissão para continuar a arremetida, o que Kluge recusou até que o corpo de exército à sua direita cruzasse o rio três dias depois. Seus alvos seguintes foram Le Mans, que alcançou no dia 19 de junho, e Angers, à margem do Loire. Em fins daquele dia, encontrou seu batalhão de reconhecimento detido em Mayenne, a 23km de Angers.

> Ao descer para a posição mais avançada à margem do rio, a alguma distância da ponte [escreveu ele], descobri que, longe da própria ponte, o inimigo obviamente não estava presente com quaisquer grandes efetivos — se, na verdade, estivesse lá, absolutamente. Observando um comandante de pelotão, que aparentemente estava esperando na margem, para ver se o inimigo entregava voluntariamente a ponte, aconselhei-o a cruzar a nado o rio, mais embaixo. Se ele quisesse, acrescentei, eu teria prazer em ir com ele. O oferecimento funcionou. Pouco depois, o pelotão — tão nu como Deus o fez — mergulhou no rio e chegou à outra margem, incólume.[14]

Enviou em seguida seu ajudante-de-ordens, tenente Graf, a fim de ordenar ao comandante do batalhão que cruzasse o Loire naquela noite, em vez de ir dormir, o que foi feito, com Graf indo à frente no primeiro bote de borracha. No dia 22 de junho, quando o armistício foi assinado em Compiègne, duas de suas divisões já haviam cruzado o rio.

Ele exerceria o comando da mesma maneira no 56º Corpo de *Panzer* na invasão da Rússia em junho de 1941, partindo de um local nas proximidades de Tilsit, na Prússia Oriental, mas nesse processo experimentou certo grau de frustração. Tudo correu bem no princípio, até e incluindo o cruzamento do Dvina em Dvinsk, onde sua divisão avançada, a 8ª *Panzer*, capturou intactas pontes importantes, por essa ocasião de 140 a 200km à frente dos demais corpos do 4º Grupo *Panzer* e do 16º Exército. A reação de Manstein foi continuar a arremetida.

> Dispensa dizer [escreveu] que quanto mais um único corpo *panzer* — ou, na verdade, todo um grupo *panzer* — penetrava nas vastidões do interior russo, maiores se tornavam os riscos. Contra uma arremetida dessas poder-se-ia dizer que uma formação de tanques operando na retaguarda inimiga depende principalmente de sua capacidade de continuar em movimento. Logo que pára, ela é imediatamente atacada de todos os lados pelas reservas inimigas.[15]

Esse princípio é mais fácil de propor do que pôr em prática. Os tanques, e os homens que os tripulam, não podem continuar a mover-se ininterruptamente. Têm que ser reabastecidos, mantidos e reparados, e seus canhões aprovisionados com mais munição. Tripulações têm que dormir e comer. O mesmo se aplica às demais armas — artilharia, infantaria e sapadores — , que têm que acompanhar e apoiar os tanques, e um avanço contínuo podia ultrapassar o apoio aéreo, nesses dias de aviões de limitado raio de ação. Uma arremetida, fina como um lápis, de uma única formação blindada, poderia tornar-se muito vulnerável, se não lançasse, como aconteceu na França, o inimigo em estado de confusão. Essas considerações, sem dúvida, influenciaram o general Hoeppner, comandante do 4º Grupo *Panzer*, para manter Manstein em Dvinsk até que o 41º Corpo *Panzer*, à sua esquerda, chegasse ao rio e o cruzasse.

Daí em diante, von Manstein sentiu-se continuamente frustrado, uma vez que a rota principal para Leningrado fora concedida ao 41º Corpo e ele fora desviado para a direita, através de terreno pantanoso, arborizado, onde não havia estradas. Sua frustração aumentou quando, tendo os dois corpos do Grupo *Panzer* se separado muito em meados de julho, o seu foi cercado. Esta foi a primeira ocasião em que teve que enfrentar uma situação operacional adversa. E ele demonstrou a combinação de resolução calmamente clara e rápido espírito de decisão que se tornariam sua marca registrada no exercício do comando do Grupo de Exércitos Don em anos posteriores. Desapontado em sua esperança de captura rápida de Leningrado, von Manstein era favorável ao abandono da tentativa para alcançá-la e a um rápido deslocamento para concentrar o esforço na direção de Moscou. Não se tendo envolvido de qualquer maneira na direção estratégica da campanha, voltou sua atitude crítica em relação ao OKH, censurando von Brauchitsch e Halder por não terem insistido em que uma estratégia clara, baseada em objetivos militares, fosse seguida, em vez de cederem às diretrizes de Hitler, baseadas na conquista de território por razões políticas ou econômicas.

Mas, antes de poder envolver-se nessa controvérsia, foi transferido para a outra extremidade da imensa frente de luta. No dia 12 de setembro de 1941, recebeu ordens de partir imediatamente e assumir o comando do

11º Exército no Grupo de Exércitos Sul, de von Rundstedt, a fim de substituir o general von Schobert, que fora morto quando seu avião leve aterrara em um campo minado russo. O exército, na extrema direita do Grupo de Exércitos Sul, cruzara recentemente o Dnieper, e ele tinha sob seu comando não apenas dois corpos de exército alemães, mas também o 3º Exército romeno, que consistia de um corpo de tropas de montanha e de um corpo de cavalaria. Manstein teve que enfrentar duas missões diferentes: arremeter na direção leste e tomar Rostov — o ponto de cruzamento vital nas proximidades da foz do Don —, e ocupar a Criméia. O objetivo desta última tarefa era privar os russos do emprego dos campos de aviação da região, de onde podiam bombardear os campos petrolíferos romenos e eliminar a ameaça ao flanco direito no avanço para o leste. A primeira tarefa consistia em atacar o istmo de Perekop, um dos únicos acessos por terra à Criméia. Uma vez que o istmo tinha menos de 8km de largura e era flanqueado pelo mar, raso demais nesse ponto para permitir o emprego de barcos de assalto, não havia possibilidade de manobra. Não obstante, o 54º Corpo liquidou em cinco dias as defesas, de 15km de profundidade, com o assalto determinado de duas divisões de infantaria que, com maciço apoio de artilharia, infligiram pesadas baixas à guarnição soviética. Tão feroz foi a luta que um comandante de divisão alemão apelou para que lhe fosse permitido desengajar suas tropas. Manstein, porém, insistiu em que um esforço supremo teria que ser feito para romper as defesas.

Daí em diante von Kleist assumiu o comando da corrida para Rostov, enquanto os romenos ficavam com a responsabilidade da defesa costeira, e von Manstein, com seu próprio 11º Exército, concentrava-se em operações de limpeza na Criméia. Era exígua a oportunidade de ele exercer aí seu talento estratégico e operacional. Seus conhecimentos especializados de todas as armas, de organização e trabalho de Estado-Maior, porém, quando adicionado à sólida capacidade de julgamento e determinação, garantiram que a tarefa fosse cabalmente cumprida. Até março de 1942, não contou com tanques para ajudá-lo. Tendo derrotado o contra-ataque lançado pelo Exército soviético a partir de Kuban na direção da península de Kerch em maio, pôde então concentrar suas forças na fase final — a captura da própria Sebastopol. Foi uma grande operação de sítio, envolvendo concentração maciça de artilharia, finalmente completada no dia 4 de julho. Como recompensa, von Manstein foi promovido a marechal-de-campo.

Dois assuntos controversos marcaram-lhe o período de comando na Criméia. O primeiro foi o caso do general Graf von Sponeck, comandante do 33º Corpo. No dia 29 de dezembro de 1941, uma poderosa força soviética desembarcou em Feodosia, atrás da divisão alemã que operava na península de Kerch. Temendo que ela fosse cercada, Sponeck ordenou a retirada imediata, tendo a divisão abandonado suas armas. Manstein destituiu-o do comando. Sponeck exigiu um conselho de guerra que, presidido por Göring, condenou-o à morte. Hitler comutou a sentença em prisão em fortaleza, embora mais tarde, após a conspiração de 20 de julho de 1944, mandasse fuzilá-lo. Manstein é censurado por alguns autores pela destituição apressada de Sponeck, que resultou eventualmente na morte desse general. Qualquer outro comandante, porém, tê-lo-ia demitido nessas circunstâncias. Se não tivesse pedido um conselho de guerra, Sponeck talvez não sofresse o destino que finalmente teve.

Outra questão formou a base das acusações apresentadas contra ele em seu julgamento por um tribunal militar britânico — a de crimes de guerra — em 1949. Concentravam-se essas acusações no tratamento dado por ele a prisioneiros de guerra russos e nas atividades dos SS *Einsatzgruppen*, que atuavam sob ordens de Hitler para eliminar judeus nos territórios ocupados. Essas atividades eram em geral realizadas em áreas de retaguarda, atrás das frentes operacionais dos exércitos, mas toda a Criméia era uma área operacional e, em novembro de 1941, Manstein assinou uma ordem, refletindo outra que lhe fora enviada pelo Grupo de Exércitos Sul, que incluía as palavras "o sistema judaico-bolchevista... deve ser exterminado de uma vez para sempre" e "nunca mais deve ter meios para invadir nosso *Lebensraum* europeu". Em seu favor, tem que ser dito que a ordem concluía com as seguintes palavras: "Medidas severas serão tomadas contra ação arbitrária ou motivada por auto-interesse, contra selvageria e indisciplina, e contra qualquer violação da honra do soldado."[16] No julgamento, ele foi absolvido de qualquer cumplicidade direta na violação da Convenção de Genebra ou das aceitas Leis e Costumes da Guerra, mas foi julgado culpado de utilizar prisioneiros de guerra russos em obras de construção e limpeza de campos minados, de permitir que civis fossem deportados para trabalhos na Alemanha, e de sete acusações de não ter tomado providências suficientes para impedir que "irregularidades" ocorressem na sua área de comando.

À vitória na Criméia seguiu-se, em agosto de 1942, uma volta rápida à área de Leningrado, levando Manstein, seu quartel-general e a maior parte de artilharia pesada usada em Sebastopol para participar de uma nova tentativa de captura da cidade, que não teve sucesso. O curto espaço de tempo que passou nessa área foi toldado pela morte, em combate, de seu filho mais velho, que servia no vizinho 16º Exército.

No dia 20 de novembro, von Manstein voltou ao sul para formar, com o quartel-general do seu 11º Exército, o Grupo de Exércitos Don (ver mapa 7). Isso constituía uma resposta à crítica situação causada pelo cerco soviético do 6º Exército, de von Paulus, e parte do 4º Exército *Panzer*, de Hoth, na curva do Don, imediatamente a oeste de Stalingrado. A nomeação de Manstein seria para ele um desafio, como comandante, muito mais sério do que até então enfrentara. Daí em diante, teve que lidar continuamente com dificuldades que se empilhavam. Estratégia falha era a principal causa da crise. O Grupo de Exércitos A, de List, penetrara até o Cáucaso, deixando uma enorme brecha entre sua retaguarda e as forças do Grupo de Exércitos B, de von Weich, que se distribuía ao longo de todo o Don, dependendo perigosamente dos exércitos aliados de húngaros, italianos e romenos. Os elementos mais fortes, o 6º Exército e o 4º *Panzer*, estavam imobilizados no saliente de Stalingrado, cuja captura obcecava Hitler, que nesse momento era não só o comandante-chefe da Wehrmacht, mas, desde a demissão de Brauchitsch em dezembro de 1941, também do Exército, permanecendo Halder como chefe do Estado-Maior deste último. Manstein, por conseguinte, ficou sob comando imediato de Hitler, figurando Halder, no OKH, como intermediário. Até então suas relações com o Führer haviam sido boas, embora nunca apoiasse o Partido Nazista, e sua ligação com von Fritsch e Beck fossem pontos negativos contra ele. Sua formação, pontos de vista e temperamento distanciavam-no muito desses líderes nazistas e não há dúvida de que sentia por Göring e Himmler uma antipatia que chegava ao ódio. Respeitava a agilidade mental, a memória retentiva, a energia e a apreciação da possibilidade de explorar oportunidades de Hitler, mas condenava-o por sua arrogante crença na própria superioridade de conhecimentos, capacidade de julgamento, intuição e força de vontade. No tocante à conduta dos assuntos militares, sua crítica concentrava-se na falta de compreensão de Hitler do que se podia fazer ou não com os recursos disponíveis, dada sua falta de experiência militar apropriada; na incapacidade do Führer de compreender que o objetivo estratégico deveria ser a destruição das Forças Armadas inimigas e que isto necessitava da concentração da força máxima no ponto crucial, e não a dissipação das forças na perseguição simultânea de vários objetivos diferentes; em sua recusa em assumir riscos, um sintoma da qual era a relutância em tomar decisões difíceis; na sua predileção por concentrar-se em lugares mais por seu valor simbólico do que militar; e, acima de *tudo*, pela recusa de organizar corretamente a cadeia de comando. Em várias ocasiões, disse-lhe abertamente que ele não devia tentar carregar sozinho os fardos de chefe de Estado, comandante supremo da Wehrmacht, comandante-chefe do Exército e comandante-geral da Frente Oriental, e que devia ter um chefe de Estado-Maior da Wehrmacht como seu principal assessor militar, através do qual poderiam ser dadas ordens a todas as frentes, e que a Frente Oriental deveria ter seu Quartel-General Supremo, separado do

OKH. Seus argumentos caíram em ouvidos moucos e, à medida que se tornava cada vez mais frustrado com as conseqüências das falhas do sistema, despejava sua raiva sobre Zeitzler, que substituíra Halder como chefe do Estado-Maior Geral em setembro de 1942.[17]

No dia 5 de janeiro de 1943, sentindo profundo desespero com a rejeição de sua exigência de liberdade operacional e solicitação de reforços, enviou a Zeitzler o seguinte despacho:

> Caso estas propostas não sejam aprovadas e se este quartel-general continuar a ser amarrado na mesma extensão que até agora, não vejo que finalidade útil possa ser servida com minha permanência como comandante do Grupo de Exércitos Don. Nas circunstâncias, seria mais apropriado substituir-me por uma "subdiretoria" do tipo mantido pelo *Quartermaster-General.*

E explicou que as "subdiretorias" do *Quartermaster-General* nos Grupos de Exércitos eram dirigidas por oficiais mais idosos de Estado-Maior, que se encarregavam dos serviços de abastecimento e transporte das tropas, de acordo com instruções diretas da diretoria central.[18]

A prioridade máxima do Grupo de Exércitos Don era tentar reestabelecer contato com o isolado 6º Exército, mas, logo depois, von Manstein e Hitler divergiam frontalmente sobre a finalidade para a qual isso era necessário. Hitler via nela uma maneira de conservar e ampliar a ocupação de Stalingrado pelo 6º Exército, primariamente por razões políticas, mas também econômicas e militares. Acreditava que ele serviria ao mesmo fim que von Falkenhayn tivera em mente em relação ao ataque a Verdun na Primeira Guerra Mundial. Manstein adotava ponto de vista oposto. Temia que toda a Frente Sul fosse posta em perigo, enquanto seu esforço fosse concentrado na curva do Don e a menos que o 6º Exército pudesse ser desengajado e empregado em outro local. Sua primeira exigência, por conseguinte, era que Paulus tentasse romper o cerco na direção sudoeste, a fim de fazer contato com a força que iria ao seu encontro, o que só poderia fazer se o 6º Exército fosse retirado de Stalingrado. A combinação da recusa de Hitler em concordar com essa solução com o fracasso de Göring em manter sua promessa de conservar o 6º Exército abastecido pelo ar minou a possibilidade de o plano de von Manstein ter êxito. Quanto mais era retardado, menor a possibilidade de sucesso e maior o perigo de que as forças soviéticas pudessem isolar todas as unidades dos Grupos de Exército A e Don, bem como a Criméia, por meio de uma grande arremetida através da frente fracamente defendida no Don, a oeste de Stalingrado. A despeito das ordens de Hitler, von Manstein de fato ordenou a Paulus, no dia 19 de dezembro, que tentasse romper o cerco, mas Paulus, apegando-se à ordem de Hitler e à sua recusa de permitir que o 6º Exército efetuasse novo desdobramento, insistiu em que não tinha meios de agir assim. Alguns historiadores culpam Manstein por ter aceitado essa desculpa e não ter dado a Paulus uma ordem inequívoca, desrespeitando a ordem de Hitler.

Ele não poderia ser julgado, no entanto, pelos padrões que se aplicariam, digamos, a um comandante britânico em circunstâncias semelhantes. Assumindo pessoalmente o comando direto das forças na Rússia, Hitler transformara qualquer desafio ou desobediência às suas ordens em desafio direto ao Estado. Se Manstein e Paulus tivessem concordado em ignorá-las, estariam desafiando-lhe diretamente a autoridade como chefe de Estado. Na verdade, estariam instigando uma guerra civil em meio a uma guerra externa. A fim de fazer isso, teriam necessitado do apoio de outros generais graduados e do povo alemão. E com certeza não poderiam supor isso. Nenhuma preparação, de qualquer tipo, fora feita para obtê-lo. De qualquer modo, para um recém-nomeado comandante de grupo de exércitos, dar esse momentoso passo seria estranho à natureza e à formação de Manstein. Por pior que fosse a situação, tinha a inata crença do soldado de que, de uma maneira ou de outra, a situação poderia e deveria ser salva. Na realidade, Manstein talvez mereça críticas por não ter tomado nunca um avião, para ir visitar Paulus e conversar com ele sobre o assunto.

Chegando a situação ao ponto de crise em janeiro de 1943, as possibilidades de salvar o 6º Exército tornando-se remotas e aumentando mais a oeste a ameaça, à medida que os rios congelavam e o terreno se tornava duro, percebeu von Manstein que a única esperança de evitar uma situação pior seria retirar do Cáucaso o Grupo de Exércitos A. Ele sugerira já em diversas ocasiões que o grupo deveria transferir forças para reforçar o duramente pressionado 4º Exército *Panzer* de Hoth, ao sul de Stalingrado. Este último tentava simultaneamente estabelecer contato com Paulus e repelir ataques russos que, se bem-sucedidos, poderiam penetrar até Rostov, deixando a rota através da Criméia até Kuban, do outro lado do estreito de Kerch, como única linha de suprimentos do Grupo de Exércitos A. Repetidas vezes, Manstein alegou que, a menos que fosse reforçado com tropas de outros teatros, poderia acontecer um desastre. Simultaneamente, mediante manobras hábeis com suas forças e improvisação, conseguiu repelir as tentativas soviéticas de lhe cortar as ligações com os Grupos de Exército A e B. Enquanto houvesse ainda alguma esperança de que, pelo menos, parte do 6º Exército pudesse escapar, von Manstein apoiou Hitler, insistindo em que Paulus devia continuar a resistir. Esse tempo poderia ser usado para reajustar a distribuição do Grupo de Exércitos A, a fim de possibilitar o reforço da posição no Don. A recusa de Hitler em permitir que Paulus se retirasse de Stalingrado ou que o Grupo de Exércitos A deixasse o Cáucaso implicou a perda da oportunidade e, no dia 22 de janeiro, os russos capturaram o único campo de aviação que restava ao 6º Exército. Manstein, nessa ocasião, defendeu a solicitação de Paulus de permissão para render-se, o que Hitler recusou. Manstein pensou em exonerar-se e explicou em suas memórias por que, naquela ocasião e em outras, absteve-se de assim proceder, a despeito do desejo de ser "liberado de responsabilidades tornadas quase insuportáveis pelas batalhas intermináveis e penosas que tinha que travar com seu próprio Comando Supremo, antes que ele aceitasse a necessidade de qualquer ação militar urgente":

> A primeira razão é que um alto comandante não tem mais liberdade de fazer as malas e voltar para casa do que qualquer outro soldado. Hitler não era obrigado a aceitar um pedido de exoneração e dificilmente teria desejado assim agir neste caso. O soldado no campo de batalha não está na agradável situação do político, que tem sempre liberdade de descer do carro da banda de música quando as coisas se descontrolam ou não lhe convém a orientação tomada pelo governo. O soldado tem que lutar onde e quando lhe ordenam. Há reconhecidamente casos em que um comandante graduado não pode conciliar isso com suas responsabilidades para executar uma ordem que lhe foi dada. Nesses casos, como Seydlitz na batalha de Zorndorf, ele tem que dizer: "Depois da batalha, o rei pode dispor de minha cabeça como quiser, mas, durante a batalha, ele generosamente me permitirá que eu a use." Nenhum general pode justificar a perda de uma batalha alegando que foi compelido — contra seu melhor julgamento — a executar ordens que levaram à derrota. Neste caso, o único curso que lhe resta é a desobediência, pela qual responde com a cabeça. O sucesso geralmente decidirá se ele tinha razão ou não.

Ao que acrescentou que a responsabilidade do superior para com os soldados que comanda deve sempre pesar muito no assunto, como também o efeito de qualquer desobediência sobre as unidades vizinhas.[19] Todos os soldados profissionais concordariam com esses sentimentos.

A reputação de von Manstein repousa, e é assim que deve ser julgada, no seu desempenho como comandante de grupo de exércitos na intensa luta que se seguiu entre o Don e o Dniester entre janeiro de 1943 e março de 1944, quando entregou os consolidados Grupos de Exércitos Don e B, rebatizados de Sul, a Model, sob o qual passou a chamar-se de Grupo de Exércitos Norte da Ucrânia. A discussão entre Manstein e Hitler sobre estratégia continuou durante todo esse período, mostrando os fatos que o julgamento de Hitler estava errado e que o desastre só era evitado pelo espírito de resolução e pela habilidade de Manstein na movimentação de suas forças. Fiel à sua crença na necessidade de seguir uma estratégia móvel, objetivando a destruição das forças inimigas — descrita pelo estrategista alemão do século XIX, Delbrück, como *Niederwerfungstrategie* —, von Manstein desejava recolher as forças alemãs excessivamente estendidas no sul, encurtando drasticamente a linha e reduzindo as forças necessárias para a defesa, de modo a poder formar uma reserva para uso ofensivo. Propôs atrair os russos na direção da Romênia e da Hungria, quando uma grande contra-ofensiva poderia ser lançada da área de Kharkov, que os isolaria com as costas voltadas para o mar Negro. Essa ofensiva deveria ser lançada no verão de 1943, antes que os anglo-americanos, imobilizados no norte da África, pudessem intervir no continente. Para que esse plano pudesse ser colocado em execução, um grande redesdobramento, incluindo a retirada do Cáucaso do Grupo de Exércitos A — e talvez também da Criméia —, teria que ser realizado imediatamente.

Hitler não quis nada com esse conceito. Seus argumentos eram que a posse da área do Cáucaso e da bacia do Donetz negava vitais suprimentos de petróleo e minerais à União Soviética, que poderiam ser decisivos para lhe limitar o esforço de guerra, ao passo que esses mesmos suprimentos e o petróleo da Romênia eram de grande importância para o esforço de guerra da Alemanha. O abandono da área do Cáucaso e da Criméia poderia influenciar a Turquia a aliar-se aos anglo-americanos, pondo em risco o petróleo romeno. Enquanto os russos fossem obrigados a atacar pontos fortemente defendidos, argumentava, suas perdas excederiam a dos alemães e de seus aliados e não poderiam ser suportadas por muito tempo. Efetuar a retirada proposta por Manstein implicaria pôr em dúvida todo o objetivo da Operação *Barbarossa* e, na verdade, da própria guerra. Sua estratégia, se lhe podemos dar esse nome, era na realidade o que Delbrück chamara de *Ermattungstrategie*, a estratégia da exaustão ou do atrito. O resultado dessa divergência básica de estratégias foi que os alemães não puderam seguir nenhuma das duas, nem von Manstein pôde jamais convencer Hitler ou Zeitzler a se empenharem no estudo de uma estratégia de longo prazo ou mesmo de prazo médio. Ele era continuamente obrigado a adotar medidas de curto prazo a fim de evitar o desastre, reagindo à iniciativa, que passara às mãos soviéticas. Sua habilidade em desviar a saraivada de golpes, adiando os perigos que previa, e sobre os quais deu repetidos avisos, não teve outro efeito senão encorajar Hitler na desconfiança em que tinha os profetas do Juízo Final.

Não há dúvida de que Manstein tinha razão em reconhecer que a Operação *Barbarossa* fracassara em seus objetivos iniciais, que foram ambiciosos em excesso. Não havia mais a menor esperança de uma vitória militar sobre as forças soviéticas que tornasse possível aos alemães ditar condições, como haviam feito em Brest-Litovsk em 1918. A exigência de Manstein de criação de uma reserva, o que só poderia ser feito com a retirada para uma linha mais curta mais para oeste, era a única estratégia que encerrava uma esperança realista de estabilizar a situação militar na Rússia e, talvez, pôr fim à guerra, antes que as forças anglo-americanas desembarcassem no continente. Fica mais difícil avaliar se teria logrado êxito ou não seu ambicioso plano de uma grande contra-ofensiva a sudeste, partindo de Kharkov. A recusa de Hitler em autorizar a retirada de Kuban, da Criméia e da bacia do Donetz acabou por revelar-se inevitavelmente fatal.

Em essência, o problema de von Manstein durante todo o período foi como reajustar sua frente leste, de modo a poder transferir forças dessa direção, a tempo de repelir ou contra-atacar forças soviéticas que pretendiam cortar-lhe as linhas de comunicação na retaguarda e que serviam também ao Grupo de Exércitos A, de von Kleist. Os alvos óbvios de uma ofensiva soviética seriam os vitais vaus do Dnieper, em Dnepropetrovsk e Zaporozhe. A fim de garantir-se contra o perigo de que uma ofensiva soviética, explorando a fraqueza da frente defendida pelos exércitos aliados no flanco direito do Grupo de Exércitos B, penetrasse nessa área, von Manstein propôs a retirada não só do saliente na curva do Don, mas também da bacia do Donetz. Em fins de janeiro de 1943, o 1º Exército *Panzer*, o elemento mais setentrional do Grupo de Exércitos A, foi colocado sob o comando de von Manstein. No dia 7 de fevereiro passou por Rostov e cruzou para oeste do Don, enquanto von Kleist retirava o resto de suas forças do Cáucaso para Kuban, que ficava a leste do estreito de Kerch. O Grupo de Exércitos Don não estava mais sobrecarregado com a tarefa de lhe proteger a retaguarda.

No dia 6 de fevereiro von Manstein foi de avião visitar Hitler e lhe propôs o plano já descrito, bem como o de um comando supremo devidamente organizado, não conseguindo convencê-lo em favor de nenhuma das duas soluções. Quando Hitler insistiu em que ele continuasse a ocupar toda a área industrial da bacia do Donetz, Manstein defendeu a retirada, pelo menos, da região leste do rio Mius, sustentando que se Hitler insistisse em mantê-la, ele provavelmente perderia o Grupo de Exércitos Don e toda a bacia. No fim, recebeu a relutante permissão de Hitler de retirar-se para o Mius. Um dos resultados dessa conferência foi que o Grupo de Exércitos B, de von Weich, foi dissolvido, recebendo von Manstein o comando de suas forças, passando a chamar-se agora Grupo de Exércitos Sul. E estendeu-lhe a área de responsabilidade, que passou a incluir Kharkov.

Por essa ocasião, forças soviéticas vinham cruzando as extensas linhas do Grupo de Exércitos B, partindo do Don para o Donetz entre Voroshilovgrad e Kharkov e penetrando mais além, cortando a estrada de ferro a leste de Dnepropetrovsk, de modo que só podia ser usado o vau de Dnieper em Zaporozhe. Entrementes, Kharkov foi atacada e, para a fúria de Hitler, evacuada pelo Corpo *Panzer* SS subordinado ao Destacamento de Exército Lanz, antes de Manstein ter podido estabelecer seu comando sobre o mesmo. O general Lanz recebera ordem direta de Hitler de manter a cidade a qualquer custo e foi imediatamente substituído pelo general Kempff. Hitler pensou em destituir também Manstein e foi de avião até seu quartel-general em Zaporozhe, no dia 17 de fevereiro, com essa idéia em mente e lá ficou durante dois dias. Von Kleist foi também convocado para a reunião. Manstein convenceu o Führer da gravidade da situação e da necessidade de empregar todas as forças móveis em contra-ataques e não na defesa de terreno. Enquanto seu exército de infantaria (o destacamento Hollidt) retirava-se com seus dois corpos para o Mius, sob incessante ataque soviético, Manstein desdobrava o 1º e 4º Exércitos *Panzer*, retirados do Don, a fim de contra-atacar essas penetrações no seu flanco norte. Auxiliado por um contra-ataque desfechado pelo Corpo *Panzer* SS ao sul de Kharkov, foram repelidas as ameaças soviéticas aos vaus do Dnieper, tendo sido infligidas severas baixas ao 1º Exército de Guardas soviético. Tendo a iniciativa passado temporariamente para as mãos dos alemães, Manstein explorou-a para recapturar Kharkov, que o Corpo *Panzer* SS tomou no dia 14 de março, enquanto mais ao norte Kempff reconquistava também Belgorod. Por essa altura, o gelo estava se transformando em lama, e von Manstein não conseguiu convencer Busch, do Grupo de Exércitos Centro, a cooperar na eliminação do saliente (mais uma vez, mais ao norte) a oeste de Kursk.

A demora em eliminar esse saliente acabou por tornar-se fatal. Sua destruição devia ser o objetivo da ofensiva de verão alemã em 1943, a Operação *Citadel* (ver mapa 5), o Grupo de Exércitos Sul espichando o pescoço a partir do sul em Belgorod, usando o 4º Exército *Panzer* e o Destacamento Kempff, com o 2º *Panzer* ou granadeiros *panzer* e cinco divisões de infantaria, enquanto o Grupo de Exércitos Centro atacava o flanco norte com seis divisões *panzer* e cinco de infantaria. Planejou-se iniciar a ação logo que o terreno ficasse suficientemente seco, em maio, mas, contra os conselhos de ambos os comandantes de grupos de exército, Hitler resolveu adiá-la até junho, a fim de reforçar as divisões *panzer* com mais tanques novos dos tipos Tigre e Pantera. Manstein advertiu que a demora poderia implicar a coincidência com algum desembarque anglo-americano no continente, tendo a campanha no norte da África justamente terminado com a queda de Túnis. Guderian, que esteve presente à conferência e se opôs ao plano, argumentando que as perdas de tanques seriam desastrosas e que prioridade devia ser dada ao oeste, escreveu que "Manstein, como freqüentemente acontece quando em encontros face a face com Hitler, não estava em sua melhor forma".[20] De qualquer modo, devido a demoras na entrega dos tanques, a operação só foi lançada no dia 5 de julho e terminou em fracasso após oito dias de ferozes combates — a maior batalha de tanques jamais travada até então — e na qual ambos os lados sofreram pesadas perdas.

Manstein compreendeu, nessa ocasião, que passara a última oportunidade de uma ofensiva estratégica bem-sucedida no leste, antes dos desembarques ou ameaças de desembarque anglo-americanos. Não era mais possível, com as forças soviéticas aumentando em número todos os meses, seguir uma estratégia de "aniquilação": o melhor que se podia esperar era um impasse operacional. Para isso, uma posição estratégica segura tinha que ser estabelecida, cuja base deveria ser uma reserva adequada. Nessas circunstâncias, não fazia sentido agarrar-se à Criméia e menos ainda à cabeça-de-ponte de Kuban. A bacia do Donetz teria que ser abandonada e a linha de Dnieper mantida, pelo menos até que a Criméia fosse evacuada. A situação que prevalecera no inverno anterior repetia-se nesse momento, já que as forças soviéticas, dirigindo-se para oeste a partir de Kursk, ameaçaram Kiev em meados de setembro, enquanto Hitler comparecia a outra conferência, de importância crucial, no quartel-general de Manstein em Zaporozhe. Convencido pelos argumentos deste último, concordou com a retirada de von Manstein para o Dnieper e de von Kleist de Kuban, sustentando Kleist que não podia completar a transferência de suas forças para a Criméia até o dia 15 de outubro.

A retirada de Manstein foi feita sob constante pressão de forças terrestres e aéreas soviéticas. Em suas memórias, ele descreve nos seguintes termos o problema que enfrentava:

> A partir de uma frente de 700km, tínhamos que retirar três exércitos através de apenas cinco vaus e, tendo cruzado o rio, redesdobrá-los para formar outra frente tão larga quanto a anterior e completar inteiramente essa manobra antes que o inimigo pudesse estabelecer uma cabeça-de-ponte na margem sul. E era exatamente esse processo de concentrar todas as forças de cada exército em um ou, no máximo, dois vaus, que dava ao inimigo sua grande oportunidade.[21]

A execução bem-sucedida da retirada por volta de fins de setembro, sob pressão constante, constituiu uma façanha de habilidade e determinação militar em todos os níveis, dos quartéis-generais dos grupos de exércitos até as tropas na linha de frente, e é duvidoso que qualquer outro exército viesse a poder igualá-la. A velocidade e eficiência com que, em um país de comunicações medíocres, as forças alemãs, parte das quais ainda dependia de transporte a cavalo, puderam executar as complicadas manobras sob pressão do inimigo representaram um tributo notável ao treinamento e competência militar em todos os níveis. Von Manstein era um exemplo inspirador dessas qualidades.

A retirada para o Dnieper, porém, não eliminou a ameaça que fora a maior preocupação de von Manstein desde que assumira o comando do Grupo de Exércitos Don: que seu flanco norte pudesse ter virado para ameaçar-lhe a retaguarda. Forças soviéticas logo depois haviam cruzado o rio entre Dnepropetrovsk e Kremenchug, e um contra-ataque lançado pelos 1º *Panzer* e 8º Exército não conseguiu desalojá-las. No início de novembro de 1943, o 1º Grupo de Exércitos Ucranianos soviético cruzou também o rio, imediatamente ao norte de Kiev. Mais uma vez, von Manstein viu-se obrigado a retirar tropas de seu flanco oriental no baixo Dnieper, a fim de tentar restabelecer a situação nas extremidades do flanco norte. O abandono da curva do Dnieper, a partir de Zaporozhe na direção sul até Melitopol, implicaria que os russos isolariam a Criméia. Manstein culpou a si mesmo por ter enviado o 4º Corpo *Panzer* para essa área, em vez de restabelecer a situação crítica mais ao norte, mas desculpou sua decisão sob o fundamento de que Hitler, tendo lhe fornecido novas divisões *panzer* para a finalidade expressa de defender a curva do Dnieper, não teria permitido qualquer outro curso de ação.

Em início de novembro, Kiev tornou-se o foco da crise e, mais uma vez, von Manstein teve uma discussão com Hitler sobre prioridades. O Führer insistiu em que ele não devia abandonar Nikopol, à margem do Dnieper e ao sul de Zaporozhe, por causa de seus vitais depósitos de manganês, enquanto von Manstein repisava os mesmos argumentos que utilizara sobre a bacia do Donetz: que por causa de sua defesa poderia perder todos os Grupos de Exércitos Sul e A, uma vez que a posição do 4º Exército *Panzer* em volta de Kiev tornava-se cada vez mais precária. Kiev, na verdade, caiu no dia 6 de novembro. A arremetida russa na direção sudoeste, a partir da cidade, foi detida por um contra-ataque lançado pelo 48º Corpo *Panzer* dez dias depois, para alívio de von Manstein, cujo quartel-general em Vinnitsa teria sido ameaçado se o ataque prosseguisse por mais algum tempo. Não obstante, a situação na área permaneceu crítica, uma vez que o terreno endureceu e o rio congelou inteiramente, como aconteceu também na curva do Dnieper, onde as 3ª e 4ª Frentes Ucranianas dos soviéticos estavam claramente planejando uma nova ofensiva (ver mapa 6).

No dia 4 de janeiro de 1944, Manstein visitou Hitler e defendeu a retirada da curva do Dnieper e da Criméia e a formação de um novo exército de reserva na área de Rovno, a 320km a oeste de Kiev. Só se lhe fossem dados substanciais reforços, que só podiam vir de outros grupos de exércitos na Frente Oriental ou dos estacionados na Itália ou na França, à espera de um desembarque anglo-americano, é que poderia ser evitado o abandono dessas áreas ou um desastre na Ucrânia. Quando Hitler recusou, citando o efeito de tal retirada no sul da Rússia sobre a Turquia, Romênia e Bulgária, ou no norte da Rússia (a fim de lhe fornecer reforços) sobre a Finlândia e os estados Bálticos, von Manstein, sozinho com ele e Zeitzler, voltou à sua proposta de uma sólida reorganização do alto comando. Hitler, que desconfiava que von Manstein se imaginava ou como chefe supremo do Estado-Maior ou comandante-chefe de toda a Frente Oriental, rejeitou-a sob o fundamento de que só ele dispunha da necessária autoridade. "Nem mesmo eu posso conseguir que os marechais me obedeçam", disse ele. "O senhor imagina que, por exemplo, eles lhe obedeceriam mais prontamente? Se acontecer o pior, posso demiti-los. Ninguém mais teria autoridade para fazer isso."[22]

Os prognósticos de von Manstein foram logo depois confirmados pelos fatos. Um grande ataque na direção oeste, na fronteira entre os Grupos de Exércitos Centro e Sul, trouxe as forças soviéticas até Rovno, enquanto outro, ao sul de Kiev, cercava o 11º e o 42º Corpos de Exército. Simultaneamente, o 6º Exército, do Grupo de Exércitos A, no seu flanco direito, era empurrado de volta ao Dnieper, isolando a Criméia. O 8º Exército foi obrigado a abandonar Nikopol. Von Manstein levou seu 1º Exército *Panzer* para nordeste, a fim de restabelecer a situação a leste de Vinnitsa e socorrer o corpo cercado. Em meados de fevereiro de 1944, o Grupo de Exércitos Sul fora empurrado para muito longe do Dnieper, salvo nas suas regiões mais baixas, e forçado a recuar a maior parte do caminho de volta ao Bug. Manstein nesse momento tornou-se preocupado com o buraco aberto entre seu flanco esquerdo e os pântanos de Pripet. Mais uma vez, desejou retirar sua ala direita, estendida demais, que não podia mais cobrir o acesso à Criméia, a fim de reforçar à esquerda, de modo a não ser flanqueado e forçado a tomar a direção sul e entrar nos Cárpatos.

No início de março, as forças soviéticas reiniciaram uma ofensiva geral, lançada pelas quatro Frentes Ucranianas, o que impediu von Manstein de realizar uma retirada organizada e fazer fincapé na linha do Bug. Em meados do mês, os russos haviam-no cruzado em alguns pontos e estavam se dirigindo para os vaus do Dniester. Foi nessa fase que von Manstein, juntamente com outros marechais-de-campo, recebeu ordem de se apresentar em Berchtesgaden, a fim de participar da entrega de uma declaração de lealdade ao Führer, que cada um deles fora convencido a assinar, a fim de contrabalançar a propaganda baseada na declaração do general von Seydlitz, que fora capturado em Stalingrado. Manstein aproveitou a oportunidade para propor uma nova redistribuição de forças, a partir do Bug, do 6º Exército de von Kleit e de seu próprio 8º Exército, a fim de cobrir a área entre o Dniester e o Pruth, deixando-se que o Grupo de Exércitos A, juntamente com as forças romenas, defendessem os acessos à Romênia. Ao mesmo tempo, pediu reforços para fortalecer seu flanco esquerdo e impedir que seu grupo de exércitos fosse forçado a recuar para os Cárpatos ou para trás de Lvov.

Hitler recusou-se a atendê-lo, insistindo em que o 6º Exército devia permanecer no Bug. Depositava suas esperanças daí em diante em criar guarnições em centros de comunicação importantes e lhes ordenar que resistissem indefinidamente, curso este que von Manstein combateu firmemente, pois era, de fato, princípio seu o de reter a flexibilidade operacional. Tropas em posições defensivas, estocadas com suprimentos para resistir a um longo sítio, se necessário, não podiam ser empregadas facilmente para enfrentar situações novas. No dia seguinte a essa reunião, dois exércitos de tanques soviéticos romperam as linhas alemãs na direção dos vaus do Dniester, em Czernowitz e Kamenets Podolsky, ameaçando cortar as comunicações do Grupo de Exércitos Sul com a Polônia e separar o 8º Exército e o 1º Exército *Panzer* dos Exércitos SS e 4º *Panzer*. Depois de uma discussão sobre o que devia fazer o 1º Exército *Panzer*, tanto entre von Manstein (que queria atacar na direção oeste para se reunir aos demais exércitos *panzer*) e Hitler (que desejava manter as posições existentes e, ao mesmo tempo, desimpedir-lhes as comunicações com o oeste) e entre Manstein e seu comandante, general Hube (que desejava dirigir-se para o sul e reunir-se a von Kleist), prevaleceu o ponto de vista de Manstein. As forças soviéticas meteram então uma cunha entre o Grupo de Exércitos Sul e o A, e o 8º Exército de von Manstein, situado ao sul da cunha, passou ao comando de von Kleist.[23]

Por essa altura, Hitler perdera a confiança em Manstein. No dia 30 de março, chamou-o novamente a Berchtesgaden, ele estivera ali apenas três dias antes. Após a conferência da noite, Hitler entregou-lhe as Espadas para sua Cruz de Cavaleiro e lhe disse que ele devia entregar o comando de seu Grupo de Exércitos, que seria rebatizado como Grupo de Exércitos Norte da Ucrânia, ao coronel-general Model, ao mesmo tempo lhe garantindo que não fazia isso porque perdera a confiança nele. Fingiu que, porque passara os dias das "operações em grande estilo", e o que se necessitava no futuro era defesa obstinada, Model era mais bem talhado para as futuras missões. Manstein desconfiava que a razão de sua destituição era que, na conferência em Berchtesgaden no dia 25 de março, Hitler tivera que curvar-se perante ele no tocante à questão do 1º Exército *Panzer*, isso na presença de outros oficiais superiores. Hitler garantiu-lhe que ele seria nomeado para outro posto, "em pouco tempo". Depois de ter von Manstein apertado a mão de Hitler com as palavras: "Confio, *mein Führer*, em que a medida que acaba de tomar hoje não tenha efeitos desfavoráveis", von Kleist recebeu o mesmo tratamento. O seu Grupo de Exércitos A, sob o nome de Grupo de Exércitos Sul da Ucrânia, foi entregue ao general Schörner, que juntamente com Model, esperava na antecâmara. Durante toda a entrevista, a atitude de Hitler foi correta e cortês, até mesmo amigável. Ele não queria ter Manstein entre seus inimigos.[24]

As relações entre Manstein e Hitler foram determinadas por suas conflitantes idéias político-estratégicas. À medida que a situação na Rússia, e na guerra em geral, virava progressivamente contra ele, e sumia a perspectiva de concretizar seus objetivos iniciais, Hitler passou a combinar uma confiança em milagres técnicos com fatalismo. Lutar até o amargo fim era o único destino digno dos alemães, se não se pudessem atingir os alvos que ele lhes fixara. Não tinha grande importância o local onde seria travada a última luta. Manstein adotava um ponto de vista inteiramente diferente. O objetivo da luta era obter a melhor solução negociada da guerra, de modo que as hordas eslavas pudessem ser mantidas longe da Alemanha, à qual teria que ser dada outra oportunidade de reconstruir a forte posição na Europa e no mundo que Bismarck e seu herói, Moltke, o Velho, haviam criado. Caso houvesse compreendido o ponto de vista básico de Hitler, ele poderia ter sido convencido a ligar-se àqueles que planejavam um golpe de Estado, entre os quais se encontrava seu respeitado velho chefe, Beck. Manstein, porém, depositava suas esperanças em convencer Hitler a adotar-lhe as propostas de estratégia e organização do alto comando. Em retrospecto, explicou nas seguintes palavras suas razões para adotar uma atitude equívoca em relação à resistência:

> Como responsável por um grupo de exércitos no campo de batalha, eu não achava que tinha o direito de pensar em um *coup d'état* em época de guerra, porquanto, na minha opinião, ele teria levado ao colapso imediato da linha de frente e, provavelmente, ao caos na Alemanha. À parte isso, sempre houve a questão do juramento militar e da admissibilidade do assassinato por razões políticas. Ou como disse em meu julgamento: "Nenhum alto comando militar pode esperar durante anos seguidos que seus soldados dêem a vida pela vitória e, em seguida, precipitar a derrota por sua própria mão."[25]

Oficiais das Forças Armadas de todos os países estão acostumados ao conflito entre a lealdade aos seus subordinados e a lealdade aos seus superiores e, às vezes, ao conflito de lealdade a superiores diferentes. Em épocas anteriores na história do Exército britânico, oficiais superiores enfrentaram algumas vezes um conflito entre a lealdade a seus senhores políticos, eleitos democraticamente, e a Coroa, ou entre os interesses da nação, como os entendiam, mas nenhum deles enfrentou a severa provação que Manstein e seus colegas em altos postos tiveram que arrostar, em meio a uma luta pela sobrevivência contra inimigos poderosos e implacáveis. O fato de que tanto seus cidadãos quanto seus captores pensaram que ele agiu honradamente ficou demonstrado por suas atitudes durante e após os julgamentos de Nuremberg em 1948. Temos que levar em conta que Hitler, que sem dúvida alguma fora democraticamente eleito, conservou o apoio popular certamente até que os desembarques anglo-americanos na França culminaram na vitória.

A defesa que Manstein apresentou, em Nuremberg, do Estado-Maior Geral e do OKW (*Oberkommando der Wehrmacht* — Estado-Maior das Forças Armadas), na qual resistiu à tentação de acusar indivíduos, influenciou bastante para que elas fossem absolvidas da acusação de serem organizações criminosas, mas não o salvou de julgamento subseqüente por um tribunal militar britânico, por acusações de crimes de guerra oferecidas pelos russos, e às quais já fizemos alusão. Ele mesmo e muitos de seus captores, militares e judiciários, julgaram repugnante que, tendo se rendido pessoalmente ao marechal-de-campo Montgomery em Schleswig-Holstein em maio de 1945, e sido aceito como prisioneiro de guerra, fosse tratado como criminoso comum e levado a julgamento. Mas isso foi certamente preferível a entregá-lo aos russos, como estes exigiam. E foi irônico que, tendo sido libertado em 1953, após ter cumprido quatro dos 18 anos de prisão a que fora condenado, tivesse sido convocado, em 1956, pelo governo de Adenauer na Alemanha Ocidental (pressionado por apelos de ex-inimigos da Alemanha para que se juntasse a eles numa aliança militar contra a União Soviética) para assessorar a formação de um renascido Exército alemão.

Dados cronológicos | Erich von Manstein

1885, 24 nov	Nasce em Berlim, décimo filho de Eduard von Lewinski, oficial de artilharia que chegou ao posto de general
	Adotado pela irmã da mãe, Hedwig von Sperling (casada com Georg von Manstein, oficial de infantaria que também chegou a general), que não tinha filhos
1893-95	Dos oito aos dez anos, educado no Lycée de Estrasburgo. Em seguida, ingressou no Corpo de Cadetes em Plön e Berlim. Nesta última cidade serviu também no Corpo de Pajens

1906, 6 abr	Alferes no 3º batalhão de Guardas a Pé
1907, 27 jan	*Leutnant*
1911, 1º jul	Ajudante de batalhão
1914, 19 jun	*Oberleutnant*
1914, 2 ago	Ajudante no 2º Regimento de Guardas da Reserva. Tomou parte na campanha do Marne
1914, nov	Gravemente ferido na Frente Ocidental
1915, 17 jun	Oficial de Estado-Maior no Grupo de Exércitos Gallwitz, na Polônia e na Sérvia
1915, 24 jul	*Hauptmann*
1915, 19 ago	Ajudante, QG do 12º Exército
1916, 22 jan	Oficial de Estado-Maior, 11º Exército, na frente de Verdun
1916, jul	Oficial de Estado-Maior, QG do 1º Exército, no Somme
1917	Oficial de operações mais graduado da 4ª Divisão de Infantaria de Assalto em Courland (Estônia)
1918, mai	Posto semelhante na 213ª Divisão de Infantaria de Assalto na Frente Ocidental
1919	Oficial de Estado-Maior, *Grenzschutz Ost* (Defesa da Fronteira, Leste), Breslau. Oficial de Estado-Maior do general von Lossberg em Berlim e Kassel, traçando planos para o exército de 100 mil soldados permitido pelo Tratado de Versalhes
1920	Casa-se com Jutta Sybille von Loesch, com a qual teve dois filhos, tendo o filho mais velho morrido em combate em 1942 na Rússia
1920, 1º out	Comandante de companhia do 5º Regimento de Infantaria em Angermunde, Pomerânia
1923-7	Oficial de Estado-Maior do *Wehrkreis I, II* e *IV*
1927, 1º fev	*Major*
1927, 1º out	Oficial de Estado-Maior do comandante da Infantaria IV
1929, 1º set	Seção de Operações do *Truppenamt*
1932, 1º abr	*Oberstleutnant* (tenente-coronel)
1932, 1º out	Comandante do Batalhão Jäger, do 4º Regimento de Infantaria, Kolber
1933, 1º dez	*Oberst* (coronel)
1934, 1º fev	Chefe de Estado-Maior do general von Witzleben no *Wehrkreis III*, Berlim

1935, 1º jul	Chefe da Seção de Operações (*Op Abt I*) do Estado-Maior do Exército
1936, 1º out	*Generalmajor*
1936, 6 out	*Oberquartiermeister* (Vice-chefe do Estado-Maior) sob o general Beck
1938, 4 fev	Comandante da 18ª Divisão de Infantaria, Liegnitz. Mais tarde convocado como chefe de Estado-Maior do general von Leeb durante a crise de Munique
1939, 1º abr	*Generalleutnant*
1939, 18 ago	Chefe de Estado-Maior, do comandante-chefe Leste, mais tarde Grupos de Exército Sul (sob o comando de Rundstedt), no qual serviu durante toda a campanha polonesa
1939, 23 out	Chefe de Estado-Maior do Grupo de Exércitos A (Rundstedt) no Oeste
1940, 15 fev	Comandante do 38º Corpo (Infantaria). Serviu durante a derrota da França em maio-junho de 1940
1940, 1º jun	*General der Infanterie*
1941, mai	Comandante do 56º Corpo *Panzer* na Prússia Oriental, no 4º Grupo *Panzer* do general Hoeppner, no Grupo de Exércitos Norte, do marechal-de-campo von Leeb
	Tomou parte no avanço sobre Leningrado
1941, 13 set	Comandante do 11º Exército no Grupo de Exércitos Sul de Rundstedt, com missão de conquistar a Criméia
1942, 1º jul	Marechal-de-campo (após o término da conquista da Criméia)
1942, nov	Comandante do Grupo de Exércitos Don, rebatizados, em fevereiro de 1943, de Grupo de Exércitos Sul
1944, mar	Demitido por Hitler
1944, 2 abr	Transferido para a Reserva do Führer
1945, mai	Rende-se aos britânicos
1949, ago	Julgado por tribunal militar britânico sob acusações de crimes de guerra, absolvido da maioria delas, condenado a 18 anos de prisão, mais tarde reduzidos a 12
1953	Libertado
1973, 10 jun	Falecimento

Kleist | 10

Marechal-de-campo Ewald von Kleist

SAMUEL W. MITCHAM JR.

Paul Ludwig Ewald von Kleist foi um aristocrático oficial prussiano de cavalaria da velha escola. Descendente de uma longa linhagem de generais e aristocratas prussianos, foi produto típico de sua formação e ancestralidade. Três membros de sua família haviam sido marechais-de-campo e nada menos de 31 ostentavam a condecoração *Pour le Mérite*.[1] De muitas maneiras, era o protótipo do oficial prussiano de Estado-Maior do velho estilo, e essa tradição pautou-lhe a carreira e atos durante toda a vida. Monarquista, defendeu abertamente a restauração da Casa de Hohenzollern mesmo depois da subida de Adolf Hitler ao poder. E alienou ainda mais os nazistas, em geral anti-religiosos, pelo apego às suas convicções cristãs. Kleist era Cavaleiro de Honra da Ordem Hospitaleira de São João de Jerusalém, uma ordem religiosa famosa. Em 1935, o príncipe Oscar da Prússia, Grão-Mestre da Ordem, elevou-o à categoria de Cavaleiro de Justiça da Ordem.[2] Durante toda vida, Kleist olhou para o Partido Nazista com um asco que nunca se incomodou em esconder. Ele era, contudo, um não-nazista, distinguindo-se neste particular do antinazista. Não era homem do estofo do qual são feitas conspirações. Prestara juramento de lealdade a Hitler em 1934 (juntamente com todo o Exército) e nunca o abjuraria. Por outro lado, tampouco era indivíduo cegamente obediente, motivo por que Hitler duas vezes aposentou-o e finalmente cortou-lhe a carreira militar.

Nasceu em Braunfels an der Lahn, na província de Hesse, no dia 8 de agosto de 1881. Entrou no Exército em março de 1900 (antes de completar 19 anos) como *Fahnenjunker* no 3º Regimento Real de Artilharia de Campanha e recebeu a patente de *leutnant* (segundo-tenente) em 18 de agosto de 1901. Teve um início de carreira típico do jovem oficial aristocrático de seu tempo. Passou por treinamento de artilharia, tornou-se ajudante de batalhão em 1904 e de regimento em 1907. No ano seguinte, transferiu-se para a arma montada e, após freqüentar a Escola de Cavalaria em Hanover (1908-9), foi promovido a primeiro-tenente em 1910 e matriculado na Academia de Guerra, em Berlim, a fim de receber treinamento de Estado-Maior. Em fins daquele ano, casou-se com Gisela Wachtel, uma moça que aparentemente conheceu quando esteve destacado em Hanover. Teve um casamento feliz e permaneceu devotado à esposa durante o resto da vida.

Formou-se pela prestigiosa Academia de Guerra em fins de 1911 e passou a servir como oficial de Estado-Maior no 14º Regimento de Hussardos, em Kassell. Promovido a *Rittmeister* (capitão de cavalaria) em março de 1914, foi transferido para o Estado-Maior do Regimento de Hussardos do príncipe-herdeiro pouco antes do irrompimento da Primeira Guerra Mundial.

O capitão von Kleist passou a maior parte da guerra na Frente Oriental. Em outubro de 1914, assumiu o comando de um esquadrão de cavalaria, que participou da batalha de Tannenberg, onde Hindenburg e Ludendorff repeliram a invasão russa à Prússia Oriental. Em outubro de 1915, voltou a deveres de Estado-Maior, designado para a 85ª Divisão de Infantaria, uma unidade da *Landwehr* (reserva) na Frente Russa. Sucessivamente serviu como ajudante de brigada, vice-ajudante de divisão e oficial de artilharia do 17º Corpo de Exército. Tornou-se chefe do Estado-Maior da Divisão da Cavalaria de Guarda em 1917. Os guardas foram transferidos para a Frente Ocidental depois de os russos terem assinado o armistício de Brest-Litovsk em princípios de 1918. Kleist lutou nas batalhas de Rheims e nos setores de Champagne e Meuse. Foi designado para o Estado-Maior da 225ª Divisão de Infantaria pouco antes do fim da guerra.

Após o armistício, voltou ao seio da família em Hanover, sem amarguras com suas experiências. Ingressou na *Reichswehr* e serviu em vários postos de Estado-Maior e treinamento. É vaga sua fé-de-ofício entre os anos de 1919 e 1923, mas, aparentemente, trabalhou no Estado-Maior do comandante da Infantaria (parte da 6ª Divisão de Infantaria) em Münster e no 13º Regimento de Cavalaria.[3] Após 22 anos de Exército, foi promovido a major no dia 1º de fevereiro de 1922. Fizera seu aprendizado. Nos 14 anos seguintes, teve rápidas promoções, chegando a tenente-coronel em 1926, coronel em 1929, major-general em 1932, tenente-general em 1933 e general de cavalaria em 1936.[4] Os deveres aumentaram comensuravelmente em importância e responsabilidade: instrutor de Tática na Escola de Cavalaria de Hanover (1923-26), chefe do Estado-Maior da 2ª Divisão de Cavalaria em Breslau (1928-29), chefe do Estado-Maior da 3ª Divisão de Infantaria e, mais tarde, do *Wehrkreis III* (III Distrito Militar), ambos em Berlim (1929-31). Em princípios de 1931, tornou-se comandante de uma tropa de elite, o 9º Regimento de Infantaria, em Potsdam e, no dia 1º de fevereiro de 1932, assumiu o comando da 2ª Divisão de Cavalaria, em Breslau, substituindo o general Gerd von Rundstedt, que passara ao comando do *Wehrkreis III*. Transferiu a família para essa cidade silesiana, comprou uma propriedade agrícola nas proximidades e transformou-a em seu lar permanente. Fotografias mostram que era um lugar muito belo.

Enquanto isso, Gisela von Kleist dava-lhe dois filhos, ambos homens. Johannes Jürgen Christoph Ewald von Kleist nasceu em Hanover em 1917, quando o pai continuava ainda na guerra. Hugo Edmund Christoph Heinrich nasceu em 1921, também em Hanover. Foram ambos criados na mesma tradição do pai, que era um dedicado chefe de família. O filho mais velho, também chamado Ewald, seguiu as pegadas do pai e serviu como capitão de cavalaria na Frente Oriental durante a Segunda Guerra Mundial. Heinrich era portador de uma grave condição asmática, que o tornou medicamente incapacitado para o serviço militar. Apesar disso, serviu também na Rússia como especialista em agricultura.[5]

Em 1936, a 2ª Divisão de Cavalaria foi dissolvida e o quartel-general divisionário elevado à categoria de QG de corpo de exército e redesignado como *Wehrkreis VIII*. Kleist tornou-se comandante do novo *Wehrkreis* e responsável pela expansão do Exército na Silésia. Seu novo comando incluía três divisões de infantaria, várias formações de QG e unidades administrativas, além dos 3º e 4º Comandos de Zona de Fronteira, as unidades paramilitares que defendiam as fronteiras tcheco-alemãs e polono-alemãs.

Com a habitual segurança e regularidade cumpriu seus deveres em Breslau. Contudo, depois que o maleável coronel-general Walther von Brauchitsch tornou-se comandante-chefe do Exército em fevereiro de 1938, substituindo o falsamente acusado von Fritsch, numerosos oficiais de alta patente, mas antinazistas, foram transferidos ou reformados. Entre os que foram mandados embora figurava o abertamente pró-realista cavalariano Ewald von Kleist, que não escondia sua antipatia pelos novos-ricos nazistas.

A despeito da natureza compulsória da reforma, Kleist recebeu uma importante honraria de despedida ao ser autorizado a usar o uniforme do 8º Regimento de Cavalaria. Ficou tão comovido que continuou a usar as dragonas amarelas da cavalaria com o número "8" gravado — em vez das dragonas normais de cor carmesim do oficial general —, até que foi promovido a marechal-de-campo. Continuou também a figurar na lista dos postos do regimento, como se ainda estivesse em serviço ativo, e recebeu uma foto autografada de Hitler, seguros sinais de que o Führer pensava que poderia precisar dele no futuro.

No ano e meio seguinte, Kleist viveu a vida confortável de fidalgo rural aposentado em Weidebrück, sua propriedade campestre nas proximidades de Breslau. Era um caçador entusiástico e possuidor de várias e excelentes carabinas e rifles, encontradas pelos Aliados quando o capturaram em 1945. Acompanhava também a carreira do filho mais velho, que recebeu a patente de *Leutnant* de cavalaria e foi designado para o 9º Regimento de Cavalaria, sediado em Fürstenwald no outono de 1938.[6]

A despeito das suas idéias antinazistas, Hitler e seus seguidores nunca lhe puseram em dúvida a inteligência e a capacidade profissional. Acumulando-se as nuvens de guerra sobre a Polônia, chamaram-no de volta à ativa em agosto de 1939. Deram-lhe o comando do recém-criado 22º Corpo, que fazia parte do 14º Exército do general von Leeb, no flanco sul do Grupo de Exércitos Sul, de Rundstedt. O 22º Corpo compunha-se de uma divisão *panzer*, uma de infantaria ligeira e outra de montanha e teve bom desempenho na Polônia. Capturou os campos petrolíferos poloneses perto de Lvov e, no dia 17 de dezembro, estabeleceu ligação com o 19º Corpo *Panzer*, do general Heinz Guderian, nas proximidades do rio Bug, cortando em duas a Polônia.[7]

Em seguida à rendição da Polônia e enviado para a Frente Ocidental, no dia 29 de fevereiro de 1940 Kleist teve a mais importante nomeação de sua carreira: o comando das principais forças *panzer* no *Sichelschnitt*, o plano de ofensiva no oeste, em 1940 (ver mapa 14). Com seu QG temporariamente designado como "Grupo *Panzer* Kleist", coube-lhe o comando de três corpos *panzer*: o 41º, de Reinhardt (a 6ª e 8ª Divisões *Panzer*), o 19º de Guderian (1ª, 2ª e 10ª Divisões *Panzer*), e o 14º de von Wietersheim (três divisões motorizadas). Cinco das dez divisões *panzer* alemãs estavam sob seu comando direto. Ewald von Kleist foi, assim, o primeiro homem a dirigir um exército *panzer*, embora esse nome não fosse oficialmente usado por mais um ano e meio.

Por que teria sido um cavalariano nomeado para um comando tão importante? Ele não comandara tropas *panzer* até a campanha da Polônia em 1939. Embora houvesse se saído bem nessa campanha, suas realizações certamente não igualavam as de Guderian, que fora um dos fundadores dessa arma. Na verdade, Kleist nunca demonstrara especial boa vontade para com a arma blindada, que substituíra seus amados cavalos por malcheirosos motores. Mas era fundamental a solução da seguinte questão extraordinariamente importante: os generais mais graduados do Exército alemão não haviam ainda aceitado plenamente as tropas *panzer* ou o conceito de *Blitzkrieg*. Desconfiavam de Guderian devido à sua personalidade abrasiva e aparente intimidade com Hitler. Achavam que o respeitado e duro Kleist saberia manter, sob rédea curta, o brilhante mas impetuoso Guderian, que poderia pôr em risco toda a operação, tomando medidas precipitadas. Em outras palavras, consideravam a mentalidade firme e conservadora de Kleist como um necessário contrapeso à potencial temeridade do ousado Guderian.

Coube ao Grupo *Panzer* de Kleist a missão mais importante de toda a campanha — romper o centro da frente aliada e levar a penetração até o canal da Mancha, dessa maneira encurralando o Grupo de Exércitos Aliados Norte (a Força Expedicionária Britânica e o 1º e 7º Exércitos franceses) contra o mar. Kleist tomou talvez a decisão mais crítica de toda a sua carreira militar no dia 12 de maio, o segundo dia da campanha, quando seu grupo *panzer* fazia uma difícil marcha de aproximação através da floresta de Ardennes. Naquele dia, Hitler enviou o coronel Rudolf Schmundt, seu principal ajudante-de-ordens, ao posto de comando de Kleist. Através dele, fazia a Kleist a pergunta fundamental: tencionava ele cruzar o Meuse no dia seguinte, ou deveria esperar a chegada da infantaria do 12º Exército de List? O próprio Guderian, com uma cautela pouco característica dele, era favorável à espera. Kleist respondeu que tencionava atacar "imediatamente, sem perder tempo". Hitler aprovou a decisão e ordenou que o ataque fosse apoiado pelos bombardeiros de mergulho Stuka do 8º Corpo Aéreo.[8] No dia seguinte, a tropa de Guderian cruzou o Meuse nas proximidades de Sedan e, ao anoitecer do dia 14 de maio, os defensores dessa cidade haviam sido fragorosamente batidos. Em fins do dia 16 de maio o buraco na frente francesa media 100km de largura, e os franceses não possuíam virtualmente reservas para fechá-lo.

Kleist, contudo, avançava rapidamente demais para Hitler, que estava assustado com seu próprio sucesso, mas devagar demais para Guderian, com o qual ele teve uma série de discussões acaloradas. No dia 16 de maio, Guderian, recebendo ordens para parar o avanço até que as divisões de infantaria se emparelhassem com ele, pediu para ser exonerado do comando. Kleist ficou "momentaneamente atordoado" com a exigência,[9] mas não era homem para recuar diante de subordinados e demitiu-o na hora.

Alguns historiadores criticam Kleist por ter demitido Guderian, mas entre eles não está este autor. Kleist tencionara repreendê-lo por desobedecer a ordens, mas não demiti-lo. É altamente improvável que o tivesse exonerado, se ele mesmo não houvesse literalmente pedido isso. Ao contrário de outros generais, notadamente Rommel, Schörner e von Kluge, Kleist sempre demonstrou relutância em substituir seus comandantes graduados. Queria simplesmente que suas ordens fossem obedecidas — insistia nisso, na verdade —, como deve fazer qualquer comandante que mereça esse nome. Se Guderian não queria ser exonerado, então não devia ter pedido (literalmente) que isso acontecesse.

Em fins daquele dia, seguindo instruções de Rundstedt, o coronel-general List (comandante do 12º Exército) impôs uma solução conciliatória, de acordo com a qual Guderian seria reconduzido a seu comando e teria permissão para efetuar um reconhecimento com grandes efetivos ao longo do Oise — solução aceita por Kleist, que não demitira Guderian por animosidade pessoal, uma vez que não era esse tipo de homem.[10]

No dia 19 de julho de 1940, após a rendição da França, Kleist foi promovido a coronel-general. Após um breve período em deveres de ocupação na França, foi enviado para a Frente Oriental, onde Hitler tinha novos inimigos a enfrentar. Exceto por curtos períodos de licença, permaneceria na Frente Oriental durante o resto de sua carreira no serviço ativo.

O 22º Grupo *Panzer* de Kleist, com o novo nome de 1º Grupo *Panzer*, seguiu para a Bulgária em princípios de 1941. Estava destinado a ser a ponta-de-lança da invasão da Grécia. Durante a noite de 26/27 de março, no entanto, o governo pró-Eixo de Cvetkovic, na Iugoslávia, caiu por efeito de um golpe de Estado, substituído por uma *junta* sob a chefia do general Simovic, ex-comandante da Força Aérea Iugoslava. Prontamente, Hitler decidiu invadir também a Iugoslávia. Encarregou dessa tarefa o 2º Exército, do coronel-general von Weichs, que tinha no 1º Grupo *Panzer* de Kleist sua principal força de ataque, marcando-se a invasão para o dia 8 de abril.

Considerando-se o curto período de preparativos, o estado medíocre do sistema rodoviário da Iugoslávia e o difícil terreno montanhoso através do qual atacou, Kleist teve desempenho brilhante. Sem demora, esmagou o 5º e 6º Exércitos iugoslavos e entrou em Belgrado à frente da 11ª Divisão *Panzer* às 6h30min (hora alemã) no dia 13 de abril. Atribuiu-se ocasionalmente crédito a Kleist pela captura da cidade. Na verdade, elementos da 22ª Divisão Motorizada *Das Reich*, da SS, sob o comando do *Obersturmführer SS* (tenente da SS) Klingenberg, entraram na cidade, vindos do norte e aceitaram a rendição da cidade às 19h da noite anterior.[11] A ousada façanha de Klingenberg em nada diminui as realizações do próprio Kleist, que não foram esquecidas pelos derrotados. Ele, porém, pouco tempo teve para dormir sobre os louros da vitória. O 1º Grupo *Panzer* seguiu rapidamente para o sul da Polônia, a fim de reagrupar-se para a Operação *Barbarossa*, a invasão da União Soviética (ver mapa 4).

Kleist, porém, não se distinguiu em 1941 na Rússia na mesma medida que outros comandantes de forças *panzer*. Cita-se como uma das razões desse fato o terreno da Galícia e da região ocidental da Ucrânia (por onde atacou), dotadas de densas florestas e cruzadas por poucas estradas. Os russos superavam-no também amplamente em número de tanques. Stálin designara suas melhores formações e grande parte dos blindados soviéticos para o setor sul, provavelmente tendo em vista uma futura invasão da Romênia. Os 600 tanques do 1º Grupo *Panzer* tiveram pela frente 2.400 tanques soviéticos, muitos deles qualitativamente superiores aos 3º e 4º PzKw de Kleist. "À parte a surpresa, dependíamos para o sucesso exclusivamente do treinamento superior e da perícia de nossas tropas", disse mais tarde o coronel-general.[12] Aproveitando a inexperiência russa, conseguiu apesar de tudo romper a Linha Stálin no dia 6 de julho e fechar o bolsão de Ulman no dia 8 de agosto. Capturou 103 mil soldados soviéticos, incluindo dois comandantes de exército, além de 317 tanques e 1.100 canhões, tomados ao inimigo ou destruídos.[13] Mais tarde, no dia 14 de setembro, ele e Guderian (nesse momento no comando do 2º Grupo *Panzer*) fecharam o bolsão de Kiev, tomando como prisioneiros 667 mil russos e capturando ou destruindo 3.718 canhões e 884 veículos blindados.[14]

Após Kiev, o grupo de Kleist, promovido a 1º Exército *Panzer* (no dia 6 de outubro de 1941), virou para o sul e iniciou a arremetida contra Rostov, o objetivo final do Grupo de Exércitos Sul, de Rundstedt, em 1941. Avançando para leste e, em seguida, para o sul, cortou pela retaguarda as forças soviéticas que retardavam o 11º Exército de Manstein nas proximidades de Melitopol. Juntos destruíram em Chernigovka o 18º Exército soviético, capturando mais de 100 mil soldados, 212 tanques e 672 canhões.[15]

Kleist não queria tomar Rostov porque sabia que não podia conservar a cidade. A luta pesada, as longas linhas de suprimento e o terreno difícil haviam cobrado pesado tributo a seu exército *panzer*. Tinha em funcionamento apenas 30% dos caminhões com que cruzara a fronteira. Além disso, aproximava-se o inverno russo, e seu flanco esquerdo estava perigosamente exposto. Hitler, no entanto, ordenou que Rostov fosse tomada. Kleist iniciou o avanço final no dia 17 de novembro e capturou a cidade no dia 20. No dia 28, no entanto, os russos expulsaram-no das posições conquistadas. As forças terrestres alemãs sofriam seu primeiro grande revés na Segunda Guerra Mundial, uma distinção duvidosa para Kleist, embora ele houvesse comandado suas forças tão bem quanto as circunstâncias permitiam. Por essa derrota, Hitler demitiu Rundstedt do comando de grupo de exércitos e chegou a ir à Rússia com a intenção de despedir Kleist e seu chefe de Estado-Maior, Zeitzler. Contudo, quando discutiu o assunto com o comandante da 1ª Divisão *Panzer* SS, o general "Sepp" Dietrich, o velho nazista só teve elogios para Kleist. Reconhecendo que errara, Hitler manteve o ex-cavalariano no comando e voltou mais tarde a usar os serviços de Rundstedt.

Kleist desempenhou papel de relevo na Batalha de Kharkov, em maio de 1942, quando, na qualidade de comandante do Grupo de Exércitos Kleist (*Armeegruppe Kleist*) (1º e 17º Exércitos *Panzer*), comandou um grande contra-ataque à ofensiva de primavera de Timoshenko. Com toda probabilidade, salvou da destruição o 6º Exército de Paulus. Capturou ou destruiu 239 mil soldados soviéticos, 1.250 tanques e 2.026 canhões. Voltou ao comando do 1º Exército *Panzer*, nesse momento parte do recém-formado Grupo de Exércitos A, do marechal-de-campo List e, na ofensiva alemã de verão, serviu de ponta-de-lança do avanço na direção sudeste, no rumo do Cáucaso e da região petrolífera de Baku. Detido o avanço, Hitler demitiu List no dia 9 de setembro e assumiu pessoalmente o comando de Grupo de Exércitos A, o que constituía um novo auge na interferência do Führer em assuntos militares. Na mesma ocasião, o 6º Exército de Paulus dirigia-se para Stalingrado, no eixo leste da ofensiva divergente de Hitler.

Embora o coronel-general von Kleist tivesse advertido Hitler contra o emprego de húngaros, italianos e romenos como protetores do flanco do 6º Exército durante a luta por Stalingrado, o Führer não lhe deu ouvidos.[16] No dia 21 de novembro de 1942, dois dias depois de os russos terem lançado seu bem-sucedido ataque contra os romenos ao norte e sul de Stalingrado, Hitler, finalmente, deixou-se convencer a passar adiante a responsabilidade do comando direto do Grupo de Exércitos A no Cáucaso, tendo sido Kleist o escolhido. No dia seguinte, os russos fecharam o cerco em torno do 6º Exército de Paulus, em Stalingrado.

O novo comando de Kleist consistia do 1º Exército *Panzer* (general von Mackensen) e 17º Exército (coronel-general Ruoff). Nesse momento, em situação precária e perigosa, Kleist demonstrou ser um comandante de grupo de exércitos extraordinariamente capaz. A despeito da interferência de Hitler, através de ordens de "resistir até o fim" e de pesados ataques russos (e graças também às valentes ações das tropas de Manstein, testa do Grupo de Exércitos Don para manter abertas as linhas de comunicação de Kleist), este conseguiu retirar seu 1º Exército *Panzer*, passando por Rostov em janeiro de 1943, antes que o inimigo o isolasse em Kuban. Passou nessa ocasião ao comando de Manstein, que precisava desesperadamente de reforços para suas manobras em torno do anel russo em volta do 6º Exército, sitiado em Stalingrado. Nesse momento, porém, o 17º Exército fora isolado em Kuban, e Kleist enfrentava uma situação crítica. O comando soviético tinha a oportunidade de destruir o Grupo de Exércitos A, capturando mais de 400 mil soldados — uma presa ainda maior do que em Stalingrado! Na luta, os russos lançaram tudo, comprometendo na operação oito exércitos, em ataques concentrados contra o Grupo de Exércitos A, mas foram repelidos por Kleist. Inteiramente isolado, realizou uma brilhante retirada no inverno para a linha do Kuban, que defendeu contra todos os esforços para rompê-la. Por esse sucesso defensivo, mereceu o bastão de marechal-de-campo em fevereiro de 1943 (ver mapa 7).

Ironicamente, parte dos sucessos que mereceram a Kleist sua promoção deveu-se ao fato de ignorar instruções de Hitler sobre o tratamento a ser dado a povos que viviam sob dominação comunista. Em setembro de 1942 observara Kleist: "Esses vastos espaços me deprimem. E essas vastas hordas de gente! Estaremos perdidos se não os conquistarmos para o nosso lado."[17] E de fato conquistou-os — aos milhares. Com grande espírito de previsão, nomeou para seu Estado-Maior dois antigos adidos militares em Moscou: o tenente-general Ritter Oskar von Niedermayer e o major-general Ernst Koestring. Niedermayer, reformado em 1935, era desde essa época professor de Geopolítica na Universidade de Berlim. Reconvocado para o serviço ativo, organizara e comandara por algum tempo a 162ª Divisão de Infantaria, que incluía naturais dos territórios russos do Azerbaijão, Geórgia, Kazaquistão e Turquestão, bem como voluntários do Irã, Afeganistão e outros territórios do oriente, que ingressaram no Exército alemão para combater os russos e o comunismo. Tal como Kleist, Niedermayer era um desbocado crítico da política nazista de tratar como subumanos (*Untermenschen*) os povos não-germânicos da União Soviética.

Niedermayer e Koestring deram a Kleist assessoramento de autênticos especialistas sobre o tratamento a ser dispensado aos territórios ocupados e aos seus grupos étnicos (não-russos). Como resultado de tais políticas, 825 mil indivíduos foram recrutados para lutar contra o regime de Stálin. Incluíam eles karachoevos, kabardinos, ossetes, ingustos, azerbaijanos, kalmuques, usbeques e, especialmente, cossacos. Em setembro de 1944, Hitler permitiu que alguns deles fossem incorporados ao Exército de Liberação Nacional, sob o comando do ex-general soviético Vlassov, mas, a essa altura a Alemanha perdera quase todos os territórios capturados na União Soviética, e a guerra estava praticamente perdida. Kleist, contudo, teve permissão para utilizar seus recrutas como forças auxiliares e em regimentos cossacos de cavalaria, sob comando alemão. Mais tarde, esses recrutas formaram um corpo de cavalaria cossaco completo.

Fritz Sauckel, Plenipotenciário para Alocação de Mão-de-Obra (isto é, chefe da importação de trabalhadores escravos para a Alemanha nazista) e o *Gauleiter* Erich Koch, o infame *Reichscommissioner* para a Ucrânia, entre outros, protestaram contra as políticas humanitárias de Kleist, que chegara a ponto de ordenar a seus subordinados que se certificassem de que o programa de recrutamento "voluntário" de trabalhadores em sua área era realmente voluntário! Koch e Sauckel ficaram furiosos, claro, mas seus protestos de nada valeram com o cavalariano prussiano. Kleist chegou a ponto de chamar a seu quartel-general oficiais da SS, Gestapo e "Polícia" e dizer-lhes firmemente que não toleraria excessos em sua zona de comando.[18]

A política humanitária de Kleist teve tal sucesso que provocou mesmo frios elogios de Joseph Goebbels, o ministro de propaganda nazista.[19] Se as idéias de Kleist tivessem sido implementadas em todo o Leste, é bem possível que houvessem mudado o curso da guerra.

O marechal-de-campo von Kleist conservou Kuban até setembro de 1943, quando teve permissão para evacuá-la. Em um período de 34 dias, ele e seu comandante naval, vice-almirante Scheurlen, transportaram em barcas 227.484 soldados alemães e romenos, 28.486 membros russos das forças auxiliares, 72.899 cavalos, 21.230 veículos a motor, 27.741 veículos de tração animal e 1.815 canhões pelos estreitos de Kerch até a Criméia. Os soviéticos lançaram vários ataques ferozes contra eles, mas foram repelidos com graves baixas. Tudo o que o 17º Exército perdeu foram as rações dos cavalos.[20] A maior parte das unidades evacuadas seguiu às pressas pela Criméia para juntar-se ao reconstituído 6º Exército do coronel-general Karl Hollidt, que defendia os acessos setentrionais ao istmo de Perekop. Hitler incluiu esse novo exército no Grupo de Exércitos A, de Kleist, após a evacuação de Kuban, cabendo ao 17º Exército a missão de defender a Criméia.

As últimas campanhas de Kleist caracterizam-se por atritos cada vez mais freqüentes com Hitler, pela maneira inepta como o Führer conduzia a guerra. Kleist pediu o abandono da Criméia tão logo completou a evacuação de Kuban. No dia 26 de outubro ordenou, sob sua responsabilidade, a evacuação da península. Hitler, porém, revogou a ordem no mesmo dia. Mesmo depois de os soviéticos terem finalmente chegado ao istmo de Perekop, em 1º de novembro, e isolado o 17º Exército, Kleist continuou a insistir em sua evacuação por mar.

Em várias ocasiões, Kleist pleiteou retiradas oportunas que Hitler recusou-se a autorizar, até que elas lhe foram impostas, com o resultado de provocar baixas muito maiores. Empurrado finalmente para trás do rio Bug, em princípios de 1944, isto é, uma linha que não podia defender com suas esgotadas divisões, Kleist conspirou com Hollidt e com o general Otto Woehler, comandante do 8º Exército no flanco sul do Grupo de Exércitos Sul de Manstein, para que a retirada na direção do Dniester fosse feita em tempo. No dia 26 de março de 1944, informou a Zeitzler (nesse momento já coronel-general e chefe do Estado-Maior do Exército) que assumira o comando do 8º Exército do Grupo de Exércitos Sul (do qual nesse momento estava separado por um ataque russo) e que daria, naquela tarde, ordem de retirada para o Dniester, com ou sem permissão do OKH. Abalado, Zeitzler pediu-lhe que, antes de mais nada, conversasse com Hitler. O marechal concordou em visitar Hitler no dia seguinte, mas só depois de certificar-se de que a retirada estava em condições de começar imediatamente. "Alguém tem que botar a cabeça no cepo do carrasco", disse ele a Zeitzler.[21]

Confrontado com um virtual *fait accompli*, Hitler, no dia 27 de março, finalmente autorizou a retirada do 6º e 8º Exércitos. Condicionou a permissão, contudo, a que Kleist mantivesse a cabeça-de-ponte, de Tiraspol a Odessa, o principal porto de suprimentos da Criméia. No dia seguinte, os dois exércitos afastavam-se do Bug em plena retirada, perseguidos pelos russos.

Esse incidente, com toda probabilidade, custou a Ewald von Kleist e a Erich von Manstein seus comandos e lhes encerrou as carreiras militares. Hitler já quisera substituir Manstein desde o primeiro semestre de 1943, e Kleist o incomodara com pedidos constantes para evacuar a Criméia, atitude humanitária para com os "subumanos"; conselho, em novembro de 1943, de nomear um Primeiro *Quartiermeister* (comandante-chefe) da Wehrmacht para dirigir as operações na Frente Oriental; idéias pró-monarquistas; tratamento arrogante dado a funcionários nazistas e da SS e ameaça de agir independentemente, se não tivesse permissão para retirar-se do Bug. Já em julho de 1943, dizia Hitler a respeito dos dois marechais: "Não posso confiar em Kleist nem em Manstein. Eles são inteligentes, mas não são nacional-socialistas."[22]

No dia 30 de março, o avião pessoal do Führer aterrou em Tiraspol para apanhar o comandante-chefe do Grupo de Exércitos A. Voou em seguida para Lvov, onde pegou Erich von Manstein. Naquela noite, no Obersalzburg, Hitler concedeu a ambos a Cruz de Cavaleiro, com Folhas de Carvalho e Espadas, e destituiu-os de seus comandos. Disse-lhes que aprovava o que haviam feito, mas que estavam acabados na Frente Oriental os dias dos grandes táticos. O que precisava naquele momento era de comandantes que pudessem extrair a última gota de resistência de suas tropas. Mesmo nessa última ocasião, Kleist aproveitou a oportunidade para recomendar a Hitler que negociasse a paz com Stálin e terminasse a guerra, enquanto a Alemanha ainda podia ter esperança de conseguir termos aceitáveis. Hitler garantiu-lhe que nenhuma necessidade havia disso, uma vez que o Exército soviético estava quase exausto.

O general Zeitzler apresentou seu pedido de exoneração quando Hitler anunciou que estava destituindo Kleist e Manstein. Secamente, Hitler recusou-a, mas a atitude do chefe do Estado-Maior Geral provavelmente explica por que Hitler tratou Kleist e Manstein de forma civilizada.

Retirando-se para ir residir em Wiedebrück, a Gestapo prendeu-o, em 1944, por suposta ligação com a tentativa, feita em 20 de julho, de assassinar Hitler, na qual um de seus primos (chamado também Ewald) estava profundamente implicado. O marechal Kleist sabia, de fato, que havia um movimento de resistência, mas não o denunciou. Em conseqüência, de acordo com a lei nazista, era culpado de crime, embora não houvesse participado ativamente do malsucedido complô. Os nazistas, contudo, não queriam que um marechal-de-campo tão respeitado fosse julgado por um tribunal popular, especialmente depois da execução do marechal-de-campo von Witzleben e, assim, soltaram-no e deixaram a questão morrer.

Exceto por esse curto intervalo. Ewald Kleist viveu tranqüilamente como reformado em Wiedebrück, de abril de 1944 até princípios de 1945, quando os russos invadiram a Silésia e se aproximaram de Breslau. O marechal e esposa viajaram para a minúscula aldeia de Mitterfels na baixa Baviera, enquanto o filho mais velho, capitão em serviço ativo, explodia a casa da família para evitar que ela caísse nas mãos dos russos.[23]

Informações contraditórias davam o velho von Kleist como tendo sido capturado pelos britânicos na Iugoslávia ou tendo se rendido aos norte-americanos no fim do ano.[24] C.R. Davis, que entrevistou membros da família Kleist, diz que ele foi preso por uma patrulha da 26ª Divisão de Infantaria, no dia 25 de abril de 1945. De qualquer modo, nos nove anos seguintes, Kleist passaria por um total de 27 prisões diferentes. Entregue aos iugoslavos em 1946 e julgado como criminoso de guerra, recebeu uma sentença de 15 anos de prisão. Dois anos depois, extraditado para a Rússia, respondeu pelo crime de ter, "por suavidade e bondade, alienado a população" da União Soviética.[25] Permaneceu como cativo dos soviéticos durante o resto da vida.

Em março de 1954, o ex-comandante de grupo de exércitos foi transferido para o Campo de Prisioneiros Vladimir (uma prisão destinada a generais alemães, situada a 170km de Moscou). Os russos permitiram que ele enviasse e recebesse da família uma carta, do tamanho de postal, a cada mês — seu primeiro contato com ela após oito anos e meio.

Ewald von Kleist faleceu de "arterioesclerose geral e hipertensão" em Vladimir, no dia 15 de outubro de 1954 — o único dos marechais de Hitler a morrer em cativeiro soviético. Dois anos depois, seu filho mais velho, Ewald, era libertado da prisão, depois de passar dez anos na Sibéria. Faleceu em 1976. Frau Gisela von Kleist morreu na Alemanha Ocidental em maio de 1958, e o filho mais moço de Kleist, em 1973. O marechal está enterrado em sepultura desconhecida em algum lugar da União Soviética.

Como comandante militar, o marechal von Kleist não foi um gênio — mesmo que revelasse ocasionais lampejos de genialidade. Embora o espaço aqui disponível nos impeça de entrar em detalhes táticos, a retirada de Kuban e posterior evacuação em 1943 foram obras-primas de liderança militar. Seus homens sabiam que estavam sendo comandados por um general altamente competente, gostavam dele e nele confiavam, pois lhes merecera o crédito e o respeito. Era tão sólido e confiável que inspirava confiança não só em subordinados, mas também em seus superiores. Talvez um pouco conservador demais, não pode ser incluído na mesma categoria que Manstein e Rommel, que foram sem dúvida os melhores generais de Hitler. Deve, na opinião deste autor, ser colocado imediatamente atrás deles, na segunda fila da grandeza militar.

Como ser humano, porém, parece ainda mais alto. Era bondoso e prestativo, embora pudesse ser igualmente duro quando a situação o exigia. Ewald von Kleist foi um oficial e um cavalheiro em uma era em que tais características passaram a ser defeitos. Subscrevia um código moral que retroagia a uma época anterior. Quaisquer que fossem as circunstâncias, nunca cedeu ou fez acomodações quando se tratava desse código — e as conseqüências que se danassem. No fim, pagou o preço total por essa atitude. E merecia um destino melhor.

Dados cronológicos | Ewald von Kleist

1881, 8 ago	Nasce em Braunfels am der Lahn, Hesse
1900, 13 mar	*Fahnenjunker*, 3º Regimento Real de Artilharia de Campanha
1901, 18 ago	*Leutnant*
1904, 3 jan	Ajudante de batalhão
1907	Ajudante de regimento
1908-9	Escola de Cavalaria, Hanover
1910, 27 jan	*Oberleutnant*
1910, 1º out	Diplomado pela Academia de Guerra
1911, 19 dez	Oficial de Estado-Maior, 14º Regimento de Cavalaria
1914, 22 mar	*Rittmeister* (capitão de Cavalaria)
1914, 19 out	Transferido para o 1º Regimento de Hussardos do príncipe-herdeiro
1915, 17 out	GSO, 85ª Divisão de Infantaria
1916, 1º jan	Ajudante de brigada
1916, 1º jun	Vice-ajudante divisionário
1916, 29 out	Oficial de material bélico, 17º Corpo
1917, 1º jun	Escola de Artilharia, Wahn

1917	Chefe de Estado-Maior, Divisão da Cavalaria da Guarda (data obscura)
1918, 19 jul	Estado-Maior Geral, 225ª Divisão de Infantaria
1919-23	Estado-Maior, Chefe de Infantaria VI; mais tarde, no 13º Regimento de Cavalaria
1922, 1º fev	Major
1923, 1º out	Instrutor de tática, Escola de Cavalaria de Hanover
1926, 1º dez	Tenente-coronel
1927, 1º mar	Estado-Maior, 2ª Divisão de Cavalaria
1928, 1º abr	Chefe de Estado-Maior, 2ª Divisão de Cavalaria
1929, 1º jul	Chefe de Estado-Maior, 3ª Divisão de Infantaria
1929, 1º out	Coronel
1931, 1º fev	Comandante, 9º Regimento de Infantaria
1932, 1º fev	Comandante, 2ª Divisão de Infantaria
1932, 1º out	Major-general
1933, 1º out	Tenente-general
1936, 1º ago	General de cavalaria; Comandante, *Wehrkreis VIII*
1938, 28 fev	Reforma
1939, ago	Volta ao serviço como comandante, 22º Corpo
1940, 29 fev	Comandante, Grupo *Panzer* de Kleist
1940, 19 jul	Coronel-general
1941, início	Comandante, 1º Grupo *Panzer*
1941, 5 out	Comandante, 1º Exército *Panzer*
1942, 21 nov	Comandante-chefe, Grupo de Exércitos A
1943, 1º fev	Marechal-de-campo
1944, 30 mar	Reformado
1945, 25 abr	Capturado
1954, 15 out	Falece no Campo de Prisioneiros Vladimir, Rússia

Kesselring | 11

Marechal-de-campo Albert Kesselring

SHELFORD BIDWELL

Albert Kesselring tem sido ignorado pelos historiadores militares. Sua carreira como comandante da Força Aérea, nos grandes dias do *Blitzkrieg*, foi eclipsada pelas vitórias dos vistosos generais das forças *panzer*. Ao ser nomeado comandante-chefe no Mediterrâneo, todos os olhos estavam concentrados em Rommel. Depois disso, coube-lhe dirigir demoradas e infrutíferas batalhas na Itália. Os últimos meses de sua carreira foram passados defendendo a terra natal, quando o Terceiro Reich afundava no autogerado Ragnarok de Hitler. Na verdade, Kesselring teve três carreiras, todas elas memoráveis. Os alemães podem hoje admirar legitimamente o oficial do Estado-Maior Geral, que desempenhou um papel tão importante na reconstrução do Exército após a Primeira Guerra Mundial, ou, para sermos precisos, na construção do novo e unificado *Reichsheer*, que tomou o lugar dos exércitos separados do império do Kaiser. Daí prosseguiu para se tornar um dos fundadores da Luftwaffe, aviador e marechal-de-campo. Os britânicos, que acumulam longa experiência em batalhas defensivas e em retiradas, têm boa razão para respeitar o alemão que, contra pesadas probabilidades, manteve os Aliados em xeque durante uma retirada disputada, palmo a palmo, numa distância de 1.300km e que durou 20 meses, do bico da bota italiana até as margens do rio Pó.

Kesselring nasceu na Baviera em 1885, de boa estirpe burguesa. Filho de um mestre-escola e vereador de Bayreuth, o jovem Albert freqüentou o liceu clássico, onde se matriculou em 1904, resolvido a seguir a carreira das armas. Não sendo filho de oficial, não pôde ingressar na Academia Militar como cadete sem período probatório, mas isso não constituiu para ele qualquer grande penitência. "Sempre fui soldado, de alma e coração",[1] declara ele na primeira página de suas *Memoirs* e aparentemente gostou muito de ser designado como aspirante a oficial — um *Fahnenjunker*, o equivalente aproximado do velho posto de "alferes" na infantaria britânica — no 2º Regimento de Artilharia a Pé no Exército da Baviera, estacionado em Metz, na Lorena, que na ocasião fazia parte do Império alemão. Nessa unidade, recebeu o longo e exaustivo treinamento de todos os oficiais regulares, incluindo manuseio de todos os tipos de equipamento de artilharia, cursos na Academia Militar e, mais tarde, na Escola de Artilharia, onde assenhoreou-se dos elementos do que chamaríamos hoje de tecnologia de armas. A instrução tática, pela qual demonstrava vivo interesse, era ministrada não só na sala de aula, mas ainda em visitas a campos de batalha vizinhos, da Guerra Franco-Prussiana de 1870, onde começou a estudar a "arte operacional", que demonstraria de forma consumada 40 anos mais tarde.

À artilharia "a pé", ou artilharia pé-duro, em contraste com a elegante artilharia a cavalo e de campanha, cabia o papel nada glamouroso da artilharia de sítio e guarnição de armamentos fixos dos grandes sistemas de fortalezas, como Metz, que até então desempenhara papel importante na estratégia, mas que nos exércitos alemães estavam sendo modificadas. A artilharia de "guarnição" — termo britânico — vinha sendo convertida no ramo de artilharia pesada móvel, com o objetivo de acompanhar os exércitos ao campo de batalha, com a afortunada conseqüência para Kesselring de que, ao estourar a guerra em 1914, ele obteria valiosa experiência em manobras e operações no campo, em vez de supervisionar o polimento e lubrificação de uma bateria de pesados canhões abrigados em sombrias casamatas, à espera da chegada do inimigo. Não passou muito tempo antes de ser transferido de canhões para um regimento, como ajudante, posto correspondente a capitão de Estado-Maior numa brigada britânica. (O "regimento" alemão consistia de três batalhões.) No inverno de 1917, foi transferido para o Estado-Maior Geral, um sinal seguro de capacidade incomum. Serviu no quartel-general de uma divisão e, em seguida, no 2º Corpo de Exército Bávaro até o Armistício, quando voltou à sua nativa Baviera e aos deveres regimentais. Alarmado e desalentado, descobriu que a Baviera se encontrava em um estado de sublevação revolucionária. Os "bolchevistas", como os chama, haviam derrubado a monarquia e instalado um estado marxista, auxiliados por numerosos soldados de volta da guerra, desiludidos com ela, alguns deles contaminados pelas idéias dos que haviam servido na Frente Oriental e conhecido, de primeira mão, a Revolução Russa. Os amotinados haviam rejeitado a autoridade de seus oficiais e criado comitês. Durante algum tempo, Kesselring ficou preso, sob suspeita de conspirar para montar um *putsch* contra-revolucionário. Isso, na verdade, não demorou muito a acontecer.

O primeiro-ministro "bolchevista" tombou sob as balas de um assassino e, na guerra civil que estourou, e que não se limitou apenas à Baviera, prevaleceram as facções direitistas. Para Kesselring, autoritário por temperamento, era repelente qualquer tipo de desordem. Pensou mesmo em demitir-se do Exército. Seu comandante, porém, fez-lhe um apelo para que, como oficial regular e treinado, permanecesse no serviço pelo menos enquanto fosse necessário para organizar uma desmobilização pacífica. Durante toda sua vida, Kesselring considerou como um imperativo um chamamento ao dever. Obedeceu e, finalmente, resolveu dar prosseguimento à carreira militar.

Quando estivera servindo na Frente Oriental, e enquanto ajudava nos preparativos para a paz, examinara de perto a desintegração do Exército russo sob o bolchevismo, acreditando, na ocasião, que tropas alemãs jamais se comportariam de tal maneira. A revolução ocorrida na Baviera causou-lhe profunda impressão. Kesselring jamais foi nazista e, nos anos entre as guerras, evitou terminantemente envolvimentos políticos, mas, entre os dois males, preferia o fascismo ao comunismo. Como resultado, no devido tempo, seguiu o exemplo de seus camaradas do corpo de oficiais que prestaram o fatal juramento de lealdade a Hitler, como pessoa, e não ao Estado alemão. Isso, conforme veremos adiante, teria conseqüências desastrosas ao fim da guerra, após, o que acreditamos com boas razões, terem sido 40 anos de serviços honrados.

O momento culminante da carreira de Kesselring ocorreu em 1922, quando foi chamado a Berlim e ingressou no quartel-general criado para organizar o novo exército do Estado alemão (o *Reichsheer*), dentro das limitações estabelecidas pelo Tratado de Versalhes. Eram elas rigorosas, e, para todos os oficiais alemães, humilhantes. O excepcional Estado-Maior Geral alemão, um grupo de elite, seria abolido sob o fundamento de que fora a força propulsora das agressões do país, juntamente com o Ministério da Guerra. O *Reichsheer* seria reduzido de seus efetivos quando da desmobilização de 200 mil soldados, e transformado em força de segurança interna de não mais de 100 mil, sem artilharia pesada, tanques, aviões e armas químicas. Criou-se uma Comissão Militar de Controle Aliada, a fim de supervisionar a redução e prevenir logros.

O novo comandante-chefe do *Reichsheer* (disfarçado sob o título de "*Chef der Heeresleitung*" ["Chefe da Direção do Exército"], o ladino e idoso general prussiano e ex-oficial do Estado-Maior Geral, Hans von Seeckt, resolveu fazer um jogo não de duas caras, mas de três. Tinha que garantir ao novo governo republicano da Alemanha que o Exército seria leal e politicamente neutro (o que era absoluta verdade) e, ao mesmo tempo, ocultar a verdadeira natureza da organização que estava criando. Precisava também jogar areia nos olhos da Comissão de Controle dos Aliados, o que parece ter sido muito fácil. A posse física de certos tipos de arma podia ser proibida, mas nada havia para impedir o estudo de progressos modernos nesse particular e como elas poderiam ser adquiridas e empregadas. Os efetivos do Exército não seriam maiores do que o especificado, mas não se permitiria que a Comissão de Controle descobrisse que sua estrutura estava sendo projetada tendo em vista a expansão e o rearmamento quando os tempos ficassem maduros. Von Seeckt não foi um inovador: a inovação coube aos homens que vieram depois dele. Seu objetivo era simplesmente recriar um exército pequeno, mas de excepcional qualidade, nos moldes de 1914, com a diferença de que toda a soldadesca estava destinada a formar um quadro de futuros suboficiais e sargentos.

Evidentemente, o chefe da Direção do Exército (*Heeresleitung*) precisava de algum tipo de assessoria e parecia apenas razoável recrutá-la entre os melhores da massa de oficiais prestes a serem desmobilizados e ansiosos para ter um posto. Von Seeckt escolheu naturalmente membros do Estado-Maior Geral, com preferência por aqueles que possuíam conhecimentos técnicos, tal como o oficial de artilharia Kesselring. Desta maneira, oculto sob o disfarce de *Truppenamt*, o Estado-Maior Geral renasceu, filho ilegítimo mas cheio de vigor, a fim de funcionar mais uma vez como viga-mestra e cérebro do Exército alemão, embora, mais tarde, o ciumento Hitler tudo fizesse para lhe limitar a tradicional liberdade no emprego da iniciativa. Kesselring era um desses oficiais, possuindo talento natural para o lado organizacional e administrativo de Estado-Maior. No devido tempo tornou-se de fato, se não em nome, chefe do Estado-Maior de von Seeckt em seu papel clandestino de comandante-chefe. Mais tarde, Kesselring recordaria seus serviços às ordens de von Seeckt como o período formativo de toda sua carreira: "Que modelo de oficial de Estado-Maior e líder de homens!", exclama em suas memórias.[2] Von Seeckt tinha o jeito especial de exigir trabalho duro, do mais alto padrão, de seus subordinados, enquanto, ao mesmo tempo, tendo lhes dado uma missão, deixar que se virassem com ela, sem outra supervisão que ocasionalmente comparecer às reuniões para lhes ouvir os argumentos, sempre aberto a sugestões ou novas idéias e, ocasionalmente, contribuindo com um comentário sábio, extraído das profundidades de sua vasta experiência. Com ele, Kesselring aprendeu o jeito de combinar esse estilo cordial e acessível sem ceder uma migalha de autoridade.

Outra lição que aprendeu com von Seeckt foi abster-se por completo de ingerência política ou de intrigas para promover sua carreira profissional. Para ele, um oficial só podia ter um objetivo — cumprir seu dever — e as mais altas virtudes eram a lealdade e a obediência. Kesselring serviu sob as ordens de von Schleicher após a despedida de Seeckt e, conquanto nos informe que lucrara com as introvisões políticas de Schleicher, freqüentemente dizia, em termos divertidos ou cínicos, que não deixou de notar que o último intrometia-se demais (e que pagou por isso com seu assassinato pela SS no expurgo de Röhm, em 1934).

A mais importante realização de Kesselring durante seu tempo de serviço no *Truppenamt* consistiu em estabelecer a apropriada estrutura de pessoal capacitado para a aquisição de armas modernas destinadas ao futuro exército, baseada em um sistema lógico que começava com as especificações do Estado-Maior Geral, seguida de pesquisa, desenho de modelos-piloto, experimentos de campo, aceitação e, finalmente, a elaboração de contratos de produção plena e entrega às tropas. Passou em seguida a atenção para o emprego econômico do limitado potencial humano do Exército, acrescentando a seus deveres o enganosamente intitulado posto de "Comissário de Redução de Despesas" (*Sparkommissar*). Os escalões administrativos do novo exército estavam sobrecarregados com uma burocracia complicada, na qual as questões mais simples eram submetidas a grande número de autoridades, perdendo-se não só tempo e papel, mas homens-horas em todos os níveis, a partir de amanuenses para cima. A solução era muito simples, mas exigia uma personalidade exigente para executá-la. As repartições foram rigorosamente enxugadas, liberando oficiais e sargentos para as unidades de combate. O pessoal foi ensinado a demonstrar iniciativa e tomar decisões, sem consultar todo mundo que poderia ter um remoto interesse no caso. As memórias de Kesselring são em grande parte um relato cronológico de seus serviços. É uma pena que nunca tenha deixado consignadas suas idéias sobre liderança, tática e administração, em maior profundidade, uma vez que seus curtos comentários a esse respeito poderiam ser incluídos vantajosamente em manuais de Estado-Maior, como, por exemplo, que os oficiais lotados na seção de aquisição de armas deveriam possuir conhecimentos técnicos "muito superiores" aos dos cientistas e engenheiros da indústria com quem tivessem que tratar ou que "não se pode fazer uma guerra a partir de gabinetes".

No Exército britânico há, ou havia, a tendência de considerar o trabalho administrativo de Estado-Maior como subalterno e os que dele tratam como pés-de-boi, inferiores em status aos planejadores operacionais, encarregados de treinamento, e táticos. (Na verdade, no caso britânico, os administradores nem mesmo tinham o título de oficiais de "Estado-Maior", mas conservavam seus velhos títulos dos séculos XVIII e XIX como "Ajudante-Geral Assistente" ou "Vice-Intendentes do Exército"). No Exército alemão havia um Estado-Maior Geral e o que os britânicos chamavam de "AQ" era considerado como da mais alta importância.[3] Quando, por conseguinte,

Kesselring demonstrou extraordinário talento para administração tornou-se homem feito. Não que suas atividades se confinassem exclusivamente a esses assuntos. Antes de deixar o *Truppenamt*, escreveu um trabalho defendendo a formação de um Estado-Maior das Forças Armadas, isto é, um serviço tripartido, ou Estado-Maior Geral conjunto, o que constituía pensamento avançado para aqueles dias.

Em 1933, ao subir Hitler ao poder, a Alemanha não possuía ainda uma força aérea. O Ministério da Aviação tratava apenas da aviação civil. Hitler chegou à conclusão de que os tempos estavam maduros para pôr à prova o estado de espírito dos vencedores da guerra, criando a arma proibida, no início secretamente e em estágios graduais. O primeiro passo consistiu em recrutar um Estado-Maior do ar, com Göring, ex-aviador e nazista dedicado, como comandante-chefe, os três generais do exército como membros fundadores nos postos de chefe do Estado-Maior, chefe de operações e administrador-chefe. A Luftwaffe deveria ser uma arma independente, de acordo com o modelo da Real Força Aérea. Kesselring, por essa ocasião, deixara o *Truppenamt* e estava, feliz da vida, no comando de um regimento de artilharia no posto de coronel, alimentando grandes esperanças de ser promovido a *Generalmajor*. Para contrariedade temporária, foi subitamente informado de que acabara seu tempo de serviço no Exército, seria reformado e guindado ao posto de administrador-chefe do Ministério da Aviação como civil. Quando protestou, disseram-lhe secamente que, como oficial alemão, devia cumprir ordens. Ele logo viu o motivo disso e não passou muito tempo à paisana.

Sua nova tarefa era investir um generoso orçamento na construção de uma rede estrategicamente distribuída de estações, quartéis, pistas e bases da Força Aérea. Em 1936, teve o reconhecimento de seus esforços quando o chefe da nova Luftwaffe morreu em um desastre aéreo. Göring, que não tinha nada de tolo, identificara em Kesselring a pessoa capaz para os mais altos postos e escolheu-o para preencher a vaga. Isto era para Kesselring a libertação final dos organogramas, orçamentos, contratos, tijolos e reboco. A fim de prepará-lo para responsabilidades operacionais, recebeu mais tarde o comando de uma "região aérea" e, em 1939, ao estourar a guerra e a Luftwaffe aprestar-se para entrar em ação pela primeira vez na Polônia, Kesselring comandava a Primeira Ala Aérea (*Luftflotte* nº1), uma "força aérea tática" composta de bombardeiros de grande altitude, bombardeiros de mergulho para apoio próximo às forças terrestres e aviões de combate e reconhecimento.

É razoável perguntar como um antigo oficial de artilharia, cuja experiência se limitara exclusivamente até então ao campo da administração, poderia ter sido considerado como apropriado para o comando do que era, afinal de contas, uma arma inteiramente nova, exigindo habilidades técnicas e conhecimentos operacionais que não poderiam ter sido aprendidos em outro meio que não o ar. A primeira consideração era que a Luftwaffe, embora tivesse o status de arma independente, fora projetada por oficiais do Exército para a finalidade específica de estreita cooperação com forças terrestres no campo de batalha. (A denominada fórmula *Blitzkrieg* era simplesmente mobilidade mecanizada, acrescida de poder aéreo e comunicações pelo rádio.) A segunda, que se esperava de todos os oficiais de Estado-Maior que tivessem uma compreensão completa de estratégia, arte operacional e tática. A terceira, que Kesselring não só era um chefe nato, mas também inteligente, a mente sempre aberta para novas idéias e capaz de ajustar-se a novas situações. Caracteristicamente, percebeu que, se queria exercer autoridade e ganhar o respeito da nova estirpe de jovens guerreiros — os pilotos de combate — teria que aprender a voar. Conseguiu qualificar-se como piloto, não, para sermos exatos, de aviões de combate de alta performance, mas competente o suficiente para pilotar seu próprio avião de comunicações quando partia em viagens de inspeção. Isso não foi pouco para um homem de 48 anos de idade.

Em 1939, para alarme dos generais (e de Göring, se podemos acreditar em Kesselring), Hitler deu o golpe político que, temporariamente, tornou-o aliado da Rússia soviética e, confiante em que nem a França nem a Grã-Bretanha poderiam detê-lo, declarou guerra à Polônia, a abertura ousada e brilhante de planos de conquista longamente acalentados. A Primeira Ala Aérea foi incluída no Grupo de Exércitos Norte, sob o comando de Fedor von Bock, cujo papel previa uma arremetida a partir do oeste e da Prússia Oriental em direção a Varsóvia. A nova Wehrmacht obtivera uma vitória fácil, brilhantemente executada e explorada de forma brutal, sobre um exército valente, mas mediocremente equipado e mentalmente despreparado para uma nova forma de guerra.

Embora a campanha se constituísse num grande triunfo para Hitler, os soldados e aviadores alemães, mais práticos, consideraram-na um exercício com munição real, a fim de pôr à prova um Exército novo e que só apressadamente se expandira. (A razão por que os chefes do Exército insistiram em adiar a invasão da França e dos Países Baixos até maio de 1940 era que, julgados por seus rigorosos padrões, o Exército e em especial a infantaria precisavam de mais espírito guerreiro e infinitamente mais treinamento.) Kesselring não tinha tais preocupações. A Luftwaffe era uma força de elite, e sua própria Ala Aérea funcionara à perfeição, seguindo a bem concebida estratégia de, inicialmente, obter o controle do ar por uma combinação de combates aéreos e bombardeios das bases polonesas e, em seguida, fornecer apoio ao Exército, utilizando os apavorantes bombardeiros de picada. A defesa final de tropas polonesas nas ruas de Varsóvia foi rapidamente esmagada por impiedoso bombardeio, com o próprio Kesselring voando sobre os alvos, a fim de observar o trabalho de seus pilotos. Durante a campanha, Kesselring, para o qual o princípio de cooperação cordial era um lema, formou um estreito relacionamento de trabalho com seu colega do Exército, von Bock. Formariam eles uma dupla bem-sucedida em mais duas campanhas vitoriosas em 1940 e, mais tarde, na primeira arremetida do Grupo de Exércitos Centro pela Rússia soviética adentro.

Em janeiro de 1940, Kesselring foi destituído da Primeira Ala Aérea, que treinara e transformara em instrumento seu, como resultado do que chamou de "aquele caso nojento". Vale a pena recontá-lo, porque ele descreve pela primeira vez como vislumbrou a histeria que nunca ficava muito abaixo da superfície da mente do Führer e que devia crescer no futuro relacionamento entre ambos. O piloto de um avião de comunicações da Segunda Ala Aérea, levando um oficial de Estado-Maior que conduzia importantes documentos sobre o plano da futura invasão da França e dos Países Baixos, perdeu o rumo e desceu na Bélgica. Tripulação e passageiro foram presos, e o serviço de informações e contra-informações alemão supôs que todo o plano fora comprometido. Hitler teve um acesso de fúria, mandou chamar Göring e passou-lhe uma bruta espinafração, pondo a culpa do caso na falta de disciplina, ou coisa pior, da Luftwaffe. Göring respondeu com a mesma violência, e ambos tiveram, segundo o relato de Kesselring, uma briga de berros. O comandante da Segunda Ala Aérea e seu chefe de Estado-Maior foram sumariamente demitidos, mandando-se para a prisão as infelizes esposas dos oficiais desaparecidos. Göring reuniu os oficiais superiores da Luftwaffe e passou adiante, com juros, os insultos de Hitler e em seguida, disse a Kesselring, pouco convincentemente, que assumisse imediatamente o Comando da Segunda Ala Aérea, porque "não tinha ninguém mais". Para Kesselring, o "caso sujo" foi na verdade outro golpe de sorte e, mais uma vez, passou a constituir o apoio aéreo de von Bock e ter oportunidade de demonstrar sua perícia como comandante no novo jogo da guerra terra/ar, que aproveitou brilhantemente.

No plano de invasão do oeste concebido por Manstein, o papel do Grupo de Exércitos B, de von Bock, era o de lançar uma ofensiva através da Bélgica e da Holanda, cruzando terreno sulcado de obstáculos naturais às forças *panzer*, com o objetivo duplo de negar o uso dos campos de pouso holandeses à Real Força Aérea e atrair para a frente o flanco esquerdo franco-britânico, criando, dessa maneira, oportunidade para que a força principal (o Grupo de Exércitos A, que incluía dois grupos *panzer*) perfurasse o centro do flanco esquerdo francês, avançando através da floresta de Ardennes e cercando todo o flanco esquerdo dos Aliados. Kesselring envolveu-se muito mais no planejamento da batalha terrestre do que na Polônia. As tropas aerotransportadas e os pára-quedistas pertenciam à Luftwaffe, de modo que foi responsável não só por seu transporte, mas por suas operações no solo e também de sua proteção pelo ar. Cabia-lhe também a defesa terra/ar, uma vez que a artilharia antiaérea era guarnecida por tropas da Luftwaffe. (Incluindo o famoso canhão antiaéreo de 88mm, cujos artilheiros estavam inteiramente prontos para usar como artilharia de assalto ou enfrentar os tanques inimigos.) A Segunda Frota Aérea compunha-se de cinco grupos de aviões de combate, bombardeiros de mergulho e bombardeiros de grande altitude, uma ala de caça, um corpo completo de artilharia antiaérea, sob o comando de um tenente-general, e um corpo aerotransportado às ordens do general Student, formado por uma divisão de pára-quedistas, uma divisão de infantaria transportável por via aérea e todos os aviões de transporte Ju52 e planadores necessários para colocá-los em ação. A tarefa de Kesselring consistia em planejar operações em grande escala de um tipo jamais tentado na guerra, nem, na verdade, até mesmo experimentado em manobras.

Constitui uma velha máxima militar que os melhores planos são os mais simples, mas embora ela possa aplicar-se a conceitos, na guerra moderna o trabalho de Estado-Maior e a execução são extraordinariamente complicados, interligando-se de tal maneira que um defeito em qualquer uma das partes pode gerar uma série de repercussões que levam ao deslocamento de toda a manobra. A idéia era derrotar a Bélgica e a Holanda utilizando uma tática de *Blitzkrieg*, com emprego de forças aerotransportadas para capturar pontos decisivos nas rotas ao longo das quais deveriam avançar as pontas-de-lança *panzer* do Grupo de Exércitos B: o Forte Eben Emael, as pontes sobre o canal Albert e outra sobre o Mass, que dava acesso a Rotterdam (ver mapa 14). Os pára-quedistas deveriam capturar também os campos de aviação nas proximidades de Rotterdam, o que permitiria que o segundo escalão de forças aerotransportadas chegasse diretamente por via aérea, utilizando aviões comuns de transporte.

Não era tarefa simples coordenar essas operações aerotransportadas com a batalha pelo controle do espaço e o apoio aéreo e tático às divisões que avançavam à frente do exército. O principal fardo do planejamento coube a Kesselring e ao Estado-Maior da Segunda Ala Aérea. Além disso, Kesselring tinha algum trabalho missionário e educacional a fazer entre os comandantes de Corpos de Exército de von Bock, aos quais tinha que convencer que sua artilharia antiaérea devia ser posicionada bem à frente em suas respectivas ordens de marcha e que era essencial que corressem todos os riscos para garantir que suas vanguardas se encontrassem tão cedo quanto possível com os destacamentos aerotransportados, uma vez que estes não estavam equipados para defender por muito tempo o terreno contra ataques de tanques e artilharia pesada. O único senão no plano de Kesselring ocorreu quando o Exército holandês cercou os pára-quedistas em Rotterdam e eles pediram apoio aéreo. O general Student ficou gravemente ferido, as comunicações pelo rádio entraram em pane e uma área da cidade ao norte do rio sofreu violento bombardeio. O governo holandês capitulou no dia seguinte. (O incidente provocou, mais tarde, acusações de que se tratava de bombardeio de terror com o fito de intimidar, acusação veementemente negada por Kesselring, que alega que seus atos foram praticados de acordo com o direito internacional. Caracteristicamente, ele constantemente citou o direito internacional em defesa de sua conduta de bombardear alvos e de operações contra *partisans* [combatentes da resistência] sem, aparentemente, reconhecer que a invasão da Holanda constituía uma grave violação desse direito, ou que os italianos tinham também direito de resistir a um exército estrangeiro que, sem sua permissão, havia transformado seu belo país em campo de batalha. Ele possuía uma mente fortemente legalista.)

Militarmente falando, a Segunda Ala Aérea conquistou brilhantes sucessos no ar e em terra, e Kesselring recebeu o bastão de marechal. Simultaneamente, eterno perfeccionista, achou que a vitória espetacular no oeste ficara turvada pelos primeiros sinais da tendência de Hitler em oscilar entre audácia e indecisão, quase timidez. Na opinião de Kesselring, que se baseava em preceitos e máximas sobre a guerra, inculcados em todos os oficiais alemães, o primeiro erro de Hitler fora não lançar os *panzers* com todo seu poderio para esmagar o Exército britânico antes que este pudesse reembarcar em Dunquerque. Em vez disso, a tarefa foi cometida à sua frota aérea, suas forças já reduzidas à metade pelas operações prévias, com seus pilotos exaustos, com o resultado de que a Marinha Real e a Real Força Aérea (que usava pela primeira vez os novos caças Spitfire) criaram condições para que o Exército britânico escapasse.[4] O segundo erro foi não invadir a Inglaterra tão logo fosse possível, antes que suas defesas pudessem ser organizadas. Como se sabe agora, mas Kesselring não o sabia quando escreveu suas memórias, Hitler, que não tinha muita confiança na empresa, deixou o planejamento à Marinha, e ela nunca foi coordenada numa base de Wehrmacht, ou operações combinadas. Hitler, após muita hesitação, assumiu o grande risco de invadir a Rússia soviética, esperando, em desespero, que bombardeios pudessem enfraquecer a determinação britânica de continuar a guerra. Kesselring, que tinha a responsabilidade operacional pelo que chamamos de

Blitz nega que seus aviadores tenham sido derrotados pela Real Força Aérea na Batalha da Grã-Bretanha, alegando que os ataques aéreos *à outrance* tiveram que ser suspensos quando foi obrigado a transferir seu comando para a Polônia, a fim de preparar-se para a invasão da Rússia soviética. Ainda assim, explica que uma estratégia exclusivamente aérea foi um erro, uma vez que a Luftwaffe estava equipada apenas para apoio ao Exército: aquele era um problema técnico, que exigia um tipo diferente de bombardeiro e armas diferentes. Dois anos depois, ele se oporia à ordem de Hitler de tentar, e mais uma vez pelas mesmas razões, subjugar Malta apenas por ação aérea. Que um ataque aéreo e aerotransportado, seguido por desembarques ao longo de toda a costa sul-oriental da Inglaterra, poderia ter alcançado êxito é opinião compartilhada por muitos que têm conhecimento de primeira mão do estado das defesas britânicas no verão de 1940*.[5]

Kesselring, sempre otimista, não tinha dúvidas sobre a sabedoria ou moralidade da invasão da Rússia. Na verdade, ficou ligeiramente perturbado, como nos conta, ao encontrar von Bock "muito desanimado" na conferência final de véspera de batalha, como bem pode ter estado.[6] Mas não foi preciso muito para um soldado de sua inteligência compreender os perigos — o próprio tamanho da Rússia, sua população e potencial industrial — ou notar a falta de planejamento para a logística de um avanço de mais de 960km, ou qualquer pensamento sobre como uma eventual invasão bem-sucedida deveria ser explorada em termos de grande estratégia. Para sermos exatos, a tarefa do poderoso Grupo de Exércitos Centro, de von Bock, era "operacional", não estratégia: destruir as forças russas desdobradas entre a fronteira polonesa (conforme redefinidas após a ocupação soviética em 1939) e Moscou. No início, tudo correu excepcionalmente bem. Kesselring usou bem a experiência acumulada na campanha de 1940 para aperfeiçoar a maquinaria de coordenação de operações aéreas com as pontas-de-lança *panzer* de von Bock. Obteve surpresa completa na batalha para controle do espaço aéreo, destruindo no chão 2.500 aviões. E seus caças podiam abater com facilidade os lentos bombardeiros pesados russos, que decolavam de campos longe do alcance dos seus. Em julho, o Grupo de Exércitos tomou 330 mil prisioneiros, juntamente com 2.500 tanques e 1.500 canhões na manobra de cerco de Bialystok e Minsk, mais 310 mil, com 3.200 tanques e 3 mil canhões, em agosto e, no fim de outubro, capturou o número espantoso de

* Os blindados, artilharia, equipamento de sinalização, armas pesadas de infantaria eram, sem exceção, deficientes ou obsoletos e o apressadamente treinado Exército Territorial servia para pouco mais do que para defesa estática.

650 mil soldados em Vyazma, a 220km de Moscou. Mas já passara a era do *Blitzkrieg* triunfante.

Em princípios de setembro, Hitler, em um de seus ataques de vacilação, não pudera decidir-se se o melhor era deixar que von Bock seguisse para Moscou a toda velocidade ou se os alemães deveriam avançar em uma larga frente, com os três grupos de exércitos lado a lado. Retirou poderosos grupos *panzer* do Grupo de Exércitos Centro e agregou-os temporariamente aos grupos Norte e Sul. Detendo-se o avanço de Bock no centro, Stálin teve tempo de trazer fortes reforços da Sibéria. Ao reiniciar Bock a ofensiva em outubro, os russos fizeram finca-pé diante de Moscou, e todo o ritmo das operações caiu. Se Kesselring, que era um realista e analisava continuamente a situação da guerra, reconheceu ou não em setembro, ainda que apenas em seus pensamentos mais secretos, que a guerra estava perdida — porque não fora vencida rapidamente —, é matéria de conjectura. O que diz sobre os erros de Hitler é correto, mas tem que ser tratado como olhar retrospectivo. O que de imediato o interessava era o estado de seu próprio comando. O sucesso do *Blitzkrieg* dependia de apoio aéreo contínuo, mas, quando as operações, não mais em movimento relâmpago, prosseguiam mês após mês, o braço aéreo ficou esgotado por falta de manutenção e fadiga dos pilotos, ao que se adicionou o atrito quando o braço aéreo soviético recuperou-se da derrota inicial. A pressão sobre a Segunda Ala Aérea não foi aliviada quando o Exército mudou para táticas defensivas. No mínimo, aumentou. A todos esses fardos acrescentou-se outro: uma dispendiosa e estrategicamente inútil ofensiva de bombardeiros contra Moscou. Depois o inverno russo recrudesceu, e para isso nenhuma providência fora tomada antecipadamente. As chuvas de outono, aliás, já haviam tornado imprestáveis as pistas de terra, onde estavam baseadas numerosas esquadrilhas. A leve sombra que caíra sobre a natureza entusiástica de Kesselring após o fracasso em tirar, pela derrota, a Grã-Bretanha da guerra, tornou-se muito mais escura.

Ele, porém, não estava destinado a passar mais tempo na Rússia. Antes do fim do ano, já se encontrava em Roma, escolhido por Hitler como recém-nomeado comandante-chefe das forças do Eixo no Mediterrâneo. É sempre fascinante comparar opiniões contrárias sobre a mesma situação militar com a vantagem do olhar retrospectivo. A posição britânica era, para dizer o mínimo, sumamente preocupante. As campanhas da Grécia e de Creta na primavera de 1941 haviam sido derrotas graves, implicando a perda de muitas e valiosas tropas; Malta estava sob virtual sítio; a travessia do Mediterrâneo era perigosa, houvera graves perdas navais, incluindo a de dois encouraçados torpedeados no porto de Alexandria; e reinava entre as forças britânicas e da Commowealth a impressão geral de que os alemães estavam mais bem armados e eram mais bem comandados. O nome e a reputação de Rommel dominavam a guerra no Deserto Ocidental, ao passo que numerosos generais britânicos haviam sido julgados aquém da missão e, justa ou injustamente, demitidos. A ofensiva de inverno britânica, *Crusader*, lograra apenas sucesso parcial. Tobruk fora libertada, mas Rommel conseguira livrar seu exército com a habitual perícia, virara-se contra seus perseguidores e estabelecera uma forte linha defensiva. O comando britânico no Oriente Médio achava impossível montar outra ofensiva até maio de 1942, no mínimo. Em contraste, do ponto de vista de Hitler, a guerra no Mediterrâneo era um ruinoso desvio de recursos, empreendida para ajudar o colega ditador Mussolini quando ele, temerariamente, interviera na guerra e se complicara na Grécia e no norte da África. Era uma drenagem de recursos de que precisava com urgência na Rússia, mas, desde que era impossível retirar da África as forças alemãs, tornava-se essencial obter um bom retorno pelo investimento. Os italianos, achava ele, eram preguiçosos, desorganizados, insuficientemente agressivos, não faziam uso de seus amplos recursos militares, e sua Marinha parecia respeitar de tal modo a britânica que tinha medo de fazer-se ao mar. Era indispensável um general alemão como comandante supremo para coordenar e instilar energia em todas as operações no Mediterrâneo.

Não está claro como e por que Hitler veio a escolher Kesselring. Nas memórias de Kesselring não há menção de qualquer contato estreito entre ambos, mas o fato é que, pelo outono de 1941, Hitler sem dúvida alguma conhecia-lhe a reputação. Outro fator pode ter sido a antipatia e a desconfiança que o ditador sentia pela velha turma de aristocratas prussianos, de ares superiores, que haviam se formado nos dias da *Kriegsakademie* e da supremacia do Grande Estado-Maior Geral. Um terceiro talvez tenha sido o de lealdade das armas. Segundo o aforismo de Kesselring, na Wehrmacht a Marinha era ainda, no fundo, "imperial", o Exército, "republicano", e a Luftwaffe, "nazista". Isso, juntamente com a razão prática para escolher um aviador, a de que o induzimento oferecido a Mussolini para aceitar um comandante supremo alemão fora a promessa de reforçar o contingente da Luftwaffe no teatro do Mediterrâneo, podem ter influenciado a escolha de Hitler. Mas ele escolhera infalivelmente o homem certo, que o serviria lealmente, mas de nenhum modo cegamente, até a morte, e que estava disposto a enfrentar uma situação cujo escopo, responsabilidades e poderes foram apenas vagamente definidos, se isso absolutamente aconteceu — o que bem pode ter sido intenção deliberada de Hitler.

Se os arranjos meticulosos e cuidadosamente pensados para o controle político e operacional, e a criação de um grupo inter-Aliado corretamente integrado, que precederam a nomeação do general Eisenhower como comandante supremo em 1942 forem comparados com sua ausência quase total no caso de Kesselring em 1941, é notável que ele tenha se mostrado tão paciente e determinado diante da recusa a todas as suas propostas, entre a chegada a Roma em dezembro de 1941 e quando a situação mudou radicalmente, depois de a Itália ter abandonado o Eixo em setembro de 1943. Seu título oficial era *Oberbefehlshaber Süd* (comandante-chefe, Sul), embora o comando tripartido de todas as tropas italianas e unidades do Exército alemão fosse exercido pelo *Commando Supremo*, cujo chefe de Estado-Maior, general Cavallero, considerou a nomeação de Kesselring como uma desfeita pessoal e que estava disposto a mostrar-se hostil. Nenhum grupo de trabalho inter-Aliado fora organizado, e Kesselring tinha à disposição apenas o pessoal do QG da Segunda Ala Aérea, que trouxera consigo.* Rommel, comandante de um exército *panzer* conjunto germano-italiano, estava subordinado ao comandante italiano no campo de batalha da África, general Bastico, que por seu turno era subordinado a Cavallero, e só podia ser alcançado através desse canal, circunstância esta que Rommel não demorou a explorar.

Se a característica de um homem notável é a capacidade de enfrentar problemas novos, seja na guerra, seja na administração ou na política, sem precisar de experiência prévia ou educação especial, utilizando simplesmente o intelecto, então Kesselring foi esse homem, embora, em seu caso, o "senso comum" e o *nous* sejam provavelmente palavras mais apropriadas. Ele nunca os demonstrou melhor do que na situação difícil em que se viu colocado. Possuía a capacidade de compreender o que era essencial e o que podia ser dispensado ou transformado em assunto de negociação. Era dotado de um forte senso do possível, qualidade esta também essencial nas questões de política e diplomacia em que mergulhou de imediato. Nisso era fortificado por sua filosofia simples de que, se fizesse o melhor que podia sem queixas, teria cumprido seu dever. Ele era, por natureza, de disposição alegre. Batizado pelas tropas de "Albert Risadinha" pode ser visto em fotos sempre com um sorriso alegre nos lábios. Gostava dos italianos e lhes compreendia a sensibilidade, reconhecendo que esta se devia a orgulho ferido, por motivo de suas inglórias derrotas. Achava muito que admirar-lhes no alto comando e nas tropas, embora criticasse os oficiais regimentais italianos. Conquistou seus colegas italianos com suas maneiras diplomáticas, sem nunca valer-se

* O QG da Luftwaffe, tal como o de um *Armeeoberkommando*, era estruturado para comandar quaisquer grupos, corpos etc. postos sob suas ordens. Toda a Segunda Ala Aérea, tal como foi constituída na Rússia, não se transferiu para a Itália.

de sua condição contra pessoa alguma. Cavallero rendeu-se a ele tão completamente que concordou em mostrar-lhe todas as suas ordens de operações antes de baixá-las. A boa vontade e a cooperação do Estado-Maior italiano eram de suprema importância para melhorar o abastecimento das forças do Eixo na África, nesse momento caótico, e que exigiam toda a atenção da mente administrativa bem-treinada de Kesselring. O abastecimento era insatisfatório mesmo sem os riscos da travessia por mar, de portos italianos até a África, e as comunicações por terra, que se contraíam e expandiam à medida que Rommel recuava ou avançava ousadamente pelo deserto.

Kesselring pode ter até estabelecido um clima de comunicabilidade com seus aliados, de Mussolini para baixo, mas na verdade o obstáculo intransponível ao exercício de sua autoridade era a atitude de Rommel e de seu senhor, o Führer, que, julgando-se um gênio militar, ainda assim freqüentemente se abstinha de tomar decisões críticas, enquanto, ao mesmo tempo, se mostrava pronto demais a interferir em assuntos banais. Hitler, habitualmente, observava o macete do político de jogar um comandante contra outro, o que Kesselring classifica de atitude "faixa dupla" em relação ao comando. Com grande aborrecimento, descobriu que Rommel não só era o favorito do momento de Hitler, mas tinha o privilégio de um canal privado de comunicações diretas com o OKW e estava disposto a usá-lo para ladear-lhe a autoridade. A situação na África era a seguinte: o comandante dos exércitos do Eixo, o general Bastico, um zero à esquerda, tinha sob suas ordens diretas um corpo de exército italiano, e havia a *Panzerarmee Afrika*, sob Rommel, que consistia do *Afrika Korps* e de um corpo de exército italiano forte em blindados. O diretor efetivo de operações era Rommel, que tomava decisões sem consultar ninguém. Insistia em que não aceitaria ordens, mesmo de Kesselring, a menos que fossem transmitidas através de Bastico e, como não dava a mínima importância a este último, conservava toda a liberdade de ação. Pouco depois da chegada de Kesselring, ele se retirara para tão longe e com tal rapidez, após sua derrota pelo 8º Exército na ofensiva *Crusader*, que a situação alarmou os italianos, cada vez mais nervosos com o efeito que um revés na África pudesse produzir sobre o moral dos civis no país. Ele costumava igualmente avançar para aproveitar alguma passageira oportunidade, sem levar em conta os riscos envolvidos, e desde que, com freqüência, obtinha sucessos espetaculares, não era fácil contê-lo. No todo, Kesselring foi derrotado em três questões estratégicas decisivas pela combinação Hitler-Rommel. Este último, aliás, é o único oficial alemão sobre o qual escreve sem nenhuma generosidade.

Imediatamente percebeu que a solução óbvia para a situação de abastecimento das tropas era a captura de Malta. O local era bem defendido para ser neutralizado apenas por operações aéreas e, de qualquer modo, a Luftwaffe não possuía os bombardeiros pesados necessários para a tarefa. Esforçou-se, em conseqüência, para convencer Hitler a permitir-lhe capturar a ilha com um ataque aerotransportado e anfíbio. A discussão ficou tão acalorada que, num dado momento, Hitler agarrou-o pelo braço, exclamando em seu dialeto austríaco: "Não esquente a cuca, marechal Kesselring, eu vou tomar a ilha!"[7] Mas nunca deu ordens nesse sentido. Com toda probabilidade, foi influenciado por Göring, que ficara alarmado com as pesadas baixas das tropas aerotransportadas em Creta. Sua própria desculpa é que não tinha tropas disponíveis para o ataque. Isso foi desmentido pelo fato de ele ter arranjado mais tarde uma divisão de pára-quedistas para reforçar a *Afrika Korps* e as tropas que lançou na Tunísia para enfrentar a invasão anglo-americana da África do Norte francesa em novembro de 1942.

Com o apoio de Hitler, Rommel conseguiu frustrar a estratégia de Kesselring no Mediterrâneo. Pensava Kesselring que o objetivo devia ser o de proteger o flanco sul do "Grande Reich Alemão" durante a grande luta na Rússia e que para isso o curso correto consistia em manter em atividade e com liberdade de movimento os exércitos do Eixo na África, uma política de defesa móvel mas agressiva, de acordo com os princípios que Rommel até então adotara com tanto sucesso. Quando Rommel, eufórico com a derrota que impôs ao 8º Exército em Gazala, nos meses de maio e junho de 1942, e não dissuadido pelo fato de ter sido detido na linha de Alamein em julho de 1942, resolveu que nova ofensiva seria lançada em agosto, prometendo estar no Cairo em nove dias, Kesselring manifestou-se contra a idéia, argumentando veementemente e, como provariam os fatos, corretamente, que o Exército e a Força Aérea estavam operando nas pontas de uma longa linha de comunicações, que o 8º Exército britânico estava sendo reforçado e, mais importante, que era apoiado por uma ainda poderosa e fortemente agressiva Real Força Aérea. Hitler, nesse momento em um de seus estados de aumento de confiança, resolveu apoiar Rommel e o curso mais ousado, enviando ao seu comandante-chefe Sul um insultuoso despacho pelo rádio, dizendo-lhe que a projetada ofensiva não era de sua conta. A ironia do caso, conforme registrada por Kesselring, é que Rommel, após suas derrotas em Alam el Halfa e Alamein, rendeu-se inteiramente à idéia de primazia do poder aéreo e já falava da necessidade de retirar-se para a linha dos Alpes, mesmo antes de deixar de vez a África em março de 1943.

É difícil concordar com a opinião de que a *débâcle* final na África poderia ter sido evitada. Em suas memórias, argumenta ele que Hitler poderia ter impedido o avanço aliado a partir do oeste com uma intervenção mais cedo no norte da África francês e que Rommel poderia ter feito mais para retardar o longo e logisticamente difícil avanço do 8º Exército. Teria sido possível manter o 1º e 8º Exércitos tão distantes entre si que poderiam vir a ser liquidados separadamente, tirando-se vantagem da linha interior mais curta. Mais uma vez temos aqui um caso de olhar retrospectivo. É duvidoso que Kesselring compreendesse tão bem quanto Hitler a situação política na África do Norte francesa. Era delicado o equilíbrio que ali havia entre as facções opostas, e uma intervenção prematura teria com tanta probabilidade despertado oposição quanto colocado as forças francesas ao lado dos alemães. Além do mais, os franceses tinham muito mais simpatia pelos norte-americanos do que pelos britânicos ou alemães. Quanto a Rommel, ele foi indubitavelmente prudente em recuar para sua base de suprimentos, e em não travar mais do que ações de retardamento contra o 8º Exército, cheio de animação e cuja "tática metódica" de seu comandante, como Kesselring desdenhosa mas não de todo injustamente a classifica, era bem apropriada para uma luta de defesa. O ponto em que as críticas de Kesselring são bem fundamentadas diz respeito à confusão geral ocasionada pelas intervenções de Hitler, do que resultou mais uma vez não poder impor unidade de comando e a última e fatal decisão de defender o perímetro cada vez menor da Tunísia até o último homem.

A África estava perdida, juntamente com 250 mil soldados do Eixo, incluindo o general von Arnim, comandante-chefe. O fato causou profunda impressão em Kesselring, e ele resolveu impedir que tal coisa acontecesse na Sicília em julho de 1943, quando, em face da invasão aliada, a resistência efetiva limitou-se ao contingente alemão, a despeito da presença de forças italianas. Kesselring arriscou o pescoço para tirá-las de lá. Sem consulta ao OKW, ou sem sua permissão, voou para a Sicília e ordenou ao comandante alemão que formasse um perímetro fortemente defensivo em torno de Messina, reunisse ali tantos soldados quanto possível, alemães e italianos, e que se preparasse para cruzar o estreito para a Calábria. Ele, pessoalmente, reuniu todos os regimentos de artilharia antiaérea disponíveis para colocar ao longo das margens do estreito e ordenou a todos os caças, com raio de ação para chegar ao local, que fornecessem cobertura aérea. Em seis dias e sete noites de agosto de 1943, entre 60 mil e 80 mil soldados conseguiram cruzar para o território continental da Itália, incluindo todos os alemães e parte considerável do valioso equipamento necessário para travar, no solo da Itália, as batalhas que se avizinhavam. Os fatos de o jactancioso Patton não conseguir sequer fazer uma mossa nas defesas alemãs em Messina, de a misteriosa indolência de Montgomery acabar resultando no fracasso do 8º Exército em perseguir um inimigo batido e de a inatividade das marinhas de guerra e forças aéreas dos Aliados terem todos contribuído para o sucesso de Kesselring, em nada diminuem sua façanha de organização de uma Dunquerque alemã. A questão da retirada oportuna estava destinada a ser tema de repetidas e calorosas discussões nos anos seguintes. Ele talvez jamais tenha convencido Hitler, mas uma vez, em 1944, conseguiu realizar a façanha fora do comum de silenciá-lo quando lhe disse, sem papas na língua: "Claro que suas tropas resistirão e lutarão sempre até a morte, se o senhor lhes ordenar isso, mas pense se, tendo perdido um exército na África e outro em Stalingrado, poderá dar-se ao luxo de perder o terceiro na Itália".[8]

Completada com êxito a evacuação da Sicília, Kesselring pôde dedicar atenção aos problemas de defender a Itália, cuja invasão era esperada a qualquer momento. Estes, contudo, nada eram em comparação com as questões políticas que enfrentava. Só aos poucos deu-se conta de que estava enredado num cipoal de conspirações. Conforme observara Hitler, com toda razão, quando a questão era fazer intrigas, os italianos podiam fazer gato-sapato de Kesselring e seu Estado-Maior: "Esse Kesselring é honesto demais para aqueles traidores!"[9] No dia 25 de julho, com aprovação do rei da Itália, o marechal Badoglio e um grupo de conspiradores derrubaram Mussolini. O chocado Kesselring recebeu garantias do novo governo italiano de que daria, lealmente, prosseguimento à guerra, quando, na realidade, já estava enviando emissários aos Aliados, por baixo do pano, pedindo um armistício. Hitler, que como especialista em conspirações possuía um nariz capaz de farejar traições até mesmo a uma distância tão grande como Roma, disse a Kesselring que deixasse de ser ingênuo, que se preparasse para o pior, ordenou que uma divisão de pára-quedistas fosse levada a Roma por via aérea e inundou o norte da Itália com tropas, sem pedir permissão ao aliado ou mesmo informar seu comandante-chefe na área. Daí em diante, os fatos se desenrolaram rapidamente. Eisenhower enviara dois corajosos oficiais norte-americanos para se encontrarem secretamente com Badoglio e descobrirem suas verdadeiras intenções. No dia 8 de setembro, esses oficiais enviaram um despacho codificado, onde diziam que o marechal Badoglio estava apavorado demais com as forças de ocupação alemãs para fazer alguma coisa, quanto mais levar as Forças Armadas italianas e inclinarem-se em favor dos Aliados. Naquela noite, quando o 5º Exército invasor norte-americano já estava no mar *en route* de Salerno, Eisenhower autorizou a divulgação de uma proclamação pelo rádio da Argélia, dizendo que fora combinado um armistício entre os governos italiano e Aliados, isso na esperança de forçar a mão de Badoglio. Kesselring, que já preparara seus planos, enviou uma mensagem cifrada a todas as unidades alemãs — "Façam a colheita!" —, e em seguida entrou rapidamente em ação para desarmar as tropas italianas, sendo a única baixa um general italiano que, indignado recusou depor as armas e foi fuzilado no ato. Em princípios da manhã do dia 9, o 8º Exército cruzou o estreito de Messina e desembarcou na Calábria, enquanto o exército do general Mark Clark fazia o mesmo em Salerno. Começara a primeira batalha para Kesselring como comandante de exércitos. Ele apenas passara de uma crise política para uma crise militar, mas pelo menos pisava terreno firme e conhecido.

Kesselring deduzira corretamente os movimentos dos Aliados. Era muito provável que escolhessem o caminho mais curto, através do estreito de Messina, e que transformassem também o porto de Nápoles em seu objetivo principal. Se isso era correto, então a baía de Salerno, justamente dentro do raio de ação da cobertura de aviões de caça baseado na Sicília, era o lugar que com maior probabilidade escolheriam para o principal desembarque. Em conseqüência, já desdobrara no local a 16ª Divisão *Panzer*, com ordens de defender a região, enquanto concentrava o 10º Exército na retaguarda daquela, a fim de empurrar os invasores para o mar. As divisões que se encontravam mais ao sul não deviam engajar-se em luta séria com o 8º Exército, tendo recebido ordens de retirar-se por trás de cinturões de demolição e proteger os campos de aviação nas proximidades de Foggia. Entrementes, ordenou a seus sapadores que preparassem uma posição fortificada de um lado a outro da Itália, da foz do Sangro, na costa do Adriático, passando pela crista das montanhas até Cassino e daí alcançando a foz do rio Rapido-Garigliano, que forma o fosso natural do que iria se tornar a famosa Linha Gustav. Se o 10º Exército não conseguisse esmagar a cabeça-de-ponte dos Aliados em Salerno, deveria girar para a esquerda sobre seu flanco direito e formar uma linha defensiva e, gradualmente, retirar-se para posições na Gustav, onde ele tencionava lutar durante todo o inverno, ou mais tempo, se necessário.

Logo depois ruíram por terra suas esperanças de lançar Clark no mar e deter Montgomery em Apulia. Montgomery, depois de parar para construir sua base logística e limpar uma linha de comunicações através das demolições, abriu tenazmente seu caminho através de uma série aparentemente interminável de alcantiladas montanhas e rios impetuosos ao longo da costa do Adriático, abandonando o suficiente sua tática "metódica" para alarmar Kesselring quando flanqueou uma das linhas de defesa alemãs mediante ataque anfíbio em Termoli. (Durante toda a campanha, Kesselring viveu em um estado de perpétua preocupação com possíveis desembarques aliados em sua retaguarda e manteve sempre reservas substanciais à mão para enfrentar essa ameaça.) O 8º Exército foi finalmente detido, após pesadas lutas, por inundações em dezembro de 1943, um pouco ao norte do rio Sangro.

Na opinião de Clark, a situação esteve por pouco em Salerno — a certa altura ele ficou suficientemente alarmado para pensar em reembarcar —, mas, em retrospecto, é claro que, apoiado como estava seu exército por poderosa artilharia, com ajuda dos canhões da esquadra e das forças aéreas aliadas, ele era forte demais para as divisões desfalcadas e mal equipadas do 10º Exército (ou assim parece à vista de simples cálculos de efetivos). Kesselring, não sem razão, acreditou até sua morte que foi a perversidade de Hitler que o roubou de uma grande vitória. E foi também seu último e frustrado choque com Rommel, que deixara a África doente, derrotado e profundamente pessimista. Kesselring, sempre otimista, acreditava que poderia manter os Aliados muito ao sul, ao passo que o conselho de Rommel a Hitler (de quem permanecia como favorito) era que, em face da superioridade dos Aliados, especialmente no ar, o único curso exeqüível era estabelecer uma linha de defesa no norte da Itália, até mesmo nas encostas meridionais dos Alpes. Hitler, seguindo seu sistema de "mão dupla", transformou todas as unidades que enviou para o norte da Itália em Grupo de Exércitos "B" e colocou-os sob o comando de Rommel, mas não subordinado a Kesselring, que nominalmente continuava como comandante-chefe. Suas responsabilidades foram limitadas na Itália ao sul de Roma e ao comando do Grupo de Exércitos "C". Durante os críticos dias de setembro de 1943, Rommel e Hitler, ou ambos em conjunto, recusaram-se a enviar uma única unidade que fosse a fim de reforçar o 10º Exército.

Kesselring, porém, não foi nunca homem de se dar a lamentações inúteis. De qualquer modo, não lhe sobrava tempo para essas emoções, tais eram as dificuldades que o assaltavam. Não obstante, ao analisar sua posição ao fim do ano, teve a impressão de que ela estava longe de ser desanimadora. O 10º Exército estava abrigado em segurança na Linha Gustav, naturalmente muito forte e ininterruptamente melhorada e aprofundada por sapadores. Reconhecia que eram graves as dificuldades que enfrentava. Suas divisões estavam desfalcadas e eram amplamente superadas em termos de artilharia e tanques. As pesadas baixas sofridas pela Luftwaffe em Salerno não haviam sido compensadas e não era mais capaz de dar ao Exército o apoio de que necessitava ou proteger as linhas de comunicação de um bloqueio aéreo. Era difícil obter informações. Contrabalançando esses fatores, tinha confiança em seus subordinados, que eram tão bons como se esperava que fossem os generais alemães: von Senger era o melhor tático de ambos os lados e, nos combates do outono, os soldados alemães provaram que em perícia de batalha, determinação e combate corpo a corpo eram superiores aos fracos anglo-americanos. (Embora esta fosse uma opinião que Kesselring teve que modificar depois.) Percebeu que o único erro fatal que poderia cometer seria defender tão obstinadamente uma posição que seus exércitos acabassem por sucumbir ao puro peso do poder de fogo dos Aliados. Sua política nesse momento teria de ser de defesa elástica, infligindo tantas baixas quanto possível e, em seguida, escapulir para a linha de resistência mais próxima, ainda castigando o inimigo em uma retirada ativa, na qual suas tropas àquela altura eram especialistas. O maior perigo seria o de ficar encurralado por um grande desembarque na retaguarda, temor este que teria fundamento mais tarde.

Winston Churchill, que sentia profundo interesse pelo teatro de guerra italiano, achava que o avanço a passo de caracol dos exércitos aliados precisava ser acelerado por algum golpe ousado e imaginativo. Inspirou o plano de um desembarque com grandes efetivos por trás da Linha Gustav, concretizado após acesos debates, no desembarque do 6º Corpo do 5º Exército em Anzio. O general Clark, embora pouco confiasse no plano, não estava em condições de obter seu cancelamento. Em vez disso, aconselhou cautela, dizendo ao general Lucas, comandante do 6º Corpo: "Não se arrisque, Johnny. Fiz isso em Salerno e me meti numa fria", o pior tipo possível de conselho a dar a um subordinado cauteloso por natureza.[10] (Lucas, na verdade, em nenhum momento recebeu uma diretriz apropriada, fosse para estabelecer uma forte cabeça-de-ponte defensiva ou atacar um objetivo claro, nem estavam seus homens organizados para operações agressivas, móveis, já que a maior parte pertencia à infantaria a pé. Em retrospecto, parece que ele agiu sensatamente.) O plano do 5º Exército dependia para seu sucesso de rompimento da Linha Gustav e de contato sem demora com a cabeça-de-ponte em Anzio, mas na verdade o plano era basicamente débil e teve execução tumultuada.

Clark tinha à sua disposição uma divisão norte-americana, duas britânicas e uma colonial francesa, todas de infantaria, e uma divisão blindada norte-americana. A linha de arremetida de seu principal ataque devia passar pelo estreito vale Liri, implicando um cruzamento, pela força do rio Rapido pela divisão de infantaria norte-americana, que deveria estabelecer uma cabeça-de-ponte através da qual a divisão blindada deveria deslocar-se rapidamente para reunir-se ao 6º Corpo e, juntos, libertar Roma. Os flancos da linha de penetração deveriam ser cobertos por um ataque dos franceses no maciço de Monte-cassino, que ficava a cavaleiro do vale Liri no seu lado norte, e por uma divisão britânica ao sul. A outra divisão britânica deveria cruzar o Garigliano perto de sua foz, com o objetivo de atrair as reservas alemãs. As programações eram as seguintes: a primeira divisão britânica iniciaria a campanha no flanco esquerdo no dia 17 de janeiro de 1944; a outra deveria cruzar o Rapido no dia 19, seguida pela divisão norte-americana no dia 20, enquanto os primeiros batalhões do 6º Corpo desembarcariam nas praias de Anzio na manhã do dia 22. O ataque principal foi um horrendo fracasso: a divisão blindada nunca fez a travessia, e Lucas e seu corpo de exército acabaram, nas palavras desdenhosas de Churchill, como uma "baleia encalhada", comparação esta injusta, uma vez que lutaram bravamente, embora a intenção tivesse sido a de iniciar uma batalha ofensiva, e não cair na defensiva.

A reação de Kesselring ao desembarque em Anzio foi imediata. Por volta das 17h do dia 22, unidades retiradas de todas as divisões dentro do alcance de chamada chegaram — "em uma mixórdia", nas palavras usadas por seu tradutor —, mas com a sensação instintiva de tropas alemãs para a ação correta em emergências. Cada uma delas fez contato com a vizinha para formar um cordão de isolamento em torno de Lucas. Logo depois, começaram a chegar divisões, que foram transformadas em corpos de exército sob o comando do general von Mackensen e de seu quartel-general do 14º Exército. Logo depois, o 6º Corpo norte-americano estava lutando para salvar a vida. Clark, em desespero para, de alguma maneira, aliviar a pressão sobre Lucas, iniciou uma série de ataques aos bastiões mais aguerridos da Linha Gustav, conhecidos na história como a Primeira, Segunda e Terceira Batalhas de Cassino, sobre as quais volumes foram escritos. Todos fracassaram. Ao cair o ritmo da luta em meados de março de 1944, Kesselring ainda mantinha a Linha Gustav, de uma costa à outra, embora o 6º Corpo de Lucas em Anzio tivesse derrotado a contra-ofensiva de Mackensen. Dependendo do ponto de vista, o 6º Corpo norte-americano permaneceu ou como refém de Kesselring, a pedir resgate, ou como uma pistola apontada para a retaguarda da Linha Gustav (ver mapa 8).

Em março, por conseguinte, Kesselring cumprira sua promessa de manter os Aliados no sul da Itália, mas o futuro assomava sombrio. A guerra na Rússia estava engolindo as reservas da infantaria alemã, e as que podiam ser poupadas para a Itália eram poucas, muito jovens e mediocremente treinadas. Os efetivos de suas divisões estavam tão reduzidos que teve que reforçá-los com o emprego de ex-prisioneiros de guerra de origem soviética — turcomanos, cossacos e ucranianos — em tarefas administrativas e como mão-de-obra nas unidades de combate, e ordenar às unidades de serviço e guarda de bases que formassem pequenos grupos de combate para uso em emergências. Algumas de suas divisões de infantaria pouco mais podiam fazer do que manter a linha, de modo que, para contra-ataques e defesa de áreas-chave, como Cassino, tinham que depender de unidades de elite, como os pára-quedistas e os granadeiros *panzer*. Um novo e sinistro fato era a agressividade do crescente movimento de resistência italiano, cujos bandos estavam fustigando sua linha de comunicações e emboscando ou atacando de tocaia soldados alemães nas áreas de retaguarda, o que exigia que mais unidades fossem destacadas para protegê-las. Tivesse ele conhecido o peso do golpe que estava prestes a cair sobre a Linha Gustav em maio, é bem possível que tivesse apagado o sorriso até mesmo de seu rosto alegre.

De acordo com um plano elaborado pelo novo e hábil chefe de Estado-Maior de Alexander, major-general John Harding, no esforço seguinte, ambos os exércitos aliados seriam concentrados na frente Cassino-Garigliano. Um corpo de exército britânico, canadense e polonês deveria romper o impasse em Cassino e cruzar o vale Liri, utilizando mil tanques e com apoio de 1.050 canhões. Um corpo francês, composto de três divisões de infantaria, uma divisão de montanha e um corpo irregular de 8 mil montanheses marroquinos, ficaria encarregado de forçar uma passagem através das montanhas, enquanto o 2º Corpo dos Estados Unidos avançaria pelo estreito corredor entre as montanhas e o Mediterrâneo até Anzio. No momento apropriado, o 6º Corpo deveria irromper da cabeça-de-ponte e atacar na direção nordeste, a fim de cortar a rota de fuga do 10º Exército alemão. A essência do plano de Harding consistia em separar o 10º e o 14º Exércitos alemães e destruí-los separadamente e, se os grupos aliado e alemão tivessem mudado de comandantes, isso sem dúvida teria acontecido. Na verdade, nenhum envolvimento e nenhum destrinchamento típicos de *Blitzkrieg* verificou-se. Uma das máximas muito citadas de Moltke, o Velho, é que nenhum plano sobrevive a contato com o inimigo. Na Itália, nenhum plano aliado sobreviveu até 1945, devido à incapacidade de cooperação entre eles, à hostilidade de Clark com os britânicos e à profunda antipatia que Leese, o comandante do 8º Exército, sentia em relação a Clark. Este que resolvera no fundo do coração entrar em Roma antes dos britânicos, e usando apenas tropas norte-americanas, ordenou ao 6º Corpo que dirigisse seu ataque a noroeste, e não a nordeste através da linha de retirada alemã. Recusou-se a permitir qualquer duplo cerco, uma vez que considerava isso uma ajuda aos "britânicos". Kesselring, que atribuiu a cincada à incompetência aliada, declarou Roma cidade aberta, desengajou suas forças de uma maneira magistral, formou uma frente unida com seus dois exércitos e recuou tranqüilamente para sua principal linha de resistência seguinte nos Apeninos do norte, parando apenas para deixar os Aliados de nariz sangrento quando se aproximavam demais. Em fins do verão, seus exércitos já estavam guarnecendo os postos avançados da Linha Gótica. (Ele não soube que a inatividade de Clark após a liberação de Roma, no dia 4 de junho, se deveu ao fato de ele ter que ceder todas as suas tropas francesas e um corpo de exército norte-americano para a projetada invasão do sul da França.)

Tanto Kesselring quanto Harding haviam reconhecido que a cidade de Bolonha era a chave para a batalha pelo norte da Itália. O plano de Harding previa um ataque concentrado de ambos os exércitos ao longo da rota direta através das montanhas. Essa idéia, no entanto, foi abandonada porque Leese pensava que a costa do Adriático oferecia melhores perspectivas para um exército forte em tanques, mas não é injusto acrescentar que sua experiência anterior com as idéias de cooperação de Clark haviam-no enojado e que preferia agir sozinho. Alexander, por fraqueza, permitiu que cada comandante atacasse no eixo de sua escolha: Leese na direção de Rimini, na esperança de obter espaço de manobra para seus blindados na planície de Emilia: e Clark na rota direta por cima das montanhas até Bolonha, obtido o consentimento de Leese pela transferência para o norte-americano de um dos corpos de exército do inglês, com o resultado de que nenhum dos dois exércitos pôde explorar o sucesso inicial com o rompimento das defesas da Linha Gótica. Kesselring nada sabia dessas barganhas, mas ficou satisfeito em notar que os Aliados haviam, mais uma vez, voltado à sua política de dividir forças. Conseguiu deter ambos os ataques, mas só depois de algumas das lutas mais violentas já travadas na Itália, incluindo mesmo Cassino. O 8º Exército continuou a avançar à sua maneira "metódica" até chegar a Faenza em dezembro, onde parou por causa do inverno. O 5º Exército, após uma campanha heróica, foi imobilizado por Clark no dia 7 de outubro de 1944, tendo sofrido baixas tão pesadas na infantaria que não pôde mais continuar a luta, mas, por essa altura, Kesselring já travara sua última grande batalha na Itália. No dia 23 seu carro de comando colidiu com um pesado canhão que era rebocado, e ele recebeu no rosto e na cabeça ferimentos suficientes para dar cabo de um homem menos robusto. Voltou, ainda como convalescente, para comandar, por curto espaço de tempo, seu Grupo de Exércitos em março de 1945. A situação das tropas era trágica. Eram deficientes, sem exceção, em suprimentos, transporte, combustível para viaturas e munições, algumas de suas melhores unidades haviam sido enviadas para reforçar as forças alemãs na batalha do Oeste, mas, pior ainda, relatórios do campo de batalha sobre os combates no inverno demonstravam que a tática e o poder de luta das forças aliadas haviam melhorado muito. Kesselring compreendeu que outra batalha campal seria fatal. Estava pensando em qual seria a melhor maneira de obter o consentimento de Hitler para seu plano, de rolar para trás com o avanço dos Aliados na ofensiva de primavera, quando recebeu ordens de se apresentar ao Führer no OKW. Soube então que deveria assumir imediatamente o posto de comandante-chefe Oeste, substituindo von Rundstedt.

A relutância de Kesselring em referir-se em termos ásperos a qualquer pessoa (com exceção de Rommel) estendia-se a Hitler, de modo que sua reação às instruções que recebeu — "que duraram horas, foram notavelmente lúcidas e demonstraram um impressionante domínio de detalhes" — reveste-se de interesse histórico, inteiramente à parte o fato de confirmar-lhe a capacidade de aceitar qualquer tarefa, por mais desesperadora que fosse: o

Führer, segundo ele mesmo, estava prestes a ganhar a guerra. Tudo o que ele, Kesselring, tinha a fazer no oeste era resistir e negar ao inimigo qualquer centímetro de solo alemão. Um novo e repousado exército, o 12º, estava em processo de formação. (Isso era uma quimera.) A Luftwaffe estava prestes a ser equipada com uma nova e maravilhosa arma, o "Caça Popular" (verdade: um caça a jato, mas que nunca entrou em produção). O almirante Dönitz ia reativar a guerra sob as águas com um novo e maravilhoso submarino. Hitler tencionava estabilizar a Frente Russa e em seguida voltar-se contra os anglo-americanos.[11] Kesselring não podia deixar de reconhecer que tudo isso eram fantasias, mas preparou-se para travar sua última batalha com o mesmo toque operacional e atenção aos detalhes, como se fosse a primeira.

Não há proveito em voltar a descrever as últimas e desesperadas manobras de março e abril de 1945 na defesa da Alemanha contra os Aliados ocidentais: seja suficiente dizer que 85 divisões aliadas se lançaram com unhas e dentes contra as últimas defesas alemãs a oeste do Reno e que os norte-americanos já haviam cruzado o rio em Remagen. A fim de detê-las, Kesselring dispunha de 51 divisões, a maioria reduzida a 5 mil homens de todas as graduações, e pouquíssimos blindados. A Luftwaffe, ou o que sobrava dela, dedicava-se inteiramente à defesa contra os bombardeiros aliados. O moral estava tão baixo que as deserções tornaram-se gerais, e Kesselring teve que organizar patrulhas de oficiais e cordões policiais de isolamento para mandar de volta para a linha de frente os homens tão logo começava uma batalha, a tal estado o outrora orgulhoso Exército alemão fora reduzido.

Kesselring, tal como seus colegas generais, era mantido na luta pelo medo dos russos e o que pensava que seria o destino dos exércitos alemães, caso se rendessem a eles e não aos Aliados, e pela exigência de rendição incondicional dos líderes destes últimos, mas era sensato demais para deixar de compreender que, quanto mais cedo ocorresse uma capitulação organizada, melhor seria para a Alemanha. Já no outono de 1944 tomara conhecimento, aprovando-a, da tentativa de aproximação entre o general Wolff, da SS, e o representante da OSS norte-americana na Suíça. Nesse momento, continuava a lutar na esperança desesperada de que os exércitos alemães, tanto nas frentes leste como italiana, pudessem render-se aos britânicos ou aos norte-americanos. Em abril de 1945, quando a resistência estava prestes a entrar em colapso, seu comando foi ampliado para incluir a Alemanha ao sul da linha Hamelin-Brunswick-Brandenburg, Itália, Iugoslávia, e parte da frente sudeste que enfrentava a arremetida russa e, como tal, fora transformado em plenipotenciário para negociar a rendição nessa área. Ruíram todas as esperanças de obter qualquer outra coisa que uma rendição abjeta, quando foi ignorado seu oferecimento de fornecer pessoal de engenharia a sinaleiros para ajudar a restabelecer as comunicações na Alemanha. Lançado em um campo de prisioneiros, tomaram-lhe o bastão de marechal. Coisas piores, porém, estavam à sua espera. Seria acusado como criminoso de guerra.

Em termos leigos, a acusação contra Kesselring era a de que, quando se encontrava na Itália, baixara instruções a seus comandantes encarregados de operações contra os *partisans* que podiam ser interpretadas como tolerância a atos de brutalidade, cabendo-lhe por isso a responsabilidade pelo pavoroso massacre de 335 italianos nas cavernas Ardeatine em março de 1944 e também pelo total de 1.087 pessoas mortas em represália durante a campanha italiana. Sua bateria de advogados alemães elaborou uma forte defesa sob três títulos: provas oferecidas por seus próprios oficiais e por autoridades civis italianas, incluindo um bispo, de que fora escrupuloso em medidas para evitar baixas civis; que os *partisans* agiam com total desrespeito às disposições do direito internacional, que conferem legitimidade a ações de tropas irregulares, *franc-tireurs* e guerrilheiros; e que, de qualquer maneira, Hitler retirara do comandante-chefe a responsabilidade por assuntos de segurança na Itália e a transferira para o Serviço de Segurança Alemão (*Sicherheitsdienst*) e o ramo policial da SS. Kesselring não foi julgado em Nuremberg por um dos tribunais de crimes de guerra, presididos por advogados e juízes bem preparados, mas em data muito posterior — maio de 1947 —, em Veneza, por um conselho de guerra composto de oficiais britânicos, com assessoria de um juiz-advogado (que não tomava parte na orientação do veredicto ou da sentença). Julgado culpado, foi condenado à morte. Até que ponto isso constituiu um aborto de justiça é assunto demasiado complexo para ser discutido aqui. Seja suficiente dizer que a sentença, ainda que não o veredicto, causou suficiente indignação na Inglaterra para levar Churchill a apelar a Attlee (na ocasião primeiro-ministro) para que interviesse no caso, com o resultado de que a pena imposta a Kesselring foi comutada e transformada em prisão perpétua. Em 1952, ele necessitou de cuidados médicos especializados devido a efeitos secundários dos ferimentos que recebera na cabeça, foi libertado e a sentença suspensa como "ato de clemência".

Durante dois anos como prisioneiro de guerra, oito semanas aguardando execução e cinco anos em uma prisão civil em Werl, na República Federal da Alemanha, Kesselring conduziu-se com coragem, dignidade e, na verdade, com a arrogância apropriada a seu posto. Foi citado a comparecer como testemunha em Nuremberg e prestar depoimento sobre a política alemã de bombardeiros, quando, irritado com o tom do promotor britânico na fase de repergunta, declarou: "Sob juramento, prestei depoimento como oficial alemão com mais de 40 anos de serviço e como marechal-de-campo alemão! Se minhas declarações merecem tão pouco respeito, abstenho-me, de agora em diante, de prestar mais depoimento", o que provocou um pedido de desculpas.[12] Mas não se sentiu grato pela comutação da pena. Como oficial alemão, poderia enfrentar com resignação um pelotão de fuzilamento, acreditando que era inocente de qualquer crime, mas ser trancafiado juntamente com "criminosos profissionais" e "malfeitores ainda piores" era um insulto. Não deixou, porém, de ser um homem alegre, nem perdeu inteiramente o seco senso de humor. Uma foto sua à espera da execução mostra-o ainda com o famoso sorriso, tendo nas mãos um buquê de flores silvestres que acabara de colher. Perguntado em Werl o que achava da tarefa que lhe fora cometida na prisão, respondeu: "Nos meus sonhos mais loucos nunca pensei que acabaria como colador de sacos de papel..."[13] Por sorte, esse regime, no início vingativamente punitivo, foi muito melhorado, o que lhe permitiu estudar a guerra e redigir a narrativa publicada sob o título *Memoirs* na Inglaterra, em 1953. Sempre francas, às vezes rudes e mesmo ingênuas, essas memórias proporcionam uma introvisão excepcional da mente de um general alemão a braços com problemas de política e guerra.

Resta a questão do lugar que cabe a Kesselring no rol de generais cujos perfis são objeto deste volume. No tocante à conduta de operações, o padrão dos generais alemães como classe era tão bom — e não é injusto dizer que melhor do que seus adversários — que qualquer um deles poderia ter comandado igualmente bem suas batalhas. O sistema de Estado-Maior Geral alemão produzia admiráveis comandantes de corpos de exército e exércitos e seus inseparáveis chefes de Estado-Maior. O notável a respeito de Kesselring é que teve pouco treinamento especial de operações e nunca subiu gradativamente através de divisão, corpo de exército e exército. Possuía todas as qualidades necessárias, mas obteve-as desenvolvendo-as pessoalmente. O princípio da mobilidade — o que chama de "operações livres" —, a necessidade de manter uma reserva, a capacidade de improvisar e, acima de tudo, de reagir a crises, como ocorreu em Anzio, sem um bocado de planejamento de contingência — que com grande freqüência é mera perda de papel —, ocorriam-lhe naturalmente. Era um tipo frio. Freqüentemente, deixava indignados comandantes de exércitos e corpos que solicitavam permissão para ceder um pouco de terreno, mas, finalmente, cedia no momento psicológico. Era dotado de um imenso poder de autoridade. Pode ter sido o "Albert Risadinha", mas ninguém lhe desobedecia duas vezes. Sem hesitar, destituiu Mackensen por desobedecer à ordem de ceder uma divisão de reserva a seu outro exército, e também o excelente comandante da 16ª Divisão *Panzer*, que durante quatro dias resistira sob o ataque de todo o 5º Exército em Salerno em 1943, por demorar demais a atender a uma ordem de contra-ataque em fins daquele mesmo ano.

Mas, como se costuma dizer, tal comportamento era esperado de todos os oficiais alemães. O excepcional nele foi o fato de ter sido o único a enfrentar a difícil tarefa de atuar como comandante supremo em uma guerra de atrito, como uma interfacial onde se encontravam política e grande estratégia. É difícil encontrar defeitos nele. Se os teve, foi a lealdade obsessiva e o rígido senso de dever que o agrilhoou, e a outros, a serviço de Adolf Hitler. Quarenta anos depois, podemos olhar com simpatia suas tribulações.

Dados cronológicos | Albert Kesselring

1885	Nasce em Bayreuth, Baviera
1904	Aceito como estagiário para futura patente de oficial na artilharia bávara
1914	Em serviço ativo com sua bateria na Frente Ocidental
1915-17	Estado-Maior de artilharia em França
1917	Nomeado para o Estado-Maior Geral e designado para uma divisão na Frente Oriental
1918	Designações para Estado-Maior em nível de corpo e exército
1919-22	Comandante de bateria
1922	No Ministério da Guerra, como chefe de Estado-Maior do general H. von Seeckt, na seção "direção do exército"
1929	Encarregado de reorganização de efetivos (*Sparkommissar*)
1931-32	Promovido a coronel, comanda regimento de artilharia
1933	Transferido para o Ministério da Aviação como diretor civil de administração
1936	Nomeado chefe de Estado-Maior, Luftwaffe
1937	Comandante, Terceira Região Aérea
1938	Comandante, Primeira Ala Aérea
1939	Toma parte na invasão da Polônia
1940	Transferido para comandar a Segunda Frota Aérea, à frente das operações terra/ar na invasão dos Países Baixos, operações aéreas sobre Dunquerque e na Batalha da Grã-Bretanha
1941	Invasão da Rússia. Em dezembro é nomeado comandante do Eixo no Mediterrâneo
1942-43, ago	Participa de operações aéreas e terrestres na África do Norte e na Sicília, e no sul da Itália

1944	Comandante-chefe em toda a Itália e do Grupo de Exércitos C até outubro, quando é ferido gravemente
1945	Volta por curto tempo à Itália, mas em março é nomeado comandante-chefe Oeste. Prisioneiro de guerra, acusado de crimes de guerra
1947	Condenado à morte, sentença comutada em prisão perpétua em cárcere civil, Werl, Alemanha Ocidental
1952	Libertado por "ato de clemência"
1953	Publica memórias
1960	Falece

Os Generais de Linha de Frente

PARTE IV

Rommel | 12

Marechal-de-campo Erwin Rommel

Martin Blumenson

No quase meio século transcorrido desde a Segunda Guerra Mundial, enquanto perdem estatura as reputações de muitos dos principais chefes militares da época, a do marechal-de-campo Erwin Rommel só faz crescer. Profundamente admirado por ambos os lados não só por sua liderança inspiradora e competência, mas também por seu carisma e fidalguia, Rommel, nos seus traços pessoais, foi uma reversão ao cavaleiro andante medieval e mestre da guerra moderna em suas realizações profissionais.

Embora considerado por alguns observadores como não mais que um tático e comandante de campo soberbo, deficiente em senso estratégico, de compreensão defeituosa do problema logístico, capacitado para nada mais alto do que comando de divisão, ele é, cada vez mais, considerado como soldado dotado de clara e convincente visão de estratégia e logística e de um toque seguro e equilibrado para grandes operações. O fato de ter discutido com seus superiores demonstra sua oposição a políticas hoje consideradas impróprias. Que tivesse reprovado aqueles que não lhe forneceram suprimentos adequados diz bem de sua sensibilidade à função de apoio. E, finalmente, que tivesse exibido pessimismo durante toda a última parte do conflito indica sua presciência quanto ao resultado final.

A ousadia, o uso da surpresa, a disposição de assumir riscos e senso de intuição no campo de batalha foram as características do exercício de comando por Rommel. Embora freqüentemente operasse em desvantagem, incluindo recursos inferiores aos de seus adversários, falta de superioridade aérea, e serviços de informação e contra-informação que estivessem à altura dos meios de interceptação ultra-secretos dos Aliados, ele foi brilhantemente bem-sucedido no ataque e notavelmente fértil em recursos na defesa.

O que, em última análise, provocou-lhe a queda foram questões políticas, estratégicas e logísticas pelas quais não tinha responsabilidade. Tendo-lhe sido negados os meios de obter vitória de um escopo mais amplo do que além do palco individual onde se apresentava, ele, como os gigantes antes dele abatidos pela derrota, entre os quais Aníbal, Napoleão e Robert E. Lee, brilha com uma fama muito mais refulgente que a da maioria de seus contemporâneos.

Teve mais do que a parcela costumeira de sorte. Em vez de servir como jovem oficial em uma guerra estática de posições na Frente Ocidental, onde poderia ter-se transformado em arraigado defensor da guerra de posições, aprendeu mobilidade em outras frentes. Se o fato de ter atraído o beneplácito de Adolf Hitler lhe deu o comando de uma divisão blindada na campanha de 1940 contra a Grã-Bretanha e a França, ele teve também a visão e a energia de levar seus homens ao primeiro plano do *Blitzkrieg*. Em vez de lutar nas estepes intermináveis da Rússia, onde poderia ter sido perdido de vista, emergiu com uma independência algo maior no espaço mais limitado da África do Norte. Teve a boa sorte de evitar a inconclusiva campanha italiana e de estar no local decisivo quando os Aliados invadiram a Normandia.

Enfrentou má sorte também. Depois de escapar da morte em numerosas ocasiões em que ia à frente de suas tropas em combate, tornou-se vítima de um piloto aliado que metralhou seu solitário veículo em uma obscura estrada entre Livarot e Vimoutiers e tirou-o da guerra. Seus graves ferimentos ocorreram em um momento crítico, três dias antes do *putsch* contra Hitler, em 20 de julho de 1944, e eliminou-o do movimento clandestino que pretendia substituir o Führer, que, na opinião de Rommel, perdera a guerra e estava insensatamente destruindo a Alemanha. Para um guerreiro que corporificava os melhores princípios e preceitos da profissão, foi um golpe de má sorte servir a um senhor tão detestável.

Ao contrário de muitos oficiais do Exército alemão, que funcionavam nos mais altos níveis de autoridade e responsabilidade por causa de sua casta bem-nascida e educação especial recebida, Rommel nem era membro da classe *junker* de aristocratas prussianos nem do círculo fechado do Estado-Maior Geral, situações que facilitavam o progresso na carreira militar. Seu pai e seu avô foram mestres-escolas tradicionalmente burgueses, professores de matemática, na província de Württemberg, embora sua mãe descendesse de família nobre. Nascido em Heidenheim, perto de Ulm, no dia 15 de novembro de 1891, um de cinco filhos, Rommel era de baixa estatura para sua idade e de temperamento tranqüilo. A despeito de notas medíocres nos estudos, passou nos exames.

Embora seus respeitáveis pais suábios, de meios moderados, carecessem de amigos influentes numa sociedade militar, Rommel ingressou no

Exército em 19 de julho de 1910, como cadete, no 124º Regimento de Infantaria de Weingarten. Após promoção a cabo em outubro e a sargento em dezembro, obteve patente de oficial em março de 1911 na Academia Militar em Danzig, onde conheceu Lucie Maria Mollin, que se tornaria mais tarde sua esposa.

Como segundo-tenente, treinou com seu regimento. Interessado em todos os assuntos militares, mostrou-se sério no cumprimento de deveres e competente em exercícios. Mais de ouvir do que falar em tom autoritário, estabeleceu fácil comunicabilidade com seus subordinados, embora não tolerasse o menor relaxamento. Exibia temperamento calmo, meticuloso, prático. Designado para o 49º Regimento de Artilharia de Ulm em 1º de março de 1914, voltou à infantaria ao irromper a Primeira Guerra Mundial.

O combate revelou imediatamente aqueles pontos que se transformaram em suas marcas registradas. Na primeira vez em que entrou em ação, no dia 22 de agosto, durante o avanço alemão para o Marne, saindo em missão de reconhecimento com seu pelotão, em meio a denso nevoeiro nas proximidades de Longwy, ele e três homens chegaram à aldeia de Bleid, controlada pelos franceses. Dando a volta em torno de um prédio rural, observou 15 ou 20 soldados na estrada. Sem hesitação, abriu fogo. Seu pelotão emparelhou-se com ele e, de acordo com as ordens que deu, limpou a aldeia de inimigos, metade dos homens pondo fogo às casas e celeiros com feixes de palha, enquanto os demais atacavam as tropas inimigas, tomadas de surpresa. As características ousadia e independência de Rommel produziram resultados.

Nas proximidades de Varennes, sofreu um ferimento na coxa no dia 24 de setembro, quando atacou três soldados franceses em um bosque, ainda que não tivesse mais cartuchos para seu fuzil. Recebeu a Cruz de Ferro, 2ª Classe. Após hospitalização, à frente de seu pelotão, no dia 29 de janeiro de 1915, atravessou uma cerca de arame-farpado e entrou numa posição francesa, capturou quatro casamatas, repeliu o contra-ataque de um batalhão e em seguida retirou-se com a perda de menos de uma dúzia de soldados. Mais uma vez, penetração ousada e ação independente lograram resultados. Recebeu a Cruz de Ferro, 1ª Classe.

Promovido a *Oberleutnant* (primeiro-tenente) e ferido novamente na perna, foi transferido no dia 10 de abril de 1915, após recuperar-se, para o *Württembergische Gebirgesbattalion*, uma unidade de montanha em fase de formação. O batalhão possuía seis companhias de fuzileiros e seis pelotões de metralhadoras, que foram combinadas de várias maneiras como forças-tarefa para missões específicas. Nessa missão, Rommel assenhoreou-se firmemente da natureza de mobilidade em combate.

Após treinamento intensivo nas encostas de montanhas austríacas, o batalhão seguiu para as montanhas Vosges da França, uma frente de batalha relativamente tranqüila. Durante uma licença em novembro de 1916, Rommel casou-se com Lucie Mollin, em Danzig. Ao fim do ano, o batalhão viajou para a Romênia, a fim de juntar-se ao *Alpenkorps*, um corpo de tropas de montanha.

Dois ataques notavelmente bem-sucedidos marcaram o desempenho de Rommel. Em janeiro de 1917, ele e seus homens, em temperatura abaixo de zero, infiltraram-se em posições inimigas, chegaram à aldeia de Gagesti, abriram fogo e fizeram 400 prisioneiros. Em agosto, embora ferido no braço, comandou quatro companhias, em fila indiana, através de florestas, sem ser pressentido, atacou e capturou a fortemente defendida posição de Monte Cosna.

Sua maior façanha na Primeira Guerra Mundial ocorreu na Itália, depois de seu batalhão ter sido transferido, como parte do 14º Exército alemão, a fim de ajudar os austríacos na ofensiva de outono no Isonzo. E foi a proeza de Rommel, a captura da posição-chave italiana no monte Matajur em fins de outubro, que transformou a batalha de Caporetto em um desastre para os italianos em fuga desabalada, com a perda de 250 mil prisioneiros.

Acontecera o seguinte: ao ser detido o ataque principal, Rommel, antes do amanhecer, cruzou a frente de batalha para o flanco, penetrou por infiltração nas posições italianas e lhes capturou a bateria de artilharia. Deixando uma companhia no local, continuou a avançar. Quando um batalhão italiano contra-atacou pela retaguarda sua companhia, Rommel voltou, atacou o batalhão pela retaguarda também, obrigou-o a render-se e capturou mais de mil prisioneiros, que mandou de volta sob guarda. As quatro companhias restantes de seu batalhão avançaram e ele as levou em fila indiana por 3km. Cortando a estrada principal, seus homens capturaram uma coluna de abastecimento, 50 oficiais e 2 mil soldados *bersaglieri*. Em seguida dirigiu-se para a principal posição italiana, onde entrou ousadamente, acompanhado de vários fuzileiros e exigiu a rendição da guarnição. Quarenta e três oficiais e 1.500 soldados entregaram as armas. Continuando, Rommel e sua gente escalaram o monte Matajur pela retaguarda, capturaram as alturas dominantes e as tropas que as defendiam. Embora estivesse em movimento constante durante 50 horas, graças a seu avanço implacável ele obteve a rendição de 150 oficiais, 9 mil soldados e 81 canhões. Por isso recebeu a condecoração *Pour le Mérite*, normalmente reservada para os generais mais graduados, e foi promovido a capitão.

Pouco depois, acompanhado de seis soldados, atravessou a nado o rio Piave durante a noite. Depois que seu punhado de homens abriu fogo sobre a aldeia de Longarone, a partir de posições muito dispersas, entrou corajosamente a pé no local, exigiu e obteve a rendição da guarnição.

Esta foi sua última atividade de combate. Após uma licença, voltou ao serviço em funções de Estado-Maior. A essa altura já deixara sua marca como líder. Graças à sua dureza física e mental, audácia, capacidade de criar e aproveitar surpresas, construíra uma reputação como notável oficial subalterno.

O fim da guerra praticamente em nada lhe interrompeu a carreira militar. No dia 21 de dezembro de 1918, voltou ao 124º Regimento de Infantaria de Weingarten. Em meados de 1919 comandou uma companhia de segurança interna em Friedrichshafen e em seguida serviu durante um ano em um regimento de treinamento em Schwabisch Gemund. Ao ser transferido, em 1º de janeiro de 1921, para Stuttgart e assumir o comando de uma companhia do 13º Regimento de Infantaria, posto que exerceu durante quase oito anos, era um dos 4 mil oficiais regulares permitidos pelo Tratado de Versalhes e claramente selecionados para promoção em um futuro e ampliado Exército alemão. Nos anos entre as guerras, dominou em profundidade os procedimentos de treinamento e administração do Exército. Subiu de posto, assumindo responsabilidades crescentes e desempenhando-as com eficiência. Colegas comentavam sua inabalável dedicação e proficiência em todos os assuntos militares, bem como capacidade de inspirar dedicação à soldadesca.

No dia 1º de outubro de 1929, tornou-se instrutor na Escola de Infantaria em Dresden. Durante esse período de quatro anos, escreveu um livro intitulado *Ataques de infantaria*, um relato de sua experiência e observações profissionais. A publicação da obra — 400 mil exemplares vendidos na Alemanha antes e durante a Segunda Guerra Mundial — valeu-lhe destaque nos círculos militares e atraiu a atenção favorável de Adolf Hitler.

Promovido a major no dia 10 de outubro de 1933, assumiu o comando do 3º Batalhão, do 17º Regimento de Infantaria, uma unidade de treinamento de tropas de montanha, com sede em Goslar. Dois anos depois, em 15 de outubro de 1935, já como tenente-coronel, tornou-se instrutor do Colégio de Guerra, em Potsdam. Promovido a coronel em 1937, dirigiu o Colégio de Guerra de Wiener Neustadt, a partir de 9 de novembro de 1938, embora se tivesse afastado temporariamente do cargo para comandar o batalhão de segurança pessoal de Hitler. Acompanhou o Führer aos sudetos, na Tchecoslováquia em 1938 e a Praga em 19 de março de 1939.

Promovido a major-general em 23 de agosto de 1939, passou a servir no quartel-general do Führer, como responsável por sua segurança. Na invasão da Polônia, esteve em condições de acompanhar, do mais alto escalão, o desenvolvimento da campanha. Esteve em Varsóvia no dia 5 de outubro, uma semana após a capitulação polonesa.

Voltando a Berlim, integrou o numeroso *entourage* de Hitler. Embora desinteressado da política, admirava o Führer. A denúncia anterior por Hitler das cláusulas restritivas do Tratado de Versalhes transformara em entusiasmo por ele a morna aprovação que tinha no Exército. A restauração posterior da Alemanha em uma situação de poder e prestígio no mundo mantiveram e ampliaram a confiança e a aprovação. Embora figurasse entre os que acreditavam no próprio Hitler, Rommel alimentava sérias reservas a respeito dos nazistas que o cercavam.

Por sua parte, Hitler gostava de Rommel não só por causa de sua eficiência e atenção ao dever, mas também porque ele quase nada tinha do tipo do *junker* aristocrático, que o deixava contrafeito. Sabedor da fé-de-ofício de Rommel em combate na Primeira Guerra Mundial e de seu desejo de voltar à luta, perguntou-lhe que posto queria. Tendo observado o *Blitzkrieg* em ação na Polônia, Rommel pediu uma divisão blindada. Hitler concordou.

No dia 15 de fevereiro de 1940, à idade de 48 anos, Rommel assumiu o comando da 7ª Divisão *Panzer*, estacionada em Godesberg, no Reno. Teve menos de três meses para conhecer a fundo seus elementos bélicos e o pessoal e aprender a utilizar essas ferramentas. Sempre preocupado com a questão da mobilidade, ficou deliciado com a maior velocidade e raio de ação dos tanques. Ao terminar com um estrondo a "Guerra de Mentirinha" no oeste em 10 de maio de 1940, sua unidade estava pronta para semear ventos e colher tempestades.

Comandar uma divisão é, de modo geral, o mais alto escalão em que um comandante pode ter contato íntimo com a luta. Em vez de dirigir suas tropas de um quartel-general na retaguarda, porém, Rommel preferia fazê-lo na linha de frente. Ou como mais tarde escreveu:

> Há sempre momentos em que o lugar do comandante não é na retaguarda, com seu Estado-Maior, mas junto à tropa. É puro absurdo sustentar que a manutenção do moral do soldado é exclusivamente trabalho do comandante de batalhão. Quanto mais alto o posto, maior o efeito do exemplo. É natural que o soldado não sinta contato com um comandante que sabe que está sentado em algum lugar no quartel-general. O que quer é o que poderíamos chamar de contato físico com ele. Em momentos de pânico, fadiga ou desorganização, ou quando alguma coisa incomum tem que ser exigida dele, o exemplo pessoal do comandante faz maravilhas, especialmente se ele tem a perspicácia de criar alguma lenda em torno de si mesmo.[1]

Rommel era em geral encontrado com sua guarda avançada no próprio gume cortante do ataque. Em seu diário da campanha de 1940, descreve em termos claros, embora modestos, os perigos pessoais que correu —

em pelo menos duas ocasiões quase foi morto dentro de seu tanque de batalha — enquanto lançava suas unidades em ataques devastadores, irresistíveis, infiltrando-se sempre profundamente na retaguarda inimiga para provocar espanto, confusão e, eventualmente, paralisia dos adversários. Se o movimento ofensivo houvesse falhado, teria sido julgado temerário. Em virtude do sucesso esmagador, porém, e em particular devido à sua atordoante rapidez e aparecimento inesperado no campo de luta, uma vez após outra, sua tropa passou a ser conhecida como a "Divisão Fantasma" e, ele mesmo, como o "Cavaleiro do Apocalipse". A campanha transformou-o em herói popular na Alemanha.

A ofensiva *Sichelschnitt*, iniciada no dia 10 de maio, desembocou na região de Ardennes e rolou no rumo do mar, finalmente isolando e encurralando o grosso das forças francesas e britânicas na Bélgica. Nesse avanço, Rommel esteve na vanguarda. Cruzou espaços na direção oeste passando pela região norte do Luxemburgo sem encontrar interferência, penetrou na fronteira belga a uns 45km ao sul de Liège, varrendo a ligeira oposição. Transpondo o rio Ourthe na manhã de 11 de maio, dispersou a resistência francesa e chegou ao rio Meuse, nas proximidades de Dinant na tarde de 12 de maio. Teve grande dificuldade para efetuar a travessia, mas, na manhã de 13 de maio, graças ao fato de ele ter descoberto pessoalmente um caminho através de uma represa, sua divisão foi a primeira a chegar à outra margem. Ao amanhecer do dia 14 de maio possuía uma cabeça-de-ponte sólida, de onde partiu a toda velocidade na direção de Philippeville (ver mapa 13). Rompendo uma linha de defesa francesa apressadamente estendida no dia 15 de maio, penetrou no trecho da Linha Maginot que se situava perto de Sivry e começou a penetrar fundo na França. A 30km oeste ficava Avesnes, cidade que capturou nos começos de 17 de maio.

Sem uma pausa, prosseguiu para oeste até Landrecies, onde cruzou o rio Sambre sobre a ponte ainda intacta. Continuando por mais 13km, chegou a Le Cateau e capturou-a no dia 17 de maio. Percorrera quase 80km em dois dias. Continuando a pressão no rumo oeste, cercou e capturou Cambrai. Alcançou Arras em princípios de 20 de maio e aí lutou durante três dias para capturá-la.

No dia 21 de maio, contudo, uma pequena força de tanques britânicos, alguma infantaria e algumas forças francesas pegaram-no em um contra-ataque de surpresa, ocasionando uma curta crise, que foi logo eliminada por sua liderança dinâmica, mas que provocou ondas de receio por toda a cadeia do comando alemão até os mais altos escalões. Este foi o único fator na decisão de Hitler e de Rundstedt de deter o avanço das divisões *panzer*.

Rescindindo Hitler essa ordem no dia 26, Rommel avançou para o norte girando depois para nordeste e arremetendo em demanda de Lille. Chegou aos subúrbios oeste da cidade e bloqueou-lhe as estradas de acesso, precipitando-lhe a queda. Recebendo ordens de parar e reagrupar-se, Rommel, que fizera mais de 10 mil prisioneiros de guerra e tomara também 100 tanques e 27 canhões inimigos, desengajou suas tropas para descanso, reorganização e reabastecimento. Apresentando-se conforme determinado ao Führer, no dia 2 de junho, foi recebido por um radiante Hitler, que lhe disse: "Rommel, ficamos muito preocupados com você durante o ataque."[2]

O Exército alemão, nesse momento, rodou para o sul a fim de liquidar os debilitados franceses. Em princípios de 5 de junho, Rommel e a 7ª Divisão *Panzer* cruzaram o Somme entre Abbeville e Amiens por uma ponte ainda servível e tocaram para a frente. Cobrindo 96km em quatro dias, chegou ao rio Sena em Elbeuf, nas proximidades de Rouen. Nesse ponto, no dia 10 de junho, girou 100km para noroeste, chegando à costa entre Fécamp e Saint-Valéry-en-Caux, aí encurralando forças britânicas e francesas que procuravam embarcar para a Inglaterra. No dia 12 de junho cerca de 20 mil soldados — os números variam muito — renderam-se, e um general francês que se entregava disse-lhe: "O senhor é rápido demais para nós."

Três dias depois, Rommel voltou ao rio Sena, cruzou-o e reiniciou o avanço para sul e oeste, tendo desta vez Cherburgo como objetivo. Rolando através de Evreux, Falaise e Flers até Coutances, antes de virar para o norte e para La Haye du Puits, aproximou-se da cidade portuária. Rodara à velocidade de 30 a 45km por hora a fim de cobrir mais de 320km em dois dias. Seu avanço de 240km em um único dia foi o mais longo jamais conseguido numa guerra até aquela época.

Chegou aos subúrbios de Cherburgo no dia 17 de junho, na mesma ocasião em que o marechal Pétain pedia o armistício. Rommel aceitou a rendição de cerca de 30 mil soldados na manhã de 19 de junho, enquanto o governo da França capitulava.

O resto foi um anticlímax. Prosseguiu para o sul até Rennes, onde chegou no dia 21, e continuou até a fronteira espanhola, a fim de apossar-se da costa atlântica da França. Depois disso, retornou com sua divisão para a área de Bordeaux, a fim de prestar serviços de ocupação.

Em uma campanha de seis semanas de duração, Rommel capturou o espantoso total de quase 100 mil prisioneiros e mais de 450 tanques. Perdeu 682 soldados mortos em ação, 1.646 feridos, 296 desaparecidos e 42 tanques. Ninguém conduzira o *Blitzkrieg* com tal segurança, equilíbrio e rapidez. A foto de Rommel apareceu em toda parte na Alemanha, e seu nome estava em todos os lábios.

A despeito de sua memorável façanha, Rommel esperou seis meses, até janeiro de 1941, para ser promovido a tenente-general. Iniciou em seguida sua aventura na África do Norte, à qual seu nome estará para sempre ligado. Enfrentando terreno inóspito, tempestades de areia, grandes variações de temperatura, distâncias enormes, alimentação inadequada para as tropas, carência de combustível e munições, com forças relativamente pequenas, além de outras dificuldades, demonstrou toda sua capacidade de produzir o inesperado. O novo comando ampliou-lhe o descortino da visão tática para a estratégica.

As circunstâncias vigentes na ocasião eram as seguintes: após a campanha fulminante na Europa ocidental, a evacuação das tropas aliadas do continente europeu, notadamente em Dunquerque, e a rendição da França, Hitler deflagrou a Batalha da Grã-Bretanha no ar, a fim de preparar a invasão. Aproximando-se do fim o confronto aéreo, Benito Mussolini, que se reunira a Hitler no ataque à França, abriu um novo teatro de operações. O exército de cerca de meio milhão de homens que possuía na Líbia avançou contra o Egito em setembro de 1940, tendo por adversários cerca de 30 mil soldados britânicos, com o objetivo aparente de capturar o canal de Suez. Após sucessos iniciais e ganhos inconclusivos, os italianos pararam. Em fins de outubro, Mussolini estendeu ainda mais o esforço de guerra, invadindo a Grécia, onde encontrou feroz resistência.

Na África do Norte, o contra-ataque britânico em 9 de dezembro obteve estrondosas vitórias sobre os italianos, expulsando-os da Cirenaica, ou região leste da Líbia. Ao apelar Mussolini por ajuda, Hitler respondeu enviando unidades da Luftwaffe para a Itália, em janeiro de 1941, a fim de auxiliar as forças terrestres italianas e proteger os comboios no Mediterrâneo. Em fevereiro, Hitler pôs à disposição de Mussolini o *Afrika Korps*, que consistira de duas divisões alemãs programadas para chegar em dois estágios e que estariam com plenos efetivos em fins de maio. No comando, o recém-promovido Rommel, que deveria operar sob a supervisão italiana do teatro de guerra e ter às ordens várias divisões blindadas italianas. A Rommel foi atribuída uma missão essencialmente defensiva, a de impedir a expulsão dos italianos do norte da África, mas isso dificilmente era o que gostava e tinha jeito de fazer.

Ao chegar a Trípoli no dia 12 de fevereiro de 1941, a situação parecia perdida. Em menos de dois meses, os britânicos haviam tomado Tobruk, Derna, Benghazi, a capital da Cirenaica, e El Agheila, à entrada da Tripolitânia. Avançando quase 650km a partir de suas bases, tinham capturado 130 mil soldados italianos, 1.300 canhões e 400 tanques. Embora o general sir Archibald Wavell, o comandante-chefe britânico no Oriente Médio, pudesse sem dúvida alguma ter prosseguido e tomado Trípoli, a decisão do governo britânico de intervir na Grécia privou-o de um corpo de exército e obrigou-o a interromper a ofensiva. O Eixo dificilmente sabia desses fatos, e os italianos imploraram a Rommel que salvasse Trípoli.

Ele, porém, pensava em projetos mais ambiciosos. Por insistência sua, as primeiras unidades alemãs que vinham para a Líbia descarregaram apressadamente e à noite, à luz de holofotes. Disse a seus comandante alemães que impediria que os ingleses entrassem na Tripolitânia. A situação, porém, tornou-se estável, permanecendo os britânicos em suas posições.

Rommel viajou ao quartel-general do Führer em 19 de março e recebeu de Hitler as Folhas de Carvalho para a Cruz de Cavaleiro por seus serviços na França e foi informado das condições de seu novo comando. Não poderia esperar reforços. Hitler não tinha a menor intenção de desfechar um golpe decisivo na África do Norte no futuro próximo. Dois dias depois, porém, Rommel recebeu instruções de preparar um plano para a reconquista da Cirenaica. Segundo todas as expectativas, ele dificilmente poderia atacar até junho, quando suas duas divisões alemãs estariam à disposição. Em vez disso, a fim de explorar o elemento surpresa, resolveu agir, como disse mais tarde em uma declaração característica: "Corri o risco contra todas as ordens e instruções porque a oportunidade parecia favorável." Previa como seu maior problema a alimentação contínua de suas tropas, uma vez que os britânicos, ajudados pelo seu extraordinariamente secreto sistema de espionagem Ultra, interceptava mensagens alemãs, o que Rommel não sabia, e estava destruindo numerosos transportes do Eixo no Mediterrâneo. Com um estoque de suprimentos apropriado apenas para o momento, Rommel decidiu-se por uma ofensiva imediata.

Atacou em 31 de março de 1941, e o que começou como um reconhecimento com grandes efetivos transformou-se em um ataque geral. Obrigou os britânicos a abandonar El Agheila e a perder Benghazi. Em abril, estava de posse de toda a Cirenaica, com exceção de Tobruk, que resistiu, embora isolada e na fronteira egípcia. Não pôde ir mais longe por falta de suprimentos de gasolina. Por questão de justiça com Wavell, que por pressão de Churchill contra-atacou inutilmente em junho, cumpre dizer que os britânicos estavam engajados não só na África do Norte, mas também na Grécia, Síria e em outros locais na África.

Rommel, cujas operações deixaram o mundo boquiaberto de espanto, nesse momento comandava o *Panzergruppe Afrik*, composto de duas divisões alemãs, quatro divisões de infantaria e duas divisões blindadas italianas, todas imbuídas do espírito e ousadia de Rommel, cuja reputação era imensa. Sir Claude Auchinleck, que substituiu Wavell em junho de 1941, advertiu a seus comandantes subordinados: "Nós falamos demais de nosso amigo Rommel." Queria que suas tropas deixassem de considerá-lo como um mago ou demônio, mas simplesmente como um general alemão comum. Obviamente, este não era o caso.

Auchinleck atacou no dia 18 de novembro de 1941 (a ofensiva *Crusader*) e até o fim do mês obrigou Rommel, que continuava curto de suprimentos, a retirar-se. Rommel resolveu ceder terreno a fim de salvar suas forças. Tendo o mínimo absoluto de rações e munições, abandonou Benghazi por volta do Natal, retirando-se a um passo de cada vez, e chegou à linha defensiva de Mersa el Brega no dia 12 de janeiro de 1942. Na retirada final não sofreria prejuízos ou perdas sérias, embora toda a batalha *Crusader* lhe custasse cerca de 340 tanques e cerca de 38 mil mortos, feridos e desaparecidos em ação (ver mapa 9).

Hitler enviou para a Itália o marechal-de-campo Albert Kesselring e poderosas forças aéreas. Obtendo Kesselring superioridade aérea sobre o Mediterrâneo Central, aumentaram os embarques do Eixo para Rommel. No dia 5 de janeiro de 1942, chegou a Trípoli um comboio carregado de tanques, canhões e suprimentos. Nesse momento no comando da *Panzerarmee Afrika*, compreendendo todas as unidades alemãs — as divisões 15ª e 21ª *Panzer* e a 90ª Ligeira — bem como todas as italianas, Rommel resolveu lançar outra contra-ofensiva "impossível", antes que os ortodoxos (britânicos ou alemães) pensassem que poderia estar pronto, baixando suas ordens apenas na véspera do ataque, a fim de preservar o sigilo.

Arremetendo na noite do dia 21 de janeiro, avançou 50km até El Agheila e ultrapassou-a. Uma semana depois estava em Benghazi e, mais alguns dias, ocupava Derna. Exatamente como no início do ano anterior, um ataque decidido, conduzido com grande ousadia, ocasionou a desintegração progressiva de unidades britânicas, na maior parte bisonhas, sob as ordens de uma estrutura de comando flagrantemente desajeitada, aumentando ainda mais a ascendência moral de Rommel sobre o inimigo. Em fins de janeiro de 1942, a campanha chegou novamente a um estado de equilíbrio na região intermediária da Cirenaica, com o 8º Exército britânico entrincheirando-se ao longo da "Linha Gazala", uma zona de campos minados e localidades defendidas que se estendia do Mediterrâneo até Bir Hacheim.

Ambos os lados passaram a pensar nesse momento em seus planos de ofensiva. Churchill insistiu com Auchinleck para atacar no deserto com a menor demora possível, parcialmente porque queria conquistar campos de aviação na região ocidental da Cirenaica, de onde aviões poderiam cobrir as rotas marítimas para a assediada base britânica da ilha de Malta. Auchinleck, mais do que consciente da fraqueza técnica e falta de treinamento de seu exército misto, de membros da Comunidade Britânica de Nações, implorou por um adiamento, até que fosse conseguida uma esmagadora superioridade.

No fim, obedecendo a uma ordem direta de Londres, fixou a data da ofensiva britânica para começos de junho. Mas Rommel atacou antes, no dia 26 de maio. A estratégia do Eixo, acordada entre Hitler, Mussolini e seus respectivos assessores, era que Rommel devia derrotar o 8º Exército e avançar até a fronteira egípcia, neutralizando dessa maneira a ameaça militar. Ali deveria parar, e o principal esforço do Eixo (principalmente no ar) seria transferido para uma operação destinada a ocupar Malta, pondo fim à destruição, pela Marinha Real e a Real Força Aérea, dos suprimentos enviados por mar para Rommel.

A Operação *Venezia*, a ofensiva contra o 8º Exército na Linha Gazala, marcou o clímax do desempenho de Rommel como intrépido comandante de linha de frente contra pesadas desvantagens, seu sucesso devendo-se exclusivamente a um oportunismo brilhante e à liderança na frente de combate, em contraste com o lento, pesado e distante sistema de comando britânico. Quando falhou seu plano inicial de rodar ao sul de Bir Hacheim e atacar na direção norte até o mar, desta maneira isolando o 8º Exército, ele estabeleceu uma "cabeça-de-ponte através dos campos minados britânicos no centro da Linha Gazala — a partir do lado leste, ou lado britânico". Abrigado em sua cabeça-de-ponte por trás de uma cortina antitanque, esmagou os descoordenados contragolpes britânicos e em seguida destruiu uma após outra as guarnições de infantaria da Linha, incluindo a guarnição de Franceses Livres de Bir Hacheim. No período 11/12 de junho de 1942, em uma batalha de tanques ao sul de Tobruk, em uma localidade designada pelos britânicos como "Knightsbridge", infligiu perdas de 260 tanques, virtualmente acabando com as forças blindadas do 8º Exército. No dia 21 de junho, em um ataque inesperado, tomou a semidestruída fortaleza de Tobruk (defendida por Auchinleck a instâncias de Churchill), capturando mais de 30 mil prisioneiros. A notícia chegou a Churchill, quando ele se encontrava com o presidente Roosevelt na Casa Branca, um momento trágico e que levou ao auge sua obsessão com Rommel e a necessidade de derrotá-lo. Hitler, nesse momento, promoveu-o a marechal-de-campo — aos 49 anos de idade, o mais jovem do Exército alemão.

Rommel e sua *Panzerarmee Afrika* encontravam-se nesse momento na fronteira egípcia. De acordo com a estratégia combinada, era aí que devia deter-se, de modo que todos os recursos pudessem ser concentrados contra Malta. Em vez disso, sua espantosa vitória na Linha Gazala atraiu-o — e também a Hitler e Mussolini — para a tentativa de ocupar o Egito e em seguida o resto do Oriente Médio. Surgiram visões de uma ligação com as forças alemãs no sul da Rússia ou de uma arrancada para leste até a Índia. Rommel, por conseguinte, levou seu Exército exausto e grandemente desfalcado numa campanha para conquistar Alexandria. No dia 1º de julho de 1942, porém, entre Alamein (uma mera parada na linha de estrada de ferro costeira) e a Depressão de Quattara, ele se chocou com um 8º Exército, recentemente reforçado, sob o comando direto do general sir Claude Auchinleck, comandante-chefe, Oriente Médio. Os ataques de Rommel terminaram sob fogo concentrado de artilharia. No dia 9 de julho, Auchinleck passou à contra-ofensiva com um devastador ataque da 9ª Divisão australiana, ao longo da estrada costeira, e que arrasou a Divisão Sabratha, italiana. Daí em diante, Auchinleck lançou repetidos contragolpes, concentrando-os exatamente nas unidades italianas de Rommel, graças à interceptação de mensagens do Eixo pela operação de espionagem Ultra. Em meados de julho, Rommel estava sendo obrigado a empregar todas as forças atacantes alemãs para manter íntegra sua própria linha. Escreveu ele à esposa: "A situação não pode continuar assim por muito tempo, ou a linha se desintegrará. Militarmente, este é o período mais difícil pelo qual já passei."[3]

Ele, por conseguinte, não conseguira levar a uma conclusão decisiva suas grandes vitórias do verão. Em setembro (ocasião em que o 8º Exército fora fortemente reforçado), tentou mais uma vez, mas foi inteiramente derrotado na batalha de Alam Halfa pelo novo comandante do 8º Exército, tenente-general sir Bernard Montgomery, que se recusou a "envolver-se" em uma fluida batalha de blindados e preferiu travar uma batalha na maior parte estática, com tropas bem colocadas, sob cobertura da superioridade aérea da Real Força Aérea. Durante todo esse tempo, os esforços de Rommel haviam sido prejudicados por falta de combustível e outros artigos necessários. "A causa do problema", sumariou ele mais tarde, em grande frustração, "residia no excesso de organização e confusão que caracterizavam os quadros italianos encarregados de suprimento."[4]

Tendo-se exaurido fisicamente, sofrendo crises de desmaio, problemas estomacais e intestinais, dilatação do fígado e deficiências circulatórias, atormentado também pelo desânimo com a dificuldade aparentemente insolúvel de garantir o suprimento regular de suas tropas, e preocupado com o aparecimento das primeiras dúvidas sobre a vitória final do Eixo, deixou o norte da África no dia 22 de setembro de 1942, em licença para tratamento de saúde. Visitou Mussolini em Roma e sugeriu que, a menos que mais suprimentos fossem fornecidos, a África do Norte deveria ser evacuada, a fim de resgatar as forças ali estacionadas e que seriam necessárias para a defesa da Europa. Isso, insinuou Mussolini, era uma questão estratégica e política situada além da esfera dele, Rommel. Visitou também Hitler na Prússia Oriental e apresentou o mesmo argumento, mas, em vez disso, foi obrigado a ouvir as bravatas do ditador sobre os novos tanques Tigre e os foguetes

Nebelwerfer. Em seguida retirou-se com a esposa para Semmering, nas proximidades de Viena, a fim de tratar do problema do fígado e da pressão arterial irregular. Enquanto repousava e se refazia, manifestou à esposa as primeiras dúvidas sobre Hitler, cuja política e estratégia absurdas, segundo ele, estavam provocando a derrota.

Entrementes, o general sir Harold Alexander (que substituíra Auchinleck como comandante-chefe, Oriente Médio) e Montgomery estavam planejando uma imensa ofensiva em Alamein, graças a reforços de 40 mil soldados e 300 novos tanques Sherman. No dia 23 de outubro de 1942, Montgomery lançou o 8º Exército na Segunda Batalha de Alamein, com o objetivo, como ele mesmo disse, de "eliminar Rommel".

Na tarde seguinte, um membro do quartel-general de Hitler telefonou para Rommel em Semmering, a fim de informá-lo de que seu sucessor como comandante da *Panzerarmes Afrika* no norte da África estava desaparecido e fora, presumivelmente, morto ou capturado. Estaria Rommel suficientemente recuperado para voltar à atividade, se necessário? Estava. Naquela noite, o próprio Hitler telefonou-lhe. Poderia viajar imediatamente para o norte da África, se necessário? Naturalmente. Pouco depois de meia-noite, Hitler voltou a telefonar. Poderia partir imediatamente? Com toda certeza.

No dia 25 de outubro seguiu para Roma, onde soube que só um mero fio de suprimentos conseguia passar pelo Mediterrâneo, e chegou a Trípoli naquela noite. Visitou a frente de luta logo no início do dia 26 de outubro e ficou estarrecido. Os britânicos tinham comando do ar e do mar e estavam empurrando as forças do Eixo, cujas reservas já estavam comprometidas na luta, para longe do campo de batalha. Avisou Hitler, Mussolini e Kesselring, o comandante-chefe, Sul, para que esperassem uma catástrofe.

Sua primeira preocupação consistiu em reestabelecer posições defensivas, mas a força britânica era esmagadora e seus contra-ataques foram repelidos com grandes baixas.

Ao meio-dia do dia 3 de novembro, quando sua *Panzerarmee* ítalo-alemã já perdera 50 mil soldados (a metade capturada), 400 tanques e mil canhões, quando as unidades italianas estavam se dissolvendo, quando combustível e munições começavam a faltar, uma mensagem de Hitler chegou-lhe às mãos ordenando-lhe que "resistisse até o fim". Rommel ficou atônito com a incompreensão e a frigidez de Hitler. O que ele exigia era impossível. No dia seguinte, quando os britânicos finalmente irromperam por suas defesas, ordenou uma retirada geral. Esse era o início do fim do Eixo no norte da África. Quatro dias depois, no dia 8 de novembro, no momento em que suas forças se retiravam do Egito, chegaram notícias da Operação *Torch* (Tocha) informando sobre os desembarques anglo-americanos no Marrocos francês e na Argélia, o mais próximo dos quais a 2.400km a oeste.

Ladeando continuamente as ordens de "nenhum recuo" de Hitler e Mussolini, Rommel realizou uma magistral retirada, conservando o grosso de suas tropas restantes, retardando a perseguição de Montgomery, a despeito de persistente carência de combustível e munições. Embora Montgomery dispusesse de recursos superiores, especialmente no ar, e informações antecipadas das intenções e planos de Rommel graças à interceptação de suas mensagens pela operação de espionagem Ultra, Montgomery nem conseguiu encurralá-lo nem esmagá-lo. Essa retirada solidifica a reputação de Rommel como um líder notável no campo de batalha. Em fins de novembro, chegou à linha defensiva de Mersa el Brega, a 960km a oeste de El Alamein e 800km a leste da Tunísia. Aí parou.

Hitler e Mussolini haviam começado a enviar, já em 9 de novembro, tropas alemãs e italianas para o que chamavam de cabeça-de-ponte tunisina, o canto nordeste da Tunísia onde se localizam Bizerta e Túnis, a fim de enfrentar os anglo-americanos. No dia 20 de novembro, resolveram concentrar seu esforço principal na Tunísia contra os anglo-americanos, e contra os franceses, que se haviam juntado aos Aliados. Enquanto o Eixo procurava eliminar os Aliados na Tunísia e forçar a Espanha a entrar na guerra a seu lado, Rommel devia defender parte tão grande do território líbio quanto pudesse. Desde a segunda Batalha de Alamein e os desembarques da *Torch*, porém, Rommel reconhecera que estava perdida a causa do Eixo no norte da África.

No dia 28 de novembro partiu para a Prússia Oriental, onde conferenciou com Hitler, argumentando que, como não se podia esperar melhoramento na navegação no Mediterrâneo, a política a longo prazo para o norte da África devia considerar o abandono final da região. De outra maneira, o exército do Eixo seria inapelavelmente destruído. Um furioso Hitler mal o escutou. Melindrado com a falta de compreensão de Hitler e fervendo de raiva, Rommel voltou a Roma em companhia de Hermann Göring, que lhe prometeu examinar a questão e melhorar o envio de suprimentos, mas que estava realmente interessado apenas nos tesouros de arte da Itália.

De volta ao norte da África, Rommel resolveu tirar seu exército da Líbia e penetrar na Tunísia. Dali atacaria na direção oeste e desorganizaria os Aliados, talvez mesmo expulsando-os da Tunísia, antes de voltar-se novamente para leste e contra-atacar Montgomery. A fim de estabelecer contato entre suas unidades e as forças ítalo-germânicas no norte da Tunísia, enviou vários milhares de soldados italianos através da fronteira, penetrando no sul da Tunísia. Desconhecia ainda as dificuldades que iria ter com o coronel-general Jürgen von Arnim, que assumira o comando da cabeça-de-ponte tunisina no dia 9 de dezembro de 1942.

Arnim resolveu capturar e bloquear os passos da Dorsale Oriental, uma cadeia de montanhas que corria mais ou menos paralela à costa leste tunisina, dessa maneira abrindo um corredor protegido ao longo da costa, entre o exército, no norte, e as forças de Rommel quando este entrasse pelo sul. Tomando os passos Pichon e Fondouk no norte, Arnim estendeu seu controle na direção sul, capturando o passo Faid no dia 30 de janeiro de 1943. Este foi, na verdade, o golpe inicial do que se transformaria na Batalha do Passo Kasserine.

Enquanto isso, no último dia de 1942, Mussolini autorizou Rommel a retirar-se lentamente da Líbia para a Tunísia. Rommel enviou suas tropas não-motorizadas através da fronteira no dia 2 de janeiro de 1943. Evacuou Trípoli, onde os britânicos entraram no dia 23 de janeiro de 1943, após um avanço de 2.200km a partir de El Alamein. Três dias depois, Rommel transferiu seu quartel-general para a Tunísia. Conduzira, com sucesso, uma das mais longas retiradas da história. Soube nesse dia que seria eventualmente substituído. Nenhuma data era marcada, mas, depois que instalasse sua *Panzerarmee* ítalo-alemã nas defesas da Linha Mareth, deveria entregá-la ao general Giovanni Messe, e ela passaria a denominar-se 1º Exército Italiano.

Embora sofresse de dores de cabeça, insônia, nervos tensos e problemas circulatórios, Rommel ficou animado com as perspectivas na Tunísia. Mantivera suas forças sob rigoroso controle durante a cruel retirada, o que fora uma grande façanha militar, e, naquele momento, esperava com ansiedade o momento de passar novamente à ofensiva. Arnim, com um exército de 100 mil homens, enfrentava o grosso dos Aliados, que se moviam na direção de Bizerta e Túnis, ao norte, enquanto Rommel, com seu exército de 70 mil soldados, tinha pela frente norte-americanos muito dispersos e inexperientes e forças francesas mediocremente equipadas no sul. Passaria algum tempo antes que Montgomery pudesse reagrupar suas forças para o ataque à Linha Mareth. No intervalo, Rommel poderia, talvez, desmoralizar os norte-americanos e os franceses.

Kesselring chegou à Tunísia no dia 9 de fevereiro e combinou com Arnim e Rommel um ataque a oeste da Dorsale Oriental. Arnim deveria avançar além de Faiid, na direção da cidade de Sbeitla; Rommel, mais ao sul, rumaria para Gafsa (ver mapa 12). O plano, porém, possuía aspectos seriamente ambíguos, o mais importante dos quais era a falta de um comandante geral. Arnim e Rommel deveriam operar independentemente.

Sem coordenar seus esforços com Rommel, Arnim atacou no dia 14 de fevereiro e destruiu importantes unidades francesas e norte-americanas, repelindo-as de volta a Sbeitla. Sabendo por acaso no dia seguinte que norte-americanos e franceses haviam abandonado Gafsa, Rommel enviou unidades para ocupar a cidade e em seguida mandou-as à frente na direção de

Feriana e dos campos de Thelepte. As tropas entraram nessas localidades no dia 17 de fevereiro. Rommel, que estava colocando suas retaguardas na Linha Mareth, ficou perplexo com a omissão de von Arnim em continuar o ataque e tomar Sbeitla, dessa maneira desmoralizando ainda mais os inimigos.

Solicitou autorização para continuar seu ataque. Tinha os olhos em Tebessa, um grande centro aliado de abastecimentos, exatamente do outro lado da fronteira com a Argélia, e desejava efetuar um amplo movimento de cerco das forças aliadas. No dia 18 de fevereiro, recebeu permissão de lançar um ataque mais limitado na direção dos passos de Sbiba e Kasserine, na Dorsale Oriental. Se penetrasse nesses passos nas montanhas, ficaria em condições de ameaçar expulsar os Aliados da Tunísia.

Iniciou a ação no dia 19 de fevereiro. Três dias de ataque violento nenhum resultado produziram em Sbiba, onde os britânicos, os franceses e os norte-americanos mantiveram suas posições. No Kasserine, as unidades do Eixo entraram no passo e pareciam prestes a cruzá-lo, mas depararam com uma magnífica e firme resistência de britânicos, franceses e norte-americanos. Deprimido e desanimado, não menos por não poder avançar mais do que pelas indicações de melhores e mais abundantes armas e equipamentos aliados, Rommel cancelou a ação no dia 22 de fevereiro e voltou à Linha Mareth. Obtivera uma grande vitória tática e deixara atordoados os Aliados na Tunísia, mas não conseguira obter um sucesso estratégico. Tendo empurrado os norte-americanos e os franceses por 80km pela planície de Sbeitla, da Dorsale Oriental para a Ocidental, tendo infligido aos norte-americanos baixas de mais de 6 mil homens (a metade capturada), 183 tanques e 200 peças de artilharia, ao custo de menos de mil homens e 20 tanques, Rommel desfechara um forte e mutilante golpe no inimigo, mas não mortal. Em grande parte, sua incapacidade de fazer mais resultou da recusa de Arnim de apoiar-lhe a ofensiva. A rivalidade de Arnim tornara impossível integrar os dois exércitos em uma campanha de direção única, que poderia ter provocado um desastre para os Aliados.

No dia 23 de fevereiro, passando o comando de seu exército a Messe, Rommel assumiu o comando do Grupo de Exércitos África, com autoridade sobre Arnim e Messe. Mas a mudança chegara tarde demais. Se houvesse estado no comando geral mais cedo, poderia ter obtido um retumbante triunfo na Tunísia. Em 6 de março, Messe atacou Montgomery em Medenine, onde ele reunia tropas para uma ofensiva contra a Linha Mareth, e foi esmagadoramente derrotado. Era óbvio que o Eixo não podia mais retardar os preparativos de Montgomery para o assalto.

Três dias depois, Rommel voou para Roma. Visitou Mussolini e Kesselring e disse a ambos que seria inútil qualquer resistência ulterior no norte da África. Permanecer ali por mais tempo, declarou, "seria puro suicídio". Os dois enviaram-no a Hitler. Rommel reiterou seu desejo de evacuar as forças do Eixo e de concentrá-las para a defesa da Europa. Implorou a Hitler que salvasse as tropas. Em vez disso, Hitler condecorou-o com as Folhas de Carvalho e Espadas e Diamantes e ordenou-lhe que tomasse uma longa licença para tratamento de saúde.

Desiludido mais uma vez com Hitler, desanimado com o resultado final da guerra, observou apenas, cheio de desalento, enquanto a campanha tunisina chegava ao fim. Conforme previra, os Aliados completaram a destruição total das forças do Eixo na Tunísia, fazendo 250 mil prisioneiros, um total quase igual às baixas sofridas pelos alemães alguns meses antes em Stalingrado. Mas Hitler acabou por reconhecer: "Eu devia tê-lo escutado antes."[5]

Estando toda a costa sul da Europa, da Espanha à Turquia, aberta nesse instante a uma invasão aliada, Rommel só podia antever conseqüências sombrias para o esforço de guerra alemão. "No momento em que o primeiro soldado aliado pôs o pé no solo italiano", escreveu, "Mussolini acabou." Pior que tudo, a estrela alemã começava a apagar-se, o alto comando dificilmente à altura das provações que se avizinhavam. O próprio Hitler, desconfiava Rommel, não esperava mais a vitória. Em vez disso, abrigava um desejo de morte para si mesmo e para a Alemanha, planejando arrastar consigo o país para a ruína.

Em maio de 1943, Hitler começou a questionar a estabilidade da aliança ítalo-alemã. Preocupado com uma possível retirada italiana da guerra, reconvocou Rommel para servir em seu quartel-general, em um cargo de Estado-Maior vagamente definido. Resolveu ativar um quartel-general de exército, com pessoal reduzido, em Munique, disfarçado como centro de reabilitação. Na eventualidade do que chamava de "traição" italiana, o suposto "centro" devia enviar tropas para a Itália, garantir os passos dos Alpes e ocupar a região norte do país. Mas nada devia ser feito, por enquanto, para não precipitar a capitulação italiana.

Em junho ou julho (provavelmente após os desembarques aliados na Sicília, em começos deste último mês) Hitler, prevendo uma eventual invasão da Itália, chegou à conclusão de que não poderia defender toda a península se o país se rendesse. Resolveu estabelecer uma linha defensiva nos Apeninos setentrionais, a fim de proteger o agrícola e industrialmente rico vale do Pó.

Informações falsas plantadas pelos britânicos em um corpo que deu à praia na costa da Espanha convenceram-no de uma próxima descida aliada sobre a Grécia. Em vista disso, nomeou Rommel comandante-chefe do teatro de guerra sulense. Rommel viajou de avião para Salonica no dia 25 de julho, mas, em fins da mesma noite, foi chamado de volta à Alemanha, porque Mussolini fora deposto no mesmo dia.

Visitou Hitler no dia 26, e o Führer falou em nomeá-lo comandante-chefe na Itália, em substituição a Kesselring. O Führer, no entanto, nenhuma medida imediata tomou nesse sentido, e Rommel seguiu para Munique, a fim de assumir o comando do Grupo de Exércitos B. No caso de os italianos se renderem e saírem da guerra, ele deveria ocupar todos os passos importantes, estradas de rodagem e estradas de ferro no norte da Itália, enquanto Kesselring retiraria suas forças do sul para o norte. Quando as tropas deste último se reunissem às suas, Rommel assumiria o comando de todas as forças alemãs na Itália. Um número suficiente de unidades alemãs havia cruzado a fronteira, sob o pretexto de defender os italianos contra uma invasão aliada, dando a Rommel meios de assumir o controle do norte do país no dia 15 de agosto de 1943.

Os Aliados, após tomarem a Sicília em meados de agosto, invadiram a Itália em princípios de setembro. O governo de Badoglio, que sucedera ao de Mussolini, anunciou a capitulação do país. Tropas britânicas desembarcaram no bico e no calcanhar da bota italiana, enquanto unidades norte-americanas e britânicas repetiam o feito em Salerno. De acordo com a estratégia de Hitler, Kesselring lutou em Salerno o suficiente para conseguir retirar as forças alemãs que se encontravam mais ao sul e iniciar um lento e hábil recuo subindo a bota. Rommel consolidou o controle sobre o norte da Itália, conseguindo, com sua ação rápida, garantir a retaguarda de Kesselring. No dia 12 de setembro, Rommel estabeleceu seu quartel-general no lago Garda.

Seguiu-se então um debate entre Kesselring e Rommel. O primeiro queria defender a Itália ao sul de Roma, onde o excelente terreno facilitava uma guerra de posições, a fim de manter os Aliados longe do vale do Pó e impedir que eles cruzassem o Adriático e entrassem nos Bálcãs. Rommel defendeu a estratégia inicial de Hitler, porquanto acreditavam os dois que linhas defensivas no sul da Itália seriam facilmente flanqueadas por operações anfíbias do inimigo, ao mesmo tempo que as longas linhas de suprimento alemãs se tornariam vulneráveis a ataques de *partisans* e das forças aéreas aliadas. Recomendava uma retirada imediata para sua linha nos Apeninos do norte.

Hitler achou-o pessimista, derrotista mesmo, enquanto Kesselring parecia otimista. No dia 17 de setembro, chegando ao fim da batalha de Salerno, Hitler ordenou a Kesselring que se retirasse lentamente para a Linha Gustav, imediatamente ao sul de Cassino, onde devia resistir. Conferenciou com Kesselring e Rommel no dia 30 de setembro, pondo este último em dúvida a capacidade de defesa no sul. Kesselring, no outono, mostrou-se positivo em sua atitude. Quatro dias depois, em 4 de outubro, Hitler deu ordens a Kesselring de defender a Linha Gustav e suas posições avançadas com todos os elementos de que dispusesse. Instruiu Rommel para que construísse fortificações no norte e enviasse a Kesselring duas de suas divisões e algumas unidades de artilharia. Mais tarde no mesmo mês telefonou a Kesselring, que lhe manifestou a certeza de manter os Aliados fora de Roma. Em princípios de novembro, Hitler telefonou também a Rommel, que repetiu suas dúvidas.

Resolvendo-se no dia 6 de novembro, Hitler nomeou Kesselring comandante-supremo na Itália e informou Rommel da missão especial que lhe estava reservada. Prevendo a invasão aliada através do canal da Mancha na primavera ou verão de 1944, Rommel deveria fazer viagens de inspeção das defesas costeiras ao longo do mar do Norte, canal da Mancha e Atlântico. No dia 21 de novembro, ele passou o comando a Kesselring, que, assim, assumiu formalmente a responsabilidade pela campanha italiana.

Acompanhado de um pequeno grupo de auxiliares, partiu para a França. Visitou as fortificações costeiras da Dinamarca, Holanda, região do Pas de Calais, Normandia e Bretanha. Em todos esses lugares, fortificou o moral e o *esprit de corps* das tropas que defendiam as praias e melhorou as defesas. No dia 15 de janeiro de 1944, já ampliado e reconstituído o quartel-general, assumiu o comando do Grupo de Exércitos B, que compreendia os 7º e 15º Exércitos, na França e nos Países Baixos. A nomeação atribuía-lhe a responsabilidade pela defesa do oeste, embora a cadeia de comando permanecesse um tanto ambígua, porquanto estava sob as ordens do comandante-chefe do teatro de guerra, marechal-de-campo Gerd von Rundstedt. Não obstante, a partir desse momento, como observou o historiador norte-americano oficial, Gordon Harrison, "Rommel foi a personalidade dominante no oeste, com uma influência desproporcional à sua autoridade formal de comando". Uma reunião dos comandantes mais graduados no oeste com Hitler, em março de 1944, ampliou a autoridade de Rommel. Em maio, ao ser formado um separado Grupo de Exércitos G, sob o comando do general Blaskowitz, a fim de defender o sul da França, Rommel tornou-se o comandante das tropas de combate que iriam receber todo o peso da invasão da Normandia.

Nos primeiros seis meses de 1944, Rommel triplicou o número de minas na zona de defesa costeira até cinco ou seis milhões. Supervisionou a construção de casamatas, ninhos de resistência e abrigos para as tropas. Instalou o que foram denominados de "aspargos Rommel", para dificultar as descidas de planadores, e plantou armadilhas antipessoais, tetraedros (espigões em forma de pirâmide), barreiras costeiras e obstáculos variados nos caminhos lógicos de forças anfíbias. A despeito de notável energia e imaginação, além de incansáveis viagens de inspeção, não completou como queria as defesas da Muralha do Atlântico. Escassez de cimento e outros materiais, bem como de tempo, impediram-no de deter os desembarques à beira d'água no *Rommelbelt*.

Isso porque acreditava que, a menos que os alemães impedissem os Aliados de desembarcar com grandes efetivos, não poderiam repelir a invasão. A principal linha de batalha, insistia, deviam ser as praias. Era isso exatamente o que Montgomery, o comandante aliado das forças terrestres, esperava e temia. Nos planos para defender a costa, Rommel preferia uma defesa linear a outra em profundidade, guerra estática e não móvel, defesa do terreno a batalha de aniquilação, posições fortificadas a poder de ataque. Rundstedt, em contraste, defendia um conceito mais ortodoxo, o de manter uma reserva estratégica forte e móvel, até que fosse determinado o local do principal esforço aliado e, em seguida, o lançamento de um clássico contra-ataque em profundidade a fim de esmagar e destruir a cabeça-de-ponte. Rommel levava em conta a supremacia aérea aliada e a incapacidade de uma reserva estratégica de deslocar-se para o campo de batalha. Hitler nunca se decidiu sobre um ou outro método, e a estratégia resultante foi um meio-termo entre as duas idéias, e com desastrosas conseqüências. Rundstedt reuniu uma reserva blindada em uma posição central, para emprego imediato contra o principal assalto aliado, logo que indentificado. Rommel colocou o grosso de suas tropas, a maioria estacionária, isto é, sem transporte, nas proximidades dos pontos mais prováveis da descida dos Aliados.

No dia 5 de junho de 1944, um dia tempestuoso que parecia tornar impossíveis os desembarques, Rommel partiu para sua casa em Herrlingen, onde passaria o dia de aniversário da esposa e de onde seguiria para visitar Hitler em Obersalzburg, a fim de deixar-lhe claras as deficiências em efetivos e material na eventualidade de uma invasão aliada. Desejava também mais duas divisões *panzer*, um corpo antiaéreo e uma brigada *nebelwerfer* na Normandia.

Desta maneira, estava ausente quando os primeiros elementos aliados chegaram às praias no início do dia 6 de junho, parte vindo pelos ares em planadores e pára-quedas, a maioria por mar em barcas de desembarque. Voltou à Normandia naquela mesma noite. Tentou isolar e destruir a cabeça-de-ponte aliada, enquanto Rundstedt reunia sua reserva, forte em blindados, para um ataque à cabeça-de-praia. Mas, como esperara, as forças aéreas aliadas fustigaram incessantemente os movimentos alemães para a frente de luta e destruíram o quartel-general da reserva *panzer*. Embora a estratégia de Rommel, mutilada como estava, confinasse os aliados, numa cabeça-de-ponte relativamente estreita, ele, em meados de junho, acreditava que eles se haviam estabelecido fortemente demais para poderem ser desalojados. Embora os alemães achassem impossível montar uma contra-ofensiva poderosa, Rommel estava certo de que, se fosse acaso empreendida, os canhões das marinhas de guerra aliadas no canal destruiriam os elementos da vanguarda alemã e impediriam que reconquistassem as praias. Para ele, já era tempo de pensar em renunciar à Normandia e voltar a uma linha de defesa que protegesse os acessos à Alemanha.

Hitler convidou Rundstedt e Rommel — ambos tinham opinião bem parecida sobre a campanha em andamento — para um encontro nas proximidades de Soissons, no dia 17 de junho. Na casamata construída para ele quatro anos antes, de onde iria dirigir a invasão da Inglaterra, os dois marechais pediram mais liberdade de ação no campo de batalha e, especificamente, permissão para usar as reservas como o desejassem e também para encurtar as linhas de defesa. Hitler recusou. Após criticá-los por suas supostas falhas e censurá-los pela maneira como enfrentavam a situação tática, ordenou uma defesa rígida e exigiu que a fortaleza de Cherburgo fosse defendida até o último homem, juntamente com um contra-ataque esmagador através de Bayeux.

De volta aos seus quartéis-generais, os dois marechais fizeram o que podiam para cumprir as ordens recebidas. O contra-ataque de Bayeux fracassou no dia 26 de junho diante de uma resoluta defesa britânica. Embora os alemães impedissem que os aliados alargassem a cabeça-de-ponte, não puderam estancar a hemorragia das baixas em homens e equipamentos. Consumindo-se cada vez mais os meios de resistência, começaram os dois a pensar que a vitória alemã era uma ilusão e que era inútil qualquer defesa ulterior.

Convocados mais uma vez para uma reunião com Hitler em Berchtesgaden, Rommel e Rundstedt ouviram repetidas ordens de não ceder. O Führer rejeitou o conceito de defesa flexível, advogado por ambos. Deviam continuar a manter os Aliados na cabeça-de-praia. Segundo se supõe, Rommel perguntou ao Führer como ele esperava vencer a guerra, pergunta muito ousada e perigosa. Voltando os dois marechais à Normandia, o estado de desânimo em que se encontravam levou-os a recomendar imediatamente a Hitler uma retirada limitada. No dia 1º de julho, o Führer respondeu que todas as posições deviam ser mantidas. Destituiu Rundstedt do cargo de comandante-chefe e também o comandante da reserva *panzer*, Geyr von Schweppenburg, que criticara o que chamara de "colcha de retalhos tática" das operações alemãs. Ao saber da substituição de ambos, Rommel observou: "Eu serei o próximo."

Em vez disso, Hitler deixou-o no comando do Grupo de Exércitos B e substituiu Rundstedt pelo marechal-de-campo Hans von Kluge. Embora o Führer houvesse aparentemente avisado Kluge do pessimismo de Rommel e de sua tendência a desobedecer a ordens, Kluge logo depois compartilhava as opiniões do colega. Segundo a estimativa de Rommel, em meados de julho, os alemães, que haviam perdido 100 mil homens na Normandia e recebido 6 mil reforços, poderiam, no máximo, resistir durante apenas mais algumas semanas. A falta de sucesso alemã radicava-se na incapacidade de ter completado as fortificações costeiras, em menos do que o prometido apoio aéreo e naval, e no posicionamento das divisões *panzer* longe demais da costa. Ainda assim, a batalha defensiva travada por Rommel impedira os Aliados de ampliarem muito sua cabeça-de-ponte. Só depois de ele sair de cena é que os Aliados esmagaram o flanco esquerdo alemão, irromperam da restrita cabeça-de-ponte na Europa continental e iniciaram as operações móveis que virtualmente destruiriam os exércitos alemães na Normandia e libertariam a maior parte da França.

No dia 17 de julho, Rommel ficou gravemente ferido, quando dois aviões metralharam e destruíram o carro em que viajava. O motorista foi mortalmente ferido e perdeu o controle do veículo. O veículo despedaçou-se em uma vala à beira da estrada, e o inconsciente Rommel foi cuspido do assento. Depois de receber os primeiros socorros de um médico francês, foi levado a um hospital da Luftwaffe em Bernay, onde recuperou a consciência e começou a melhorar. Sofrera fratura na base do crânio, além de três outras, e tinha estilhas no rosto.

Três dias após o acidente, o *putsch* contra Hitler atingiu o clímax na Prússia Oriental, onde uma bomba explodiu no quartel-general do Führer. Hitler escapou milagrosamente, embora com leves ferimentos. Imediatamente reafirmou sua autoridade e eliminou com brutalidade os conspiradores. Quando, em delírio, um dos principais conspiradores, von Stülpnagel, mencionou o nome de Rommel, implicou o marechal.

Embora se houvesse manifestado contra o assassinato de Hitler, Rommel aparentemente concordara com sua remoção e prisão. Após o fracasso alemão em derrotar a invasão anglo-americana, achava que continuar a guerra era insensato e que representaria a destruição desnecessária da Alemanha. Concordara em que, se o Führer fosse deposto, aceitaria a chefia de um governo que de imediato procuraria negociar um armistício com os Aliados ocidentais.

No dia 24 de julho, foi transferido para um hospital militar em Le Vesinet, um subúrbio de Paris. Em princípios de agosto, teve alta e continuou a convalescença em casa, em Herrlingen. No dia 7 de outubro, foi chamado para uma reunião em Berlim, mas recusou-se, alegando razões médicas. Uma semana depois, no dia 14 de outubro, dois generais enviados por Hitler chegaram à sua casa. Deram-lhe a opção de ser submetido a julgamento por alta traição ou cometer suicídio. Se escolhesse este último curso, nenhuma medida seria tomada contra sua esposa e filho.

Rommel entrou imediatamente no carro com os dois generais, engoliu uma cápsula de veneno e, meia hora depois, de um hospital em Ulm chegou um telefonema comunicando uma embolia fatal. Os que lhe viram o corpo falam de uma expressão de desprezo no seu rosto. Hitler eliminara a única personalidade na Alemanha que gozava de suficiente estima popular e militar para tentar pôr um fim à guerra. O corpo foi incinerado, a fim de evitar-se possível incriminação posterior no tocante a envenenamento, e Rommel recebeu um funeral de Estado. O enterro foi feito em Herrlingen. No dia 7 de março de 1945, o Terceiro Reich de Hitler começou a desmoronar. Frau Rommel recebeu informação do desejo de Hitler de mandar construir um monumento esmerado na sepultura do marido.

Rommel merece o imenso reconhecimento que lhe é tributado. Sua dedicação à profissão das armas ocorreu de acordo com as melhores tradições de cavalheiro. Numa guerra total, travada selvagem e brutalmente, inspirou admiração pelo tratamento que deu aos prisioneiros. Não foi maculado pelo nazismo. O desejo de salvar a pátria de maiores devastações ainda, que o levou a envolver-se em um movimento contra Hitler e pelo qual pagou com a vida, inspirava também sentimentos de simpatia entre aqueles que compreendem as conotações escorregadias do dever e a necessidade de escolher ocasionalmente entre os ditados da obediência e da moral. Com suas tropas teve uma profunda comunicabilidade. Importava-se com elas e, embora lhes exigisse o melhor, e mais ainda, nunca as desperdiçou. Sem pretensões, modesto, desincumbiu-se de suas missões com clareza, energia e senso comum. Utilizou a surpresa, nunca hesitou em improvisar frente a situações em desenvolvimento e sempre esteve disposto a explorar o sucesso.

Com os olhos constantemente postos na vitória, recusou abster-se de ação diante de obstáculos que homens mais ponderados julgavam grandes demais para serem superados. Seu grande defeito era a tendência a atribuir seus próprios fracassos à incompetência de outrem. Talvez sua maior realização, como sugere Correlli Barnett, tenha sido transformar o que Hitler e o alto comando alemão consideravam como uma ação defensiva menor na África do Norte em uma campanha que se tornou a obsessão de Winston Churchill e que durante dois anos representou o maior esforço em terra do Império Britânico.

Rommel tem sido com freqüência comparado ao general George S. Patton Jr., o maior especialista norte-americano na conduta da guerra móvel. Nunca se defrontaram no campo de batalha, entrando Patton em cena na Tunísia após a saída de Rommel e novamente na Normandia após o ferimento sofrido pelo marechal. Assemelhavam-se muito no carisma e coragem pessoal, energia e força de vontade, perícia técnica, disposição de arriscar-se e impacto sobre o público. Tal como Patton, que acreditava nos fados ou destino, Rommel tinha fé em sua estrela. Foram ambos mais comandantes e executores do que pensadores ou teóricos. Rommel teve mais experiência de guerra, tendo lutado por mais tempo em ambas as guerras mundiais. O mais importante comando de Patton foi o de um exército, no papel de controle tático ou operacional. Rommel, como comandante de grupo de exércitos, ascendeu para funcionar nos níveis estratégico e político. Patton brilhou apenas na guerra ofensiva, ao passo que Rommel demonstrou grande versatilidade em suas funções no combate. Ambos foram sem dúvida gênios militares, grandes capitães que condensaram o dom de comando no campo de batalha.

Dados cronológicos | Marechal-de-campo Erwin Rommel

1891, 12 nov	Nasce em Heidenheim, nas proximidades de Ulm
1910, 19 jul	Ingressa como cadete no 124º Regimento de Infantaria
1912, jan	Recebe sua patente de oficial na Academia de Guerra, Danzig, como segundo-tenente
1914	Condecorado com a Cruz de Ferro, 2ª Classe
1915	Condecorado com a Cruz de Ferro, 1ª Classe
1915, set	Primeiro-tenente
1916, nov	Casa-se em Danzig com Lucie Mollin
1917, out	Condecorado com a *Pour le Mérite* e promovido a capitão
1929-33	Instrutor na Escola de Infantaria, Dresden. Escreve *Ataques de Infantaria*
1933, out	Major
1935-37	Promovido a tenente-coronel e instrutor do Colégio de Guerra, Potsdam
1937	Coronel
1939, 23 ago	Major-general. Durante a campanha polonesa, comandante da guarda pessoal de Hitler

1940, 15 fev	Assume o comando da 7ª Divisão *Panzer*
1941, jan	Tenente-general
1941, 12 fev	Chega a Trípoli para comandar o *Afrika Korps*
1941, 19 mar	Recebe as Folhas de Carvalho para a Cruz de Cavaleiro
1941, jul	General de tropas *panzer*, comandante do *Panzergruppe Afrika*
1942, jan	Coronel-general, comandante da *Panzerarmee Afrika*
1942, 22 jun	Marechal-de-campo
1943, fev	Comandante do *Armeegruppe Afrika*, na Tunísia
1943, mar	Condecorado com a Cruz de Cavaleiro, com Folhas de Carvalho, Espadas e Diamantes
1943, jul	Comandante-chefe do Grupo de Exércitos B, Munique
1943, set	Comandante-chefe do Grupo de Exércitos B, na França
1944, 17 jul	Gravemente ferido na cabeça
1944, 14 out	Morre após tomar uma cápsula de veneno

Model | 13

Marechal-de-campo Walter Model

Carlo D'Este

A característica do comandante bem-sucedido é a capacidade de adaptar-se rapidamente a condições em mudança constante no campo de batalha. O marechal-de-campo Walter Model foi um mestre na defesa e o comandante em quem Hitler mais confiava nas situações difíceis. Durante mais de três estafantes anos na Frente Oriental, Model mereceu a distinção de ser chamado de "o bombeiro do Führer", devido a uma engenhosidade que lhe permitiu solucionar situações aparentemente irremediáveis. Um dos poucos oficiais a gozar da confiança completa do líder alemão e, à idade de 53 anos, o mais jovem marechal-de-campo da Wehrmacht, mereceu plenamente os elogios de Guderian, que o considerava "um soldado ousado e inexaurível... o melhor homem possível para realizar a missão fantasticamente difícil de reconstruir uma linha no centro da Frente Oriental".[1]

Model foi uma personalidade paradoxal, cuja ascensão ao alto comando de um exército cujos escalões superiores eram dominados por membros da velha aristocracia militar tornou-se ainda mais notável, porque ele nunca pertenceu a essa classe de elite. Ainda assim, fotografias suas da época (com o monóculo sempre cravado no olho direito) sugerem a mesma fisionomia severa, típica dos elementos prussianos da Wehrmacht.

Nada houve no meio formativo de classe média de Model sugerindo que, um dia, ele seguiria a carreira militar. Otto Moritz Walter Model nasceu no dia 24 de janeiro de 1891 em Gentheim, nas proximidades de Magdeburg, filho de mestres-escolas luteranos praticantes, e não de soldados. O pai ensinava numa escola de moças local, onde servia também como regente do coro. Sua mãe descendia de camponeses, negociantes de cavalos e estalajadeiros.

Nos últimos dias da Segunda Guerra Mundial, Model deu ordens para que fossem destruídos seus documentos pessoais e, em conseqüência, pouco se sabe sobre sua infância. Embora a família se mudasse com freqüência, ao que parece o jovem Model teve uma educação comum, levando a crer que, algum dia, continuaria a tradição da família. Bom estudante, embora de constituição física débil, freqüentou em Erfurt um ginásio de humanidades, onde se destacou em grego, latim e história e fez parte da sociedade literária.

Seu primeiro contato com a vida militar ocorreu em 1906, quando freqüentou um ginásio patrocinado pela Igreja, em Naumberg an der Saale, onde estava acantonado um dos batalhões *jäger* do Kaiser. Em fevereiro de 1908, valendo-se da influência de um tio, ingressou no 6º Brandenburgers, do 52º Regimento de Infantaria, como cadete. Os 18 meses que passou na *Kriegschule* em Neisse foram decisivos na sua formação. Embora quase desistisse, não apenas sobreviveu ao duro treinamento, mas, ao tempo em que recebeu sua patente de tenente, em agosto de 1910, tornara-se um apaixonado pela equitação e pela caça.

Como tenente, logo ganhou reputação de oficial ambicioso e consciencioso, franco em suas opiniões e que se abstinha de relacionamentos estreitos com os colegas oficiais, orientação que caracterizava toda a sua carreira.

Prestou seus primeiros anos de serviço como ajudante do 1º Batalhão do 52º Regimento e, mais tarde, do mesmo regimento na Frente Ocidental. Nas proximidades de Sedan, em maio de 1915, o primeiro-tenente Model foi gravemente ferido no ombro e hospitalizado durante um mês. Por bravura, ganhou a Cruz de Ferro, 1ª Classe, e despertou a atenção de seu comandante de divisão, príncipe Oskar von Preussen (um dos seis filhos do Kaiser), que, embora o indicasse para serviço de Estado-Maior, achava que Model era um subordinado de trato difícil.

Depois de passar com distinção por um curso abreviado de oficial de Estado-Maior, realizado em Sedan em 1916, voltou à frente de batalha como ajudante de brigada e, mais tarde, como comandante de companhia, posto em que foi mais uma vez gravemente ferido. Condecorado com a Cruz de Cavaleiro, com Espadas, Model, após recuperar-se, iniciou a primeira de uma série de missões de Estado-Maior, incluindo uma no Estado-Maior Geral e uma curta viagem à Turquia em 1917. Terminou a guerra como capitão em uma divisão da reserva.

A Grande Guerra conferiu-lhe uma sólida reputação de oficial capaz, diligente e promissor. Em 1920, seu comandante de divisão, no boletim de merecimento final, opinou que ele estava capacitado a servir nos mais altos níveis.[2] Ainda assim, pensou em trocar o Exército por uma carreira civil.

Mudou de idéia, porém, quando sua excelente fé-de-ofício garantiu-lhe a incorporação aos 100 mil soldados do *Reichswehr*.

Embora muitos de seus antigos camaradas do Exército participassem intensamente de atividades revolucionárias nos turbulentos anos do pós-guerra, permaneceu distante. Acreditando sinceramente na necessidade de o Estado manter a ordem pública, nunca hesitou em reprimir rebeliões quando a isso chamado como comandante de tropas de segurança. Durante toda a sua carreira, procurou sempre evitar envolvimento em política, acreditando, aparentemente, que não constituía função do Exército imiscuir-se em questões do Estado.

Em 1919, mais uma vez pensou em deixar o Exército, mas foi dissuadido pelo tio. No ano seguinte, enquanto ajudava a reprimir uma greve geral comunista em Eberfeld-Barmen (hoje Wuppertal), na região do Ruhr, conheceu sua futura esposa, Herta Huyssen, em cuja residência estava alojado. Casaram-se no ano seguinte e da união nasceram três filhos. Tipicamente, sabe-se que Model desprezava histórias de guerra e nunca a discutia, e assim também a política, com a esposa.

Os primeiros e formativos anos da carreira de Model exemplificaram os traços de caráter que mais tarde, na Segunda Guerra Mundial, guindaram-no ao alto comando. Nele combinavam-se forte ambição com os tradicionais valores alemães de religião e amor ao país. Mesmo nos anos embriagadores do nazismo, na década de 1930, recusou-se a trocar sua religião pela versão fascista. Sentia-se igualmente muito à vontade na companhia do general Ludwig Beck, a quem muito admirava, embora este se opusesse a Hitler, e do pastor Martin Niemöller, o ex-comandante de submarinos e ex-nazista que batizou seus filhos e mais tarde veio a personificar a resistência cristã ao nacional-socialismo.

Com outro mentor, o tenente-general Friedrich von Lossberg, que conquistou reputação de gênio da defesa na Grande Guerra, aprendeu os rudimentos da defesa estratégica.

A independência mental e perícias militares de Model constituíam exemplos quase perfeitos da concepção que von Seeckt tinha do corpo de oficiais alemão, jamais corrompido pela política. Como guardião dessas tradições e das do Estado-Maior Geral na década de 20, von Seeckt dificilmente poderia ter produzido melhor exemplo do que Model, que em 1929 publicou uma monografia sobre von Gneisenau, elogiando a postura intelectual do general prussiano. Em 1930, um de seus comandantes não era o único a acreditar que Model constituía o exemplo do oficial prussiano.

Nos anos entre as guerras ganhou fama pelo cumprimento inflexível do dever. Carecendo inteiramente de tato, era rude com seus subordinados e não tinha papas na língua quando se referia a seus superiores. No ambiente altamente arregimentado das Forças Armadas alemãs, faltava-lhe não só a sofisticação social da aristocracia prussiana, como também distanciava-se muito das origens camponesas e operárias de Hitler e de muitos dos principais figurões do regime nazista. O seu esforço para contrabalançar a crueza, comportando-se como um *junker*, era típico de sua determinação de ter sucesso.

Na década de 30 serviu em grande variedade de postos de Estado-Maior e comando de tropa. Ao tempo em que era comandante de batalhão de infantaria na Prússia Oriental, seu comandante de regimento detectou nele tendências pró-nazistas e, mais tarde, recordou-se que a frase favorita dele era: "Isso não pode ser feito mais rápido?" Em 1934, promovido a coronel, assumiu o comando do 2º Regimento de Infantaria.

No ano seguinte passou a chefe da Seção 8 do Estado-Maior Geral, o órgão responsável pela análise das questões técnicas e doutrinárias do futuro Exército. A despeito de sua formação como infante e escassa compreensão de assuntos técnicos, foi um dos primeiros a defender a motorização e demonstrou, já nessa ocasião, compreender bem o potencial da aviação e da guerra de blindados. Inevitavelmente, essa orientação levou-o a apoiar as idéias de Guderian, de organização de uma força de blindados e seu emprego no *Blitzkrieg*.

Como sempre, era chefe incansável e impaciente, que dirigia seus subordinados com mão de ferro. Em março de 1938 alcançou o generalato e em novembro tornou-se chefe de Estado-Maior, muito impopular, do 4º Corpo de Exército, em Dresden. A principal função de um chefe de Estado-Maior é promover unidade de esforços, mas, sob o irascível Model, havia na verdade desordem e dissensão. Um oficial acreditava que o temperamento de Model prejudicava-lhe a inteligência.[3]

O 4º Corpo foi participante ativo na campanha polonesa de 1939 e, ao ocorrer a invasão da França em 1940, ele já era major-general e a força propulsora do 16º Exército. Evidentemente, os métodos inortodoxos que empregava não constituíram impedimento para sua excensão ininterrupta aos mais altos postos do Exército.

Ao ser designado para servir em Berlim, o cargo colocou-o em contato com membros do Partido Nazista, e não constituiu surpresa que seu pendor pela ordem atraísse a liderança nacional-socialista, especialmente de Goebbels, que mais tarde apresentou-o a Hitler. Model jamais deixou que seu posto relativamente baixo entre os oficiais superiores lhe prejudicasse a capacidade de impressionar o Führer. Em 1938, por exemplo, montou um ataque simulado de infantaria contra réplicas de fortificações tchecas que deliciou Hitler e aborreceu profundamente Beck, que era na ocasião chefe do Estado-Maior Geral.

Como muitos alemães de sua geração, ao que parece Model emergiu da Primeira Guerra Mundial com horror ao bolchevismo e com a crença de que a ordem tinha precedência sobre o conceito de democracia adotado pela malfadada República de Weimar. Embora aceitasse de bom grado o regime de Hitler, há razões para acreditar que seu apoio foi até certo ponto uma continuação lógica de sua ambição e mais um dos paradoxos desse homem complexo. Na década de 30 escreveu à sua sogra: "É importante que o Estado impeça, com forte autoridade, qualquer mudança para o radicalismo."[4] Ainda assim, pouco depois, sem hesitação, deu seu apoio a um regime cuja malafamada conduta conferiu uma nova definição ao termo "radical".

No corpo de oficiais, as opiniões teriam que variar a seu respeito. Os que o julgavam um nazista de quatro costados mencionavam-lhe a dedicação a Hitler, o fato de ter nomeado, em 1942, ajudante-de-ordens um oficial da Waffen SS (ato que lhe custou a confiança de muitos colegas) e também que ele foi o primeiro oficial de alta patente a manifestar seu apoio a Hitler após a fracassada tentativa de assassinato, em 20 de julho de 1944. Outros, porém, achavam que ele era simplesmente um oportunista muito inteligente, que usou Hitler e o nazismo como meios convenientes para subir a escada da carreira no Exército.

Mas os próprios traços que lhe granjearam a inimizade de numerosos oficiais tornaram-no predileto de suas tropas e de Hitler: a determinação obstinada de jamais aceitar como irremediável uma situação e o desdém temerário pela sua própria segurança. Embora Hitler o preferisse à "Velha Guarda" prussiana e o admirasse, podia também sentir-se contrafeito em sua presença. Depois de uma discussão particularmente áspera em 1942, Hitler observou: "Vocês viram aquele olho? Tenho certeza de que aquele homem é capaz de fazer isso. Mas não gostaria de servir sob as ordens dele."[5]

Em novembro de 1940 Model recebeu o comando da 3ª Divisão *Panzer*. Seu superior era o respeitado comandante de blindados, general Leo Geyr von Schweppenburg, que o considerava um soldado brilhante, ainda que algo limitado. Na divisão Model era encarado com sentimentos conflitantes: apreciado na tropa pela energia, disposição de compartilhar de suas dificuldades e liderança dinâmica na frente de batalha, e detestado pelos seus oficiais de Estado-Maior.

Essas lealdades divergentes tornaram-se a norma nos comandos de Model: respeitado pela tropa, enquanto a oficialidade solicitava transferência *en masse*. Ao assumir o comando do 41º Corpo *Panzer*, com a patente de

General der Panzertruppen em outubro de 1941, todo o Estado-Maior pediu para ser substituído.

Ele exigia o impossível de seus subordinados, qualquer que fosse a situação. Ao assumir o comando do Grupo de Exércitos Centro em junho de 1944, um de seus primeiros atos foi ameaçar com corte marcial qualquer comandante que não conseguisse sustentar sua posição. A vontade de ferro que possuía refletia-se bem na filosofia de comando que adotava: "Aquele que comanda tropas não tem o direito de pensar em si mesmo." Praticando o que pregava, dormia pouco, percorria incessantemente a frente de batalha, não raro a bordo de um avião de reconhecimento Storch, vituperando seus comandantes em linguagem chula, mudando arbitrariamente unidades para tapar buracos na linha e rescindindo ordens de comandantes de escalões intermediários, hábito este que levou alguns a pensar em suicídio.

Durante a operação *Barbarossa*, em 1941, demonstrou que aprendera bem com Guderian quando sua 3ª Divisão *Panzer* serviu como ponta-de-lança na arremetida alemã na Ucrânia e no cerco de Kiev. Quando, mais tarde, a campanha alemã na Rússia fracassou em Stalingrado em 1942 e posteriormente em Kursk, em 1943, esteve na primeira linha do esforço alemão para conter o Exército Vermelho.

O mero cumprimento do dever numa crise não era o suficiente para satisfazê-lo. Muito mais era necessário, sob a foram de um "*daemonische Geist*" ("um espírito demoníaco"). "Aquele que não se descobriu, não organizou, não mudou as coisas em volta para que se ajustassem às suas necessidades, que não conheceu emergências... nenhuma justificativa tem para pretender tornar-se líder."[6]

Inevitavelmente Hitler via no baixo e entroncado Model um oficial que ele não só respeitava, mas que, em mais de uma ocasião, classificou como "*mein bester Feldmarschall*".[7] Model, por seu lado, tornou-se um dos poucos generais alemães com autoridade para discutir com Hitler, desafiá-lo e ganhar a parada. Em janeiro de 1942, quando seu 9º Exército enfrentava perigo de cerco perto de Rzhev, Model resolveu voltar à Alemanha e pedir pessoalmente a Hitler o reforço de um corpo *panzer*. Hitler concordou, mas contestou-lhe o plano para emprego dessa unidade. Durante a discussão, Model perguntou-lhe friamente: "Quem comanda o 9º Exército, meu Führer, o senhor ou eu?"[8] Esta foi uma das raras ocasiões em que Hitler acovardou-se, e fatos subseqüentes validaram a alegação de Model de que, na frente de batalha, era ele quem devia tomar as decisões táticas. Pouca dúvida há de que esse incidente aumentou-lhe a estatura perante o líder alemão. Ou como disse mais tarde Manteuffel: "Model enfrentava Hitler de uma maneira que quase ninguém ousava imitar."[9]

E foi na Frente Oriental que Model ganhou a reputação de mestre da defensiva. Sua ascensão de coronel para marechal-de-campo foi tão rápida como fenomenal. Após comandar a 37ª Divisão *Panzer* e o 41º Corpo *Panzer* durante os avanços da *Barbarossa*, assumiu o comando do 9º Exército em um momento de crise extrema, na ocasião em que o Exército Vermelho começava a reagrupar-se e a contra-atacar. E um raro exemplo de humor negro ocorreu quando Model estava sendo posto a par da precária situação. Alguém perguntou: "E o que nos traz o senhor para restabelecer a situação, senhor?" Sem hesitação, um sério Model respondeu: "Eu mesmo."[10] O riso que se seguiu aliviou a tensão.

E foi como comandante de corpo que Model começou a empregar sua própria versão das *kampfgruppen* (unidades informalmente organizadas de combate e auxiliares), a fim de atingir objetivos tanto em situações defensivas quanto ofensivas. Durante as contra-ofensivas soviéticas no inverno de 1941-42, produziu uma funda impressão em seus homens por puro poder de personalidade, obtendo um sucesso que alimentou a convicção da tropa de que ele era um general de sorte.

A ascensão de Model ao alto comando constituiu a antítese do destino que vitimou a maioria dos comandantes superiores que combateram na Rússia. Um após outro, foram todos exonerados por Hitler: Rundstedt, Leeb, Bock, Guderian e, em março de 1944, o mais capaz de todos, von Manstein. Em 1943, von Paulus rendeu-se em Stalingrado, ato condenado por Model, que em 1945 recusou render-se aos Aliados: "Um marechal-de-campo não se torna prisioneiro", disse. "Isso simplesmente não é possível."[11] Além do mais, a saída de von Brauchitsch, reformado por motivo de saúde em dezembro de 1941, deixara Hitler na posição de comandante-chefe do Exército, medida que, em última análise, beneficiou-o.

Model foi uma das peças principais na operação *Citadel*, a grande ofensiva contra Kursk, em julho de 1943. No estágio de planejamento, houve no alto comando alemão muita discussão sobre a *Citadel*. O superior de von Manstein e Model, von Kluge, estava ansioso para atacar imediatamente o saliente de Kursk, antes que os russos pudessem fortalecer suas defesas. Model aconselhou cautela e insistiu em que seu 9º Exército não poderia desincumbir-se da missão, a menos que fosse muito reforçado. Aproximando-se o Dia D, Model manifestou suas objeções à operação, com apoio de Guderian, advertindo ambos a Hitler que a ofensiva era "inútil" e que certamente ocasionaria pesadas baixas. O que se seguiu foi a maior batalha aérea/terrestre de toda a história e uma derrota tão mutilante para os alemães que, de modo geral, pensa-se que alterou irrevogavelmente o curso da guerra na Frente Oriental em favor dos russos. O exército de Model sofreu pesadas baixas e, durante quase um mês, ele comandou o 2º Exército *Panzer*, além do seu 9º Exército, mas emergiu da batalha com a reputação intacta, se é que não mais brilhante ainda.

Agravando-se as provações do Exército alemão no leste, Hitler confiou-lhe ainda mais responsabilidades. Em janeiro de 1944, tornou-se comandante-chefe, Grupo de Exércitos Norte e, dois meses mais tarde, o mais jovem marechal-de-campo da Wehrmacht. Nos seis meses seguintes, ocorreu uma série de nomeações notáveis em sua carreira, que incluíram três diferentes grupos de exércitos, firmando-lhe a preponderância como o comandante alemão mais influente na Frente Oriental. Não obstante, por volta do verão de 1944, a situação nessa frente de guerra tornou-se extraordinariamente crítica. O Exército Vermelho assumiu em junho a iniciativa, ocasião em que quatro grupos de exército deslancharam uma poderosa ofensiva, a fim de esmagar o seriamente desfalcado Grupo de Exércitos Centro, que defendia o saliente da Bielorrússia, ou uma frente de 720km de extensão. Ao entrar em colapso, em uma das mais selvagens batalhas de toda a guerra, o comandante, marechal-de-campo Busch, foi demitido e substituído por Model. Ele, no entanto, não pôde impedir a destruição do Grupo de Exércitos Centro, que perdeu 28 divisões e quase 350 mil soldados em meados de julho. Ainda assim, a sua perícia tática como "bombeiro" e espírito combatente inquebrantável permitiram-lhe remendar mais uma vez a linha de frente. Ao lhe conceder o Prendedor de Diamantes para a Cruz de Cavaleiro, no dia 17 de agosto de 1944, disse-lhe Hitler: "Se não fosse pelo senhor, pelos seus heróicos esforços e sábia liderança de tropas valentes, os russos poderiam estar hoje na Prússia Oriental ou mesmo diante dos portões de Berlim."[12] A essa altura, tinha ele em mãos outra grande crise, para a qual precisava dos serviços de Model.

Juntamente com o Prendedor de Diamantes para a Cruz de Cavaleiro, recebeu Model no mesmo dia uma missão excepcionalmente difícil: assumir o comando da defesa no oeste e restaurar uma situação desesperada: os Aliados haviam finalmente irrompido da cabeça-de-ponte da Normandia e estavam esquartejando os restos do Grupo de Exércitos B no bolsão de Falaise. Agravando ainda mais a situação, era caótica a estrutura do comando alemão. Von Rundstedt fora demitido em julho, Rommel convalescia de graves ferimentos recebidos no dia 18 de julho e se encontrava implicado no *putsch* do dia 20 do mesmo mês. Erroneamente, Hitler desconfiava que o sucessor de ambos, o marechal-de-campo von Kluge, estava tentando secretamente negociar a rendição com os Aliados. Munido de uma carta de instrução redigida à mão por Hitler, Model chegou (também no mesmo dia) sem se anunciar ao quartel-general de von Kluge, acreditando, como ocorria com seu predecessor, que a situação ainda era controlável nas mãos do comandante certo. Em vez disso, reconheceu de imediato que era verdade o que informava von Kluge: o Exército alemão no oeste estava em um matadouro.

Aparentemente, ele era o mesmo Model desafiador de sempre, cheio de garra e resolvido a cumprir as ordens de Hitler, de resistir no rio Sena. Encontrando-se com o comandante da Divisão *Panzer* Lehr, foi informado de que a unidade devia ser retirada da linha de frente para repouso. "Meu querido Bayerlein", retrucou secamente, "no Leste, nossas divisões descansam na frente de luta. E é assim que as coisas vão ser aqui no futuro. Fique com sua unidade onde está."[13]

A despeito de sua lealdade a Hitler, Model era acima de tudo um realista e, como demonstrara no passado, não se pejava de modificar instruções recebidas a fim de adequá-las às circunstâncias. Tão má era a situação no oeste que comunicou que o que sobrava a suas divisões *panzer* e aos granadeiros *panzer* não passava de "cinco a dez tanques em cada uma delas".[14] A fim de sustentar a frente de luta, precisava de reforços imediatos, de 30 a 35 divisões de infantaria e 12 divisões *panzer*. Não havia, porém, essas reservas e, em princípios de setembro de 1944, sentiu-se compelido a fazer a Hitler uma avaliação caracteristicamente franca: "Essa luta desigual não pode continuar por muito tempo."[15] Ao desconfiar que a notícia desagradável estava sendo escondida do Führer, passou a frisar, em suas mensagens mais importantes: "*Para ser submetida ao Führer no original.*"[16] Fora-lhe assegurado — como a tantos outros que Hitler ludibriara — que novas e maravilhosas armas logo seriam lançadas em combate, alegação que o próprio Model começou a compreender nesse momento que não passava de mera retórica. Em particular, avisou a Jodl que os Aliados haviam estabelecido completa superioridade no oeste.

Não haveria milagres e, juntamente com seu batido exército, teve que deixar a França. Estabeleceu seu quartel-general em Oosterbeek, um subúrbio de Arnhem, Holanda, enquanto tentava reconstituir o Grupo de Exércitos B. Desde a ocasião da *débâcle* do Exército alemão na Normandia, Hitler manifestara a firme intenção de lançar uma grande contra-ofensiva contra os Aliados. Por essa razão e para tirar das costas de Model o pesado fardo do duplo comando, voltou a nomear Rundstedt, em princípios de setembro, para seu antigo posto de comandante-chefe, Oeste, deixando Model no comando do Grupo de Exércitos B. Von Rundstedt, aliás, não era nenhum admirador de Model, a quem certa vez descrevera desdenhosamente como possuindo as características de um bom primeiro-sargento. Não obstante, os dois conseguiram tolerar-se bem.

Ao ser lançada a operação *Market Garden*, o grande esforço aerotransportado e terrestre dos Aliados para capturar uma cabeça-de-ponte do outro lado do Reno, em Arnhem, Model começara a obter progresso reorganizando e retreinando o Grupo de Exércitos B. Teve uma visão de arquibancada dos desembarques de planadores e pára-quedistas britânicos em Arnhem, que o forçaram a interromper o jantar de domingo e fugir para lugar seguro. Caso os britânicos tivessem sabido de sua presença, o destino de Model teria sido muito diferente.

Convencido de que as pontes de Arnhem e Nijmegen eram os objetivos dos Aliados, Model ordenou o emprego imediato das 9ª e 10ª Divisões *Panzer*, que estavam se reapetrechando nas proximidades. Mais tarde, recebeu fortes críticas por não ter aceito insistentes recomendações de subordinados para destruir a ponte de Nijmegen. Bem típico do homem que era, argumentou que a ponte seria necessária para um contra-ataque. Seu hábil comandante de corpo de exército, tenente-general Wilhelm Bittrich, estava convencido de que Model não conseguira compreender as apavorantes conseqüências estratégicas do irrompimento aliado. Nem Model aceitaria as razões de Bittrich para a incapacidade alemã de recapturar a ponte de Arnhem. Quando ele disse a Model: "Em todos os meus anos como soldado nunca vi homens lutarem tão bravamente", a fria resposta foi apenas: "Eu quero aquela ponte."[17] As decisões de Model salvaram-se de críticas quando fracassou a operação *Market Garden*, a despeito da perda da ponte de Nijmegen para os Aliados.

Ele e von Rundstedt fizeram causa comum para se oporem ao plano de Hitler de uma contra-ofensiva em Ardennes. Ao tomar conhecimento do esquema, em fins de outubro, Model observou azedamente: "Esse plano não tem uma droga de perna onde se firmar."[18] Ambos os oficiais acreditavam que a captura de Antuérpia era um objetivo incuravelmente irrealista e, durante os preparativos para a ofensiva, esforçaram-se para reduzir-lhes o alcance. Suas tentativas de transformar o "grande *slam*" de Hitler em um "pequeno *slam*", contudo, caíram sobre ouvidos de mercador.

No início de dezembro de 1944, com apoio de von Manteuffel e Sepp Dietrich, os comandantes de exércitos designados para a ofensiva, manifestou-se veementemente em uma conferência com Hitler, insistindo em que o plano fosse repensado. Inflexível, Hitler rejeitou a argumentação e mais uma vez encarregou-o de realizar o impossível.

A ofensiva de Ardennes foi uma jogada desesperada, sem virtualmente possibilidade alguma de sucesso, a despeito da surpresa total conseguida, porque os recursos alemães eram simplesmente pequenos demais. Não obstante, afastando para um lado as apreensões, Model tratou duramente aqueles que considerava derrotistas ou se queixavam de falta de meios: "Se quer alguma coisa, tome-a dos norte-americanos", respondia.[19]

Durante toda a batalha, ferozmente travada nas congeladas florestas de Ardennes, era em geral encontrado na frente de luta, procurando adular, intimidar e inspirar as tropas, mas, em última análise, não conseguiu realizar o milagre pretendido por Hitler. Perto de St. Vith, um tenente alemão escreveu em seu diário: "O próprio *Generalfeldmarschall* Model dirige o tráfego... um homenzinho de aparência comum, armado de monóculo."[20]

As perdas imensas e insubstituíveis preparam, dessa maneira, o palco para a batalha decisiva da carreira de Model. Quando finalmente teve permissão para recuar seu destroçado Grupo de Exércitos, implorou em vão autorização para estabelecer novas defesas ao longo do Reno, em vez de na Linha Siegfried, atrás da fronteira alemã, que Hitler insistiu em que sustentasse.

A tarefa era impossível e, por volta de março de 1945 os exércitos aliados ameaçavam a barreira natural do Reno. A situação tornou-se insustentável quando uma força blindada norte-americana capturou a ponte Ludendorff, em Remagen. No fim do mês o Reno fora cruzado em uma larga frente, e os 300 mil soldados de Grupo de Exércitos B ficaram encurralados em um bolsão que era rapidamente fechado no Ruhr (ver mapa 11).

Exonerado von Rundstedt pela última vez, Hitler chamou Kesselring da Itália e lhe deu instruções para consertar a situação no Ruhr. Ordenou ainda que não houvesse mais retiradas. Ao tentar implementá-las, Kesselring chocou-se com Model, cujos nervos estavam no ponto de rompimento. O resultado foi o confronto entre os dois marechais-de-campo e a exploração das frustrações reprimidas de Model sob a forma de contundente denúncia da loucura do OKW, em especial de Jodl e Keitel.

A última palha assumiu a forma da política de "terra arrasada", determinada por Hitler. Embora tivesse feito várias tentativas resolutas de romper o cerco aliado, Model evidentemente se cansara das promessas descumpridas do Führer e da corrente ininterrupta de ordens inúteis emanadas do OKW. Ao receber um apelo do Reichsminister Albert Speer, de poupar o Ruhr, Model tranqüilamente ignorou a ordem de Hitler. Embora rendição fosse impensável para ele, compreendia claramente a inutilidade de resistência ulterior e, nos últimos dias da guerra, recusou-se mesmo a retransmitir a maioria das ordens que recebia de Berlim.

Ao ser cortado em dois o bolsão do Ruhr pelas forças aliadas, em meados de abril de 1945, tomou pessoalmente a decisão de ordenar a dissolução do Grupo de Exércitos B, acreditando ser responsabilidade pessoal sua poupá-lo de mais humilhações. Ordenou a desmobilização dos soldados mais jovens e mais velhos e deu aos restantes a opção de render-se ou tentar escapar em pequenos grupos.

A decisão de deixar as tropas escolherem por si mesmas que destino tomar constituiu uma alternativa conciliatória à rendição. O major-general Matthew B. Ridgway, comandante do 18º Corpo Aerotransportado dos Estados Unidos, enviou um emissário, sob a proteção de uma bandeira branca, com uma carta a Model, instando com ele para que capitulasse. O emissário voltou com um dos oficiais de Estado-Maior de Model e o recado de que o juramento pessoal do marechal-de-campo a Hitler não só lhe vedava a rendição, mas que até mesmo submeter essa proposta a ele violava-lhe o sentido de honra.

Os dias finais de sua vida foram de luta para determinar qual seria seu destino. Em várias ocasiões, expôs-se temerariamente ao perigo, numa tentativa de ser morto durante as visitas à frente de luta. Em fevereiro enviara a Dresden seu ajudante-de-ordens, coronel Theodore Pilling, com a missão de ajudar sua família a se transferir para o oeste e supervisionar a destruição de seus documentos pessoais.

Depois de liberar seu Estado-Maior, ele, seu ajudante-de-ordens e dois oficiais escaparam de uma armadilha aliada e se esconderam em uma floresta nas proximidades de Duisburg, enquanto ele pensava no que fazer. A decisão de suicidar-se já fora praticamente tomada, quando soube que os russos acusavam-no de crimes de guerra referentes à morte de 577 mil pessoas em campos de concentração da Letônia e da deportação de mais 175 mil como trabalhadores escravos. Esses atos foram cometidos pela SS e não há prova alguma que deles sequer tivesse tomado conhecimento. Logo no início da campanha russa, rejeitara desdenhosamente a tomada de represálias, que considerava contraproducentes. Não obstante, enfrentaria morte certa se caísse nas mãos dos russos. Mais ou menos na mesma época, soube da decisão dos Aliados de que altos oficiais alemães seriam responsabilizados por seus atos perante cortes marciais.

Durante algum tempo, estivera discutindo continuamente suas opções. A respeito de sua decisão de dissolver o Grupo de Exércitos B, perguntou a seu chefe de Estado-Maior: "Fizemos tudo que é necessário para justificar nossos atos à luz da história? O que sobra a um comandante na derrota?" E ele mesmo respondeu à sua própria pergunta: "Nos tempos antigos, eles tomavam veneno."[21] O general F.W. von Mellenthin, que serviu como chefe de Estado-Maior de Manteuffel e que teve contatos freqüentes com Model nos últimos dias de sua vida, escreveu mais tarde: "Ele estava visivelmente procurando uma solução para seu conflito interior e percebia claramente que havíamos perdido a guerra."[22]

Durante quase quatro dias, Model pensou em dever, honra e na Alemanha. Seu tormento indubitavelmente simbolizava a provação do corpo de oficiais: "Eu nunca teria pensado que ficaria tão desapontado assim. Meu único objetivo era servir à Alemanha."

No fim, não conseguiu descobrir uma alternativa aceitável e, a despeito das súplicas de seus três companheiros, comunicou-lhes a decisão de acabar com a vida. Na tarde do dia 21 de abril de 1945, após um aperto de mãos de despedida em cada um dos oficiais, afastou-se em companhia do coronel Pilling, entrou na floresta e, longe das vistas, matou-se com um único tiro de sua pistola Walther. Cumpriu-se seu último desejo quando seu corpo foi secretamente enterrado no local onde caiu. Após a guerra, a sepultura foi identificada por Pilling e pelo filho de Model, que trasladaram os restos mortais do marechal para um cemitério militar na floresta de Hürtgen, onde está sepultado agora entre seus camaradas soldados.

Até o fim da vida, Walter Model foi uma personalidade contraditória, cujo código de ética e convicções cristãs contrastavam fortemente com sua lealdade a Hitler e ao nacional-socialismo. Seus detratores apontam a influência de seu relacionamento com Hitler, a nomeação por este de um oficial político nacional-socialista para o comando do Grupo de Exércitos B e sua recusa em aceitar a proclamação dos rebeldes de 20 de julho — de que o Führer estava morto — como grandes exemplos do fanatismo que demonstrou em vida. Se Model foi ou não um nazista convicto, ou se foi meramente um oportunista, sua conduta guardou coerência com a de virtualmente todo o corpo de oficiais alemão, que tolerou os excessos do regime de Hitler. No seu caso, houve uma recusa de vida inteira de envolver-se em assuntos políticos, ainda que o Exército alemão há muito tempo se houvesse politizado. Na verdade, o segredo de seu bem-sucedido relacionamento com Hitler foi que ele só o desafiou em assuntos militares, nunca em políticos.

Embora seu meio formativo de classe média certamente agradasse a Hitler, o profissionalismo de que era titular contou mais que qualquer outra coisa. Em contatos com o Führer, nunca revelou o comportamento emocional, caprichoso, que suas tropas conheceram na frente de batalha. Em vez disso, conduzia-se com confiança, precisão e cálculo frio, que por igual assustavam e impressionavam Hitler. Em suma, tudo a seu respeito inspirava Hitler a lhe confiar responsabilidades sempre maiores.

Carecia ele do carisma de um Rommel, do gênio militar e da profundidade intelectual de um von Manstein e funcionava na maior parte valendo-se daquilo que von Mellenthin chamou de "um notável talento para a improvisação". Embora tático fora do comum, não se revelou como estrategista excepcionalmente brilhante, ainda que, em meados de 1944, comandasse mais da metade de todas as forças alemãs engajadas na Frente Oriental. Ou como diz o historiador Paul Carell: "Nunca, anteriormente, Hitler atribuíra tanta responsabilidade militar a um único homem."[23]

Ele combinava destemor e energia inesgotáveis com uma obstinação sem paralelo, que eram por igual as origens de seus sucessos e deficiências como comandante. Prosseguindo a guerra, duvidou até mesmo de seus conselheiros mais chegados e tendeu a confiar — em prejuízo próprio — em suas idéias, raramente se dando ao trabalho de escutar e muito menos de acatar os conselhos de outrem.

Nos escalões mais altos do corpo de oficiais era geral a antipatia com que o encaravam. Von Manstein, por exemplo, elogiava-lhe os êxitos em situações defensivas, mas abominava-lhe os métodos e o desprezava por considerá-lo nazista. O tenente-general Hans Speidel, seu chefe de Estado-Maior no Grupo de Exércitos B, sumariou a opinião dos oficiais de Estado-Maior sobre ele ao observar que "seu agudo olho tático não era equilibrado por um instinto do possível. Tinha opinião alta demais de sua própria capacidade, era errático e carecia de senso de moderação... Embora tivesse estudado estratégia, não conseguia limpar a mente dos detalhes da liderança tática."[24]

Model não deu ao alto comando qualquer contribuição em matéria de técnicas defensivas especiais, a despeito de ter sido aluno de von Lossberg. O oportunismo, e não a originalidade, parece ter sido seu traço dominante. Lutador nato, Model era o "bombeiro" a que Hitler recorria nas situações desesperadas. A despeito de todas as suas deficiências, ainda assim ele colheu êxitos notáveis, para quem era um mero filho de mestre-escola.

O estranho laço entre o mal-humorado marechal e Adolf Hitler não se partiu com o suicídio de Model. Enfrentando situação semelhante, conta-se que Hitler teria dito que, se Model pudera encontrar coragem para acabar com a vida, o mesmo podia ele fazer.

Von Mellenthin escreveu a respeito das tristes circunstâncias da sua morte: "Em seguida ao colapso da Wehrmacht, que para Model era sinônimo do esboroamento de todos os desejos, objetivos e ideais de sua vida, dificilmente podemos imaginar para ele outro fim que não o suicídio. Foi sua maneira de permanecer honesto consigo mesmo."[25] É duvidoso que o forte senso de honra de Model tivesse jamais permitido a ignomínia de um marechal alemão enfrentar um julgamento teatral soviético por causa de atrocidades cometidas pela SS.

Dados cronológicos | Walter Model

1891, 24 jan	Nasce nas proximidades de Magdeburg. Educação em humanidades
1909, 27 fev-**1910**, 22 ago	Treinamento de cadete candidato a oficial na *Kriegschule*
1910-14	Serviço no 52º Regimento de Infantaria, incluindo funções de ajudante em batalhão e regimento
1914-16	Serviço na Frente Ocidental
1916, abr	Curso (abreviado) de oficial de Estado-Maior
1917-19	Várias designações para funções de Estado-Maior
	Conservado no *Reichsheer* de 100 mil soldados
1919-25	Várias designações para Estado-Maior e tropa, incluindo serviço nas forças de segurança
1925, out-**1928**, set	Oficial comandante, 9ª Companhia, 8º Regimento de Infantaria
1928-30	Oficial do Estado-Maior Geral, 3ª Divisão, Berlim
1930-32	Oficial de Estado-Maior, Seção 4, Diretoria de Treinamento, Berlim
1932-33	Chefe de Estado-Maior, Reich Kuratorium para Preparo Físico da Juventude
1933-34	Comandante de batalhão, 2º Regimento de Infantaria
1934-35	Comandante, 2º Regimento de Infantaria
1935-38	Chefe da Seção 8, Estado-Maior Geral, Berlim
1938, nov-**1939**, out	Chefe de Estado-Maior, 4º Corpo de Exército
1939, out-**1940**, nov	Chefe de Estado-Maior, 16º Exército
1940, nov-**1941**, out	Comandante, 3ª Divisão *Panzer*
1941, out-**1942**, jan	Comandante, 41º Corpo *Panzer*
1942, jan-**1944**, jan	Comandante do 9º Exército
1944, jan-mar	Comandante, Grupo de Exércitos Norte
1944, mar-jun	Comandante, Grupo de Exércitos Norte da Ucrânia
1944, jun-ago	Comandante, Grupo de Exércitos Centro
1944, 17 ago-4 set	Comandante-chefe, Oeste (comandante também dos Grupos de Exército B e D)
1944, 5 set-**1945**, 17 abr	Comandante, Grupo de Exércitos B
1945, 21 abr	Morte por suicídio, nas proximidades de Duisburg

PROMOÇÕES

1910, 22 ago	Segundo-tenente, Infantaria
1915, 25 fev	Primeiro-tenente
1918, mar	Capitão
1929	Major
1932	Tenente-coronel
1934, 1º out	Coronel
1938, 1º mar	Major-general
1940, 1º abr	Tenente-general
1941, 1º out	*General der Panzertruppen*
1942, 28 fev	*Generaloberst*
1944, 1º mar	*Generalfeldmarschal*

CONDECORAÇÕES

1915, out	Cruz de Ferro, 1ª Classe
1917, fev	Cruz de Cavaleiro, com Espadas
1942, fev	Cruz de Cavaleiro, com Folhas de Carvalho
1944, ago	Cruz de Cavaleiro, com Diamantes

Arnim | 14

General de Tropas Panzer *Hans-Jürgen von Arnim*

SAMUEL W. MITCHAM JR

Hans-Jürgen Theodor von Arnim nasceu em Ernsdorf, Silésia, no dia 4 de abril de 1889,[1] destinado desde o nascimento à carreira militar. A antiga casa prussiana de von Arnim produzira oficiais para a pátria em virtualmente todas as gerações desde a primeira notícia documentada a seu respeito, em 1388. O avô de Hans-Jürgen, tenente-general Theodor von Arnim, servira no Grande Estado-Maior prussiano de 1850 a 1866, deixando-o apenas para assumir o comando de uma divisão, à frente da qual lutou contra os austríacos na batalha de Sadova (Königgrätz). Mais de uma dúzia de membros dos vários ramos da família serviram na Segunda Guerra Mundial, incluindo quatro generais.[2]

O jovem Hans-Jürgen — "Dieter" para os amigos — estudou em escolas de Glogau, situadas nas proximidades da mansão da família, até que o pai conseguiu que entrasse para o real serviço prussiano como *Fahnenjunker* no dia 1º de abril de 1908 — três dias antes de completar 18 anos de idade.[3] Completou com proveito o treinamento de oficial e recebeu a patente de *Leutnant* (segundo-tenente) no prestigioso 4º Regimento de Infantaria da Guarda prussiano, no dia 19 de agosto de 1909, com data de início de serviço, para fins de antigüidade, em 17 de agosto de 1907. Tornou-se ajudante de batalhão do mesmo regimento em fins de 1913.[4]

O segundo-tenente von Arnim foi à guerra com seu regimento e serviu na Bélgica e no norte da França. Nomeado ajudante regimental interino em fins de 1914, recebeu em janeiro de 1915 a promoção para *Oberleutnant* (primeiro-tenente). No dia 1º de novembro desse ano assumiu o comando de uma companhia de infantaria, onde ficou durante quase um ano. Depois de sobreviver à guerra de trincheiras de Flandres, Dieter von Arnim seguiu para a Frente Oriental, onde serviu como oficial de artilharia da 4ª Divisão Jäger dos Guardas. Foi promovido a *Hauptmann* (capitão) em 27 de janeiro de 1917.[5]

Algumas semanas depois, numa fase em que a guerra estava se desenvolvendo mal para a Alemanha, o jovem capitão finalmente conseguiu licença e permissão para casar-se com Annemarie von Dechend, a filha de 22 anos do tenente-coronel Max von Dechend. O casamento ocorreu em Berlim no dia 26 de março de 1917. Devido à grave situação militar, não houve tempo para a lua-de-mel.[6] Hans-Jürgen voltou à Frente Oriental, onde foi nomeado ajudante de divisão no dia 4 de julho. Em 20 de outubro de 1917 assumiu o comando de um batalhão de infantaria, com o qual tomou parte nas batalhas finais na Frente Oriental em 1918.[7]

O capitão von Arnim emergiu do conflito com uma fé-de-ofício brilhante. Conduzira-se honrosamente nas duas grandes frentes de guerra, tanto em funções de Estado-Maior como de tropa e foi condecorado com a Ordem da Casa Hohenzollern, a Cruz de Ferro, 1ª e 2ª Classes, distintivo de Ferido em Combate e a Ordem Hanseática de Hamburgo.[8] Em 1919 recebeu o comando de uma companhia do 29º Regimento de Infantaria e foi selecionado para a nova *Reichswehr* como um dos 4 mil oficiais do Exército permitidos à Alemanha nos termos do Tratado de Versalhes. O 29º de Infantaria tinha nessa ocasião seu quartel em Charlottenburg, um subúrbio de Berlim. O único descendente de Arnim, uma filha chamada Elisabeth, nasceu nessa localidade no dia 21 de janeiro de 1920.[9]

No outono de 1920 von Arnim transferiu sua pequena família para o inóspito porto báltico de Stettin, onde estava acantonada a 2ª Divisão de Infantaria. Seu serviço na *Reichswehr* foi típico de um potencial futuro general prussiano. Passou um ano como comandante de batalhão na 2ª Divisão (1920-21) e em seguida como ajudante divisionário por mais um ano (1921-22). Nos dois anos seguintes trabalhou no Estado-Maior do Grupo de Exércitos 2 em Kassel. A isto seguiu-se uma nomeação para o Ministério da Defesa do Reich em 1º de outubro de 1924.[10] Essa nomeação pode ter sido conseguida pelo sogro, que na ocasião servia no *Truppenamt* (o Estado-Maior Geral clandestino). De qualquer maneira, foi uma nomeação afortunada para Arnim, que consolidou sua reputação nos círculos da *Reichswehr* como comandante capaz e enérgico e oficial de Estado-Maior de temperamento alegre, capacidade de trabalhar arduamente e pendor para pensar e agir de modo decisivo. Estabeleceu também muitos e valiosos contatos, que lhe seriam úteis no futuro. Mudou-se com a família para Berlim-Charlottenburg e em 1925 foi nomeado ajudante-chefe do general von Behrendt, comandante do Grupo de Exércitos 1, com quartel-general em Berlim.[11] Após 11 anos como capitão, passou a major em 1928 — 20 anos a contar do dia em que ingressou no serviço.[12]

Arnim trabalhou sob as ordens do general von Behrendt até que este foi substituído pelo general Otto Haase em setembro de 1929. Transferiu-se então para o *Wehrkreis VII*, em Munique, por solicitação do comandante do distrito, general (mais tarde marechal-de-campo) von Leeb. Nessa cidade, serviu como chefe de Estado-Maior do comandante de artilharia VII, major-general Heinrich Curtse.[13] Promovido a tenente-coronel em 1º de abril de 1932, seis meses depois iniciou um período de dois anos como comandante do 1º Batalhão, do 2º Regimento de Infantaria. A esse posto seguiu-se a nomeação para o Estado-Maior do comandante da infantaria VI, em Münster, onde ficou às ordens do major-general (mais tarde marechal-de-campo) Günther von Kluge. Alguns meses depois tornou-se chefe do Estado-Maior do comando e no dia 1º de julho de 1934 ascendeu ao posto de coronel.[14]

Voltou a Berlim em outubro de 1935 e no dia 15 do mesmo mês assumiu o comando do excelente 68º Regimento de Infantaria, unidade da recém-formada 23ª Divisão de Infantaria, criada em uma das primeiras fases do programa de expansão militar de Hitler. Gostou da nomeação em Berlim e permaneceu no comando do 68º de Infantaria mesmo depois de promovido a major-general (*Generalmajor*). Esse período de serviço, no entanto, terminou bruscamente. O general de infantaria Erwin von Witzleben, comandante do *Wehrkreis III* (a área de Berlim), era membro importante da oposição secreta a Hitler e só queria em posições-chave em seu distrito oficiais de firmes tendências antinazistas. Embora fosse contra os nazistas, o prussianismo frederiquiano fazia parte integrante do caráter de Arnim e ele prestara juramento de lealdade a Hitler. Não era, por conseguinte, o material do qual são feitas conspirações. Durante a crise Blomberg-Fritsch em fevereiro de 1938, o comandante da 23ª Divisão foi aposentado compulsoriamente. Erwin von Witzleben manobrou a nomeação de um colega antinazista, o major-general conde Walter von Brockdorff-Ahlefeldt, para o cargo vago. Brockdorff-Ahlefeldt preencheu os primeiros postos divisionários com oficiais cujas opiniões políticas alinhavam-se com as suas. Arnim, chutado e banido para o *Heeres Dienstelle 4*, em Schweidnitz, na Silésia, foi posto à frente de um depósito de material bélico na localidade — o que representava um evidente rebaixamento.[15] Em um relatório sem data, anterior à guerra (meados da década de 1930), o general Curt Haase (general comandante do 3º Corpo de Exército) referiu-se a Arnim como "Muito ambicioso, desaconselhável sua promoção para comandante divisionário". Por que Haase se opunha à escolha de Arnim para esse posto não se sabe, mas o fato é que só recebeu um comando desse tipo após o irrompimento da guerra. Por outro lado, o general Walter Schroth, comandante do 12º Corpo (1938-42) considerava-o "bravo e cavalheiresco" e recomendava-o para um comando divisionário. Esse relatório, anterior à guerra, também não tem data.

O general von Arnim, porém, não se queixou da nova designação, embora seus amigos do OKH achassem que ele fora vítima de uma injustiça. No dia 1º de maio de 1939 foi chamado a Berlim como "*Sonstigesoffizier*" (oficial extranumerário), onde permaneceu, sem nada fazer, até depois da invasão da Polônia. No dia 12 de setembro de 1939, porém, recebeu ordem de dirigir-se a Saarpfalz e assumir o comando da 52ª Divisão de Infantaria, que nesse momento se encontrava em processo de formação em Grossborn.

A 52ª de Infantaria não participou da campanha polonesa. Elementos da unidade tomaram parte na luta na França,[16] embora a divisão, como um todo, não se engajasse em combate.

A despeito do fato de que ainda não participara de combates na Segunda Guerra Mundial, Dieter von Arnim foi promovido a tenente-general (*Generalleutnant*) no dia 1º de dezembro de 1939 e, no outono de 1940, recebeu ordens de dirigir-se a Munique para assumir o comando da 17ª Divisão *Panzer*.[17] Não tivera treinamento prévio nem ligação alguma com blindados, e sua nomeação só pode ser explicada à luz de sua eficiência geral e à influência de amigos em Berlim. O mesmo, naturalmente, poder-se-ia dizer a respeito de Erwin Rommel, que nesse momento comandava a 7ª Divisão *Panzer*, ou de Ewald von Kleist, que comandara um grupo *panzer* na França. Arnim, contudo, seria menos bem-sucedido do que esses oficiais. O general Hermann Geyer (general comandante do 9º Corpo) comentou, no dia 2 de fevereiro de 1941, que Arnim era um "homem equilibrado, calmo. Prudente, judicioso, organizador e treinador". O coronel-general (mais tarde marechal) barão Maximilian von Weichs disse, no dia 25 de fevereiro de 1941, que a 17ª *Panzer* não estava ainda inteiramente formada, mas que era, ainda assim, fundamentalmente capaz, "graças, para ser exato, à mão firme" do general von Arnim.

A 17ª *Panzer* permaneceu em treinamento até o início da primavera de 1941, quando foi transportada para a Polônia, onde Hitler preparava a aventura militar seguinte. A invasão da União Soviética teve início no dia 22 de junho de 1941. A divisão de Arnim, que integrava o 2º Grupo *Panzer*, de Guderian, cruzou o Bug acima de Brest-Litovsk e capturou Slonim, seu objetivo inicial, no dia 24. Repeliu um violento contra-ataque soviético no dia seguinte e no dia 26 empenhou-se em pesada luta nas proximidades de Schklov. No dia seguinte, em combate nos arredores dessa cidade, o general von Arnim sofreu graves ferimentos e foi rapidamente evacuado de volta para a Polônia, deixando em seu lugar, como comandante interino, Ritter Karl von Weber.

Inicialmente hospitalizado em Lvov, Arnim foi em seguida transferido para Berlim, a fim de receber melhor tratamento. Permaneceu no hospital militar até princípios de agosto — exceto por uma breve saída com vistas a comparecer ao enterro do general von Weber, que fora mortalmente ferido em 18 de julho e falecera dois dias depois. Recebendo alta, iniciou um licença de convalescença e ficou nesse estado, em Charlottenburg, até meados de setembro, quando foi declarado oficialmente apto. No dia 17 de setembro reassumiu o comando da 17ª *Panzer*, substituindo o major-general Wilhelm von Thoma, que a comandava interinamente.[18]

Após a recuperação de seus ferimentos, von Arnim distinguiu-se como comandante *panzer* na Frente Oriental. Comandou a divisão nas últimas fases da batalha de Kiev, na qual foram capturados 667 mil russos. Participou em seguida da batalha de Vyazma-Bryansk, na qual os alemães fizeram 663 mil prisioneiros. Nesta última batalha sua 17ª Divisão *Panzer* realizou uma façanha que ninguém julgava possível: tomou intacta a ponte sobre o Desna e capturou Bryansk, um dos mais importantes entroncamentos ferroviários da Rússia européia. Esta vitória contribuiu em muito para o rápido colapso da resistência soviética no bolsão Vyazma-Bryansk. No último dia da batalha, 17 de outubro de 1941, seus homens aceitaram a rendição de 30 mil russos.[19]

Terminada essa luta, a 17ª *Panzer* ficou parada por falta de combustível. Reabastecida mais tarde, seguiu para Orel, a fim de juntar-se ao avanço sobre Moscou, mas foi detida pela lama além de Protva, a apenas 96km da capital russa. Aí a divisão esperou que o terreno congelasse, para reiniciar o assalto final. Quando atacou, porém, Arnim já não estava mais à sua frente. Nos primeiros dias de novembro, promovido a General de Tropas *Panzer*, medida retroativa a outubro de 1941, recebeu aviso de que em breve seria comandante de um corpo *panzer*. No dia 11 de novembro entregou o comando ao coronel Licht e partiu para assumir o novo posto, o 39º Corpo *Panzer*, que participava ativamente da luta no setor norte da Frente Oriental.[20]

Devido ao mau tempo e às nevascas, só chegou a seu novo quartel-general no dia 15 de novembro. Percorreu a última etapa da viagem em transporte meia-lagarta e trenó. Dois dias depois o 39º Corpo *Panzer* enfrentou maciços contra-ataques soviéticos nas vizinhanças de Tikhvin. Sem apoio, em uma floresta inóspita e sob pesado assédio de dezenas de tanques T-34, não teve opção senão realizar uma retirada gradual, passo a passo, para o rio Volkhov. A despeito das imensas dificuldades, conseguiu realizar a missão, sob uma temperatura de –52ºC, com baixas pesadas causadas tanto por ferimentos como por ulcerações produzidas pelo frio. Ao término da retirada, no dia 23 de dezembro de 1941, a 18ª Divisão Motorizada possuía de sobra apenas 741 soldados, enquanto a 12ª Divisão *Panzer* fora reduzida a 1.144 sobreviventes. A retaguarda — duas companhias do 51º Regimento de Infantaria, sob o comando do tenente-coronel Grosser — fora eliminada em sua totalidade.[21] O general Joachim Lemelsen (comandante do 47º Corpo *Panzer* e, mais tarde, comandante dos 10º e 14º Exércitos), no dia 31 de dezembro de 1941, descreveu Arnim como "enérgico, prudente e empreendedor". Classificou-o como líder nato e disse que em "situação de crises contínuas ele nunca descansou nem perdeu a coragem". Julgou-o "uma inspiração para suas tropas" e "bravo e intimorato". Observou que ele era sempre encontrado no mais aceso da batalha e brilhava por seu espírito cooperativo. O general (mais tarde marechal) Walter Model escreveu em 13 de dezembro de 1941 que Arnim era "um general comandante de comprovado valor. Enérgico e pronto para assumir responsabilidade". O coronel-general (posteriormente marechal) Ernst Busch (general comandante do 16º Exército) endossou os comentários de Model no dia 1º de abril de 1942: "Enérgico e disposto a aceitar responsabilidades. Influente sobre o oficialato, mantém forte relacionamento com as tropas... Na reserva ou nas situações mais difíceis, permanece imperturbável e valente."

O 39º Corpo *Panzer* manteve sua linha durante todo o inclemente inverno russo. Em fins de março de 1942 o corpo deixou a linha de frente para um curto período de descanso. Nele foram incluídas a 12ª *Panzer*, a 20ª Motorizada e 122ª Divisão de Infantaria, além de algumas unidades menores, com ordens para resgatar a guarnição alemã cercada em Kholm, onde 5 mil soldados, sob o comando do tenente-general Theodor Scherer, resistiam desesperadamente a repetidos ataques soviéticos.

Arnim organizou e planejou bem o ataque. No dia 1º de maio, tão logo o tempo permitiu, arremeteu com suas tropas. A despeito da forte resistência, a ponta-de-lança do 39º Corpo *Panzer* chegou à guarnição cercada. E o fez no momento exato. Dos 5 mil homens iniciais, 1.550 haviam sido mortos e mais de 2.200 jaziam feridos.[22] Busch elogiou-lhe o espírito de iniciativa e liderança na Batalha de Kholm, opinião compartilhada pelo coronel-general Georg von Küchler (comandante do Grupo de Exércitos Norte), ferrenho inimigo do primeiro. Referiu-se a Arnim como "uma personalidade enérgica, dotada de poderosa força de vontade, conforme provou na Batalha de Kholm".

Após o resgate de Kholm, o 39º permaneceu na linha de frente, mas relativamente inativo, uma vez que o foco da guerra mudara para o sul, na direção de Stalingrado e do Cáucaso. Não satisfeito nessa situação, e com tempo de sobra, von Arnim pediu ao Departamento de Pessoal do Exército (HPA), onde tinha numerosos amigos, que lhe fosse dado um novo comando. No dia 30 de novembro de 1942, o major-general Schmundt, chefe do HPA, telefonou-lhe, ordenando-lhe que entregasse o corpo de exército ao general de artilharia Robert Martinek. O quartel-general do Führer, em Rastenburg, Prússia Oriental, convocava-o para uma nova e importante missão.[23]

Acompanhado por seu ajudante-de-ordens, Arnim chegou à pista de pouso de Rastenburg, onde foi recebido por Schmundt e pelo general Jodl, chefe do ramo de operações do OKW. Informaram-no de que fora promovido a coronel-general e nomeado comandante do 5º Exército *Panzer*, que se encontrava nesse momento em processo de formação na Tunísia, ainda que já participasse de violentas lutas contra franceses, britânicos e norte-americanos. Arnim foi nessa ocasião apresentado ao seu vice-comandante, o recém-promovido tenente-general Heinz Ziegler, que lhe era inteiramente desconhecido. O novo comandante de exército foi em seguida informado sobre a situação no norte da África pelo marechal Keitel, chefe do OKW, e pelo próprio Hitler.

Em resumo, a situação parecia ser a seguinte: o marechal Rommel e sua *Panzerarmee Afrika* haviam sido derrotados pelo 8º Exército britânico em El Alamein nos dias 3 e 4 de novembro de 1942. No dia 8 do mesmo mês três forças-tarefa aliadas, sob o comando do tenente-general George S. Patton, tenente-general Lloyd R. Fredendall e major-general Charles W. Ryder, todos norte-americanos, haviam desembarcado respectivamente em Casablanca, Oran e Argel. Rapidamente superaram a resistência francesa, que variou de localizada a inexistente, e, às 7h do dia 11 de novembro, terminou toda a resistência local.[24] Enquanto isso, o tenente-general K.A.N. Anderson desembarcava com o 1º Exército britânico; logo depois comandava um ataque partindo de Argel na direção de Túnis — numa distância de 800km. Se Anderson conseguisse capturar Túnis e o porto vizinho de Bizerta, Rommel ficaria irremediavelmente encurralado entre dois fogos. A fim de impedir a concretização dessa possibilidade, Hitler e o marechal-de-campo Kesselring, comandante-chefe, Sul, haviam enviado às pressas todas as unidades disponíveis para a cabeça-de-ponte tunisina.

A "corrida por Túnis" foi ganha por um fio pelos alemães. As tropas anglo-americanas de Anderson, chegaram a 20km da cidade,[25] apoiadas por 12 mil soldados franceses, sob comando do general Georges Barre, quando foram detidas e repelidas pelo general Walter Nehring, comandante *ad hoc* do 90º Corpo. Apesar disso os nazistas acharam que era necessária uma mudança de comando. O agente de Goebbels na África do Norte, Alfred Berndt, considerava Nehring um "completo pessimista",[26] enquanto Kesselring — um otimista completo — queixava-se de que Nehring "tirara as mais sombrias conclusões" de um ataque de surpresa aliado ao aeroporto de Djeideida no dia 26 de novembro.[27] Kesselring solicitou que fosse estabelecido um quartel-general de exército *panzer*,[28] o que naturalmente significava a substituição de Nehring. Hitler concordara, e daí a promoção de Arnim e sua convocação a Rastenburg.

O Führer, como sempre, transbordava de promessas quando recebeu von Arnim no dia 3 de dezembro de 1942. O general perguntou-lhe com quantas divisões contaria seu novo exército. O Führer prometeu-lhe três divisões motorizadas e três *panzers*, incluindo uma tropa de elite, a Divisão *Panzer* Hermann-Göring. Perguntou se o Führer conseguiria manter abastecido o exército através do Mediterrâneo Central, a despeito da superioridade das forças navais e aéreas norte-americanas. Hitler prometeu que os suprimentos seriam entregues.[29] E, confiantemente, informou ao novo coronel-general que planejava eventualmente expulsar o inimigo da Argélia e do Marrocos Francês.[30]

Von Arnim passara os últimos 15 meses na Frente Oriental. Embora fosse contrário ao regime nazista, como acontecia com a maior parte da aristocracia militar prussiana, era soldado profissional. Quando um comandante supremo falava, ele, por questão de princípio geral, acreditava em sua palavra. Mas iria desiludir-se em futuro próximo.

Ao chegar à Tunísia para assumir o comando do recém-formado 5º Exército *Panzer*, descobriu que tinha às suas ordens uma mixórdia de unidades. Incluíam elas a 10ª Divisão *Panzer*, do tenente-general Fischer, dois batalhões do 5º Regimento de Pára-quedistas, o Regimento Barenthin de Planadores, o 11º Batalhão de Sapadores Pára-quedistas, três batalhões de campanha de reforço, algumas unidades variadas, e o 501º Batalhão Pesado *Panzer*, que estava equipado com 17 dos monstruosos tanques "Tigre" PzKw VI. Nas duas semanas de meados de dezembro recebeu também a maior parte da inexperiente 334ª Divisão de Infantaria, que fora formada apenas algumas semanas antes.[31] Contava ainda com a Divisão Superga, a 50ª Brigada Especial, ambas italianas, e alguns batalhões da mesma origem.[32] Deveria cumprir três missões principais: 1) impedir que os anglo-americanos capturassem Túnis; 2) evitar que os Aliados chegassem ao mar pelo sul da Tunísia e que isolassem a *Panzerarmee Afrika*, de Erwin Rommel, nesse momento em plena retirada após a derrota em El Alamein; e 3) expandir tanto quanto possível a cabeça-de-ponte da Tunísia, a fim de lhe dar a profundidade de que carecia urgentemente.

Inicialmente Arnim teve que organizar rápido suas defesas para enfrentar ataques aliados, que visavam a eliminar a cabeça-de-ponte e cortar a retirada de Rommel para a Tunísia. Reuniu a maioria de suas unidades variadas na *ad hoc* Divisão von Broich (sob o comando do coronel barão Friedrich von Broich)[33] e deu-lhe a missão de defender o flanco direito (costeiro). A 10ª *Panzer*, reforçada com elementos da 334ª Divisão de Infantaria, defenderia o centro, enquanto a duvidosa Divisão Superga, italiana, cobriria o flanco sul.

A primeira grande batalha concentrou-se em uma elevação de 300 metros de altura, o denominado morro da Longa Parada, que vedava aos Aliados o caminho pelo vale de Medjerda, a rota natural de acesso à capital tunisina, situada a 40km de distância. Sem o domínio do morro, nenhuma força aliada poderia avançar para Túnis sem deixar o flanco esquerdo exposto.

O 2º Batalhão do Coldstream Guards atacou o morro no dia 22 de dezembro e tomou-o de um batalhão do 754º Regimento de Infantaria (334ª Divisão de Infantaria alemã) em princípios da manhã seguinte. O Coldstream foi substituído pelo 1º Batalhão do 18º Regimento de Infantaria às 4:30h da manhã. O coronel Rudolf Lang, comandante alemão do setor, lançou um contra-ataque na mesma manhã com o 1º Batalhão de seu 69º Regimento de *Panzer* Granadeiros e — a despeito da chuva torrencial e da lama cada vez mais profunda — retomou o morro.[34] O 2º Batalhão do Coldstream Guards voltou a tomar a colina, pela segunda vez, às 17h da véspera de Natal, 24 de dezembro.[35]

Os Guards, porém, não iriam conservar por muito tempo o morro da Longa Parada, porque von Arnim compreendeu também a importância daquela elevação crítica. Na manhã do dia 24 de dezembro, Arnim, acompanhado de seu chefe de Estado-Maior e do general Fischer, inspecionara o setor ameaçado. Profundamente preocupado, chamou suas reservas móveis — o 2º Batalhão, o 7º Regimento *Panzer* (10ª Divisão *Panzer*) e elementos adicionais do 754º Regimento de Infantaria. Ao romper a manhã do Natal de 1942, suas tropas estavam justamente no lugar certo para desfechar um severo golpe nos Coldstream. Quando recuou naquela manhã, esta tropa perdera um quarto de seus efetivos, incluindo três comandantes de companhia, três suboficiais e 11 sargentos comandantes de pelotão, isso depois de apenas três dias na frente tunisina.[36] Enquanto isso, os alemães se entrincheiravam no morro. A chuva caiu torrencialmente, e toda a Tunísia transformou-se num pântano. O general Eisenhower, comandante-chefe aliado, foi obrigado a suspender a ofensiva. E considerou isso uma "amarga decisão".[37]

Amarga realmente foi, porquanto significava que os alemães haviam ganhado a "corrida por Túnis". Arnim tinha nesse momento liberdade para reforçar seu exposto flanco sul, impedir que os Aliados cortassem a linha de abastecimento de Rommel, que tinha origem na Tunísia, e ampliar a cabeça-de-ponte enquanto aguardava a chegada do exército do colega.

O coronel-general von Arnim era um excelente tático, como o provou no morro da Longa Parada e na Frente Russa. Confirmou essa qualidade em janeiro e princípios de fevereiro de 1943, quando manteve a iniciativa contra adversários numericamente superiores e obteve uma série de importantes (embora não decisivas) vitórias locais sobre eles.

Em dezembro fora obrigado a confiar o flanco sul à duvidosa Divisão Superga. As forças francesas, sob o comando do general Juin (mais ou menos três divisões, acrescidas da 6ª Divisão Blindada britânica), haviam empurrado para trás os italianos e capturado a maior parte da cordilheira Dorsale Oriental, o que as colocava em posição de atacar a planície costeira e chegar ao mar, cortando dessa maneira a linha de suprimentos de Rommel. Com seu centro e flanco direito nesse momento seguros, von Arnim concentrou-se na ameaça seguinte. Em 18 de janeiro de 1943 atacou os franceses e os ingleses na Operação *Eilbote* (Mensageiro Expresso), utilizando elementos da 334ª Divisão de Infantaria e da 10ª *Panzer*, além do 501º Batalhão Pesado *Panzer*. Os britânicos mantiveram em geral suas posições, mas os franceses foram obrigados a recuar. As tropas de Arnim fizeram 4 mil prisioneiros e destruíram ou capturaram 24 tanques, 55 canhões antitanques e 228 veículos. Na noite de 23-24 de janeiro, porém, ele suspendeu a ofensiva devido à falta de suprimentos.[38] Os Aliados contra-atacaram no dia 24 de janeiro e continuaram a fazê-lo até o dia 28, mas em nenhum momento ameaçaram o domínio do 5º Exército *Panzer* sobre a Dorsale Oriental. Simultaneamente Arnim foi reforçado com a 21ª Divisão *Panzer* (coronel Hans-Georg Hildebrandt), a primeira formação do exército de Rommel a chegar à Tunísia. No dia 30 de janeiro Arnim lançou-a à frente em um ataque de surpresa ao Passo Faid, onde cercou a mediocremente equipada guarnição francesa e derrotou-a antes que unidades blindadas norte-americanas próximas pudessem intervir. A 21ª *Panzer* capturou 1.047 homens, 25 carros blindados e 15 canhões antitanques durante a operação. Com sucesso, Hildebrandt repeliu uma tentativa de elementos da 1ª Divisão Blindada norte-americana de retomar o passo.[39] Arnim, dessa maneira, protegera o flanco esquerdo e ampliara o setor sul para um tamanho apropriado, exatamente no momento em que Rommel estava prestes a chegar com o grosso de seu exército.[40]

Alguns dias depois, em princípios de fevereiro, Arnim voltou a atacar os franceses. Desta vez, o denominado 19º Corpo Francês, sob comando do general Louis-Marie Koeltz, cujas tropas haviam sido reforçadas com elementos do 2º Corpo norte-americano (major-general Lloyd R. Fredendall). Arnim conquistou outra vitória local, destruindo uma divisão francesa e infligindo quase 1.100 baixas ao 168º Regimento de Infantaria, da 34ª Divisão de Infantaria norte-americana.[41]

Até esse momento Arnim se comportara muito bem como comandante alemão na Tunísia. Ele, contudo, fora promovido acima de seu nível, porquanto, embora fosse um tático excelente, era conservador demais para tirar as conclusões corretas da posição estratégica desesperada em que agora se encontrava.

A *Panzerarmee Afrika* de Rommel estava nesse momento aproximando-se rapidamente da cabeça-de-ponte tunisina, procedente da Líbia, tendo em seu encalço o 8º Exército de Montgomery. Consigo, Rommel trazia a 15ª *Panzer*, a 90ª Light e a 164ª Divisão Ligeira, além de numerosas e variadas unidades alemãs e italianas. A chegada de Rommel mudaria fundamentalmente a situação no norte da África, mesmo que apenas temporariamente, porque se ele e Arnim pudessem combinar forças, estariam em condições de infligir uma derrota decisiva ao 1º Exército britânico na zona ocidental da Tunísia, antes que Montgomery pudesse intervir com o 8º Exército. Essa oportunidade do Eixo, no entanto, seria muito curta, uma vez que a chegada de Montgomery, com grandes efetivos, traria a vantagem de volta aos Aliados, provavelmente pela última vez. Rommel reconheceu esse fato. Infelizmente o mesmo não aconteceu com von Arnim.

De qualquer forma, compreendera que eram sombrias suas perspectivas a longo prazo. No dia 8 de janeiro de 1943 os oficiais administrativos dos dois exércitos *panzer* comunicaram-lhe que precisariam em conjunto de 150 mil toneladas mensais de suprimentos, a fim de abastecer todas as tropas destacadas na Tunísia e na Líbia. Agindo corretamente, Arnim comunicou esse fato a Kesselring — várias vezes, aliás. Quatro dias depois Kesselring informou a Hitler que poderia fornecer 60 mil toneladas por mês, mas não comparou esse número com o que fora pedido, nem o Führer pensou em perguntar.[42]

Em janeiro de 1943 Arnim recebeu 58.763 toneladas de suprimentos, enquanto Rommel recebia outras 6.151 na Líbia.[43] Naquele mês Rommel abandonou os portos líbios, permitindo assim que os Aliados apertassem seu domínio aéreo e naval sobre o Mediterrâneo central. As forças do Eixo, por conseguinte, estavam recebendo apenas 40% do que necessitavam. Era fácil prever que o *Commando Supremo* italiano não poderia nem mesmo manter essas taxas no futuro previsível. Rommel via apenas uma única solução para o dilema: lançar uma ofensiva total, destinada a derrotar decisivamente o 1º Exército britânico, antes que o 8º Exército pudesse chegar para ajudá-lo.

É significativo que Arnim já estivesse no norte da África há mais de três meses, sem que ele ou Rommel tivessem tentado marcar um encontro para discutir a coordenação de suas atividades. Em 9 de fevereiro de 1943

Kesselring providenciou a primeira reunião de seus dois comandantes de exército, na base da Luftwaffe em Rennouch, na Tunísia. Arnim e Rommel haviam se encontrado pela última vez 18 anos antes, quando ambos eram capitães, e um não gostara do outro. Pertenciam a classes diferentes, esse aristocrata do norte e esse filho de mestre-escola do sul. Além do mais, a reputação de Rommel como favorito de Hitler e seus modos desbocados e rudes chocavam-se com o frio profissionalismo e postura distante de Arnim.[44] A despeito da situação desesperada na Tunísia, Arnim jamais pôde obrigar-se a cooperar com seu mais famoso rival. Essa incapacidade contribuiria muito para a derrota do Eixo no norte da África e deixaria uma mancha permanente em sua reputação militar.

O plano de Kesselring previa nada menos que a destruição total dos norte-americanos da Tunísia. Sugeriu ele que Rommel atacasse os norte-americanos ao sul, na cidade-oásis de Gafsa, enquanto Arnim — com o grosso das forças móveis — faria o mesmo em Sbeitla. Uma vez cruzadas as montanhas, os blindados alemães arremeteriam para o norte, dirigindo-se ao porto de Boné, eliminando dessa maneira a ameaça ao flanco direito de Rommel e, talvez, isolando Anderson ao norte. Rommel e Arnim entusiasmaram-se com o plano, mas o segundo tinha uma ressalva importante a fazer. Não possuía combustível suficiente, disse, para operações em grande escala do tipo imaginado por Kesselring. O que importava, sustentou, era infligir grandes baixas aos franceses e aos norte-americanos e forçá-los à retirada. Ofereceu-se para iniciar sua ofensiva no dia 12. Rommel prometeu começar sua parte dois dias depois, embora, erguendo o dedo indicador em um gesto característico, avisasse: "O que conta não é terreno conquistado, mas o dano infligido ao inimigo."[45] Arnim nada disse ao ouvir essas palavras — um sugestivo silêncio! —, uma vez que sua natureza conservadora se mostrava desde o começo, e ele, e não Rommel, possuía o grosso dos tanques e era o encarregado da missão principal. Nem Rommel nem Kesselring pareceram compreender (pelo menos na ocasião) que a atitude e reservas mentais de Arnim constituíam uma séria ameaça ao plano e que colocavam em perigo as operações dos dois exércitos (ver mapa 12).

Kesselring, em seguida, divulgou sua grande surpresa. Se a operação obtivesse o sucesso que esperava, ele garantia que Rommel seria colocado no comando de *todas* as forças na Tunísia, ainda que soubesse que Arnim estava ansioso para que seu rival fosse embora. Mais tarde, Kesselring disse em particular a Arnim que já consultara o professor Horster, médico de Rommel, que recomendara que o marechal partisse para uma cura de repouso na Europa no dia 20 de fevereiro. "Vamos dar a Rommel esta última oportunidade de glória, antes que ele saia da África", disse Kesselring a Arnim.

"De acordo", respondeu sorrindo Arnim. "Uma última oportunidade de glória..."[46]

O inimigo que Arnim enfrentou em meados de fevereiro foi o major-general Lloyd Fredendall, um homem falastrão, arrogante e obstinado que não possuía talento para trabalhar em harmonia com outras pessoas. Sob seu inepto comando, o 2º Corpo de Exército norte-americano (em posição no flanco direito do 1º Exército britânico) nem preparara posições defensivas nem estendera campos minados. Embora sua 1ª Divisão Blindada (major-general Orland Ward) possuísse mais tanques que as três divisões *panzer* juntas na Tunísia, seu corpo de exército estava espalhado por todas as montanhas da Dorsale, e ele misturara inteiramente seus blindados com os elementos avançados das 1ª e 34ª Divisões de Infantaria, de tal modo que tornava impossível uma rápida concentração de forças. Fredendall dedicara a maior parte de seu tempo a fim de providenciar para que seu próprio QG — situado a 115km à retaguarda — ficasse em segurança contra ataques da Luftwaffe. Todos os seus desdobramentos de tropas haviam sido feitos na base de reconhecimento de mapa. Não visitara a frente de batalha nem uma única vez.[47]

O plano alemão previa que Arnim atacasse através de Faid até Sidi Bou Zid, a fim de completar seu controle sobre a Dorsale Oriental. Em seguida, deveria arremeter para o norte até Pichon. Enquanto isso, Rommel atacaria em Gafsa e então, possivelmente, exploraria o caminho no rumo de Tebessa, dependendo da situação. Arnim deveria devolver a Rommel a 21ª Divisão *Panzer*, depois de limpar a área de Faid.[48] Arnim colocou Ziegler no comando das 10ª e 21ª Divisões *Panzer* (mais ou menos 130 tanques) para o ataque a Sidi Bou Zid.

O Grupo Ziegler iniciou o ataque no dia 14 de fevereiro de 1943. Tendo como ponta de lança o 501º Batalhão Pesado *Panzer*, cruzou o passo de Faid e caiu sobre o Comando de Combate A, da 1ª Divisão Blindada e 168º Regimento de Infantaria. Os tanques do 1º Batalhão eram do tipo leve Stuart "Honeys", virtualmente inúteis contra os Tigres, PzKw IIIs e PzKw IV do 5º Exército *Panzer*. Rapidamente dizimado, o comandante do batalhão caiu em poder dos alemães. O 2º Batalhão não se saiu melhor, perdendo 44 dos seus 51 Shermans. O 168º Regimento de Infantaria teve igual sorte, e seu comandante caiu prisioneiro dos alemães. Dois batalhões de artilharia de apoio tiveram sorte idêntica, e o pânico começou em algumas unidades. Ao fim do dia, o Comando de Combate A e o 168º haviam sido esmagados.[49]

O general Ward tentou salvar a situação no dia seguinte, lançando em combate sua reserva, o Comando de Combate C (coronel Robert I. Stack), tendo como ponta-de-lança os 54 Shermans do 2º Batalhão do 1º Regimento

Blindado. Mas eles caíram numa emboscada. A 10ª Divisão *Panzer* (sob o comando de Broich, uma vez que Fischer morrera em combate no dia 5 de fevereiro) atacou-os vindo do norte e, no momento crítico, a 21ª Divisão *Panzer* de Hildebrandt engajou-os pelo sul. Ao fim do dia, Stack estava em completa retirada. Sua infantaria continuava basicamente intacta, mas o comandante do 2º Batalhão fora capturado e haviam sido destruídos 50 de seus tanques.[50] Em dois dias, os homens de Arnim haviam destruído dois batalhões de tanques, dois de infantaria e dois de artilharia, do 2º Corpo de Exército norte-americano. Enquanto isso, no flanco sul, Rommel avançou ao anoitecer, mas apenas para descobrir que Fredendall batera em retirada e abandonara Gafsa.

Rommel planejou, nesse momento, continuar até a aldeia de Feriana, que ficava numa encruzilhada, de onde poderia avançar para o norte até Tebessa, na Argélia, ou para nordeste, passando por Thelepte, até Kasserine, onde reuniria suas forças com as *panzers* de Arnim, que viriam de Sbeitla. Na manhã do dia 16, Arnim recusou-se a liberar a 21ª Divisão *Panzer*, sob o fundamento de que Rommel já tomara Gafsa sem ela e que a tropa estava ainda engajada nas vizinhanças de Sidi Bou Zid. Ordenou a Ziegler que enviasse a 21ª *Panzer* para leste a fim de tomar Sbeitla e despachou a 10ª *Panzer* para atacar na direção de Fondouk,[51] muito ao norte da zona de operações de Rommel. Ele, na verdade, estava dissipando o esforço alemão nas montanhas.[52] Rommel, inicialmente, pareceu ter aceitado essa decisão, mas logo depois sua natureza voltou a firmar-se. Protestou junto a Kesselring e solicitou que a 10ª e 21ª Divisões *Panzer* lhe fossem devolvidas, de modo a poder atacar o centro de abastecimento norte-americano em Tebessa. Kesselring concordou com Rommel, mas achou necessário obter a aprovação do OKW, de Mussolini e do *Commando Supremo* a tal mudança de plano. "Rommel foi obrigado a permanecer à espera, impaciente, enquanto Arnim continuava com suas próprias operações", escreveu mais tarde o general britânico Jackson.[53] Horas preciosas foram perdidas, enquanto os altos comandos do Eixo conferenciavam, trocavam mensagens e deliberavam.

O tenente-general Ziegler não era um líder competente de blindados. Não iniciou o avanço nem mesmo na tarde do dia 16 e só atacou Sbeitla ao meio-dia do dia 17. Enquanto isso, os norte-americanos reconquistavam a compostura e reuniam suas forças. A 1ª Divisão Blindada do Comando de Combate B (general de brigada Paul Robinet) manteve a cidade até receber, ao anoitecer, ordem de retirar-se. Relutantemente, Robinet efetuou uma retirada em boa ordem na direção de Tebessa, tanto quanto isso foi possível com suas inexperientes tropas, e permitiu que escapasse o resto da 1ª Divisão Blindada. Ziegler perseguiu-o descansadamente. A maior parte das dificuldades de Robinet foi ocasionada pelos bombardeiros de mergulho Stuka.[54] Ao fim do dia, a ala sul aliada estava voltando à linha dos picos da Dorsale Ocidental. Os alemães já haviam capturado quase 3 mil prisioneiros e destruído ou tomado 169 tanques, mas a presa estava fugindo. Ao mesmo tempo, Arnim avisava a Rommel que não enviaria tropas à frente da Dorsale Oriental por causa das dificuldades em mantê-las abastecidas[55] — na verdade, pondo fim à operação, após algumas vitórias locais, e fazendo exatamente o que o inimigo teria desejado que fizesse.

O *Commando Supremo* tirou a batalha das mãos de Arnim em princípios da manhã de 19 de fevereiro, ocasião em que devolveu a Rommel as 10ª e 21ª Divisões *Panzer*. Infelizmente, escolheu Le Kef como objetivo inicial, implicando isso que Rommel teria que avançar para o norte, onde eram mais fortes as reservas aliadas, em vez da para oeste (passando por Tebessa), onde poderia tê-las flanqueado. Além disso, sem nada dizer a Kesselring ou a Rommel, Arnim desobedeceu às ordens e conservou grande parte da 10ª Divisão *Panzer*, incluindo os "Tigres" do 501º Batalhão Pesado *Panzer*.[56] Esta decisão sabotou ainda mais os planos de Rommel. Mesmo depois de Kesselring tê-lo chamado a Túnis na tarde do dia 20, censurando-o veementemente por não apoiar devidamente Rommel, Arnim continuou a negar os vitais "Tigres".[57] Embora Rommel conseguisse obter uma última e famosa vitória sobre os norte-americanos no Passo de Kasserine no dia 20 de fevereiro, o ímpeto da ofensiva fora claramente perdido. Com a aprovação de Kesselring, Rommel suspendeu a ofensiva no dia 22 de fevereiro. Fora uma vitória alemã — mas não decisiva. Desaparecera a última oportunidade do Eixo de evitar a derrota no norte da África.

No dia seguinte, 23 de fevereiro, foi criado o Grupo de Exércitos África. Hitler já dissera que preferia que Arnim o comandasse, mas Kesselring julgara tão obstrutiva a conduta de Arnim na última operação que, em vez dele, nomeou Rommel para o posto.[58] Ao mesmo tempo o general Vittorio Ambrosio, chefe do Estado-Maior das Forças Armadas italianas, informava Mussolini de que Rommel seria, em futuro próximo, substituído por Arnim.[59] Rommel, na verdade, estava com a saúde abalada depois de dois anos no Deserto Ocidental e sofria de grande variedade de distúrbios, incluindo depressão. Entrementes, a *Panzerarmee Afrika* era reconstituída como 1º Exército italiano e colocado sob o comando do general Giovanni Messe, um veterano da Frente Oriental. As tropas alemãs nesse exército recebiam suas ordens do coronel Fritz Bayerlein, chefe do Estado-Maior do general Messe.

O coronel-general von Arnim pouca importância deu à nova organização do comando. No dia 24 de fevereiro voou para Roma sem conhecimento de Rommel e obteve permissão para lançar sua própria ofensiva no norte da Tunísia. Apropriadamente batizada como Operação *Ochsenkopf* (Cabeça de Touro), baseava-se na suposição de que os Aliados haviam enfraquecido muito seu flanco norte, a fim de conter o ataque no Passo de Kasserine. A ofensiva começou no dia 26 de fevereiro. As forças alemãs incluíam a Divisão "von Manteuffel" (sob o comando do coronel Hasso von Manteuffel, que substituía o barão von Broich), a 334ª Divisão de Infantaria, de Weber, metade da 10ª Divisão *Panzer* (incluindo o 501º Batalhão Pesado *Panzer*) e os elementos recém-chegados da Divisão *Panzer* Hermann Göring. O principal fardo da defesa coube à 46ª Divisão de Infantaria britânica, mas envolveu também a 78ª Divisão de Infantaria, também britânica, e a *ad hoc* Divisão "Y".

A *Cabeça de Touro* foi mal concebida desde o início. Manteuffel conseguiu obter alguns sucessos locais, mas de modo geral constituíram-se numa série de ataques mal planejados e largamente dispersos contra um exército que estava de sobreaviso e ocupava boas posições defensivas. As unidades de Arnim capturaram 2.500 prisioneiros ao custo de cerca de mil baixas, mas este sucesso foi mais do que contrabalançado pelo fato de terem sido destruídos 71 *panzers*, incluindo quase todos os "Tigres".[60] A essa altura as perdas de tanques alemães excediam de muito as substituições. Em novembro e dezembro de 1942, respectivamente, chegaram à África 187 e 191 *panzers*. Em janeiro de 1943 o total caiu para 50, subiu para 52 em fevereiro e reduziu-se a apenas 20 em março. O total de abril subiria para 44, mas nenhum chegou em maio.[61] Os britânicos perderam menos de 20 tanques na *Cabeça de Touro*, que foram facilmente substituídos.

Mais grave ainda que as perdas de *panzers* foi o fato de que a fracassada ofensiva de Arnim retardou o próprio ataque de Rommel contra o 8º Exército britânico. No dia 26 de fevereiro Montgomery tinha apenas uma divisão em Medenine para enfrentar o 1º Exército italiano e se encontrava em situação claramente vulnerável. Quando Rommel pôde finalmente atacar, no dia 6 de março, Montgomery já instalara no local o equivalente a quatro divisões, incluindo cerca de 400 tanques, 350 canhões e 470 canhões antitanque.[62] Rommel avançou com todas as três divisões *panzers* e foi inapelavelmente batido. Três dias depois deixou a África para sempre. Colocado na reserva do Führer, concederam-lhe uma licença para tratamento de saúde por prazo indeterminado. Dieter von Arnim assumiu o comando do Grupo de Exércitos África em 9 de março de 1943. Atingira o auge de sua carreira militar. O general Gustav von Vaerst substituiu-o no 5º Exército *Panzer*.[63]

A situação de Arnim na Tunísia era irremediável desde o início. Ao assumir o comando do Grupo de Exércitos, possuía 350 mil homens, dos quais 120 mil eram de tropas de combate. Dois terços destas eram alemãs, como também um terço das tropas de apoio.[64] Enfrentavam elas mais de meio milhão de soldados aliados, incluindo mais de 250 mil efetivos de combate. Possuía apenas uns 200 tanques operacionais para fazer frente a 1.800 tanques inimigos, apoiados por mais de 1.200 canhões e 1.500 canhões antitanque.[65] Defendia uma área de 620km — uma extensão grande demais para as forças de que dispunha. O setor médio por companhia chegava a 4km e possuía uma densidade de artilharia inferior a um canhão por 0,5km. Não obstante, poderia ter sido capaz de defender, pelo menos, parte da cabeça-de-ponte, se seus superiores pudessem mantê-lo abastecido. Precisava de 140 mil toneladas de suprimentos por mês, ao passo que, em janeiro, chegaram apenas 46.069 toneladas, total que caiu para 32.967 no mês seguinte.[66] Duas semanas antes de assumir o comando do Grupo de Exércitos, Arnim enviou a Rommel e Messe uma apreciação da situação, afirmando que pensava que Eisenhower estava planejando fincar uma cunha entre os dois exércitos encurralados. Contudo, se ele fosse Eisenhower, não se incomodaria com isso, porque "se novos suprimentos não nos chegarem, tudo estará terminado na Tunísia por volta de 1º de julho", mesmo sem uma ofensiva aliada.[67]

Travou as últimas batalhas na Tunísia com sua habitual perícia tática. Foi acusado de tentar conservar parte tão grande da cabeça-de-ponte inicial quanto possível — uma decisão irrealista, que acelerou o colapso do Eixo no norte da África. Isso simplesmente não é verdade. A culpa de sua decisão cabe principalmente a Kesselring que, como dizia Rommel, "via tudo através de óculos cor-de-rosa".[68] O general von Rintelen, adido militar alemão na Itália, opinou também que Kesselring permitiu que seu otimismo excessivo lhe turvasse a capacidade de julgamento sobre as operações na Tunísia.[69] Arnim, por outro lado, previu corretamente que a nova ofensiva aliada seria lançada na planície costeira pelo 8º Exército de Montgomery, que se detivera diante da Linha Mareth. Uma ofensiva secundária seria desfechada simultaneamente pelo 2º Corpo de Exército norte-americano, nesse momento comandado pelo capaz general George S. Patton, Jr., com o objetivo de imobilizar as reservas de Arnim e, possivelmente, cortar em dois o Grupo de Exércitos. Arnim queria encurtar sua frente no norte e retirar o 1º Exército italiano mais para o norte pela costa, reduzindo a área da cabeça-de-ponte, permissão essa que Kesselring recusou após uma violenta discussão entre os dois.[70]

Entrementes, Rommel e Arnim estavam, pelo menos por uma vez, trabalhando juntos para a consecução de um objetivo comum. No dia 12 de março Rommel escreveu a seu sucessor dizendo que nem o OKW nem o *Commando Supremo* sancionariam uma retirada, mas que Hitler permitiria que as unidades italianas não-motorizadas se retirassem para posições em

Wadi Akarit, ao norte da Mareth. Arnim ordenou-lhe que iniciasse a retirada no dia 14 de março, mas quando o general Ambrosio soube disso, dois dias depois, proibiu furioso o deslocamento.[71] Ao mesmo tempo, o 2º Corpo de Exército norte-americano iniciava a ofensiva.

Qualquer que seja a opinião que se tenha a respeito do irascível Patton, ele foi sem dúvida um líder e um excelente motivador de tropas no campo de batalha. O 2º Corpo, que atacou Gafsa no dia 17 de março, pouco se parecia com a lamentável força que quase entrara em colapso diante de Arnim e Rommel um mês antes. Atacando com quatro divisões, Patton esmagou a divisão blindada italiana *Centauro*, em uma operação que chamou caracteristicamente de *Wop*, um termo depreciativo norte-americano para designar italianos. Tomou Gafsa no dia 17 e obrigou Arnim a lançar na luta as 10ª e 21ª Divisões *Panzer*. Embora o avanço norte-americano parasse a leste de El Guettar (com o resultado de Patton destituir o general Ward), Arnim fora obrigado a empregar dois terços de sua reserva móvel nas vésperas da ofensiva de Montgomery contra a Linha Mareth.

Montgomery iniciou a ofensiva no dia 20 de março de 1943. Tendo sido o ataque frontal inicialmente repelido pelo 1º Exército italiano,[72] ele enviou o Corpo Neozelandês em volta do flanco de Messe, obrigando-o a evacuar inteiramente sua posição na Mareth no dia 28. Só a lentidão da perseguição de Montgomery é que permitiu a fuga de Messe, mas, em virtude de recusa de Kesselring em permitir que Arnim abandonasse a Linha Mareth, Messe chegou tarde demais e não pôde preparar-se devidamente para a defesa da Linha Wadi Akarit.[73]

Ao mesmo tempo, Arnim pedia urgentemente mais suprimentos. No dia 29 avisou ao *Commando Supremo* que só tinha munição para mais dois dias de luta e que não possuía mais estoques para certas armas, tais como *howitzers* de alcance médio. "A situação de combustível é semelhante", informou pelo rádio. "Não são mais possíveis para usar em grande escala."[74]

No mesmo dia, o marechal Kesselring teve uma forte discussão com o general Ambrosio, que queria dar a Arnim permissão para recuar até Enfidaville, se achasse que o 1º Exército italiano corria perigo de destruição. Kesselring objetou, sob o fundamento de que uma aprovação antecipada poderia dar a Arnim uma "mentalidade de retirada". Mussolini concordou com Ambrosio, que transmitiu a ordem ao quartel-general do Grupo de Exércitos. Em vista disso, Kesselring enviou à Tunísia seu chefe de Estado-Maior, major-general Siegfried Westphal, a fim de "explicar" a ordem ao general von Arnim.[75]

A conferência Arnim-Westphal nenhum resultado positivo acarretou. Arnim recusou-se sequer a pensar na série de contra-ataques recomendados por Kesselring. Westphal, com grande falta de tato, sugeriu que o Grupo de

Exércitos parecia estar sempre "olhando por cima do ombro". Sim, isso é verdade, respondeu Arnim: estava sempre olhando para o horizonte, à procura dos navios de suprimentos que nunca chegavam. Encerrou a conferência com a observação: "Estamos sem pão e munição, como acontecia antes com o exército de Rommel. As conseqüências serão inevitáveis."[76] Mais tarde naquele mesmo dia informou ao general Silvio Rossi (chefe de operações de Ambrosio) que o inimigo, e não o 1º Exército italiano, é que decidiria por quanto tempo as posições de Wadi resistiriam. Rudemente, recomendou que o alto comando se preocupasse em enviar suprimentos para o norte da África, em vez de tentar dirigir as operações. No dia seguinte, ordenou a evacuação de todo o pessoal não-essencial.[77]

A Batalha de Wadi Akarit começou no dia 5 de abril de 1943, tendo Messe evacuado a posição na noite de 6 para 7 do mesmo mês. Durante a luta, mais de 5 mil italianos depuseram as armas e a Divisão Pistóia deixou virtualmente de existir. No dia seguinte, 7 de abril, Montgomery estabeleceu ligação com Patton, reunindo-se os 1º e 8º Exércitos britânicos. Fechava-se, assim, o anel em volta do Grupo de Exércitos África.[78]

Sob cobertura dos remanescentes do *Afrika Korps*, Arnim recuou para a cabeça-de-ponte final.[79] No dia 13 de abril Kesselring transmitiu-lhe ordens de Hitler e Mussolini para que resistisse até o último homem. Kesselring determinou ainda que o pessoal administrativo fosse incluído nas unidades de combate ou apoio, embora ressalvasse que as "bocas inteiramente inúteis" poderiam ser evacuadas. Prometeu também reforços, mas não disse como seriam enviados, quando chegariam ou como seriam alimentados.[80] Aparentemente, Arnim nem mesmo se deu ao trabalho de responder. Os suprimentos estavam quase no fim e haviam sido afundados 41,5% dos navios de transporte enviados à Tunísia no mês de março. A percentagem em abril seria a mesma, e o Grupo de Exércitos receberia menos de 30 mil toneladas.[81] Os únicos reforços que recebera desde fevereiro, à parte substituições de baixas e algumas unidades italianas de discutível valor, foram alguns elementos da Divisão *Panzer* Hermann Göring e a 999ª Divisão Ligeira África — uma unidade de condenados a trabalhos forçados, sob o comando do general Kurt Thomas![82]

No dia 22 de abril o general sir Harold Alexander, comandante do recém-ativado 18º Grupo de Exércitos, lançou a "ofensiva final". Não foi final, porque detida no dia 29, mas Arnim gastara quase todo seu combustível e munições na pesada luta. No dia 1º de maio dispunha de menos de uma partida de obuses de artilharia, e os depósitos estavam vazios. Durante a noite retirou-se para sua linha defensiva final. Os norte-americanos se encontravam a apenas 25km de Bizerta.[83]

Arnim sabia que seu comando estava nas últimas. Restavam-lhe apenas 76 tanques, e suas tropas de apoio estavam destilando combustível de vinhos e bebidas fortes tunisinas de baixa gradação.[84] Sob um pretexto ou outro (principalmente doença) evacuou Weber, Manteuffel e seu chefe de Estado-Maior, tenente-general Gause.[85] O major-general Hildebrandt não hesitou em aceitar um novo posto na Europa, como também o tenente-general Ziegler, que provara não ser grande coisa como militar. Por outro lado, vários oficiais a quem fora oferecida a oportunidade de deixar o bolsão, cada vez menor, recusaram-se a partir. Os coronéis von Quast (chefe de Estado-Maior de Vaerst) e Pomtow, oficial de operações do Grupo de Exércitos, resolveram permanecer em seus postos, como também o general von Vaerst, o major-general von Liebenstein (comandante da 164ª Divisão ligeira África), o barão von Broich, o major-general von Sponeck (comandante da 90ª Divisão Ligeira), e o major-general Borowietz, o último comandante da 15ª Divisão *Panzer*.[86]

Um jovem oficial que só de má vontade resolveu partir, mas apenas depois de receber ordens categóricas, foi o major Harry von Kathen, antigo ajudante-de-ordens de Arnim e noivo de Elisabeth, sua filha única. Kathen recebeu instruções de voltar à Alemanha e cuidar da esposa e filha de Arnim, que ele transferira para Rietz, no Palatinado, em fins de 1941. No fim, Kathen teve quase que ser posto à força no avião.[87]

No dia 4 de maio Mussolini rejeitou um plano de retirar secretamente comandantes selecionados e pessoal de Estado-Maior e trazê-los de volta para a Itália, porque Kesselring, mesmo nessa ocasião, garantiu-lhe que a situação não era de desespero. Jodl rejeitou um plano semelhante, submetido por Schmundt.[88]

Na manhã de 6 de maio os Aliados deslancharam a segunda ofensiva final. Ataques foram lançados ao longo de toda a frente, embora o principal ocorresse em um vale ao sul do rio Medjerda, onde Arnim concentrara quase todos os seus blindados remanescentes — 60 tanques — sob o comando da 15ª Divisão *Panzer*. Ele pensara em transferir para esse setor as 10ª e 21ª Divisões *Panzer*, além dos batalhões antiaéreos da 19ª Divisão Antiaérea, ainda que isso significasse desnudar o setor do 1º Exército italiano, mas faltou combustível para efetuar a movimentação. O ataque principal dos Aliados coube à 40ª Divisão britânica, à 4ª Divisão indiana, às 6ª e 7ª Divisões blindadas britânicas. Ao fim do dia, os britânicos haviam avançado 19km — metade da distância até Túnis — e Arnim enviava despacho pelo rádio, informando que a 15ª Divisão *Panzer* fora destruída. Só a cautela excessiva dos Aliados é que impediu a queda da cidade.[89]

Arnim continuou tentando resistir, mas perdera o controle da batalha. Túnis e Bizerta caíram na tarde de 7 de maio, e começaram as rendições em massa. Às 9h30min o general von Vaerst informou a Arnim que seus blindados e artilharia haviam sido destruídos e que não tinha mais nem combustível nem munições. O 5º Exército *Panzer* rendeu-se nesse dia.[90]

No dia 9 de maio os últimos três aviões alemães a chegar à Tunísia depositaram alguns tambores de combustível e um pouco de munição para metralhadoras, receberam alguns soldados feridos e decolaram novamente. Deixaram ainda uma ordem emanada do QG de Hitler em Rastenburg — o Grupo de Exércitos África deveria resistir até o último homem. Arnim interpretou a ordem à sua maneira. O grupo de exércitos deveria lutar até a última bala — e a última bala em uma batalha de tanques era o último obus de tanque ou canhão.[91]

Uma após outra, as unidades saíram do ar. Finalmente, no dia 12 de maio Arnim foi capturado juntamente com o quartel-general do *Afrika Korps*. Recusou-se a render-se em nome de todo o seu grupo de exércitos, alegando que estava sem contato com suas unidades subordinadas. Essa recusa pouca diferença fez, contudo. Messe e seu chefe de Estado-Maior alemão, coronel Anton Markert, renderam-se com o 1º Exército italiano na tarde 13 de maio de 1943. Uma hora depois, Alexander telegrafou a Churchill informando que a guerra terminara na Tunísia: "Somos os senhores das praias do norte da África."

O coronel Pomtow escreveu a Paul Carell, manifestando a opinião de que Arnim foi "um dos últimos cavaleiros da Velha Escola". Acrescentou Carell que Arnim "desincumbiu-se de sua tarefa com espírito de consideração, coragem e humanidade, fatos estes que nem seus soldados nem o inimigo esqueceram".[92] Certamente o inimigo não esqueceu um incidente. Nos primeiros dias de maio a RAF atacou o navio italiano *Belluno*, desconhecendo que estavam a bordo 700 feridos britânicos. Arnim ordenou a um de seus oficiais de Estado-Maior que enviasse uma mensagem a Alexander: "Suspenda o ataque aéreo ao porto de Túnis. Há 700 prisioneiros de guerra a bordo." Alexander reagiu rapidamente, e os aviões foram chamados de volta. Arnim, dessa maneira, salvou a vida de 700 cativos britânicos. Em reconhecimento a esse fato e por solicitação de Arnim, Alexander soltou 700 feridos alemães após a queda da Tunísia.[93]

Dieter von Arnim era o segundo prisioneiro alemão de mais alta patente a cair nas mãos dos Aliados (depois de Rudolf Hess), ao tempo de sua captura. Inicialmente recebeu muita publicidade, mas logo depois desapareceu silenciosamente do palco da história. Desde então, historiadores não lhe têm poupado críticas por seus inegáveis fracassos em fevereiro de 1943, especialmente em Kasserine, onde sua inflexível atitude conservadora arruinou a possibilidade de Rommel de transformar os ataques no passo em uma das mais ousadas operações *panzer* da guerra. Por esse fracasso decisivo, sua liderança geral na Tunísia deve ser também considerada um fracasso. Os historiadores, porém, têm sido em geral duros demais com Arnim, pelo menos na opinião deste autor. Ele certamente não foi um Rommel — mas também muitos grandes generais que careciam do gênio de Rommel foram tratados com muito menos aspereza do que Arnim. Embora ele indubitavelmente houvesse fracassado no nível estratégico, sua fé-de-ofício prova que foi um tático talentoso. E certamente não fracassou como ser humano. Travou sua guerra com o espírito humanitário que se esperaria de um dos últimos cavaleiros prussianos — ao contrário de muitos generais nazistas que subseqüentemente foram julgados como criminosos de guerra. Em reconhecimento a esse fato, os britânicos mantiveram-no prisioneiro em uma "bela" mansão em Hampshire, Inglaterra. No dia 5 de outubro de 1943, quando sua filha única casou-se com o major von Kathen, na aldeia de Grosse-Rietz, no Palatinado, os britânicos permitiram que ele enviasse pelo rádio uma mensagem de felicitações ao casal.[94]

O coronel-general Hans-Jürgen ("Dieter") von Arnim foi libertado e voltou à Alemanha Ocidental em 1947. Suas terras e investimentos na Alemanha Oriental haviam sido confiscados pelos comunistas e ele se viu obrigado a viver de uma pensão, que lhe foi concedida em 1949. Faleceu em um abrigo para pessoas idosas em Bad Wildungen, no dia 1º de setembro de 1962, à idade de 73 anos.[95]

Dados cronológicos | Hans-Jürgen "Dieter" von Arnim

1889, 4 abr	Nasce em Ernsdorf, Silésia
1908, 1º abr	*Fahnenjunker*, 4º Regimento Prussiano de Guardas a Pé
1909, 1º out	Recebe a patente de *Leutnant*
1913, 1º out	Ajudante de batalhão
1914, 23 nov	Vice-ajudante de regimento
1915, 21 jan	*Oberleutnant*
1915, 1º nov	Comandante de companhia
1916, 20 out	Oficial de Artilharia, 4ª Divisão Jäger
1917, 27 jan	*Hauptmann*
1917, 26 mar	Casa-se com Annemarie von Dechend, em Berlim
1917, 4 jul	Ajudante de divisão
1917, 20 out	Comandante de batalhão, 4ª Divisão Jäger de Guardas

1919, 1º mai	Comandante de companhia, 29º Regimento de Infantaria
1920, 1º out	Comandante de batalhão, 5º Regimento de Infantaria
1921, 1º out	Ajudante, 2ª Divisão de Infantaria
1922, 1º out	Estado-Maior Geral, Grupo de Exércitos 2
1924, 1º out	Ministério da Defesa do Reich
1925, 1º out	Estado-Maior Geral, Grupo de Exércitos 1
1928, 1º abr	Major, retroativo a 1º de fevereiro de 1928
1929, 1º out	Chefe de Estado-Maior, comandante artilharia VII
1932, 1º abr	Tenente-coronel
1932, 1º out	Comandante, Batalhão, 2º Regimento de Infantaria
1934, 15 mar	Chefe de Estado-Maior, comandante de Infantaria VI
1935, 15 out	Comandante, 6º Regimento de Infantaria
1938, 1º jan	Major-general
1938, 4 fev	Comandante, 4º Depósito Militar, Schweidnitz
1939, 1º mai	Oficial extranumerário, OKH, Berlim
1939, 1º dez	Tenente-general
1940, 5 out	Comandante, 17ª Divisão *Panzer*
1941, 26 jun	Gravemente ferido, Frente Oriental
1941, 17 set	Reassume o comando da 17ª *Panzer*
1941, início nov	General de Tropas *Panzer*, com efeitos retroativos a 1º de outubro de 1941
1941, 15 nov	Assume o comando do 39º Corpo *Panzer*
1942, 3 dez	Comandante, 5º Exército *Panzer*
1943, 9 mar	Comandante-chefe, Grupo de Exércitos África
1943, 12 mai	Capturado
1947	Levado de volta à Alemanha e libertado
1949	Pensão conferida pela Alemanha Ocidental
1962, 1º set	Falece em Bad Wildungen

Paulus | 15

Marechal-de-campo Friedrich Paulus

MARTIN MIDDLEBROOK[1]

Paulus e Stalingrado: os nomes são sempre ligados, o do comandante alemão que sofreu uma das maiores derrotas militares de toda a história e a até então desconhecida cidade russa, onde ela ocorreu.

Friedrich Paulus veio ao mundo em 1890, naquela estreita janela do tempo que o incluiu na Primeira Guerra Mundial como oficial subalterno e na Segunda como general. Nasceu em Breitenau, uma pequena cidade rural encravada no interior de Hesse. Seus ancestrais foram basicamente gente do campo, embora alguns se tornassem pequenos funcionários, como o pai, que era caixa de um reformatório para jovens delinqüentes. Desses antepassados herdou boa saúde, um bom corpo e postura nobre, mas nunca foi um "von", partícula freqüente mas erroneamente atribuída a ele. Logo sofreu com sua falta de status social. Após bom aproveitamento na escola, candidatou-se a uma bolsa de cadete na Marinha Imperial, mas foi recusado. Desapontado, dedicou-se ao estudo de Direito na Universidade de Marburg, mas rapidamente abandonou essa pretensão quando o Exército alemão começou a expandir-se em 1910 e a ampliar o espectro social de onde proviriam os novos oficiais. Foi aceito como cadete, candidato a oficial, por uma unidade provinciana, o III Regimento de Infantaria, unidade que ostentava também o título anterior do 3º Regimento de Baden do "Markgraf Ludwig". Dois anos depois, já tenente, conheceu sua futura esposa, Elena Rosetti-Solenescu, uma jovem e bela moça um ano mais velha que ele, originária de uma rica e aristocrática família romena. Os dois irmãos da moça serviam no regimento de Paulus e foi através deles que a conheceu, enquanto todos passavam férias na Floresta Negra. O primeiro filho do casal, uma menina, nasceu em 1914, ano em que Paulus foi para a guerra.

O III Regimento de Infantaria fazia parte da 28ª Divisão de Infantaria, 14º Corpo de Exército, 7º Exército. Este último não tomou parte no grande ataque através da Bélgica previsto no Plano Schlieffen, cabendo-lhe a missão mais simples de avançar a partir do Reno e penetrar no Vosges, a fim de enfrentar o flanco direito das forças francesas na fronteira e impedir que o alto comando francês as transferisse para o ameaçado flanco esquerdo. Os franceses, por seu lado, tinham seus próprios planos para uma violenta ofensiva geral ("O Plano 17") na Lorena, que resultou nas "Batalhas da Fronteira", em que os ataques franceses foram inteiramente destroçados. Nessa ocasião Paulus era ajudante do 3º Batalhão de seu regimento. Em outubro de 1914, após a Batalha do Marne e da ampliação da Frente Ocidental até a costa, o exército posicionou-se ao norte de Arras, onde começava justamente a guerra de trincheiras, de quatro anos de duração. É possível que o regimento de Paulus tenha entrado em combate contra as tropas britânicas no setor de Vermelles, em fins de outubro, mas as fontes a esse respeito são conflitantes e talvez os franceses tenham sido seus únicos adversários nessa confusa fase inicial.

Em novembro, por motivo de doença, Paulus teve que deixar a frente de luta e nunca mais voltou ao seu primeiro regimento. O posto seguinte foi o de oficial de Estado-Maior de regimento de uma unidade muito mais prestigiosa, o 2º Regimento Jäger Prussiano. Esta unidade era parte do *Alpenkorps*, uma formação que tinha aproximadamente os efetivos de uma divisão reforçada, em geral não utilizada em defesa rotineira de trincheiras, mas reservada para luta em terreno montanhoso ou para emprego como tropa de choque. Paulus permaneceu no *Alpenkorps* até o fim da guerra, passando ao quartel-general do corpo em 1917 e realizando trabalhos de Estado-Maior durante todo esse período. Jamais comandou qualquer unidade, de qualquer tamanho, em qualquer ocasião da guerra.

O *Alpenkorps* prestou serviços na Romênia e na Macedônia em 1915 e princípios de 1916, embora, em junho desse ano, fosse lançado em combates violentos nas últimas fases da Batalha de Verdun, efetuando um avanço especialmente bem-sucedido contra a aldeia de Fleury. O *Alpenkorps* capturou 2 mil soldados franceses, embora se elevassem a dois terços de seus efetivos, de 12 mil homens, as baixas no mesmo período. O corpo permaneceu em setores que enfrentavam os franceses até maio de 1917, quando foi retirado da frente de luta para descanso. Seu grande envolvimento seguinte ocorreu durante a série de grandes ofensivas alemãs na primavera de 1918. No dia 9 de abril o *Alpenkorps* tomou parte no ataque ao setor preponderantemente britânico de Lys. Após descanso ulterior na Bélgica, o corpo voltou à ação, desta vez na defesa, enfrentando a contra-ofensiva britânica no Somme, iniciada no dia 8 de agosto. Teve que ser retirado após luta particularmente violenta em Epéhy e passou as semanas finais da guerra na Sérvia.

O Armistício encontrou Paulus no posto de capitão e titular apenas das condecorações de rotina da Cruz de Ferro, Classes I e II. Pouco se sabe de sua vida nos poucos anos seguintes, exceto que conseguiu permanecer no pequeno exército do pós-guerra que os Aliados permitiram à Alemanha. Serviu durante um período de dois anos como comandante de uma companhia de fuzileiros no 13º Regimento de Infantaria, em Stuttgart (o comandante da Companhia de Metralhadoras do Regimento era o capitão Erwin Rommel), embora passasse muito mais tempo em deveres de Estado-Maior do que com a tropa.

Já estava claro que ele carecia de qualidades de comando. Após um exercício, durante o qual tinha que comandar um regimento, os examinadores comunicaram em documento oficial: "Este oficial carece de espírito de decisão."[2] Um boletim de merecimento, de autoria de seu oficial comandante nesse período, contém uma apreciação excepcionalmente clara, quase profética, da personalidade e talentos de Paulus:

> Um típico oficial de Estado-Maior da velha escola. Alto e de aparência meticulosamente bem-cuidada. Modesto, talvez modesto demais, cordial, de maneiras extremamente corteses, bom camarada, ansioso para não ofender ninguém. Excepcionalmente talentoso e interessado em assuntos militares, trabalhador de gabinete cuidadoso, com paixão para jogos de guerra e formulação de planos na mesa de mapas e caixão de areia. Nestes assuntos, revela talento considerável, analisando longamente cada decisão e pensando com todo cuidado antes de dar as ordens apropriadas.[3]

Sua carreira na década de 30 levou-o cada vez mais para o ramo das forças mecanizadas. Em 1934 comandou um dos primeiros batalhões motorizados e no ano seguinte tornou-se chefe de Estado-Maior do novo Quartel-General das Tropas *Panzer* em Berlim. Adaptou-se bem às novas idéias que eram então propostas sobre guerra de movimento. Não era nazista entusiástico e nada teve a ver com a formação do Partido e sua ascensão ao poder. Mas, sendo originário da classe média, provavelmente aprovava o meio formativo de "homem do povo" de Hitler, seu desdém pela velha e rígida classe aristocrática e as políticas que deram trabalho e prosperidade à Alemanha e nova vida ao Exército.

Continuou sua ascensão. Nomeado major-general em 1939, exerceu o cargo de chefe de Estado-Maior do recém-formado 10º Exército, em Leipzig, na véspera do ataque à Polônia.

Paulus passaria exatamente um ano no novo cargo. Seu comandante de exército era o general Walter von Reichenau, um homem de modos rudes, ambicioso, e comandante extremamente hábil no campo de batalha. Culturalmente, Paulus pouco tinha em comum com seu chefe, mas, profissionalmente, formavam uma combinação quase perfeita. Reichenau odiava trabalho de rotina, preferindo ir à frente com suas unidades avançadas. Paulus mantinha todos os assuntos rotineiros funcionando suavemente. O 10º Exército logo mudou de numeração e, como 6º Exército, construiu uma excelente reputação. Varreu a Polônia sem grandes dificuldades e foi em seguida transferido para o oeste, a fim de participar da grande ofensiva de 1940. No dia 10 de maio os seus três corpos de exército avançaram pela estreita garganta da baixa Holanda ("o apêndice Maastricht") e penetraram na Bélgica. Pouca oposição encontraram até que se chocaram com a Força Expedicionária Britânica, na linha do rio Dyle. Daí em diante os combates tornaram-se mais violentos, e eles empurraram os britânicos de volta até os subúrbios de Dunquerque. O momento culminante para Paulus foi sua presença na solenidade em que Reichenau e o rei Leopoldo assinaram os termos de rendição do Exército belga em 28 de maio.

O 6º Exército não foi mais solicitado nas operações que se seguiram, até que a França capitulou, três semanas depois. Tornou-se parte de uma força reserva à Operação *Leão-Marinho* — a invasão do sul da Inglaterra. O papel do 6º Exército seria embarcar em Le Havre e formar o flanco esquerdo do desembarque, na área Brighton-Worthing. Paulus elaborou os planos e houve um ensaio do mesmo em Saint-Malo, em meados de agosto. Essa parte da invasão, porém, implicava a mais longa travessia marinha, e, como não havia embarcações de desembarque em número suficiente, foi cancelada a participação do 6º Exército na operação.

Nesse momento, Paulus recebeu novo cargo e tornou-se vice-chefe de Estado-Maior e chefe da seção de Operações do *Oberkommando des Heeres* (OKH, o quartel-general que dirigia todas as operações do Exército alemão), um progresso considerável para ele. O OKH funcionava em Fontainebleau quando Paulus se apresentou, no dia 3 de setembro de 1940, mas logo depois transferiu-se para Zossen, nas proximidades de Berlim, onde foram arquivados definitivamente os planos de invasão da Inglaterra.

Paulus recebeu imediatamente a missão de preparar esboços de planos para a aventura que resultaria no seu próprio destino final e no da Alemanha. Hitler ordenara que fossem elaborados planos para a invasão da Rússia, na primavera seguinte. Um dos primeiros a envolver-se no gigantesco projeto, Paulus impressionou Halder, o chefe do Estado-Maior Geral, por sua inteligência pragmática e intelectualmente aguda. O fato de a Rússia ser uma nação com a qual a Alemanha ainda mantinha um pacto de não-agressão, e com a qual dividira a conquista da Polônia, aparentemente não o perturbou e não há registro de ter apresentado qualquer objeção de natureza moral ou militar. A esposa descobriu em que projeto ele estava trabalhando. Anteriormente, manifestara sua opinião sobre a imoralidade da invasão da Polônia e, nesse momento, disse a mesma coisa sobre a aventura na Rússia. Paulus respondeu que não tinha poder de decisão no assunto, tratava-se de assunto puramente político e que ele, como soldado, tinha que cumprir as ordens recebidas. Essa era a reação padrão do oficial de carreira.

Durante aquele inverno, ele e seus oficiais trabalharam no planejamento da Operação *Barbarossa*. Como objetivo, foi fixada a rápida destruição do Exército russo estacionado entre a Polônia e Moscou. Três grupos de exércitos se encarregariam do ataque. O principal seria desfechado contra Moscou, situada a 960km de distância. Os dois grupos de exércitos nos flancos deveriam capturar Leningrado, no norte, e a Ucrânia, no sul. O velho 6º Exército de Paulus, ainda sob o comando de Reichenau, faria parte do Grupo de Exércitos Sul, de von Rundstedt.

Tão logo Hitler confirmou a decisão de invadir a Rússia e iniciou-se a fase de preparativos ativos, terminou a fase de planejamento e o trabalho de Paulus. Partiu em visita a Rommel no norte da África, em abril de 1941, e lá permaneceu durante mais de duas semanas. Observou um ataque à sitiada guarnição britânica de Tobruk, que fracassou, estudou com Rommel o estilo de comando deste general e manteve consultas com ele sobre futuros planos. Voltou ao OKH e comunicou que Rommel era obstinado demais e que, a menos que fosse contido, precisaria de mais reforços e, dessa maneira, poria em risco a futura operação contra a Rússia. Durante algum tempo, brincou com a idéia de pedir um comando de campo, nesse momento em que estavam quase completos os planos para a *Barbarossa*. Acredita-se que pensou em sugerir a substituição de Rommel por sua própria pessoa, mas a esposa advertiu-o contra isso, dizendo-lhe que sua carreira não prosperaria no norte da África.

A invasão da Rússia iniciou-se em 22 de junho de 1941 com espetaculares avanços das colunas móveis alemãs. Começava nesse momento um período mais tranqüilo para Paulus, uma vez que o OKH não estava planejando operações em qualquer outra frente. *Barbarossa*, esperava-se, implicaria o fim da guerra. Com particular interesse, observou o progresso do 6º Exército. Essa grande unidade tomou parte na grande batalha que culminou com a captura de mais de meio milhão de russos em Kiev. Ele e seu velho comandante, Reichenau, trocaram cartas. Reichenau estava obviamente em seu elemento, não raro à frente da unidade mais avançada. Em agosto Paulus foi enviado em inspeção dos vários quartéis-generais na Rússia, a fim de avaliar, como representante do OKH, as reivindicações concorrentes por recursos dos vários comandantes.

Sua carreira mudou bruscamente de direção em princípios de dezembro. *Barbarossa* parara devido às condições do inverno russo. Moscou e Leningrado resistiam, e o Grupo de Exércitos Sul não chegara ao Cáucaso. Seu comandante, marechal-de-campo von Rundstedt, queria retirar-se para uma linha mais curta, na qual passaria o inverno. Hitler, no entanto, recusou permissão para tal. Rundstedt solicitou exoneração, e Reichenau foi promovido para a vaga. E pediu que seu velho colega, Paulus, se tornasse o novo comandante do 6º Exército, ao invés de um dos experimentados comandantes de frente de batalha. Hitler e Halder, este chefe do Estado-Maior Geral e superior imediato de Paulus, concordaram e, no dia 5 de janeiro de 1942, o homem que comandara uma companhia de fuzileiros durante dois anos em tempo de paz e por curto espaço de tempo um batalhão, mas nunca qualquer unidade numa guerra, recebeu a responsabilidade direta por um exército de mais de um quarto de milhão de homens. Foi uma nomeação mal aconselhada e fatal. Mesmo antes de Paulus chegar a seu quartel-general, seu velho comandante e protetor, Reichenau, o comandante-chefe do Grupo de Exércitos Sul, sofreu um ataque cardíaco e foi substituído pelo marechal-de-campo von Bock, que assumiu o comando do grupo de exércitos no mesmo dia em que Paulus chegou ao seu novo quartel-general.

Os novos comandantes encontraram uma situação desalentadora. Suas tropas, mal preparadas para o inverno, estavam sob feroz ataque de um revigorado Exército russo. Os planos elaborados por Paulus para a *Barbarossa* não previam tal situação. Hitler ordenou que mais nenhuma retirada fosse feita. Von Bock passou as ordens adiante a seus comandantes de exército. Paulus travou uma batalha defensiva convencional, mas teve um começo fraco. Von Bock achou que ele não enfrentara bem o ataque russo contra Kharkov, nem demonstrara vigor suficiente. Convenceu o OKH a substituir o chefe de Estado-Maior de Paulus, e um novo oficial, major-general Arthur Schmidt, chegou para assumir o posto. Era um nazista convicto e seria o chefe de Estado-Maior de Paulus até o fim.

Kharkov, porém, foi mantida, e foram os russos que sofreram as maiores baixas quando rechaçado o ataque final que lançaram em maio. Paulus recebeu a Cruz de Cavaleiro e publicidade elogiosa na pátria. Melhorou o tempo, e foram traçados grandes planos para o reinício do avanço alemão no verão seguinte. O filho de Paulus, Ernst, oficial subalterno que servia em tanques, foi ferido em Kharkov e voltou à Alemanha para tratamento hospitalar. Por essa razão esteve ausente quando o 6º Exército se pôs novamente em marcha e por isso sobreviveu à guerra. Outro filho, Friedrich, seria morto em combate em fevereiro de 1944 na cabeça-de-ponte de Anzio, na Itália.

Os planos para o verão de 1942 eram da mais alta importância e seus resultados constituíram o divisor de águas entre os anos de vitória e de derrota da Alemanha. Esse período assinalou também o fim da influência, no nível mais alto dos profissionais da "velha guarda", sua substituição por generais mais dóceis a Hitler e a presença do próprio Führer como comandante direto das operações. E foi também a época em que os últimos restos do senso comum foram varridos por um estúpido excesso de otimismo.

Abandonou-se o velho plano *Barbarossa*, de 1941. Após as baixas do inverno, não havia mais tropas suficientes para manter a pressão em todas as frentes. A destruição do Exército Vermelho continuava a ser a única esperança realista, e o Sul, o menos importante dos setores em 1941, concentrou todas as atenções. Depois de examinadas várias alternativas, emergiu finalmente o *Plano Azul*. Após operações de limpeza nas posições existentes, a fim de se obter uma linha de ataques mais segura, o Grupo de Exércitos Sul se dividiria em duas partes. O Grupo de Exércitos A, sob o comando do marechal-de-campo List, deveria pressionar na direção sudeste, a fim de cercar as forças russas que se encontravam nas proximidades de Rostov, e continuar em seguida seu avanço para capturar os campos petrolíferos do Cáucaso. O Grupo de Exércitos B, cuja grande unidade principal era o 6º Exército de Paulus, avançaria diretamente para leste *até* o rio Volga, em Stalingrado, *mas não capturaria essa cidade*, a fim de impedir que reservas russas entrassem no Cáucaso. O marechal-de-campo von Bock protestou contra a divisão do Grupo de Exércitos Sul e foi destituído por sua ousadia. O general von Weichs assumiu o comando do Grupo de Exércitos B. Hitler e seus conselheiros acreditavam ainda que a até então irresistível Wehrmacht poderia destruir tudo à frente. Achavam eles que a defesa de Moscou no último inverno, juntamente com os resultados da mais recente Batalha de Kharkov, haviam sido de tal modo dispendiosos que o Exército Vermelho exaurira suas forças.

O 6º Exército avançou no dia 28 de junho de 1942. Era o maior exército alemão na Frente Oriental, constituído de cinco Corpos (um deles *Panzer*), distribuídos por 14 divisões — 11 de infantaria, duas *panzer* e uma motorizada. Teria que vencer 560km até chegar a Stalingrado. Inicialmente tudo correu bem. A Frente Russa foi destruída, e os *panzers* correram pelas estepes, parando apenas para esperar que se emparelhassem com eles os comboios de combustível. A infantaria seguia-os pesadamente. Os russos, na maior parte, simplesmente se dissolviam e evitavam fazer finca-pé. As tentativas de Paulus de cercá-los tiveram sucesso apenas uma vez, após três dias de batalha às margens do rio Don, quando 40 mil russos foram aprisionados. Era um trabalho duro, cansativo. Paulus contraiu disenteria, mas cumpriu efi-cientemente seus deveres. Eram constantes suas apreensões sobre suprimentos e sobre o enorme e exposto flanco esquerdo, que aumentava a cada quilômetro de avanço.

Hitler nesse momento mudou os planos, fortalecendo o ataque ao norte na direção de Stalingrado e ampliando-lhe os objetivos. O 4º Exército *Panzer* foi desviado do ataque ao Cáucaso e enviado ao norte rumo a Stalingrado, com ordens de fazer ligação com o 6º Exército de Paulus e efetivamente capturar a cidade, e não apenas cortar as comunicações russas com o avanço até o rio Volga. Hitler queria privar os russos de uma grande fábrica de tanques existente em Stalingrado, além de obter uma vitória psicológica, tomando a cidade que tinha o nome do inimigo que lhe negara a captura de Moscou no inverno anterior. Dessa maneira Paulus e seu exército foram sugados para o cemitério de Stalingrado.

Tendo cruzado o rio Don no dia 21 de agosto, Paulus partiu para cobrir os últimos 96km que o separavam da cidade. Dois dias depois, seu 14º Corpo *Panzer* chegou ao Volga, ao norte da cidade. A infantaria, porém, continuava a arrastar-se na retaguarda, e os tanques estavam curtos de combustível. O comandante do Corpo *Panzer* achou que corria perigo e pediu permissão para retirar-se: estava isolado na ponta de um longo corredor, muito mais profundo dentro da Rússia do que qualquer alemão se aventurara antes, mesmo em 1941. Paulus demitiu o comandante do Corpo e ordenou ao comandante divisionário que o substituísse e mantivesse a posição no Volga, onde ajuda logo lhe chegaria. Alguns dias depois, as vanguardas do Exército *Panzer* do general Hoth, desviado da ofensiva contra o Cáucaso, chegaram procedentes do sul e atingiram o Volga ao sul da cidade. Os dois exércitos se encontraram em 3 de setembro e os russos em Stalingrado ficaram "cercados", com os alemães na frente e nos flancos, e o largo Volga às costas.

A determinação de Hitler de tomar Stalingrado foi igualada pela do alto comando russo de manter a cidade. Stálin deu ordens para que os civis não fossem evacuados. Achava que suas tropas lutariam melhor com os civis presentes. Soldados e civis, juntos, prepararam a cidade para a defesa. O marechal Zhukov, o melhor dos comandantes de Stálin, e seu Estado-Maior chegaram procedentes da frente de Moscou. O presidente local do Partido, Nikita Khushchev, um dia se tornaria o líder de todas as Rússias. A batalha decisiva da Segunda Guerra Mundial estava prestes a começar, e Paulus ocupava o centro do palco. Era o mais graduado dos dois comandantes de exército presentes; ficaria assim no comando geral da frente de Stalingrado do primeiro ao último dia.

Atacou no dia 21 de agosto, tão logo seu exército se concentrara, em uma ofensiva direta em todos os setores. Todos os aviões de bombardeio alemães disponíveis foram enviados para atacar a cidade na noite de 23 de agosto, algumas tripulações chegando a fazer até três surtidas. Sem oposição, a Luftwaffe bombardeou Stalingrado de uma ponta a outra. E os russos transformariam muitas das ruínas em pequenas fortalezas. Nove divisões de infantaria alemãs atacaram em seguida no centro, com cinco *panzers* e quatro motorizadas nos flancos. Os russos resistiram, lutaram, e a cidade não caiu. Dois dias depois Hitler reiterou suas ordens: Stalingrado teria que ser tomada.

Setembro foi um mês importante para todo o Exército alemão, continuando as políticas de Hitler de substituição dos oficiais mais graduados que o haviam desafiado. O marechal-de-campo List, comandante do Grupo de Exércitos A, que lutava no Cáucaso, muito ao sul de Stalingrado, estava preocupado com sua incapacidade de capturar os objetivos de verão e com o adiantado da estação. Foi demitido. No dia 12 de setembro Paulus saiu de avião de Stalingrado, reuniu-se com seu comandante de grupo de exércitos, von Weichs. Os dois procuraram Hitler e chamaram-lhe a atenção para o longo e exposto flanco norte do comando de Paulus, as longas linhas de comunicação e a falta de reservas e reforços para Stalingrado. Os dois generais não foram tão veementes em suas opiniões como List, aparentemente acreditaram nas promessas de ajuda de Hitler e em sua crença de que os russos estavam quase acabados. Voltaram à frente de batalha. Mais tarde naquele mês Halder, o chefe do Estado-Maior do Exército, insistiu também com Hitler para que atentasse para a gravidade da situação no sul da Rússia. Hitler recusou-se a escutá-lo e demitiu-o, também. Seu substituto, o general Zeitzler, nunca teve oportunidade de exercer a mesma influência que Halder. Hitler, na verdade, assumira o comando direto das operações. Estava mais decidido do que nunca a pressionar até capturar Stalingrado, a despeito de todas as advertências dos profissionais.

De volta a Stalingrado, Paulus descobriu que a captura da cidade estava se transformando em operação demorada e dispendiosa. E o inverno se aproximava. Sugeriu deter a ofensiva e retirar o 14º Corpo *Panzer* para com ele formar uma reserva. Hitler, porem, insistiu em que o 6º Exército devia empregar todos os seus recursos para tomar a cidade. Teria Hitler escutado se o general fosse menos cortês, modesto e intelectual e mais um Reichenau ou um Rommel? Ninguém pode responder a isso. O certo é que não havia nesse momento ninguém suficientemente poderoso em volta de Hitler para convencê-lo a suspender a ofensiva.

Nessa ocasião, na verdade, foi aumentado o poderio nominal de Paulus. Duas unidades romenas — o 3º e o 4º Exércitos — foram transferidas do sul, para defender as frentes estáticas em ambos os lados de Stalingrado, liberando tropas alemãs para lutarem na cidade. Nessa ocasião estava sendo planejada a criação de um "Grupo de Exércitos Alemão-Romeno" que incluiria as tropas romenas, o 4º *Panzer* e 6º Exércitos alemães. O próprio Paulus estava sendo considerado para um novo cargo de Estado-Maior em Berlim, mas, por causa de sua esposa romena e seus parentes, foi mantido na frente de luta, escolhido como vice-comandante do novo grupamento que, no fim, nunca chegou a ser criado. Outra possível rota de escape para Paulus teria sido a saúde, pois continuava a sofrer de disenteria e sua saúde geral estava abalada. Foi-lhe recomendado que tirasse licença de saúde para tratamento na Alemanha, o que se recusou a fazer.

Continuaram os ataques a Stalingrado. Uma grande ofensiva começara no dia 13 de setembro, ordenando Paulus que a cidade fosse cortada em duas, por uma arremetida pelo centro, até a margem do rio. A manobra teve sucesso, mas custou pesadas baixas. Historiadores profissionais acharam mais tarde que teria sido melhor atacar a partir de cada flanco e avançar pelas margens do Volga, isolando os russos da cidade de seu abastecimento noturno pelo rio. Dois comandantes de Corpos *Panzer* protestaram contra a maneira como seus tanques estavam sendo usados na cidade e juntaram suas vozes aos avisos sobre o perigo geral da situação. Paulus exonerou-os. A luta tornou-se feroz e foi com freqüência descrita como uma versão urbana de Verdun. Era corpo a corpo, de quarto em quarto, de uma adega a outra, de uma ruína para a próxima. As unidades de Paulus estavam sendo consumidas a uma taxa de 20 mil baixas por semana. Em fins de outubro apenas um décimo de Stalingrado ainda resistia na zona norte da cidade. O balanço de forças, no entanto, estava mudando: desaparecera a antiga superioridade alemã. Stalingrado era a prioridade máxima das reservas russas. Tropas em número suficiente eram enviadas para manter a luta na cidade, mas o restante estava sendo reunido tão secretamente quanto possível ao norte e ao sul para o planejado contragolpe. Paulus recebeu apenas cinco batalhões de sapadores de assalto, trazidos por via aérea como especialistas em lutas de rua. Em fins de outubro Paulus avisou ao Grupo de Exércitos B que os russos estavam se concentrando em seus flancos. Hitler foi informado. Em princípios de novembro começou o inverno. Em meados do mês Hitler enviou uma mensagem a Paulus, insistindo em um último esforço para completar a captura de Stalingrado.

No dia 19 de novembro os russos atacaram (ver mapa 7). Os ataques caíram sobre os fracamente defendidos setores norte e sul da cidade, guarnecidos principalmente por forças romenas no norte e por uma mistura de romenos e unidades do 4º Exército *Panzer* no sul. O plano russo era simples: cercar todas as forças na área de Stalingrado. Logo romperam as delgadas defesas, principalmente no norte. Até mesmo o soldado mais humilde no Exército alemão podia perceber que o 6º Exército corria sério perigo. Foi um momento vital. Atuação decisiva poderia ter salvo a situação. Se Paulus tivesse agido ousadamente, enviando algumas unidades para o norte e para o sul, procurando deter os russos, enquanto retirava o grosso de suas forças das ruínas da cidade, grande parte do exército poderia ter sido salva. Devia ter agido rapidamente, dando a ordem e, em seguida, avisando a Hitler: "Antecipando-me à sua aprovação, determinei...", poderia ter deixado a cidade de avião, a fim de exigir que sua ordem fosse sancionada ou que pudesse exonerar-se. Lento para compreender o perigo, nada fez. No terceiro dia da ofensiva russa, Zeitzler informou oficialmente a Hitler que Paulus deveria receber ordens para retirar-se. Enquanto Hitler decidia o que fazer, Göring, por intermédio de Jeschonnek, seu chefe de Estado-Maior, prometia que a Luftwaffe poderia manter Paulus abastecido. Hitler aceitou a garantia de Göring e não a de seu mais alto conselheiro do Exército. Ordenou a Paulus e a seus homens que permanecessem em Stalingrado, como uma "fortaleza" avançada, até a primavera seguinte. No mesmo dia Zeitzler informou Paulus dessa decisão, e Hitler enviou-lhe uma carta pessoal em 22 de novembro, o quarto dia da crise.

Os russos fecharam o anel em 23 de novembro, e Paulus ficou isolado, com tudo o que restava de seu próprio 6º Exército, elementos do 4º Exército *Panzer* de Hoth e remanescentes das divisões romenas que haviam defendido os flancos. Havia ainda grande número de formações de suprimento e retaguarda, uma divisão antiaérea da Luftwaffe e outras unidades aéreas, com uma *Gruppe* completa de caças, parte de uma *Gruppe* Stuka e outras unidades aéreas. Numa área de cerca de 50km de comprimento por 32km de largura, concentravam-se entre 250 mil e 300 mil homens, com a frente ainda em Stalingrado, mas com a maior parte da retaguarda na estepe vazia.

Paulus foi nesse momento pressionado por generais subordinados a enviar uma mensagem a Hitler, pedindo completa liberdade de ação. Hitler respondeu no dia 24 de novembro com uma "Ordem do Führer": "Crie um bolsão. As atuais frentes no Volga e no norte devem ser defendidas a todo custo. Suprimentos estão sendo enviados por via aérea."[4] Como se veria depois, essa foi a sentença de morte para o 6º Exército. O único oficial em Stalingrado a demonstrar alguma independência de ação foi o general von

Seydlitz-Kurzbach, o mais graduado dos comandantes de corpos, que insistiu com Paulus, em um memorando, que se retirasse sem demora, antes que a evacuação se tornasse impossível: "Está em jogo a aniquilação completa de 200 mil combatentes e todo o seu equipamento. Não há outra opção."[5] Paulus, porém, sempre obediente a seus superiores, recusou-se a dar-lhe ouvidos.

Depois de fechar o cerco, os russos quase ignoraram o bolsão de Stalingrado, concentrando-se em empurrar tanto para trás quanto possível as forças alemãs que estavam na curva do Don, a fim de aumentar a distância entre Paulus e qualquer força de socorro.

O resto foi uma queda lenta para a catástrofe. A Luftwaffe nunca atingiu uma taxa suficiente de abastecimento, com o resultado de que as forças de Paulus perderam ininterruptamente a capacidade de defesa, quanto mais a de romper o cerco. O marechal-de-campo von Manstein foi nomeado para mais outro novo grupo de exércitos, o Grupo de Exércitos Don, com ordens de Hitler de estabelecer novamente contato com Paulus, mas passou-se quase um mês antes que essa medida pudesse começar, no dia 12 de dezembro de 1942. Von Manstein enviou por via aérea um emissário, a fim de insistir com Paulus para que fizesse tudo que fosse possível para tentar romper o cerco e estabelecer contato com a força de socorro. Durante todo o dia prosseguiu a discussão no quartel-general de Paulus, enquanto obuses russos caíam nas vizinhanças. Era a última oportunidade para Paulus. No fim, sempre o oficial intelectual de Estado-Maior e nunca um implacável homem de ação, ele se recusou a mover-se, citando as ordens de Hitler de que as atuais posições em Stalingrado deveriam ser mantidas. A valente ofensiva de von Manstein perdeu gradualmente a força, e toda a esperança acabou por volta do Natal.

No dia 8 de janeiro de 1943 os russos estavam prontos para resolver de uma vez por todas o caso Stalingrado. Enviaram a Paulus um ultimato, oferecendo-lhe a alternativa de rendição honrosa ou aniquilação completa. Nenhum canhão disparou no dia 9 de janeiro, enquanto as condições estavam sendo estudadas. Supõe-se que Paulus tenha consultado Hitler. Havia uma ligação de rádio direta. Paulus recusou-se a se render, mais uma vez seguindo rigorosamente as ordens, sem levar em conta as condições locais. Os russos atacaram no dia seguinte. A agonia final das tropas de Paulus durou três semanas. Os russos avançaram de oeste para leste, empurrando os alemães novamente para a cidade. Capturaram metade do bolsão na primeira semana e novamente pararam para exigir a rendição. Mais uma vez Paulus recusou. Ao fim do mês a luta estava praticamente no fim. Stalingrado foi cortada em posições alemãs isoladas. Os defensores, particularmente as tropas alemãs, lutaram ferozmente, a despeito de horríveis privações. Os últimos feridos foram evacuados pelo ar no dia 24 de janeiro.

Mesmo Hitler devia ter compreendido a essa altura que não havia mais esperança. Concedeu a Paulus no dia 15 de janeiro as Folhas de Carvalho para sua Cruz de Cavaleiro e promoveu-o a marechal-de-campo. Sabendo que nenhum soldado alemão daquela patente jamais havia se rendido, esperou que Paulus cometesse suicídio, depois de uma última defesa. No dia 31 de janeiro, tropas russas chegaram ao prédio onde ele tinha seu quartel-general. Um jovem oficial russo entrou e exigiu em nome de seus superiores que os alemães se rendessem. Após parlamentar com os oficiais de Paulus, o russo foi finalmente levado à sua presença, encontrando-o deitado apaticamente numa cama. Através de um intérprete, o russo exigiu a rendição. Paulus simplesmente inclinou a cabeça. O noticiário cinematográfico mostrou Paulus assinando a rendição, parecendo um homem encovado e ansioso, no fim de suas forças.

Algumas unidades resistiram até o dia 3 de fevereiro, mas, depois, tudo acabou. Da guarnição inicial, 42 mil, a maioria feridos, haviam sido evacuados pelo ar. Os russos contaram 107.800 prisioneiros — 16.800 em luta e 91 mil na rendição final. Entre eles, 24 generais. O número de alemães dados como mortos varia entre 72 mil e 100 mil. Dois homens escaparam para chegar às linhas alemãs. A grande massa de prisioneiros sofreu inacreditáveis sofrimentos e privações. Só 6 mil voltaram para casa, vários anos após a guerra.

Os implacáveis russos conservaram Paulus em cativeiro durante quase 11 anos. Foi mantido sob o que poderia ser chamado de "rigorosa prisão domiciliar" em Moscou e não recebeu tratamento cruel, embora fosse submetido à mesma pressão exercida sobre todos os generais capturados para que formassem um movimento rompendo com Hitler. Paulus resistiu firmemente a esse tratamento até depois da conspiração da bomba em julho de 1944, quando finalmente deu seu apoio ao movimento. Hitler ficou furioso ao saber que o oficial alemão mais graduado em cativeiro se voltara contra ele dessa maneira. A esposa de Paulus foi pressionada para que renunciasse a seu nome, mas ela se recusou a fazê-lo. O filho do casal foi preso, mas sobreviveu à guerra.

Paulus nunca mais viu a esposa, que faleceu na Alemanha Ocidental em 1949. Foi libertado em novembro de 1953, mas apenas para residir na Alemanha Oriental, em Dresden. Dois anos depois contraiu esclerose lateral amielotrófica (doença que afeta os nervos motores) e faleceu numa clínica dessa cidade no dia 1º de fevereiro de 1957 à idade de 67 anos.

A História profere um veredicto simples e cruel sobre Friedrich Paulus: talentoso oficial de Estado-Maior, comandante vulgar, general cordato, do tipo "ordens são ordens". Foi um homem que apreciava os aspectos intelectuais da profissão da guerra. Jamais questionou o nazismo e estava pronto a fazer quase tudo o que Hitler ordenasse. Finalmente, quando o destino de um quarto de milhão de homens caiu em suas mãos, "parou", e pouco mais fez do que deixar que os fatos seguissem seu curso até a destruição completa de seu exército e a morte inglória da maioria de seus soldados.

Dados cronológicos | FRIEDRICH PAULUS

1890, 23 set	Nasce em Breitenau, na província de Hesse-Nassau
1910, fev	Cadete candidato a oficial no 111º Regimento de Infantaria (3º de Baden)
1912, 4 jul	Casa-se com Elena Constance Rosetti-Solenescu. Uma filha e filhos gêmeos
1914-18	Serviu na guerra e permaneceu no Exército até a Segunda Guerra Mundial
1939-41	Cargos importantes de Estado-Maior
1942, jan	Comandante do 6º Exército
1942, primavera	Condecorado com a Cruz de Cavaleiro (Folhas de Carvalho, janeiro de 1943)
1943, jan	Prisioneiro de guerra, Stalingrado
1953, nov	Libertado
1957, 1º fev	Falece em Dresden

Senger | 16

General Frido von Senger und Etterlin

General Ferdinand von Senger und Etterlin*

Os cumes dos Alpes brilham rosados e brancos ao sol da tarde. A vista que descortino de minha mesa de trabalho abrange as montanhas entre o lago Constança e o Lac Léman. Correntes de ar quentes do Mediterrâneo deixam, às vezes, brilhantes e claros apenas os picos acima das encostas amortalhadas pelo nevoeiro do lado suíço. Bem abaixo, entre mim e os Alpes, onde o alto Reno flui em seu vale de paredões alcantilados, estende-se a cidade fronteiriça medieval de Waldshut. Meu pai nasceu nessa cidade no dia 4 de setembro de 1891.

O título da tradução inglesa de suas memórias é "Neither Fear Nor Hope"[1] ("Nem Medo nem Esperança"): medo nem do inimigo nem dos pavores da guerra, mas, à sombra do despotismo em sua própria terra natal, também nenhuma esperança de um resultado feliz. Historiadores modernos têm freqüentemente tentado responder à pergunta seguinte: quando foi que essa esperança morreu na mente dos servidores do Terceiro Reich? Para a maioria, isso deve ter acontecido quando despontou para eles a perspectiva de derrota militar. Teria sido diferente para ele?

Seus ancestrais haviam chegado de Bamberg para a região entre a Floresta Negra e o lago Constança, quando floresceram, pela primeira vez, no século XVII, como advogados e pastores religiosos em pequenos Estados principescos da área, principalmente da Ordem Germânica de Cavalaria (*Deutscher Ritterorden*), cujo soberano era o imperador, que tinha sua corte

* Completado, após a morte do autor, por Stefan von Senger und Etterlin, e traduzido para o inglês pelo major T.A. Hamilton-Baillie.

em Viena. No período de reorganização e reconstrução que se seguiu às guerras napoleônicas, a família perdeu suas propriedades e, a partir desse tempo, destacou-se exclusivamente como advogados e servidores do Estado.

Seu pai, embora fosse homem de idéias liberais, tinha Bismarck na mais alta conta. Mais ou menos no início do século XIX, o senso de nacionalidade separada desaparecera virtualmente de Baden. O círculo de amigos, conhecidos e contatos no cumprimento de deveres ampliara-se além das velhas fronteiras dos Estados menores. O povo começara a aceitar a existência e importância da nação-Estado alemã do Segundo Reich, embora a nova divisão do mundo alemão se chocasse com tradições locais de lealdade à Áustria e ao Império Alemão mais antigo. A nação alemã significava mais do que apenas o império menor dos Hohenzollern.

O caráter de seu pai foi profundamente influenciado por cinco fatores: a tradição ancestral de serviço, as convicções profundamente religiosas de sua mãe, sua educação nos clássicos e em humanidades, a experiência da Primeira Guerra Mundial e por último as conseqüências imediatas da derrota de 1918.

O conceito de servidor do Estado, a essência da lealdade que jamais toleraria o menor traço de corrupção, foi a herança que recebeu do pai. Dever e honra não eram abstrações distantes: pautavam a conduta do dia, de todos os dias. O servidor do Estado do sul da Alemanha, não menos que o seu equivalente prussiano, tinha como talismã essa idéia de dever, definida por Frederico, o Grande, no prefácio de suas memórias políticas, e que se fundamentou fortemente no *De officiis*, de Cícero:

> Le Devoir de tout bon citoyen est de servir sa patrie, de penser qu'il n'est pas uniquement pour lui dans le monde, mais qu'il doit travailler pour le bien de la société dans laquelle la nature l'a placé.

Mais tarde, na guerra, suas recomendações aos oficiais[2] subordinados de que mantivessem a honra não implicavam o tipo de obediência inerte que era a base do entendimento nacional-socialista desse conceito. A honra e a lealdade do soldado eram-lhe concebíveis apenas em termos de moralidade e ética cristãs.

Com sua mãe, que era originária de uma rica família burguesa, aprendeu a observância rigorosa da fé católica romana. Em 1941 disse numa carta:

> É exatamente em uma família como a nossa, sem laços fixos com nossas raízes em uma dada classe da sociedade, que se torna vital um forte apego à Igreja. Sem sua disciplina e regras de caráter e tom, sofreriam não só nosso relacionamento com Deus, mas também nossa posição na sociedade em geral.[3]

O terceiro fator a influenciar-lhe o desenvolvimento do caráter foi a educação em Oxford, onde chegou como bolsista Rhodes em 1912, em seguida a um ano de serviço militar obrigatório em um regimento de artilharia de Baden. Durante dois anos, no St. John's College, estudou História e PPE. A experiência ampliou-lhe imensamente o mundo: um passo enorme para longe da visão muito mais estreita do estudante típico dos anos guilherminos.[4] Na ocasião, a idéia de uma carreira como soldado profissional não podia estar mais longe de suas cogitações. Sentir-se à vontade no mundo cosmopolita, possuir boas maneiras instintivas, cultivar amor profundo pelos *beaux arts* e obter influência em inglês e francês foram os resultados duradouros dessa fase de sua vida.

Em completo e terrível contraste, as experiências por que passou nas trincheiras da Frente Ocidental na Primeira Guerra Mundial constituíram a quarta grande influência em sua vida. Na batalha de tanques travada em Cambrai em 1917, seu amado irmão mais moço tombou em ação. Procurou e encontrou a vala comum onde ele jazia na terra de ninguém:

> Cavamos durante várias horas na sepultura coletiva. Nessa ocasião o contra-ataque alemão contra a arremetida britânica passou por nós: continuamos a cavar. O fogo de artilharia britânica contra o ataque obrigou-nos, repetidas vezes, a procurar abrigo entre os mortos... Finalmente conseguimos tirar o corpo, que estava no mais baixo de três níveis. Peguei meu irmão pelas pernas e o arrastei dessa maneira para o carro. No assento ao meu lado, morto, ia sentado meu irmão.[5]

A esperança de um resultado feliz persistia apenas nos recessos mais profundos de sua mente. A batalha pela sobrevivência dominava todos os demais pensamentos.

O quinto fator importante influenciou-o já na maturidade. Como voluntário, participou da contra-revolução contra os bolchevistas na Saxônia. Ali enfrentou, pela primeira vez, a mentalidade feroz de uma revolução que, no seu caminho para o totalitarismo, não se furtou mesmo ao horror do genocídio contra camadas inteiras da sociedade. Na ocasião parecia haver alguma esperança de que a nova constituição democrática da República de Weimar conseguiria, de alguma maneira, triunfar sobre a política de confrontação entre a extrema direita e a extrema esquerda.

No dia 2 de dezembro de 1919 casou-se com Hilda Margarethe von Kracht, filha de um general prussiano da antiga linhagem de Brandenburg. Foi através das relações dela que estabeleceu contato mais estreito com a aristocracia prussiana, que nos anos entre as guerras constituía ainda uma força política importante na Alemanha.

À primeira vista, ele era um homem que parecia ostentar com facilidade a distinção. Um nariz fortemente aquilino, a testa alta, os olhos escuros e ligeiramente caídos, sugerindo uma mente vigorosa, a profunda capacidade de pensamento e independência intelectual revelavam suas origens alemãs sulistas. O corpo alto e esbelto apresentava-se invariavelmente em ternos ou uniformes sob medida, estes últimos normalmente com uma ênfase extra na elegância, sob a forma de um ligeiro, embora, para os prussianos, sumamente chocante descaso pelos regulamentos relativos e fardamento.

A guerra lhe arruinara as perspectivas de completar os estudos e, mais uma vez, acabara com os recursos financeiros da família. Por isso aceitou com satisfação a oportunidade de permanecer na *Reichswehr* como oficial de carreira, o que implicou também a transferência para a cavalaria e o abandono de sua patente, na reserva, como artilheiro. Compartilhava ele da esperança geral de que a nova nação recuperasse gradualmente a unidade, após a polarização da revolução no pós-guerra. Durante 13 felizes anos permaneceu como oficial subalterno, principalmente em serviço regimental com o 18º Regimento de Cavalaria (Regimento Reiter 18) em Stuttgart. Seus oficiais comandantes incluíram um dos primeiros oficiais de blindados, o brilhante Freiherr von Weichs, e o talentoso treinador de soldados, Geyr von Schweppenburg. Alto demais para corridas de obstáculos, dedicou-se a provas de salto em altura, tomando parte em incontáveis competições com cavalos que ele mesmo treinava e trazendo para casa muito mais do que um raro troféu. Como ajudante de regimento (o equivalente a ajudante de brigada) do 3º Regimento de Cavalaria (KR3), transferiu-se para o campo, nos arredores de Hanover, onde ficava o quartel do regimento. Uma vez que a Escola de Equitação do Exército funcionava na cidade, não era de surpreender que se interessasse por equitação de competição, mas, nesse período, não foi isso apenas o que lhe atraiu a atenção. Envolveu-se profundamente no debate, nessa ocasião no auge, sobre doutrina tática de alto nível. Nunca foi membro do Estado-Maior Geral. Embora passasse nos exames vestibulares para o Colégio de Estado-Maior na década de 20, já era nessa ocasião velho demais para fazer o curso. Mas tomou parte, por exemplo, nas fecundas manobras de 1934, sob o comando do general von Witzleben (mais tarde executado por sua participação no complô de 20 de julho de 1944 contra Hitler), nas quais se definiu pela primeira vez o papel da divisão de cavalaria mecanizada.

No início mal se notou, na rotina do dia-a-dia, a ascensão dos nazistas ao poder. É bem verdade que haviam sido aniquiladas as esperanças de implantação de uma ordem democrática, mas parecia haver alguma esperança de que tivessem sido superados os piores efeitos da polarização extremada.

Não se passou muito tempo, porém, até que sua sensibilidade religiosa e visão incomumente aberta para o mundo começassem a ser perturbadas pelos primeiros sinais de alarme. No *Oberkommando des Heeres* (OKH) em Berlim, como chefe do Estado-Maior da Inspetoria de Cavalaria, tomou conhecimento de perto dos assassinatos dos generais von Schleicher e von Bredow. A arrogância cruel do regime revelou-se nessa ocasião e foi mesmo ostentada como "oposição correta ao diletantismo".[6] O caso Röhm proporcionou o consolo de que os piores nazistas estivessem, pelo menos, igualmente dispostos a se assassinarem mutuamente.[7]

Não obstante, continuava a evaporar-se a esperança de que tudo terminaria bem. Em termos de carreira, contudo, havia duas atividades muito diferentes que exigiam grande parte de sua atenção. A primeira era o Manual de Equitação do Exército. Esse trabalho continua a ser a base de grande parte do que ainda é hoje ensinado. Em contraste direto, a outra atividade dizia respeito à modernização da arma de cavalaria, isto é, à mecanização.

Senger entrou no debate contra os defensores da nova idéia de que o tanque, em suas várias formas, poderia dar conta de todas as fases da guerra — uma opinião que tinha seus adeptos mais fortes entre os teóricos britânicos da "preponderância do tanque". Sua experiência de guerra levava-o a sustentar a convicção de que o sucesso final na batalha dependia do infante. Apoiava, por isso mesmo, a formação de quatro das denominadas Divisões "Ligeiras" de Cavalaria, cada uma delas com cinco fortes batalhões motorizados que deveriam desempenhar os papéis anteriormente atribuídos aos Corpos de Cavalaria (*Heereskavallerie*) e eram, na maior parte, formados com base em regimentos de cavalaria. Dessa maneira, os granadeiros *panzer*, ou infantaria mecanizada no Exército alemão, derivavam da cavalaria, e não, como na Grã-Bretanha, da infantaria.

Em 1938, Hitler formou um ramo, ou arma, inteiramente novo e colocou-o sob o comando de Guderian. Seria conhecida como *Schnelle Truppen* (Tropas Rápidas). Deveriam consistir de três antigos elementos do ramo blindado: unidades de tanques, antitanque e reconhecimento blindado, com um elemento de infantaria retirado dos batalhões motorizados das divisões *panzer* (blindadas) e dos velhos regimentos da *Heereskavallerie*, que formariam o elemento desmontado das novas divisões ligeiras. E continha mesmo algumas unidades de cavalaria montada. Mais tarde, escreveu ele:

> Infelizmente, as *Schnelle Truppen* são grandes demais e diversificadas demais para se transformarem em uma nova arma, ao lado das antigas. A mecanização não produz automaticamente uma nova arma. A infantaria continua a ser infantaria, seja motorizada ou não. Só os tanques são inteiramente novos

> e não são os sucessores da velha cavalaria. O fato é que todo o Exército será eventualmente mecanizado e constitui má sorte da infantaria e da cavalaria que ninguém as tenha incluído ainda nas fórmulas experimentais para a motorização.

Sobre o emprego de elementos de infantaria e blindados na organização de uma divisão blindada, escreveu:

> A reorganização seguiu exatamente a orientação sugerida nos planos sobre as *Schnelle Truppen* apresentada pelo KR3 em 1937-38. Dissemos na ocasião que a divisão blindada devia conter:
> — dois regimentos de infantaria, cada um com dois batalhões (a despeito das desvantagens táticas de apenas dois elementos de manobra, uma vez que três seriam trabalhosos demais);
> — um segundo batalhão de tanques, mas com sua companhia de blindados leves sob comando do regimento de infantaria;
> — dissolução do elemento de cavalaria motorizada em favor de uma unidade móvel mais leve, equipada com combinações de motocicletas e veículos blindados leves de reconhecimento;
> — muito mais armas automáticas nas companhias de fuzileiros;
> — desenvolvimento de veículos de combate de infantaria, levemente blindados, equipados com armas de apoio e usados para missões de reconhecimento e ataque.[8]

Já nessas primeiras fases, os planos para regimento (KR3) previam o desenvolvimento de veículos de combate blindados da infantaria, montados sobre semilagartas, alguns equipados com canhão de 75mm.

A sua vida na movimentada Berlim dos anos entre 1934 e 1938 atingiu um ritmo que o tempo de penúria e necessidades do pós-guerra sequer podem recordar: pelo menos uma hora de exercício matinal em cavalos puros-sangues no Grünewald, depois volta para uma casa espaçosa e bem equipada. Talvez a conversa à mesa de jantar se concentrasse menos sobre assuntos políticos, no rescaldo das crises Blomberg e Fritsch. Nessa ocasião desaparecera um pouco mais da reserva de esperança. Não havia pensamentos de medo... ainda. As pessoas se concentravam um pouco mais nos sermões de domingo do cardeal Prägnitz. Visitas de fins de semana às propriedades rurais de parentes — e a amigos judeus também — eram motivos de satisfação intelectual e cultural. Na medida em que podiam ser obtidos, jornais estrangeiros eram os únicos veículos da imprensa encontrados no lar dos Senger.

Em 1938 chegou a nomeação há muito esperada — o comando de regimento do KR3, em Göttingen, nessa ocasião uma unidade do 60º Corpo de Exército em tempos de paz. Tratava-se de um regimento cuja ancestralidade retroagia aos Zieten Hussars, do Exército de Frederico, o Grande, e cujos timbales continuavam em uso regular. Seu papel, em caso de mobilização, seria fornecer sete batalhões de reconhecimento divisionários para as divisões de infantaria do Corpo.

Entre os oficiais do regimento, cujo desenvolvimento geral e instrução considerava como suas principais tarefas,[9] não havia um único nazista. Na sua agenda relativa a setembro de 1938,[10] anotou ele os pontos seguintes, que iria abordar em uma reunião de rotina com os 11 comandantes de esquadrão do regimento:

1. Programa de treinamento para os praças engajados por dois anos.
2. Programas de treinamento para candidatos a oficiais da reserva.
3. Forma correta em parada.
4. Roubo nas fileiras.
5. Comparecimento à igreja.
6. Selas para a 1ª *Abteilung* (equivalente de cavalaria a batalhão).
7. Diretrizes para os oficiais.
8. Congratulações à 2ª *Abteilung* pela maneira de dirigir veículos.
9. Treinamento das guarnições de metralhadoras em tiro indireto.
10. Treinamento dos oficiais em controle de tiro de morteiro.
11. Tiro de precisão.
12. Remontas.
13. Manutenção de armas.
14. Exercícios de guerra de inverno.
15. Promoção de candidatos a oficiais a *Fahnenjunker* (alferes).
16. Trabalhos de assistência social, incluindo solteiros.
17. Doenças venéreas.

Tais eram os pensamentos e preocupações imemoriais e, para oficiais de regimento, do oficial comandante, numa época em que Neville Chamberlain falava em "Paz em nossa era". Pelo menos, dava motivos a novas esperanças.

O estudo dos clássicos tornou-lhe fácil dominar o italiano e qualificar-se como intérprete nesse idioma. A qualificação era uma maneira de adquirir divisas estrangeiras e assim permitir que satisfizesse uma paixão. Isso porque, em seguida a saltos eqüestres, vinha o amor pela arte italiana. Com alma de esteta, alimentava igual paixão pela harmonia na beleza da natureza e nas obras do homem. Personalidade radicada no conceito do dever, na moralidade cristã e dotado da visão mundial de um convicto democrata liberal, ele permaneceu a salvo da mácula do nazismo e de todas as suas influências. Seus conhecimentos sempre maiores dos *beaux arts* em todas as formas, seu encanto pessoal, apoiado em uma fé cristã sem complicações, granjearam-lhe numerosos amigos e admiradores, entre os quais pessoas que rapidamente compreenderam que tratavam com um homem que não admitia transigências em questões de princípios. Dessa forma fez a importante e delicada nomeação de um oficial de cavalaria da reserva, não-nazista e sem mácula (barão von Cramm), como seu NFSO (oficial político nacional-socialista).[11] Mais tarde aceitou em seu Estado-Maior o filho do general Oster, responsável, com toda a família, de acordo com a lei nazista, pela culpa de seu pai, condenado por atividades antinazistas.

Ele a nada dava tanto valor quanto à confiança e amizade de seus subordinados e, entre eles, a ninguém mais do que a Ernst-Günther Baade, nessa ocasião comandante de esquadrão do KR3 e mais tarde GOC da 9ª Divisão de Granadeiros *Panzer*, no Corpo de exército de Senger. Baade era um antinazista conhecido, renomado individualista e líder de tropa de soberba habilidade. Ele, na verdade, mandou fuzilar por traição seu NFSO ao fim da guerra e, em conseqüência, teve que submergir na clandestinidade. Baade não sobreviveu à guerra. Virtualmente no último dia da luta, foi morto por um caça-bombardeiro aliado em missão livre, perto de sua propriedade rural em Schleswig-Hosltein.

Ao iniciar-se a guerra, Frido von Senger não tinha a menor idéia de que Stálin ocuparia metade da Polônia e os Estados Bálticos e colocaria 23 milhões de indivíduos sob o tacão soviético. Tampouco tinha ainda noção do pacto de Stálin com Hitler, para a divisão desses despojos na Europa Oriental, quando Zhukov anunciou a derrota do grosso das tropas mecanizadas japonesas em Kalchem-Jol, na Mongólia (em japonês: Nomonhan). Mas desempenhara sem querer um papel nesses fatos, ao passar informações aos japoneses sobre movimentos de tropas soviéticas, que colhera em sua viagem transiberiana a Tóquio, em uma missão diplomática.

Não participou da campanha polonesa, lamentando profundamente a inatividade, uma vez que ela parecia sinalizar o fim de sua carreira. Através de oficiais de seu regimento que voltaram da Polônia, soube dos terríveis excessos cometidos pelas unidades SS contra a população civil. Em uma carta a uma amiga,[12] confidenciou sua repulsa:

> Oh, a solidão quando ouvimos falar de tais coisas, sobre as quais temos que ficar em silêncio. A conversa entre os oficiais no refeitório esta noite foi sobre a administração civil na Polônia. Eles pareciam repetir um estribilho: "Tenho vergonha de ser alemão." O que fazer, senão ficar em silêncio? Eu fico. Será que eles sabem o que estou tentando dizer com o silêncio? Às vezes, parece-me que os rapazes sentem, nesse silêncio, minha profunda dor.

Uma vez mais, a leve esperança de um final feliz: o conselho aos amigos no sentido de que, a todo custo, tentassem manter o Exército fora disso e que cumprissem com honra o dever.

A campanha no oeste pareceu transcorrer como um exercício com munição real. Dela participou como comandante de uma brigada de cavalaria, que operava no norte da Holanda e, mais tarde, entre o Somme e o Atlântico, no comando de uma brigada motorizada. Os longos anos de treinamento teórico de oficiais, em comandos vários níveis mais altos do que os aplicáveis a seus postos, produziam frutos nessa ocasião. A velocidade inesperada do avanço abria possibilidades à iniciativa e à flexibilidade nunca antes atingidas. Escreveu ele mais tarde:

> Em momentos tranqüilos de reflexão, após o ritmo alucinante da campanha, todo o nosso trágico dilema me ocorreu. Era o dilema trágico de tantos oficiais da época: que soldados zelosos e valentes lutavam pela vitória, mas, por amor à pátria, só queriam a derrota.[13]

Em sua opinião, a derrota da França tivera duas conseqüências. Em primeiro lugar, o alemão neutro tornou-se mais confiante e menos crítico do regime e, em segundo, tornou-se claro aos adversários do regime que só a derrota militar o eliminaria.[14]

No período que se seguiu à campanha, tomou parte na conferência de armistício, franco-italiana, realizada em Turim, onde pôde formar uma idéia mais clara das potencialidades dos aliados da Alemanha. Um único olhar à situação no norte da África mostrou-lhe a posição desesperada dos países do Eixo. De seu posto semidiplomático em Turim, escreveu em 2 de outubro de 1940:

> Acredito que a guerra na África será decidida em breve. Os jornais aqui dão curso à idéia de que a África e a Europa se tornarão uma espécie de bloco germano-italiano. Essas decisões não vão ser tomadas simplesmente entre os Estados da Europa, mas entre as quatro grandes potências mundiais: a Europa (à qual a África pertence), a URSS, os Estados Unidos e o Japão. O Império britânico permanecerá como uma frouxa organização de Estados, sem poder político, uma vez que a Grã-Bretanha está tão vinculada à Europa-Ásia como o Canadá aos Estados Unidos. As grandes questões serão o controle das Filipinas, Índia e Austrália. Para a Austrália, as Filipinas, o Pacífico Sul e Cingapura serão disputados entre o Japão e os Estados Unidos e isso pode acontecer ainda no curso desta guerra, da mesma forma que a Índia será mais tarde disputada entre o Japão e a URSS. Tudo isso seria simples para nós, não fosse o fato de que precisaremos controlar o Mediterrâneo oriental em competição

> com a URSS — uma perspectiva de conflito muito mais apavorante com o "bloco de 250 milhões". Tais são os meus pensamentos privados.[15]

Ele não tinha ainda idéia de que Hitler decidira, em julho de 1940, expulsar a URSS da Europa Oriental e tampouco sabia que Molotov exigira o direito aos Dardanelos. A partir desse momento as campanhas do mediterrâneo transformaram-se em espetáculos secundários. Para Senger, o leste permaneceu, de alguma maneira, fora de sua visão orientada para o Ocidente. No verão de 1941 havia na verdade alguma esperança ou, talvez mais exatamente especulação, de que se pudesse evitar mais luta na Europa Oriental. Assim, escreveu em uma carta, datada de 2 de junho de 1941, que não via perspectiva de batalhas sérias em qualquer uma das frentes. Previa, em vez disso, uma ampliação do poder do Eixo, sem conflito, no sudeste da Europa e no Oriente Próximo.[16] Nesse particular foi talvez vítima da desinformação e da propaganda espalhada entre as tropas, de que transportes estavam prontos para levar soldados alemães ao Levante, enquanto a União Soviética permanecia indolente na platéia.

Seu posto em Turim permitiu-lhe observar, num período de dois anos, o colapso do imperialismo fascista na Itália, notar o fracasso dos dois ditadores em coordenar seus objetivos de guerra, observar o fluxo e refluxo da campanha no norte da África e acima de tudo presenciar o destino sombrio da França, tão dilacerada pelas contradições que acabou, simultaneamente, em guerra com a Alemanha e a Grã-Bretanha.[17] Seu julgamento da tragédia na Itália era que suas fraquezas constitucionais impediam qualquer direção ou liderança efetivas. Doía-lhe ainda mais que tivesse que funcionar como corretor no que claramente era para os italianos uma desafortunada aliança com Hitler.[18]

Não consta de suas memórias a reação que teve ao ataque à Rússia. Contudo, é altamente provável que, em comum com a maioria dos alemães, compartilhasse do medo, inspirado pelos nazistas, de que Stálin teria, mais cedo ou mais tarde, tentado quebrar a hegemonia alemã na Europa, a fim de adiantar-se às potências ocidentais.

Profundamente desapontado por estar longe do serviço no campo de batalha, tomou o cuidado, apesar de tudo, de registrar as peculiaridades operacionais da campanha de 1941. No dia 4 de agosto desse ano escreveu:

> É fundamental fechar a lacuna entre os blindados atacantes e a infantaria mais lenta. Mas como? Mais mecanização? Mais infantaria e artilharia mecanizadas dentro das divisões blindadas? Mais concentração de blindados, com reservas mantidas na retaguarda para sustentar seus irrompimentos? Ou talvez, por outro lado, rédea mais curta às divisões blindadas, para mantê-las

> mais perto das divisões de infantaria? Estão surgindo para a nova cavalaria mecanizada os mesmos velhos problemas enfrentados por suas ancestrais montadas.[19]

Em outubro de 1941, voltou à Inspetoria de Cavalaria, tendo como principal preocupação o desenvolvimento ulterior das *Schnelle Truppen.*

> O verdadeiro problema é que tanques e infantaria motorizada têm valor limitado no ataque, uma vez que constituem alvos bons demais para a defesa. A diferença entre os dois, porém, é que quando os blindados ficam emaranhados nas defesas antitanque inimigas, a infantaria pode desmontar e manter o impulso, pressionado a pé como em um ataque normal de infantaria. E um segundo ponto importante: todas as principais armas devem ser igualmente capazes de defesa e ataque e poderem mudar de uma para outra, como freqüentemente as operações de guerra exigem de repente. De acordo com esse argumento, a infantaria mecanizada é a arma principal e os blindados (tanques) a arma de apoio.[20]

Os êxitos iniciais da Operação *Barbarossa* não o desviaram da opinião de que não estava à vista o fim da guerra. Observando que o desastre de inverno diante de Moscou em 1812 estava se repetindo em 1941-42, esperava que a campanha de prosseguimento em 1942 virasse para os campos petrolíferos russos por causa de sua importância estratégica.[21] E foi nesse estágio da guerra que suas velhas dúvidas sobre a improbabilidade de vitória militar se firmaram em uma convicção bem pensada de que a derrota era inevitável. E, em particular, que era um resultado que só para si mesmo considerava o melhor. A data efetiva disso pode ser localizada com segurança em 7 de dezembro de 1941, o dia em que Hitler declarou guerra aos Estados Unidos e em que a ofensiva alemã contra Moscou foi detida pelo inverno.[22] O Exército do Reich havia simplesmente dado um passo maior do que as pernas nas vastidões russas. As novas estratégias no ar e no mar não ofereciam alívio à perspectiva do desastre final.[23]

No outono de 1942 assumiu o comando na Frente Oriental da 17ª Divisão *Panzer*, constituída em sua maior parte de elementos suábios e bávaros. Para ele isso significava o começo da guerra real.

Como comandante de linha de frente, tomou parte em batalha nos dois grandes teatros de operações em que ocorreram as maiores e mais bem-sucedidas façanhas das tropas alemãs em todas as fases da guerra: ofensiva, defensiva, ações de retaguarda e retiradas. Em ambos, sua unidade contribuiu com exemplos brilhantes em pelo menos duas ocasiões, e com impressionantes conseqüências estratégicas.

Na ofensiva, sua divisão foi a ponta-de-lança da operação do 4º Exército *Panzer* para socorrer o 6º Exército cercado em Stalingrado. Mais tarde, em fevereiro de 1943, ela foi um dos principais elementos nos contragolpes de von Manstein entre o Dnieper e o Donetz, que estabilizaram o setor sul da Frente Oriental. Entre essas duas ofensivas ocorreu a primeira das grandes operações de retaguarda de janeiro de 1943 entre a estepe Kalmuck e Stalingrado, que permitiu ao 1º Exército *Panzer* retirar-se do Cáucaso. Nas retiradas, a primeira ocorreu durante o colapso do 6º Exército italiano na Sicília e implicou o desengajamento do 14º Corpo *Panzer* da ilha e cruzamento do estreito de Messina para a Itália em julho de 1943. A segunda retirada foi a operação de transporte de duas divisões para o território continental italiano, procedentes da Sardenha e Córsega em setembro de 1943. Esta última deve ser considerada como realização excepcional, em vista da superioridade marítima e aérea dos Aliados e das pouquíssimas baixas sofridas pelos alemães.

A primeira batalha defensiva na frente de Cassino, entre janeiro e maio de 1944, como comandante do 14º Corpo *Panzer*, enfrentando o 5º Exército norte-americano, constitui a pedra fundamental de sua fama naquela função. Esses sucessos foram conseqüência da enorme capacidade do Exército alemão, que nesse momento, após quatro anos de guerra, estava no auge da habilidade tática e lutava com um adversário ainda inexperiente. Menos conhecida, mas de igual brilhantismo, foi a execução de sua segunda operação de retaguarda, de Cassino para a Linha Gótica, entre 17 de maio e 15 de agosto de 1944. Sua liderança nas operações defensivas do 14º Exército na área de Bolonha obrigou os Aliados a marcarem passo mais uma vez. Na ocasião essas operações deram aparentemente uma pausa para respiração, de necessidade urgente, a fim de permitir uma retirada organizada dos Bálcãs e deter os avanços soviéticos no sul da Áustria. No caso, foi uma estratégia errada, uma vez que Churchill concordara, já em maio de 1944, com o desejo de Stálin de mudar o principal esforço para a Polônia, deixando a Romênia e os Bálcãs para mais tarde.

No âmago do sistema de comando e controle de Senger havia a preocupação com altos padrões de treinamento e liderança em todos os níveis. Ao contrário de muitos comandantes aliados, ele procurava manter contato diário com os dois ou três níveis abaixo de seus subordinados imediatos. Fazia reconhecimentos pessoais do inimigo a partir de posições avançadas. Acima de tudo certificava-se, com absoluta certeza, de que compreendia as potencialidades e condições de suas tropas. Insistia em que seus subordinados, em todos os níveis, conhecessem os pontos principais de suas avaliações e planos. Por causa disso, suas ordens consistiam em um mínimo de detalhes de coordenação. A execução das minúcias da batalha podia ser deixada à aplicação disciplinada do exército em manobras. As relações que mantinha com os subordinados eram excepcionalmente estreitas e nunca se cansava de se informar dos menores detalhes sobre seu bem-estar. Vejamos um exemplo desse estilo na carta já citada de fevereiro de 1941:

> Desde os tempos mais antigos, quando os trovadores cantavam baladas cavaleirescas na Provença, até o tempo em que a Prússia aperfeiçoou o ideal do "oficial profissional perfeito", e nossos inimigos de hoje o do "oficial cavalheiro perfeito", o único princípio orientador era que o senhor ou oficial feudais, o homem na posição de autoridade, deviam dedicar-se à proteção dos fracos. Seus subordinados estão colocados nessa situação pela autoridade que o Estado lhes confiou. São colocados nela sob sua proteção e dependem inteiramente de sua capacidade de julgamento, seus cuidados e suas decisões. Eles são os fracos — exatamente como são os que habitam as terras onde vocês estão agora como conquistadores.[24]

Seus pensamentos mais íntimos revelam-se mais uma vez na mesma carta[25] (dirigida aos oficiais de seu velho regimento):

> Feliz é aquele que com uma risada e uma piada pode pôr seus subordinados à vontade. Mas se esse talento maravilhoso lhes foi negado, se vocês não são simplesmente esse tipo de homem, há, apesar de tudo, uma espécie de magia que o bom oficial possui. Ela se revela em um olhar de relance, no momento exato, que leva o soldado a superar alguma pequena crise de moral.

Que efeito, poder-se-ia perguntar, seu antinazismo fundamental teve sobre as tropas e estilo de comando? Alguns exemplos podem servir como resposta.

No ataque e na perseguição ele lançava decisivamente suas divisões à frente, freqüentemente assumindo riscos e, se necessário, sem esperar por ordens superiores. Mas mesmo as tropas que serviram sob suas ordens por mais tempo nunca tiveram a impressão de que ele exigia esforços sobre-humanos. Em situações em que as forças inimigas possuíam superioridade esmagadora, recuava. O apego obstinado a linhas defensivas, a dependência sobre fortificações bem construídas, que eram as características dos oficiais em que Hitler mais confiava, eram inteiramente contrários a seus métodos, que, mesmo na defesa, baseavam-se em reações rápidas e em flexibilidade.[26]

Em setembro de 1943, enquanto prosseguia a retirada de sua divisão da Córsega para o continente, recebeu ordens de executar todos os oficiais italianos na ilha que não haviam continuado a colaborar com os alemães após 10 de setembro — dia em que o regime de Badoglio assinara o armistício com os Aliados. Nessas circunstâncias, escreveu mais tarde, era

> perfeitamente claro que chegara o momento de desobedecer a uma ordem direta. Falei imediatamente pelo rádio com o marechal Kesselring, em seu QG, e lhe disse que me recusava a cumprir a ordem. O marechal ouviu minhas razões sem comentá-las e em seguida disse que faria exatamente a mesma coisa com o OKW, em Berlim. Providenciei para que os oficiais em causa fossem levados para o continente, onde estariam pelo menos a salvo da forca. Tenho uma dívida de gratidão com Kesselring por ele ter aceito minha recusa de obedecer à ordem e não ter tocado mais no assunto.[27]

Com a frente de batalha, nesse momento, na área de Bolonha em janeiro de 1945, agravou-se a situação das forças alemãs. A população italiana desejava, ansiosa, a capitulação ali e naquele momento. Grupos de *partisans* tratavam selvagemente os soldados alemães e os colaboradores em que punham as mãos. Os camisas-negras, por sua parte, vingavam-se sanguinolentamente dos *partisans*, mas conseguiam principalmente aterrorizar a população cansada da guerra. As forças de ocupação alemãs tinham que colaborar com as autoridades republicanas fascistas simplesmente para que fosse mantido o abastecimento dos civis. Essas circunstâncias requeriam um alto grau de habilidade diplomática, e Senger tornou-se o comandante *de facto* de Bolonha. Declarou a cidade vedada aos alemães e expulsou dela o principal camisa-negra (um professor da universidade). Foram suspensas as medidas repressivas alemãs contra aldeias suspeitas de simpatia pelos *partisans*. O efeito geral foi restaurar certo grau de calma. Com o marechal-de-campo Kesselring, ele tinha o entendimento tácito de que as cidades de Bolonha, Pisa, Lucca e Florença, com seus tesouros insubstituíveis, não poderiam ser incluídas no plano defensivo. Os Aliados, igualmente, ladearam-nas em seu avanço.

Um dos temas repetidos das histórias modernas desse período é a acusação de que cabe aos generais a culpa pelo fracasso das tentativas de derrubar Hitler do poder. No dia 22 de junho de 1943 Senger esteve pessoalmente com Hitler, recebendo de suas mãos as ordens para a defesa da Sicília. Mais tarde escreveu ele sobre esse momento: "Quanto ao famoso magnetismo pessoal de Hitler, não percebi o menor sinal. Pensei apenas, com asco e horror, em todas as infelicidades que esse homem trouxera para meu país."[28]

Parecia-lhe, no entanto, que a oposição declarada ao regime totalitário não era eficaz. Os generais Beck, von Fritsch e von Hammerstein haviam-se exonerado em protesto, sem que isso produzisse o menor efeito sobre a maneira como Hitler conduzia a estratégia e as políticas de genocídio. A população em geral, segundo pensava, estava submetida demais ao sistema nazista para dar apoio total e amplo à resistência. A oposição, por outro lado, a ordens absurdas ou imorais por indivíduos isolados em seus postos era possível. Ele considerava o direito de desobedecer, quando as circunstâncias justificavam tal ação, como inteiramente compatível com a tradição militar prussiana.[29]

Através de oficiais mais jovens de seu Estado-Maior, soube dos planos que culminaram na tentativa de golpe de 20 de julho de 1944. Conhecia bem o coronel conde Stauffenberg dos tempos em que ele servira no OKH. Era amigo de Fabian von Schlabrendorff. Mas tinha dúvidas sobre possíveis medidas nesse sentido. Expressou suas razões após um segundo encontro com Hitler em fins de abril de 1944:

> O que deveríamos fazer? Possivelmente Hitler poderia ser assassinado. Mas o que fazer com o resto da quadrilha, todos eles com as mãos nas rédeas do poder, todos insensíveis à criminalidade? Muitos de meus jovens amigos convenceram-se de que as Potências Ocidentais negociaram com um novo regime dirigido por um grupo de generais, após um *putsch* bem-sucedido. Eles não tinham a menor idéia da convicção profundamente arraigada — mesmo entre os ocidentais (menos neste instante do que na Primeira Guerra Mundial) com boa compreensão da Alemanha e dos alemães —, a convicção de que o militarismo fora responsável pela existência do regime de Hitler, a despeito do fato de que seu adversário mais forte fora o Exército (em contraste com as outras Forças Armadas).[30]

Da mesma maneira que reagira ao descobrir as atrocidades das SS na Polônia, sua reação como alto comandante na frente de batalha, quando soube da tentativa contra a vida de Hitler, foi a de prosseguir em suas atividades como se nada de especial houvesse acontecido. Ao contrário dos desejos manifestos da liderança política, de que todos os funcionários deviam manifestar publicamente seu júbilo por ter o Führer sobrevivido e invectivar em altas vozes os culpados, Senger na realidade ignorou todo o caso em frente a suas tropas, na esperança de que os mais argutos entre seus soldados tirassem conclusões próprias de seu silêncio. Todos os altos comandantes que tomaram essa atitude nesse momento estavam ameaçados e eram vigiados mais atentamente. Para ele, abriu-se nessa ocasião um período de limbo: o fim não parecia mais próximo, mas, ainda assim, sua inevitabilidade permanecia inalterada. Havia apenas a esperança de que, talvez, esse exemplo isolado de oposição violenta ao Sistema granjeasse algum auto-respeito para a sociedade alemã no futuro.[31]

Como podia um oficial altamente graduado, consciente sem dúvida da criminalidade e irresponsabilidade do regime nazista, ter continuado conscienciosa e deliberadamente a travar a guerra para esse mesmo regime? O que o levava à frente de luta, fazia com que empreendesse ações militares que só poderiam retardar a capitulação final, que ele mesmo reconhecia ser uma necessidade? Como soldado, sentia a vocação ou a obrigação do profissional de fazer o máximo que a situação operacional, o suprimento de *matériel* e o moral de seus soldados permitiam. Desde o começo da guerra, seu único desejo fora reunir-se a seus irmãos oficiais no campo de batalha. Confiava em que seria um chefe melhor e mais responsável de suas tropas do que muitos outros.

> Todo aquele que sabe que tem talento para liderança de alto nível descobrirá, sem dúvida, que esse desafio é fascinante. Ser privado dela implica sentir-se como o cavalo de caça deixado atrás, que escarva o chão da cocheira enquanto seus companheiros são tirados para as atividades do dia. Não acredito que esses tipos de sentimentos tenham alguma coisa a ver com militarismo. A guerra fornece o desafio. A despeito de sua falta de sentido, da desesperança da estratégia em que é concebida e da inescapabilidade do resultado fatal, somos forçados, por esse desafio, a participar da batalha.[32]

A carreira militar era sua vocação.[33]

No fim da guerra passou por vários campos britânicos de prisioneiros na Itália, chegando finalmente ao campo destinado a generais, em Bridgend, onde ficou durante três anos. Descobriu que os internos no campo, de marechal-de-campo a funcionário civil nazista com patente de general, dividiam-se em três grupos: o primeiro consistia daqueles que aceitavam a derrota, que desejavam romper deliberadamente com o passado, aceitavam as conseqüências e reconheciam sua responsabilidade culposa. O segundo era composto daqueles que durante anos haviam acreditado no regime, diziam-se ignorantes dos "horrores impublicáveis", mas que, nesse momento, aceitavam o julgamento crítico passado sobre os mesmos. O terceiro grupo era o dos obstinados, que se recusavam a reconhecer seus crimes e consideravam a aceitação da culpa como uma adulação indigna dos desejos de seus carcereiros. Ele se julgava pertencente ao primeiro grupo. O segundo formava a maioria entre os internos.

Recordando a guerra, havia para ele duas causas de sofrimento particular. A primeira era uma conseqüência de suas ações diretas na campanha italiana. A defesa desesperada do vale estrategicamente vital ao pé do mosteiro de Monte Cassino, pelo seu próprio 14º Corpo *Panzer*, resultara no bombardeio taticamente errado da velha abadia beneditina pelos Aliados. Seria dele a culpa?

Tal era o destino dos líderes no lado alemão. Poderiam ter desobedecido simplesmente porque sabiam que a guerra estava perdida? Poderiam retirar-se de uma linha de frente onde o destino parecia beneficiá-los temporariamente, onde a bravura de suas tropas e, talvez, de sua liderança obtinham vitórias na defesa, que pelo menos mantinham as bases aéreas inimigas mais longe da pátria? Contra esse pano de fundo, a destruição da abadia parece apenas um pequeno detalhe. Para muitos, contudo, o fato de a abadia ser destruída pela terceira vez na história pela violência, a despeito do acordo silencioso inicial de ambos os lados, de se refrearem desse ato inútil, permanece como um "*rammarico anzi a dolore*": a ser antes deplorado, com grande sofrimento.[34]

O segundo fato é de natureza mais geral e histórica: a infeliz experiência da Alemanha em sua posição central no equilíbrio de poder na Europa. Após a guerra, Senger formulou sua própria teoria sobre a causa e a disseminação de ambas as guerras mundiais, expressa no pequeno trecho seguinte:

> A Segunda Guerra Mundial foi espantosamente semelhante à Primeira em curso, evolução e resultado. Nos dois casos, o governo alemão procurou utilizar seus vizinhos orientais, mais fracos, como um tampão contra o colosso russo. Nos dois casos, um conflito com uma grande potência eurasiática é que se tornou decisivo. Nos dois casos, a Alemanha considerou-se como agindo na qualidade de potência "ocidental" e contou com, pelo menos, a neutralidade das demais potências ocidentais. Nos dois casos, a liderança alemã errou em suas presunções. As potências ocidentais aliaram-se à Rússia para esmagar a Alemanha. Nos dois casos, a liderança alemã alimentou a esperança de que os Estados Unidos permanecessem fora do conflito. Nos dois casos, errou.[35]

Apesar disso, em contraste com a situação vigente na Primeira Guerra Mundial, em que os líderes políticos serviram de marionetes, cujos cordões eram puxados pelo Estado-Maior Geral, a Segunda presenciou uma combinação desastrosa de comandante-chefe e líder político. Permitiu o domínio de um sistema político insensato e criminoso e ao mesmo tempo acarretou a perda da capacidade estratégica militar.[36]

Senger foi libertado do cativeiro pelos britânicos em maio de 1948. Graças à influência de seu amigo Kurt Hahn, foi nomeado diretor de Salem, a escola secundária particular nas proximidades do lago Constança, a escola-irmã da fundação criada por Hahn durante seus anos como *emigre* em Gordonstoun. Na década de 50 desenvolveu atividades cada vez maiores no jornalismo como correspondente militar da estação de rádio Südwestfunk e da *Deutsche Zeitung*. Cobriu, não sem pungentes críticas, o rearmamento alemão no contexto da OTAN. De 1952 em diante trabalhou em um comitê secreto nomeado por Adenauer, encarregado de estabelecer as diretrizes para a nova *Bundeswehr*, e que resultou no importante documento ora conhecido como *Himmeroder Denkschrift* (Relatório Himmeroder). Como membro da comissão oficial de triagem, impediu que muitos bons oficiais, mas maculados demais pela influência de Hitler, ingressassem na *Bundeswehr*. Fazia seus julgamentos na base de padrões que ele mesmo estabelecera.[37]

Ele de fato serviu lealmente ao Estado hitlerista. Mas na esfera de seus próprios comandos nunca permitiu um desvio sequer do código tradicional da moralidade cristã. Foi ao Estado, não ao Führer, que serviu. Nunca foi um dos generais de Hitler.

Dados cronológicos | Frido von Senger und Etterlin

1891, 4 set	Nasce em Waldshut, na fronteira suíço-alemã
1910	Serviço nos 76º (5º de Baden) Regimento de Artilharia de Campanha
1910-11	Estudante, Universidade de Freiburg
1912-14	Bolsista Rhodes, St. John's College, Oxford
1914-18	Oficial de artilharia, Frente Ocidental
1918	Tenente, Estado-Maior do 14º Corpo da Reserva
1919	Oficial no Land-Jäger Korps, em campanha antibolchevista na Saxônia
1919	Casa-se com Hilda von Kracht
1920	Ingressa na Escola de Cavalaria da *Reichswehr*
1920-32	Oficial do 18º Regimento de Cavalaria (Regimento Reiter 18) e nomeações extra-regimentais para o Estado-Maior da cavalaria
1927	*Rittmeister* (capitão de cavalaria)
1934	Major
1934-38	Chefe do Estado-Maior da Inspetoria de Cavalaria
1936	Tenente-coronel, oficial comandante do 3º Regimento de Cavalaria (KR3)
1938	Coronel
1939	Comandante do 22º Regimento de Cavalaria
1940	Comandante da 1ª Brigada de Cavalaria Groningen (Holanda)
1940	Comandante *ad hoc* de brigada motorizada, rompimento da Linha Weygand, captura de Le Havre e Cherburgo

1940-42	Chefe da delegação alemã na comissão de armistício franco-italiana, Turim
1942, jul	Comandante da 10ª Divisão de Granadeiros *Panzer*, na França ocupada
1942, outono	Major-general, GOC, 17ª Divisão *Panzer*, Frente Oriental
1942, dez	Ofensiva de socorro a Stalingrado
1943, fev	Operação *Citadel* (Batalha de Kursk)
1943, jun	Tenente-general, comandante do 14º Corpo *Panzer* e comandante das Forças Alemãs na Sicília
1943	Comanda a retirada da Sardenha e da Córsega
1944, jan-mai	Comandante do 14º Corpo *Panzer*, frente de Cassino
1944-45	Retirada para a Linha Gótica e defesa do setor de Bolonha
1944, 1º jan	*General der Panzertruppe*
1945, mai	Principal negociador da rendição das forças alemãs na Itália
1946-48	Prisioneiro de guerra, Bridgend, Glamorgan
1948	Nomeado diretor de Spetzgart — uma filial da Escola Salem
1952	Correspondente militar, rádio do sudoeste da Alemanha
1952	Co-autor do "*Himmeroder Denkschrift*" — o plano de rearmamento de Adenauer
1955-56	Membro da comissão de triagem para seleção de oficiais da *Bundeswehr* entre antigos membros da Wehrmacht
1963, 4 jan	Falece em Freiburg

Kluge | 17

Marechal-de-campo Günther von Kluge

RICHARD LAMB

Günther von Kluge era filho de uma aristocrática família de militares prussianos de Posen, a província da Prússia que foi transferida para a Polônia em 1919. Seu pai, Max, serviu durante longos anos no Exército prussiano. Como era típico de sua geração, orgulhava-se das vitórias de Bismarck sobre os austríacos em 1866 e os franceses em 1870. Günther Hans von Kluge (1882-1944) nasceu em 30 de outubro de 1882 em Poznan (nessa ocasião, parte da Prússia). Seu pai, Max (1856-1934), foi elevado à nobreza em 1913. Günther iniciou a carreira militar (juntamente com Wilhelm Keifel) no Regimento de Artilharia de Campanha da Baixa Saxônia. Depois de freqüentar a Academia Militar, serviu no Estado-Maior Geral, de 1910 a 1918, chegando ao posto de capitão na Frente Ocidental. Durante o período de reforço da *Reichswehr* e sua transformação na Wehrmacht entre as guerras, foi promovido sucessivamente a coronel em 1930, major-general em 1933 e tenente-general em 1934. No dia 1º de abril de 1934 assumiu o comando da 6ª Divisão em Münster.

Em 1935, quando Hitler começou, abertamente, a ampliar o Exército, Kluge constituía candidato óbvio para promoção. Após comandar uma divisão, tornou-se comandante do 6º Corpo em 1936 e logo depois do 6º Grupo de Exércitos (Hanover), que se transformaria no 4º Exército no começo da Segunda Guerra Mundial.

Em 30 de junho de 1938, durante a crise dos sudetos, recebeu, juntamente com outros comandantes de unidades, uma diretriz em que Hitler declarava que tencionava, se necessário, esmagar a Tchecoslováquia em futuro próximo. Kluge, tal como a maioria dos generais, receava que o cru militarismo de Hitler levasse o país ao desastre. Repugnaram-lhe também os métodos fraudulentos e desonestos usados pelos nazistas para desgraçar o general von Fritsch, ao passo que os *pogroms* contra os judeus e os campos de concentração eram anátemas para ele, dada a tradição prussiana de conduta cavalheiresca.

No verão de 1938, quando o general Ludwig Beck, chefe do Estado-Maior Geral, organizou um complô com o político direitista Carl Gördeler e Ernst von Weizsäcker, titular do Ministério do Exterior, para prender Hitler e instalar um governo antinazista democrático, Kluge, com seus amigos, generais von Hammerstein e von Witzleben (ambos comandantes de divisão), participou da conjura. O plano deu em nada porque o governo britânico rejeitou as sondagens dos conspiradores e, exatamente quando estes iam agir, Chamberlain, em Munique, convenceu os líderes franceses de que deviam conceder a Hitler a parte sudeta da Tchecoslováquia.[1]

Daí em diante tornou-se ambivalente a atitude de Kluge. Por mais que antipatizasse com os nazistas, ficou contente porque Hitler recuperara *Lebensraum* para o Reich, como todos os alemães haviam desejado entre as guerras. Sentia orgulho da eficiência das novas divisões blindadas e motorizadas e, cheio de entusiasmo profissional, desfrutava com grande prazer seu comando.

Com a deflagração da guerra, em setembro de 1939, invadiu a Polônia à frente do 4º Exército. Mais uma vez, ficou dilacerado. No início da campanha considerou a invasão justificada, porque acreditava na propaganda forjada pelos nazistas, de que os poloneses estavam cometendo atrocidades contra alemães em Danzig e no corredor polonês. Achava que partes da Polônia deviam pertencer à Alemanha e sentiu-se satisfeito com o desempenho de suas tropas. Mas ficou estarrecido com a brutalidade com que os nazistas trataram os judeus poloneses e em particular com o massacre indiscriminado de civis inocentes.

Na campanha de 1939 contra a Polônia ocorreu a primeira operação de guerra de movimento com a intervenção de blindados modernos e forças aéreas. Kluge, que tinha pendor para inovações, era um general ideal para isso. No dia 3 de setembro, quando a Grã-Bretanha e a França entraram tardiamente na guerra, seu 4º Exército já chegara ao baixo Vístula, encurralando o grosso do Exército polonês e selando o destino do país. Pouco depois Kluge foi levemente ferido em um desastre aéreo. Sua conduta no avanço inicial, porém, convenceu Hitler de que ele era seu general mais brilhante e assinalou o início da admiração que o Führer lhe tributava.

A decisão de Hitler em outubro de 1939 de atacar a França e os Países Baixos naquele outono, porém, foi um choque para Kluge, que, como Brauchitsch, o comandante-chefe, e Halder, o chefe do Estado-Maior Geral, temia que a inferioridade numérica do Exército alemão terminasse em derrota. Tão perturbados ficaram Kluge e seus colegas generais que pensaram em medidas desesperadas, como enviar uma força escolhida para ocupar Berlim e derrubar Hitler, mas abandonaram esse plano porque a vitória sobre a Polônia, ocorrendo em seguida à ocupação da Áustria e da Tchecoslováquia, colocara Hitler em tal pico de popularidade que acharam que os soldados não obedeceriam, se ordenados a se voltarem contra seu amado Führer.

Hitler fixou inicialmente a data do ataque em 12 de novembro. Mais tarde, porém, mau tempo atmosférico foi previsto para esse dia, o que levou a data a ser adiada. Kluge esteve presente no dia 23 de novembro, quando Hitler falou aos generais e convenceu-os de que venceria. Daí em diante cooperou lealmente e ficou entusiasmado com o plano de Hitler de guerra aberta, com as unidades blindadas operando à frente do grosso das tropas.

Ao ser finalmente iniciada a campanha, em 10 de maio de 1940, o 4º Exército de Kluge atacou, através da floresta de Ardennes até o Meuse, e o ponto em que as tropas francesas faziam contato com as belgas. Os alemães eram inferiores aos Aliados em números totais. Suas vantagens residiam em poder aéreo e técnica superior no emprego dos tanques e da cobertura aérea. Nestes aspectos Kluge era mestre.

O objetivo de Kluge era cruzar o Meuse entre Givet e Namur. Encarregou dessa missão as 5ª e 7ª Divisões *Panzer*. Rommel comandava a 7ª *Panzer*. Pouca resistência foi encontrada no acesso ao Meuse, que as tropas avançadas de Kluge alcançaram no dia 17 de maio.

O lado francês do Meuse era defendido pelo 9º Exército francês, às ordens do general Corap. Essa circunstância foi afortunada para Kluge, uma vez que aí estava o elo mais fraco de toda a frente francesa. O único título à fama de Corap, à idade de 62 anos, era que recebera a rendição do caudilho rebelde ao fim da Guerra do Riff, no Marrocos, em 1926. Um artigo de jornal descrevia-o como "um homem tímido, de aparência nada militar e engordando na cintura", que "tinha problema para entrar num carro", com um Estado-Maior e comandantes graduados de unidades que formavam "um grupo de velhinhos afáveis". A tropa consistia de divisões da categoria B, "de homens gordos e balofos, que precisavam de retreinamento".

A cavalaria de tanques leves e unidades montadas de Corap entrara nas clareiras e matagais de Ardennes no início da guerra, com ordens de deter as forças de Kluge durante pelo menos cinco dias, mas foram aniquiladas pelos *panzers* alemães já no segundo dia. Naquela noite, Corap recebeu um despacho do reconhecimento aéreo: "Duas grandes massas blindadas movendo-se para o oeste." Corap recebeu calmo a notícia, sentindo-se seguro no conhecimento de que estava na outra margem do rápido Meuse, que em parte alguma tinha menos de 50m de largura, sem vaus, com margens íngremes no seu lado, e na crença de que os alemães precisariam pelo menos de vários dias para poderem montar uma ofensiva. Não podia ter-se enganado mais.

Ao anoitecer do dia 12 os sobreviventes das unidades de cavalaria e tanques franceses haviam cruzado novamente o Meuse, desobedecendo às ordens, e as 5ª e 7ª Divisões *Panzer* estavam se postando ao longo do rio, sem enfrentarem oposição importante, embora fosse pesado o bombardeio pela artilharia francesa. As ordens de Kluge eram que a 7ª *Panzer* de Rommel cruzasse rapidamente o rio, à medida que continuasse no encalço da derrotada cavalaria de Corap. No momento em que os tanques mais adiantados aproximaram-se das pontes de Dinant e Houx, na tarde de 12 de maio, elas foram mandadas pelos ares pelos franceses.

Após visitar toda a sua frente de combate e em algumas vezes escapar da morte por pouco, Rommel voltou ao quartel-general da divisão para uma conferência com Hoth, o comandante do corpo, e com Kluge. Este queria parar e planejar um cruzamento do tipo tradicional, depois que reforços e mais artilharia tivessem chegado à sua margem do Meuse. Rommel argumentou que poderia efetuar um cruzamento imediato com infantaria em botes de borracha, contanto que pesadas baixas fossem julgadas aceitáveis, e que, uma vez do outro lado, poderia explorar a situação com uma arremetida relâmpago com seus blindados. Pouco sabia ele que essa decisão firmaria sua reputação como um dos mais brilhantes comandantes de exército da Alemanha.

Ao fracassar o ataque para cruzar o rio, o próprio Rommel assumiu o comando do 7º Regimento de Fuzileiros de sua divisão e atravessou o Meuse em um dos primeiros botes. Rápido progresso foi em seguida conseguido, instalando-se um sistema de barca a cabo para trazer os fuzileiros que avançavam e levar de volta os numerosos feridos. Os atacantes alemães haviam ficado fortemente abalados pela intensidade do fogo francês e fora crucial a intervenção pessoal de Rommel.

Pouco depois uma ponte de pontões de 16 toneladas estava estendida, e tanques, canhões antitanque e carros blindados rolaram para formar a cabeça-de-ponte. Do interior de um tanque Rommel comandou o avanço e, ao anoitecer, um imenso buraco havia sido aberto nas linhas francesas. Contra-ataques franceses com tanques, feitos com bravura mas escassa perícia de comando, poucos resultados produziram.

No dia 15 de maio Kluge pediu que o grosso do apoio dos bombardeiros de picada da Luftwaffe fosse alocado a Rommel. Um contra-ataque potencialmente perigoso na direção de Dinant, desfechado pela 1ª Divisão Blindada francesa e pela 4ª Divisão norte-africana, não conseguiu o fim pretendido, devido ao trabalho incompetente do Estado-Maior e comando e, ao anoitecer, Rommel já chegara às proximidades de Philippeville, a 12km além do Meuse.

Na manhã do dia 16 de maio Kluge visitou o quartel-general de Rommel e, surpreso, descobriu que a divisão não partira ainda. Disse a Rommel que se lançasse à frente em alta velocidade, levando seus blindados através das defesas francesas na fronteira (menos fortificadas do que a Linha Maginot) e para a frente até Avesnes, com a infantaria seguindo-os tão rápido quanto possível em caminhões. Nesse ponto os *panzers* alemães, após violenta luta, derrotaram os tanques franceses. Rommel levou seu quartel-general divisionário para a cidade e desdobrou suas unidades de infantaria pelo território que ocupara.

As perdas da 7ª Divisão *Panzer* no período 16-17 de maio foram de apenas 35 mortos e 59 feridos, embora houvesse feito 10 mil prisioneiros de guerra e capturado 100 tanques. A história oficial da unidade esclarece: "A Divisão não tinha tempo de juntar grandes números de prisioneiros e equipamento."

À meia-noite do dia 17 de maio Kluge ordenou a Rommel que continuasse o avanço no dia seguinte, na direção de Cambrai. Tudo correu bem no dia 18, e Rommel chegou a Le Cateau, mas nesse momento a resistência francesa endureceu e ele parou durante um dia. Enquanto realizava uma conferência no campo de batalha, recebeu uma mensagem de Kluge sugerindo o adiamento do ataque, porque as tropas deveriam estar exaustas. Rommel respondeu: "Um ataque noturno à luz da lua resultará em menos baixas." Kluge deixou que ele fizesse o que queria.

No dia 20 de maio a ponta-de-lança blindada de Rommel chegou, às 6h, a Beaurains, a 4km a oeste de Aras. Sua infantaria, contudo, não conseguiu emparelhar-se com ele, e os franceses lhe infiltraram as linhas de comunicação. Inesperadamente Rommel ficou num aperto (ver mapa 13).

No início do ataque alemão as nove divisões da Força Expedicionária Britânica haviam sido enviadas para a Bélgica, a fim de defender a linha do rio Dyle, mas foram rapidamente retiradas por causa da penetração alemã. Todos os dias franceses e britânicos pensavam que o ataque blindado alemão teria que exaurir-se, de modo a lhes permitir bem-preparados ataques contra suas pontas-de-lança, mas, como os tanques inimigos continuavam a avançar imprevisivelmente, os Aliados não conseguiram desdobrar suas reservas para atacá-los. Não obstante, no dia 21 de maio as 5ª e 50ª Divisões britânicas foram apressadamente reunidas em Arras, juntamente com a brigada de tanques do 1º Exército (tanques de infantaria), enquanto os franceses prometiam cooperar com duas divisões mecanizadas e duas divisões de infantaria ao sul. O plano dos Aliados era atingir o saliente de Kluge com ataques de tanques, simultaneamente pelo norte e pelo sul. A montagem do ataque demorou mais que o esperado e quando, em 24 de maio, chegou a trágica notícia de que o Corpo *Panzer* de Guderian passara a toda por Amiens e chegara ao mar nas proximidades de Abbeville, cortando dessa maneira em dois os exércitos aliados, os britânicos resolveram atacar sem esperar pelos franceses, embora 70 tanques franceses de fato cooperassem no flanco direito.

Exatamente quando o ataque britânico parecia estar tendo sucesso, 14 das 16 "Matildas" enguiçaram ou se incendiaram, e a balança pendeu para o lado alemão. Dos 62 tanques britânicos, 46 foram perdidos em uma batalha de nove horas. Com pouco apoio de infantaria e artilharia e nenhuma ajuda da RAF, o ataque parou diante da linha defensiva rapidamente estendida por Rommel e em face de pesados ataques de Stukas. Rommel descreveu Arras como "uma batalha muito pesada, contra centenas de tanques inimigos apoiados por infantaria" — naturalmente um grande exagero.

Esse contra-ataque de tanques britânicos foi o único sério contragolpe desfechado pelos Aliados e provocou um choque em Kluge. Os blindados britânicos infligiram à 7ª *Panzer* perdas de 89 mortos, 116 feridos e 173 desaparecidos, ou quatro vezes as perdas sofridas até aquela data durante o rompimento das linhas e, nesse momento, ele ficou preocupado, pensando que, se os seus *panzers* avançassem novamente, poderiam ficar isolados, antes que as divisões de infantaria pudessem alcançá-los. Após uma conferência entre Hitler e Kluge, o Führer ordenou, no dia 24 de maio, que o exército deste último se detivesse — na ocasião em que as vanguardas alemãs se encontravam a apenas 16km de Dunquerque —, que era nesse momento a única rota possível de escape para o encurralado Exército britânico. A ordem de parada foi suspensa no dia 26 de maio, mas os britânicos e franceses utilizaram a trégua de 48 horas para levantar um escudo em torno de Dunquerque, grandemente auxiliados por inundações gerais na área. Como resultado, salvou-se a Força Expedicionária britânica, e 338 mil soldados britânicos e franceses foram levados de Dunquerque para a Grã-Bretanha. Não obstante, Hitler enviou congratulações pessoais a Kluge e a Rommel e visitou-lhes as tropas num estado de espírito o mais jubiloso possível.

No dia 20 de maio o general Weygand, que substituíra o general Gamelin como comandante supremo francês, fez esforços frenéticos para organizar uma linha de defesa no Somme. O inimigo, porém, já estabelecera cabeças-de-ponte na margem sul do rio, em Amiens e Abbeville. Os britânicos pouca ajuda podiam dar aos franceses. A 1ª Divisão Blindada britânica desembarcou em Cherburgo no dia 21 de maio. Incompleta, consistia de apenas duas brigadas blindadas; seus dois batalhões motorizados de infantaria e uma brigada blindada haviam sido desviados, por ordem expressa de Churchill, a fim de ajudar na defesa desesperada de Calais, e haviam sido capturados. Ainda assim, um regimento blindado entrou em combate na margem sul do Somme, a oeste de Amiens. A única outra unidade britânica disponível era a 51ª Divisão Escocesa, sob o comando do general Fortune, que estivera prestando serviço na Linha Maginot. Devido aos bombardeios, desembarcou de trem em Rouen no dia 27 de maio com considerável atraso.

O general Marshall-Cornwall chegou à França em 31 de maio, a fim de assumir o comando dos remanescentes das forças britânicas no país. Devia ser seguido por uma nova força expedicionária, composta da 52ª Lowland e da 1ª Divisão Canadense, sob o comando do general sir Alan Brooke. O general Marshall-Cornwall tinha uma idéia muito depreciativa do Estado-Maior do general Altmayer, do 1º Exército francês, sob cujas ordens foi colocado, e também de um dos comandantes britânicos.

Ou nas suas palavras:

> Na manhã seguinte [5 de junho] o 4º Exército do coronel-general Hans Gunther von Kluge iniciou um violento ataque em toda a frente do 10º Exército, de Amiens até o mar. Esse ataque introduziu uma cunha entre o 10º Corpo de Altmayer, à direita, e seu 9º Corpo, à esquerda. Ele perdeu inteiramente contato com o 10º Corpo.[2]

Kluge explorou brilhantemente essa abertura com suas 5ª e 7ª Divisões *Panzer*. Pregava ele, assim, o último prego no caixão dos Aliados e conseguia a vitória final que o destacaria como o general alemão mais bem-sucedido da campanha de 1940.

No dia 7 de junho, tanques britânicos da 1ª Divisão Blindada detiveram as unidades motorizadas de Kluge, que estavam penetrando na linha, na direção de Rouen e do vale do Sena, mas era uma luta inútil. Marshall-Cornwall telefonou ao Ministério da Guerra, pedindo permissão para retirar a 51ª Divisão Escocesa, que nesse momento corria gravíssimo perigo de ser isolada por Kluge. A permissão foi recusada, porque os britânicos acreditavam que os franceses continuariam a luta da Grã-Bretanha. Em vez disso, no dia 12 de junho, parte da 52ª Divisão Lowland desembarcou em Cherburgo e imediatamente dirigiu-se para a linha de frente, mas havia uma enorme brecha entre ela e as tropas francesas mais próximas.

Na manhã do dia 10 de junho a 7ª *Panzer* de Rommel chegou ao Sena. Kluge imediatamente ordenou-lhe que rodasse para noroeste, na direção do mar. No dia 11 Rommel escreveu à esposa: "Mais de 96km de perseguição ontem. Cheguei ao mar a oeste de Dieppe e isolei várias divisões (francesas e britânicas)."

Rommel jogara a 51ª Divisão Escocesa na praia, em Saint-Valéry-en-Caux, e selara o triunfo de Kluge. Isolada de seus suprimentos de alimentos e munição, a divisão rendeu-se ao meio-dia do dia 13 de junho, após apresentar uma decepcionante resistência. Cortesmente Rommel convidou Fortune e seus oficiais de Estado-Maior mais graduados para um almoço. Eles, porém, recusaram, alegando que "tinham alimentos próprios em quantidade mais do que suficiente". À tarde Rommel ficou surpreso ao ver Fortune e outros oficiais britânicos rindo, enquanto passeavam em volta da casa onde estavam detidos.

Na mesma tarde chegou o general sir Alan Brooke, que estabeleceu o QG de seu Corpo de Exército em Le Mans, confiante em que os franceses estavam preparando um reduto na Bretanha. Marshall-Cornwall viajou 125km a toda pressa para encontrá-lo e insistiu na evacuação. Brooke telefonou para o Ministério da Guerra, que nessa ocasião não acreditava mais em um ponto fortificado na Bretanha e concordou em que o único curso possível era o reembarque de todas as tropas britânicas. Marshall-Cornwall dirigiu-se então ao QG do 10º Exército, onde os franceses ainda falavam no *Reduit Breton*. As notícias da frente de batalha, porém, eram tão más que Marshall-Cornwall disse a Altmayer que ele precisara "cortar o nó górdio", tendo já ordenado a todas as tropas britânicas que recuassem para Cherburgo. Em Cherburgo Marshall-Cornwall embarcou 30.500 soldados e 26 tanques, embora tenha deixado atrás centenas de caminhões, muitos em perfeitas condições. Enquanto isso Kluge enviava a "Divisão Fantasma" de Rommel, como passara a ser conhecida, em feroz perseguição. Depois de percorrer 240km em um único dia, a divisão se encontrava a apenas 4,5km de Cherburgo quando partiu o último navio britânico. Nesse dia comemorava-se o 125º aniversário de Waterloo, embora Marshall-Cornwall observasse que o dia lembrava mais Corunna.

Terminada a luta, oficiais de Estado-Maior do Corpo de Hoth criticaram Rommel por seus métodos não-ortodoxos de comando na linha de frente e por desobedecer às ordens ao colocar tabuletas com o letreiro "DG7" em suas estradas de comunicação, a fim de permitir que unidades que vinham atrás se emparelhassem rapidamente com ele. Houve queixas também de perda de contato entre Rommel e o Estado-Maior de sua divisão. Kluge tomou o lado de Rommel nessa controvérsia, como devia mesmo fazer, uma vez que a inspirada liderança do general subordinado muito fizera para estabelecer sua própria reputação. Kluge e Rommel ganharam a admiração de

Hitler e foram entusiasticamente louvados pelo rádio e imprensa alemãs. Quatro anos se passariam antes que Kluge e Rommel voltassem a servir juntos, e também em circunstâncias muito diferentes.

Quando, no dia 26 de junho de 1941, Hitler lançou seus exércitos contra a Rússia, Kluge já promovido a marechal-de-campo, comandava ainda o 4º Exército, que foi incluído no Grupo de Exércitos Centro, sob as ordens de Bock. O primeiro objetivo consistia em encurralar tantas tropas russas quanto possível em torno de Minsk. Kluge insistiu em que as bocas de pinça deviam ser fechadas logo, porque sua infantaria não estava inteiramente motorizada e não podia chegar a tempo para um cerco mais profundo. Tinha razão, e Hitler apreciou-lhe a boa capacidade de julgamento.

Smolensk foi logo tomada. As bocas de outro movimento de pinça mais adiante, porém, não fecharam, deixaram uma abertura de 16km e embora fossem capturados 300 mil russos no dia 5 de agosto, 200 mil escaparam. Kluge descobriu que as más estradas impediam-no de trazer reforços com rapidez suficiente e irritou-se com a demora, antes que a ofensiva contra Moscou pudesse ser reiniciada. Enquanto isso, em agosto, Hitler causou mais demoras, destacando parte dos blindados de Bock e enviando-os ao sul, em uma vitoriosa ofensiva para cercar Kiev e fechar outra armadilha, em que caíram 600 mil russos. Outro cerco, em 30 de setembro, em Vyasma, na estrada para Moscou, rendeu novamente grandes números de prisioneiros e por algum tempo Kluge acreditou que tinha uma estrada desimpedida à frente. Em fins de outubro, porém, o tempo mudou, e as estradas se transformaram em lamaçais no momento exato em que tropas russas descansadas apareceram na frente de Moscou.

Bock queria continuar o avanço sobre a capital com suas unidades mecanizadas, deixando que a lenta infantaria fizesse a limpeza dos bolsões de resistência na retaguarda. E na verdade alguns de seus destacamentos blindados chegaram aos subúrbios de Moscou no dia 2 de dezembro, embora o principal avanço fosse contido nas florestas que cercam a capital. Imediatamente uma contra-ofensiva maciça russa, sob o comando de Zhukov, empurrou para trás os cansados alemães, flanqueou-os e criou uma situação crítica.

O mais inteligente Kluge fora contrário a uma ofensiva blindada contra Moscou, sem apoio da infantaria, compreendendo melhor que Hitler e seus superiores no Exército os perigos inerentes à situação e, talvez levando em conta os momentos críticos por que passara um ano antes em volta de Arras, quando os tanques de Rommel avançaram demais sem cobertura da infantaria. Em 4 de dezembro Kluge comunicou a Hitler que sua infantaria parara por causa das estradas intransitáveis, congeladas à noite e transformadas em lodaçais durante o dia.

No dia 22 de dezembro queixou-se a Hitler de que o Estado-Maior Geral estava enviando por via aérea tropas semicongeladas a Smolensk, sem armas e sem vestimenta de inverno. Na véspera do Ano-Novo, solicitou permissão a Hitler para efetuar pequenas retiradas, em virtude dos incessantes ataques russos. Hitler respondeu que, na Primeira Guerra Mundial, ele e seus camaradas haviam suportado 15 dias de bombardeio incessante e sustentado a linha. Kluge respondeu que eles não haviam combatido a -25ºC e que um de seus comandantes de corpo lhe dissera que uma divisão não obedeceria à ordem de resistir porque os soldados estavam exaustos. Hitler retrucou irado: "Se é assim, então isso significa o fim do Exército alemão." Não obstante, deu permissão a Kluge para recuar certas unidades de seu Grupo de Exércitos — o que era um tributo à sua confiança no marechal. Mas, inflexível, disse que não permitiria qualquer retirada em grande escala. E após demorados telefonemas a longa distância recusou atender às repetidas solicitações de Kluge, de encurtar de 130km para 30 um setor da frente de combate. Kluge não sentia timidez em expressar suas opiniões a Hitler, mas sabia quando parar, antes que ele ficasse furioso demais.

Só em maio de 1942 os exércitos de Hitler retomaram a iniciativa. Durante o inverno atividades de *partisans* na retaguarda de Kluge destruíram pontes e depósitos de alimentos. Seguiu-se uma luta bárbara contra esses irregulares. Milhares foram mortos, combatentes ou não, em varreduras de grande amplidão, utilizando-se métodos brutais para obrigar centenas de milhares de russos, nas áreas de retaguarda, a trabalharem como escravos.

Kluge ficou enojado com a falta de humanidade de seus compatriotas e nesse momento já acreditava que a campanha de Hitler na Rússia acabaria em desastre para a Alemanha. Entendeu bem a ameaça implícita na declaração de guerra aos Estados Unidos em dezembro de 1941, e sua fé em Hitler começou a fraquejar.

No dia 13 de julho de 1942 Hitler mais uma vez demonstrou confiança em Kluge, promovendo-o para o comando do Grupo de Exércitos Centro quando Bock sofreu uma crise temporária de doença. No quartel-general de Bock, Kluge tornou-se amigo íntimo do barão Henning von Tresckow, um oficial de Estado-Maior de alta patente, muito implicado no movimento de resistência. Tresckow pertencia à geração mais jovem de aristocratas da Wehrmacht e era um soldado extraordinariamente trabalhador, dotado de bom cérebro e possuidor de boa aparência e carisma. Em pouco tempo Kluge sentiu-se profundamente influenciado por ele.

No quartel-general do Grupo de Exércitos Centro havia uma turma de oficiais de Estado-Maior mais jovens que, enojados com a brutalidade com que estava sendo feita a ocupação da Rússia, e diante da impossibilidade de levar a guerra a um final feliz, haviam resolvido derrubar Hitler e fazer a paz com os Aliados no oeste.

Kluge demonstrou simpatia pelas maquinações do grupo de Tresckow, que o convenceu de que, no interesse da nação alemã, uma tentativa devia ser feita para eliminar Hitler. Tresckow conseguiu mesmo que ele concordasse em receber em Smolensk o influente político alemão antinazista Gördeler. Depois de uma longa e perigosa viagem, Gördeler convenceu-se de que conquistara von Kluge para a causa. Não levou em conta, porém, a ambivalência e a indecisão do marechal. Não era sem motivo que o conheciam como o "der Kluge Hans" ("O Esperto Hans"). Um amigo íntimo de Tresckow e Kluge, von Schlabrendorff, que milagrosamente escapou dos carrascos de Hitler, sumariou após a guerra o que acontecera, escrevendo: "Repetidas vezes ele [Tresckow] pensou que levara Kluge à beira da ação, mas apenas para descobrir no dia seguinte que ele recaíra na incerteza."[3] Kluge permaneceu ostensivamente subserviente a Hitler. Se Hitler desconfiava ou não da lealdade dele nesse momento não se sabe, mas em outubro de 1942 o Führer, surpreendentemente, enviou a ele um cheque no valor de um quarto de milhão de marcos livre de impostos, para melhoramentos em sua propriedade no campo, como reconhecimento por sua conduta na guerra. Kluge, após consideráveis dúvidas, aceitou o presente. Recusá-lo teria revelado sua deslealdade ao Führer. Tresckow disse-lhe que a posteridade só lhe compreenderia a aceitação do presente se ele desse a impressão de que o aceitara para evitar ser exonerado e, dessa maneira, preservar uma posição a partir da qual poderia eventualmente derrubar Hitler.

Em março de 1943 Hitler resolveu visitá-lo. Os conspiradores do quartel-general do marechal pensaram que chegara o momento de eliminar o Führer. Sugeriram a Kluge que um pelotão de fuzilamento deveria prendê-lo e executá-lo. Kluge pensou na idéia, remancheou e, finalmente, rejeitou-a. Desapontado, Tresckow, em vez disso, colocou uma bomba-relógio no avião que ia levar de volta o ditador. Infelizmente o detonador não funcionou e Hitler nunca mais visitou Kluge.

O marechal cooperou lealmente com o Führer durante a última e desesperada ofensiva de 5 de julho de 1943 contra o saliente de Kursk (ver mapa 5), mas irritou-o ao retirar as divisões *panzer* de uma posição perigosa quando ocorreu um feroz contra-ataque russo. Não obstante, mais tarde ele retirou habilmente a maior parte de suas tropas da armadilha russa a leste do Dnieper. No dia 12 de outubro de 1943, porém, seu carro capotou na estrada Minsk-Smolensk e ele ficou *hors de combat* durante meses.

No dia 30 de junho de 1944, inteiramente recuperado do acidente, Kluge foi chamado por Hitler a Berchtesgaden. Parecia bem de saúde, repousado e confiante.

Em 29 de junho o marechal Rundstedt e o marechal Rommel, comandantes-chefes no oeste, haviam recebido ordens de se apresentarem a Hitler e o informarem sobre o progresso porventura feito para repelir a invasão dos Aliados. Os dois mostraram-se pessimistas quanto às possibilidades de sucesso de um contra-ataque alemão. O relatório desagradou a Hitler, que os mandou embora sem convidá-los para jantar. No dia seguinte, ao telefone, Keitel, chefe do Estado-Maior de Hitler, perguntou a Rundstedt: "O que é que vamos fazer agora?" Segundo se diz, o exasperado Rundstedt teria respondido: "Façam a paz, seus idiotas." Keitel comunicou a resposta a Hitler, que imediatamente demitiu Rundstedt e nomeou Kluge em seu lugar.

Dessa maneira Kluge assumiu um posto-chave no qual, se houvesse feito causa comum com os conspiradores Stauffenberg-Beck-Gördeler, poderia ter terminado a guerra no oeste e detido o avanço russo na Europa Central. Infelizmente, vacilou. Tão importante foi seu papel na tragédia que vários historiadores alemães modernos analisaram-lhe em profundidade o caráter. Na Frente Oriental ele fora tenaz e um especialista em improvisação, à medida que o equipamento alemão falhava sob os rigores do inverno russo. Amava o Exército e suas tropas. Sempre exigira o máximo de seus subordinados. Sob um exterior impassível, era homem profundamente emotivo. Adorava falar sobre o campo e amava seus bosques e o rio na Prússia Oriental. Embora antipatizasse com os nazistas, era suscetível ao hipnotismo da personalidade de Hitler e, ao chegar a Berchtesgaden, longe da infantaria de Tresckow, em junho de 1944, parecia sentir profundo senso de gratidão pelo presente em dinheiro de Hitler.[4]

Hitler deu-se a grandes trabalhos com Kluge nos poucos dias em que permaneceram juntos. Fê-lo participar da Conferência de Guerra no Berghof, onde demonstrou um otimismo irresponsável, convencendo o marechal de que os sucessos dos Aliados na invasão da Normandia se deviam principalmente a erros e à fraca liderança de Rundstedt e Rommel. Enfatizou que Rommel estava preocupado demais com "a alegada superioridade esmagadora do poderio aéreo e da artilharia dos Aliados" e que esse fato tornava-o pessimista. Além disso, Rommel era "obstinado" demais e nem sempre cumpria implicitamente as suas ordens. Explicou-lhe que não tinha mais confiança completa em Rommel. E convenceu-o também de que, logo que a invasão fosse detida, bombas voadoras V-1 e armas secretas ainda mais poderosas aniquilariam a Grã-Bretanha em questão de meses.

As antigas simpatias de Kluge pela resistência haviam sumido. Como um camaleão, ele nesse momento era o "homem" do Führer, convencido de que só ele poderia salvar a Alemanha do pavoroso destino de uma derrota pelos Aliados, que a esta altura ofereciam apenas rendição incondicional e um futuro miserável para todos os alemães, de acordo com os termos do plano Morgenthau.

Esse estado de espírito, no entanto, não durou muito. Logo que, transbordante do otimismo de Hitler, chegou ao quartel-general de Rommel, em La Roche Guyon, houve uma briga. Imediatamente avisou a Rommel que, a partir daquele momento, teria que obedecer a ordens incondicionalmente. Rommel respondeu em voz alterada que interpretara corretamente para Hitler a situação militar e deixou meridianamente claro que seria impossível manter a Normandia por muito mais tempo. Tão violenta foi a briga que Kluge teve que pedir aos oficiais de Estado-Maior presentes que se retirassem. Posteriormente Rommel fez um pedido escrito a Kluge para que retirasse suas acusações.[5]

No esforço para botar uma meia-sola na situação, Kluge concordou em inspecionar a frente de batalha e discutir a situação com os comandantes de unidade. Nessas visitas, com seu cérebro rápido e competência profissional, convenceu-se de que o que Hitler lhe dissera fora falso e coisas de neurótico, e que Rommel tinha razão. Saulo tornou-se Paulo. Chegou à conclusão de que Hitler vivia na base de pensamento desiderativo e que, quando seus sonhos esboroavam, procurava bodes expiatórios, como fizera na Rússia. Rápido em mudar de idéia, e com seu forte traço de ambivalência, virou-se novamente contra Hitler.

No dia 12 de julho voltou ao quartel-general de Rommel. Nesse momento os dois marechais concordaram em que a guerra estava perdida e, como Hitler não poria fim a ela mediante ação política, ele teria que ser liquidado. Se a resistência conseguisse eliminá-lo; ele e Rommel apoiariam um novo governo Beck-Gördeler e entrariam em contato com Montgomery para negociar os termos da rendição, segundo os quais os alemães deixariam seu equipamento pesado na França e retirariam suas tropas para trás do Reno, a fim de ajudar os exércitos da Frente Oriental a manter os russos fora da Alemanha.

Rommel, aliás, já abrira uma ligação de rádio com os norte-americanos, e nos dias 2 e 9 de julho pessoal médico e feridos muito graves haviam cruzado as linhas.[6] Hitler ficou furioso quando ouviu falar nisso. Em 16 de julho, após discussões com Kluge, Rommel preparou o que chamou de uma mensagem "Blitz" a Hitler, declarando que suas tropas "estavam lutando heroicamente", mas que a frente alemã entraria inevitavelmente em colapso dentro de "quatorze dias a três semanas" e: "É meu dever expor isto com toda clareza."

Em Berlim os conspiradores, através de seu cúmplice, general Karl Stülpnagel, governador militar de Paris, enviaram uma mensagem a Rommel, informando que Stauffenberg tentaria matar o ditador em sua Conferência de Guerra no dia 20 de julho e que um governo Beck-Gördeler seria proclamado a fim de substituir os nazistas.[7] Kluge concordou em cooperar, se Hitler fosse morto. Em 17 de julho Rommel disse a Stülpnagel que agiria "clara e incondicionalmente" tão logo Hitler fosse liquidado, fizesse Kluge causa comum com ele ou não. Naquela noite, porém, o carro de Rommel foi atacado por Spitfires, sendo ele levado para um hospital gravemente ferido.

Agora as esperanças dos conspiradores no oeste dependiam de Kluge. Ele, porém, se mostraria fraco de caráter e vacilante. Em 19 de julho, segundo Walter Bargatzky (chefe da Cruz Vermelha alemã no pós-guerra), Kluge chegou a Paris para uma conferência com Stülpnagel. Informado de que o assassinato estava planejado para ocorrer no dia seguinte, concordou em honrar o compromisso de Rommel.[8]

No dia 20 de julho explodiu a bomba colocada por Stauffenberg durante a Conferência de Guerra de Hitler, em Rastenburg. Infelizmente o Führer ficou apenas ferido. A revolta em Berlim foi rapidamente esmagada, com a execução imediata de Beck e Stauffenberg.

Em Paris Stülpnagel e seus co-conspiradores receberam um telefonema dizendo que o golpe estava "em andamento" e que Hitler morrera. Mais tarde chegou uma mensagem informando que "estava tudo perdido". Conforme planejado, Stülpnagel ordenara a prisão de mais de mil elementos da Gestapo e líderes das SD em Paris. Foram levados à prisão sem violência. Chegando a notícia de que a conspiração fracassara em Berlim, Stülpnagel dirigiu-se de carro ao quartel-general de Kluge, em uma última e desesperada tentativa de convencê-lo a render-se na Frente Ocidental e continuar o levante a partir da França. Segundo o general Blumentritt, um dos oficiais de Estado-Maior mais graduado de Kluge, este, quando soube que o Führer estava morto, dissera: "Se o Führer está morto, temos que entrar em contato imediatamente com o outro lado." Infelizmente, logo depois, Keitel enviava uma mensagem de Rastenburg, informando que Hitler fora apenas ferido. Kluge perdeu a coragem e, quando Stülpnagel chegou a La Roche Guyon, resolvera irrevogavelmente dar as costas aos conspiradores.

Stülpnagel argumentou, em desespero. Kluge, porém, permaneceu inflexível, uma vez que concordara em cooperar apenas na eventualidade da morte de Hitler. É concebível que o juramento pessoal de lealdade a Hitler o tenha influenciado. Ameaçou mesmo mandar prender Stülpnagel. Este, por sua vez, pensou em chantagear Kluge, ameaçando divulgar sua anterior promessa de apoio à conspiração, mas finalmente voltou a Paris e mandou soltar o pessoal da Gestapo. Seu papel no complô tornara-se claro para a Gestapo, e no dia seguinte foi chamado a Berlim e preso, após uma tentativa fracassada de suicídio.

A campanha da Normandia desenvolveu-se da pior forma possível para Kluge, como teria forçosamente que acontecer. Hitler, contra o parecer dele, ordenou uma contra-ofensiva na direção dos norte-americanos em marcha, ao ser destroçada a linha de defesa montada por Rommel. Obedientemente, Kluge, que sugerira a retirada para trás do Sena, executou as ordens do Führer, sacrificando inutilmente as divisões *panzer* restantes. Em seguida mudou de idéia novamente e tentou render-se.

No dia 15 de agosto, com suas tropas em situação dificílima, ficou sem contato com seu Estado-Maior durante todo o dia. No quartel-general de Hitler foi monitorada uma mensagem dos Aliados, perguntando onde estava Kluge. Imediatamente Hitler desconfiou que ele estava tentando negociar um armistício e disse que aquele fora o "pior dia de sua vida". O genro de Kluge, dr. Udo Esche, que mais tarde lhe deu o cianureto com que ele cometeu suicídio, disse aos interrogadores aliados após a guerra que o general discutira com ele a rendição e que "fora à frente de batalha, mas não conseguira entrar em contato com os comandantes aliados". George Pfann, ajudante do 3º Exército do general Patton, contou mais tarde que o general desaparecera durante todo um dia em meados de agosto e que, quando voltara, dissera que tentara manter contato com um emissário alemão, mas que ele não aparecera no lugar combinado. O brigadeiro sir Edgar Williams, chefe de informações e contra-informações de Montgomery, contou a este autor que se lembrava do dia em que foi anunciado o desaparecimento de Kluge e que avisara ao seu chefe que poderia ter notícias do comandante alemão a qualquer momento.[9]

Tarde naquela noite Kluge reapareceu no seu quartel-general e disse que seu carro de rádio fora danificado por aviões inimigos pela manhã, de modo que não pudera manter contato enquanto visitava unidades avançadas. Essa explicação não convenceu Hitler, que o exonerou imediatamente e colocou em seu lugar um nazista fanático, o marechal Model. Kluge escreveu a Hitler: "Meu Führer, decida-se a terminar com a guerra. O povo alemão tem sofrido sofrimentos indizíveis e já é tempo de pôr um fim a este pavor."

Tarde demais, Kluge, que tinha tal dificuldade para decidir-se, tentara terminar a guerra e fracassara. Cometeu suicídio na volta à Alemanha, sabendo que seu papel na conspiração fora revelado a Hitler. O mais hábil dos generais de Hitler sentia-se torturado pelo conflito entre o desejo de ver uma Alemanha vitoriosa e o ódio aos métodos nazistas e ao prolongamento de uma guerra que só poderia trazer mais horrores evitáveis ao povo alemão.

Dados cronológicos | Günther Hans von Kluge

1882, 30 out	Data de nascimento
1901	Ingressa no Regimento de Artilharia da Baixa Saxônia
1908	Academia Militar
1910-18	Oficial de Estado-Maior, chega a capitão na Frente Ocidental
1918	Ingressa na *Reichswehr*
1930	Coronel
1933	Major-general
1934, 1º abr	Comandante da 6ª Divisão, Münster
1937	General de Artilharia e comandante do 6º Corpo de Exército
1938, 1º dez	Comandante do 6º Exército (Hanover), que se tornou, ao irromper a Segunda Guerra Mundial, o 4º Exército (Hanover)
1939-40	Comandante do 4º Exército na Polônia, França e Rússia
1940, jul	Promovido a marechal-de-campo
1941, 19 jul	Substitui o marechal Bock como comandante do Grupo de Exércitos Centro, Rússia
1943, 12 out	Após grave acidente de automóvel, entra em longa licença para tratamento de saúde
1944, 7 jul	Torna-se comandante-chefe Oeste na França, em substituição ao marechal Rundstedt, e no dia 17 de julho assume o comando, após ferimentos sofridos por Rommel, do Grupo de Exércitos B na Normandia
1944, 17 ago	Exonerado por Hitler, dois dias depois comete suicídio em Valmy, França

Dietrich e Manteuffel | 18

Coronel-general SS Josef "Sepp" Dietrich
General de Tropas Panzer *Hasso von Manteuffel*

FRANZ KUROWSKI

Sepp Dietrich foi um dos primeiros soldados alemães de tanques da Primeira Guerra Mundial. Além disso, como um dos primeiros correligionários de Hitler, acompanhou-o em seus encontros, de modo que se tornou inevitável que desempenhasse um papel importante, sendo diretamente responsável perante o Führer e encarregado de sua segurança. Hitler depositava confiança irrestrita nesse lutador e veterano companheiro da guerra. E tinha razão para assim proceder, porquanto Sepp Dietrich era homem de alta integridade. Protótipo de lutador valente, modelo de lealdade e confiança, ele sempre dizia a Hitler o que pensava — de maneira franca, embora inofensiva. Se "Papa" Paul Hausser era considerado como o criador da Waffen-SS, então Sepp Dietrich foi o soldado da Primeira e Segunda Guerra Mundiais que lhe instilou um espírito de luta que, nas palavras de Otto Skorzeny, "nada ficava a dever à Guarda Imperial de Napoleão".

Embora oficiais treinados como profissionais da *Reichswehr* lhe facilitassem todos os seus livros e trabalhos e lhe dessem todo apoio possível e, além disso, ele houvesse obtido experiência prática de comando de regimento e divisão, nada pôde superar-lhe as deficiências em conhecimentos militares, em comparação com aqueles oficiais que haviam passado pelo longo processo de preparação tradicional, inicialmente no Corpo de Cadetes e em seguida no Estado-Maior Geral. Ainda assim Sepp Dietrich foi um comandante de unidades *panzer* de excepcional qualidade.

Joseph "Sepp" Dietrich nasceu no dia 28 de maio de 1892 em Hawangen, distrito de Memmingen, no Allgäu. Cursou a escola primária em Kempten e depois iniciou um curso de hotelaria, que concluiu com sucesso em Zurique.

Em 1911, como voluntário, ingressou no 4º Regimento "König" de Artilharia de Campanha bávaro. Em 1912 foi cedido por sua unidade a uma escola de cabos, depois do que serviu durante dois anos como cabo no treinamento de tropas montadas.

No dia 1º de agosto de 1914 entrou em serviço na linha de frente com o 6º Regimento de Artilharia de Campo da Reserva, tendo sido em 1915 transferido para o 7º Regimento HM de Artilharia de Campanha bávara, o regimento "Prinz Luitpold". Daí passou para a 10ª Unidade de Fuzileiros de Infantaria, que conquistara uma reputação especial como primeira "matadora de *panzers*". Finalmente, após outro período no 8º Regimento de Infantaria, serviu no 2º Batalhão de Assalto.

Após a adoção dos primeiros veículos de combate blindados, o sargento Dietrich solicitou transferência para a 13ª Unidade Motorizada *Panzer* de Assalto, onde passou por treinamento especializado. No dia 21 de março de 1918 guiou seu primeiro *panzer* nas proximidades de St. Quentin e, em julho, na primeira batalha de tanques, em Villers-Cotterets, na qual o inimigo entrou em ação com mais de 400 blindados. Coube a Dietrich disparar os primeiros tiros. Após quatro anos lutando na Frente Ocidental e na Itália como subalterno de linha de frente, recebera as Cruzes de Ferro de I e II Classes, a Medalha *Panzer* de Prata, a Cruz Bávara de Serviços Distintos, Terceira Classe, a Medalha de Bravura Austríaca e, em 1921, após serviço na Alta Silésia, a nova República Alemã concedeu-lhe a Ordem Silesiana da Águia, I e II Classes.

Como comandante de tropa e sargento estivera envolvido no lançamento de uma arma inteiramente nova, o tanque. Desse momento até seu cargo máximo, o de comandante de exército *panzer*, desenrolou-se uma carreira que hoje é pura lenda. Neste ensaio, fazemos uma tentativa de traçar uma linha entre o homem e suas realizações e o mito e o fato.

Depois de desmobilizado do Exército bávaro em março de 1919, Sepp Dietrich ingressou no 1º Regimento de Defesa do *Freikorps* como sargento. Como membro dessa unidade, tomou parte na derrubada violenta do regimento vermelho (comunista) em Munique.

Em 1920 sentou praça na Polícia Nacional da Baviera como 1º sargento e tornou-se comandante de pelotão. De 1920 a 1926 serviu simultaneamente como membro do *Freikorps* "Oberland". Nessa época, em maio de 1921, entrou em ação na Alta Silésia, como voluntário, contra "voluntários" poloneses, analogamente irregulares, e se distinguiu durante o assalto a Annaberg no dia 21 do mesmo mês. A partir de 1927 trabalhou durante três anos como gerente de um posto de gasolina e como gerente de despachos de uma grande editora do sul da Alemanha.

Em maio de 1928, aceito na *Schutzstaffel* do Partido Nazista, sob o número 1177, no dia 1º de agosto, Hitler nomeou-o *Sturmbannführer* da mesma corporação. Daí em diante Dietrich tomou realmente a estrada do sucesso. Acompanhou Hitler em todos os seus encontros, discutiu com ele todos os tipos de assuntos e, de todas as maneiras, mostrou ser um homem ao gosto do Führer. Assim, era inevitável que, no dia 18 de setembro de 1929, ele se tornasse *Standartenführer* e comandante da Brigada Bávara da SS. Com sua nomeação para SS *Oberführer* em 11 de julho de 1930, passou simultaneamente a chefe do Grupo Sul da SS. Apenas 18 meses depois, em 18 de dezembro de 1931, foi promovido a SS *Gruppenführer*. No dia 1º de outubro de 1932, com mais uma promoção, chegou a chefe do Grupo SS Norte. Nessa qualidade, agindo em nome de Hitler e sem derramamento de sangue, afastou Walter Stennes de seu posto de líder das SA na região oriental da Alemanha.

Subindo os nacional-socialistas ao poder em 30 de janeiro de 1933, Sepp Dietrich tornou-se um dos mais íntimos e assíduos colaboradores de Hitler. Freqüentemente era convidado por ele para almoço e jantar. Após o dia 30 de janeiro, Hitler ordenou-lhe que criasse uma unidade SS, que seria provida de armas e alojada em quartel. Essa unidade teve inicialmente o nome "SS-Batalhão de Vigilância-Berlim". Ao aumentar seu efetivo de 120 para 800 voluntários, em setembro de 1933, ganhou o nome de *Leibstandarte* (Guarda Pessoal) SS Adolf Hitler.

Em outubro de 1933 assumiu o comando do Alto Setor Leste SS da SS geral (desarmada) e foi nomeado juiz honorário da Corte de Honra Suprema e Disciplinar, da Frente Trabalhista Alemã. No mesmo ano recebeu a nomeação de Conselheiro Privado e Cívico Prussiano em Berlim. Juntamente com seu xará, o chefe de imprensa do Reich, dr. Otto Dietrich, Sepp pertencia ao grupo mais íntimo de assessores que, na ala direita do apartamento do Führer na Chancelaria, tinha que estar de serviço dia e noite. Em conseqüência, passou a ocupar um quarto próprio na suíte do Führer. Além disso, era não só o comandante da *Leibstandarte*, cada vez mais numerosa, mas também chefe da escolta de Hitler e, como tal, responsável por sua segurança. A seu respeito, disse o ajudante-de-ordens de Hitler, Nicolau von Below: "Despretensioso, não erudito mas possuidor de bom senso, merecia o respeito de todos por seu caráter honesto."[1]

A participação de Sepp Dietrich na liquidação do alto comando da SA em 30 de junho de 1934, pela qual foi submetido a julgamento por um tribunal alemão após a Segunda Guerra Mundial (ver adiante, p.470), tem sido incorretamente descrita em várias publicações. Conforme disse ele a Paul Hausser após a Segunda Guerra Mundial, no dia 29 de junho um batalhão da *Leibstandarte* foi enviado de Berlim para o sul da Alemanha. A permissão de transferência foi assinada pelo general von Reichenau, do Ministério da Defesa. Ao chegar de trem a Augsburg, o batalhão foi recebido por um comboio de transporte da *Reichswehr* e levado para Munique. Durante a estada nessa cidade, o batalhão recebeu pensão e alojamento fornecidos pela *Reichswehr*. O pessoal do batalhão não tinha a menor idéia do que estava acontecendo, embora todos soubessem que a *Reichswehr* estava a seu lado. A crítica, se na verdade podemos usar essa palavra, de que nesses dias em Munique a SS protegeu Hitler carece simplesmente de fundamento. Sepp Dietrich descreveu a situação da seguinte maneira: "Hitler e sua comitiva estavam hospedados na '*Braunes Haus*' [Casa Cinzenta] em Munique, não sob a proteção da *Leibstandarte* ou dos grupos políticos de prontidão, mas de uma companhia do 7º Batalhão de Sapadores da *Reichswehr*." Embora Dietrich não participasse pessoalmente do fato, a *Leibstandarte* providenciou um grupo de sete matadores na prisão de Stadelheim, em Munique, onde Röhm, o chefe de Estado-Maior da SA, e cinco outros líderes graduados da corporação foram executados. Um tribunal de justiça de Munique condenaria Dietrich a 18 meses de prisão como "cúmplice de homicídio simples" no tocante ao fuzilamento de Röhm.

No dia 1º de julho de 1934 Dietrich foi promovido a *Obergruppenführer*, o equivalente a general de Exército. O general barão von Fritsch, que o apreciava muito, emprestou-lhe suas notas e os ensaios que escrevera no Colégio de Guerra para que os estudasse, além de instruí-lo pessoalmente, dessa maneira lançando a pedra fundamental de sua transformação em comandante de tropas. O ministro da Defesa, von Blomberg, em visitas de inspeção freqüentes à *Leibstandarte*, prodigalizava elogios à maneira como a tropa era treinada. A convite do Exército, Dietrich participou de numerosos exercícios de planejamento, tal como o de 1936 em Zossen, em 1938 na escola de *panzers* de Wunsdorf. Dessa forma, nos pátios dos quartéis em Lichterfelde, Berlim, e nos campos de treinamento, a *Leibstandarte* transformou-se em uma unidade de combate, que provou seu valor em ação vigorosa.

Em 1º de setembro de 1939 a *Leibstandarte*, colocada sob o comando da 17ª Divisão de Infantaria, partiu da Silésia via Kreuzberg-Pitchen para a fronteira polonesa. Às 4h45min um grupo de assalto da unidade explodiu o posto fronteiriço, ocupou a ponte de Posna, avançou e capturou Boleslawiec. No primeiro dia de luta uma divisão de cavalaria polonesa foi por ela repelida com sucesso. A penetração até uma posição às margens do Warthe, o envolvimento bem-sucedido de Kutno e a batalha no rio Bzura constituíram pontos altos das operações de Dietrich. No dia 18 de setembro seguiu-se o ataque a Varsóvia e o sítio da fortaleza de Modlin. Após a captura de Varsóvia no dia 27 de setembro, e de Modlin no dia seguinte, foram concedidas a Dietrich as barras às suas duas Cruzes de Ferro.

Em fevereiro de 1940 encontramos a *Leibstandarte* incorporada à 227ª Divisão de Infantaria, no Reno, como unidade rápida. No início da ofensiva alemã no oeste, em maio de 1940, a *Leibstandarte* tomou a ponte De Poppe, na Holanda, em um ataque de surpresa e, avançando rapidamente 80km, ocupou Swolle. Com a captura de Geertruideberg a *Leibstandarte* pôde ajudar o 1º Regimento de Pára-quedistas de Student, que tomara a Maas-Waal, a ponte sobre o Moerdijk, em um desembarque de surpresa — mas não sem violenta luta —, e continuar avançando para ocupar Haia e Scheveningen.

A partir de 24 de maio de 1940 a *Leibstandarte* serviu como parte da 1ª Divisão *Panzer*, do 19º Corpo *Panzer*, de Guderian, no avanço na direção de Dunquerque. Em um ataque feito por iniciativa própria, durante a ordem temporária de imobilização das divisões *panzer*, dada pelo alto comando, Dietrich cruzou o canal Flandres-Aa e tomou o morro Wattenberg, de 70m de altura, uma elevação taticamente importante. O general Guderian, ao chegar, aprovou a iniciativa de Dietrich — enquanto ambos se abrigavam de fogo inimigo inesperado — e deu-lhe ordem para um outro ataque a Wormhout. O 2º Batalhão do Regimento Royal Warwickshire, que defendia Wormhout, teve que render-se às tropas de Dietrich com todos os seus 17 oficiais e 750 soldados. A aproximadamente 35m da posição inimiga, em frente a Esquelbecq, foi destruído o veículo de assalto de Dietrich. Ele e seu ajudante-de-ordens, Max Wünsche, tiveram que se esconder em uma tubulação de água durante quatro horas, antes que um grupo de assalto, comandado pelo *Oberscharführer* Oberschelp, pudesse resgatá-los.

Na segunda fase da campanha francesa a *Leibstandarte*, nesse momento alocada à 3ª Divisão *Panzer*, cruzou com ela o Oise e o Aisne. Finalmente chegaram à área de Villers-Cotterets, onde Dietrich combatera 22 anos antes como comandante de tanque. Tomada Château Thierry ao inimigo, e como ponta de lança da 3ª Divisão *Panzer* em sua rápida perseguição, as tropas de Dietrich chegaram a Saint-Etienne, 380km mais ao sul. No dia 5 de julho de 1940 Sepp Dietrich recebeu pessoalmente das mãos de Hitler a Cruz de Cavaleiro da Cruz de Ferro.

Na campanha dos Bálcãs na primavera de 1941, a *Leibstandarte* foi nesse momento elevada ao status de brigada e provida de um destacamento de canhão automóvel de assalto e de armas antiaéreas e artilharia adicional. Em 6 de abril de 1941, partindo de território búlgaro, penetrou na Iugoslávia juntamente com a 9ª Divisão *Panzer* e avançou até Skopje, passando por Kyustendil e Kumanovo. Em Skopje a *Leibstandarte* rodou para o sul e, percorrendo estreitas estradas de montanha, arremeteu na direção de Monastir (Bitola). Chegou a Prilep, mas teve que interromper o avanço para Monastir, às margens do Zrna, porque o inimigo explodira a ponte sobre o rio. A guarda avançada, porém, conseguiu em poucas horas cruzar o rio usando uma ponte improvisada. Em 12 de abril tomara o passo Klidi, defendido por tropas da Austrália e Nova Zelândia, da Força Expedicionária Britânica enviada por Churchill para defender a Grécia. Esta vitória abriu caminho para a penetração na Grécia, figurando como alvo da guarda pessoal de Hitler o lago Kastoria. No dia 19 de abril chegou ela a Koritsa, cruzando o obstinadamente defendido passo de Klusara, quando facilmente capturou o quartel-general do 3º Corpo de Exército grego em um ataque de surpresa. Esse ataque teve o comando do *Sturmbannführer* Kurt Meyer, mais tarde apelidado "Panzermeyer". Doze mil soldados gregos renderam-se a ele. Quando, no dia 20 de abril, foi tomado o passo Metsovon, nas montanhas Pindos, o exército Epiro-Macedônia grego capitulou. Pessoalmente Sepp Dietrich dirigiu-se ao quartel-general grego, situado próximo a Joannina, e negociou com o comandante-chefe dessas tropas, general Tsolakoglu, os termos da rendição. No mesmo dia ele e o general grego assinaram o documento de capitulação. Sepp Dietrich concordou com a solicitação do general Tsolakoglu, de que todos os oficiais gregos pudessem conservar suas pistolas. Após a assinatura do documento, que resultou na capitulação grega completa, Sepp Dietrich foi hóspede do arcebispo.

Nas batalhas de perseguição, iniciadas no dia 24 de abril de 1941, a brigada *Leibstandarte* chegou ao golfo de Patras e estabeleceu contato com o regimento de pára-quedistas do coronel Sturm, que saltara no canal de Corinto no dia 26 de abril. A *Leibstandarte* completou sua ação na Grécia com um avanço, passando por Pirgos e Trípoli, que terminou com a aniquilação da última resistência inimiga no porto de Kalami. No estádio olímpico de Atenas Sepp Dietrich agradeceu às tropas pela bravura e dedicação ao dever, mencionando também os que haviam tombado ou sido feridos durante a campanha. Após um curto repouso em Atenas a brigada foi transferida para uma posição a leste de Praga, Tchecoslováquia, de prontidão para o início da Operação *Barbarossa.*

Em 27 de junho de 1941, quase uma semana após o início da campanha russa, a *Leibstandarte,* nesse momento equipada como divisão de infantaria motorizada, partiu para Beuten, cruzou o Vístula nas proximidades de Annapol, no dia 30 de junho, e pouco depois chegou à fronteira russa perto de Sokal. Incorporada ao Grupo de Exércitos Sul, a divisão seguiu as unidades avançadas *panzer* e, após emparelhar-se com elas, enfrentou pela primeira vez o Exército Vermelho, em solo russo, não muito longe de Dubno e Ulika. Nos arredores de Novo Mariupol, rompeu a Linha Stálin e daí em diante manteve aberta a linha de suprimentos do 3º Corpo *Panzer*. Nas proximidades de Novo Arkhangel, em 31 de julho de 1941, completou-se o cerco de Uman.

A divisão de Sepp Dietrich, incorporada ao 1º Grupo *Panzer*, cruzou o Ingul perto de Kiryanovska, entrou em combate na área em volta de Novo Gdansk e avançou com uma unidade de reconhecimento para a cidade de Kherson, a 60km mais ao sul, que capturou. Graças à ousada liderança de Sepp Dietrich, tiveram sucesso a arremetida para Perekop, a batalha do vale Tatar e o avanço e penetração na península da Criméia, passando pela represa Sivash. Este era o tipo de luta em que sobressaía o soldado e lutador Sepp Dietrich. No dia 8 de outubro um boletim militar especial anunciou o avanço da *Leibstandarte* na direção de Mariupol. Na batalha do mar de Asov, Sepp Dietrich mostrou sua competência no comando de unidades rápidas. As usinas siderúrgicas do Asov e os estaleiros de Mariupol caíram intactos nas mãos dos alemães.

A partir de 10 de outubro de 1941 a *Leibstandarte* iniciou o avanço na direção do rio Mius, estabeleceu a primeira cabeça-de-ponte na outra margem e tomou o porto de Taganrog em um ataque de surpresa. O objetivo seguinte era Rostov. Como parte do 3º Corpo *Panzer*, sob o comando do general von Mackensen, e ombro a ombro com as 13ª e 14ª Divisões *Panzer*, a divisão de Dietrich chegou à cidade de Rostov e atacou-a em uma temperatura de -30ºC. No dia 20 de novembro, reforçada pelos tanques da 13ª *Panzer*, ocupou também essa importante cidade. Capturou ainda as vitais pontes ferroviárias sobre o Don ao sul de Rostov, impedindo assim sua planejada demolição. Os contra-ataques russos através do congelado Don, porém, forçaram os alemães a abandonarem Rostov. Sepp Dietrich conseguiu retirar todas as suas tropas e armamento pesado e colocá-los em posições defensivas ao longo do rio Mius. Nesses redutos a divisão conseguiu resistir durante todo o inverno de 1941-42. No dia 31 de dezembro de 1941 Sepp Dietrich tornou-se o 41º soldado alemão a ser condecorado com as Folhas de Carvalho para a Cruz de Cavaleiro da Cruz de Ferro, pelo competente comando de sua divisão na batalha do mar de Asov.

No gelado inverno de 1941-42 ele agiu não só como comandante, mas como pai para seus jovens soldados. Conhecia cada um deles pelo nome. Como ex-sargento de frente de batalha, seu relacionamento com os soldados era mais íntimo do que o de qualquer outro comandante. Não obstante, esperava deles o mais alto desempenho. Quanto a ele mesmo, ampliava seus conhecimentos entre as batalhas fazendo cursos.

Em fins de maio de 1942, substituídos em suas posições de inverno, os sobreviventes da *Leibstandarte* seguiram para Stalino. No início de junho foram transferidos dessa cidade para o outro lado da Europa, Paris, para fins de reorganização. Nos meses que se seguiram o comando de Dietrich foi ampliado e transformado na 1ª Divisão SS *Panzer Leibstandarte* Adolf Hitler.

Em fins de 1942 a divisão compreendia 20 mil homens de todas as patentes. Em janeiro de 1943 essa divisão reforçada, que nesse momento contava com dois regimentos *panzer*, tomou parte na violenta batalha defensiva entre os rios Donetz e Dnieper, com a missão de deter o ataque do 6º Exército soviético e cobrir a retirada da 298ª Divisão de Infantaria, posicionada a leste de Kupyansk. Embora fosse repelido o ataque russo à cabeça-de-ponte do Donetz, o inimigo penetrou no sul e flanqueou as posições defensivas da divisão. O *Obergruppenführer* Dietrich, em vista disso, recuou suas tropas a partir de 9 de fevereiro, a fim de formar uma ala atacante do Corpo *Panzer* SS. Em Alexeyevka conseguiu esmagar o ataque do 6º Corpo de Cavalaria soviético. O general que comandava o Corpo *Panzer* SS, *Obergruppenführer* Hausser, porém, em situação crítica nas proximidades de Kharkov, ordenou a evacuação dessa cidade. As unidades de Dietrich continuaram a lutar ao sul. Graças à sua liderança, a *Leibstandarte* escapou pelos menos sete vezes da aniquilação. Soldado nato de frente de batalha, sabia como desengajar suas tropas mesmo nas piores situações de luta e redesdobrá-las rapidamente para desfechar letais contra-ataques.

Quando, em março de 1943, as divisões de Hausser lançaram um contra-ataque contra Kharkov, a *Leibstandarte* foi a primeira a avançar no dia 4 desse mês. Dois dias depois rompeu com sucesso a forte linha defensiva entre Moskalsova-Gavrikovka, cruzou o rio Misha e no dia 8 tomou uma posição a oeste de Kharkov. No dia 11 de março granadeiros *panzer* e *panzers* da *Leibstandarte* entraram na cidade, procedentes do norte e nordeste, e chegaram à Praça Vermelha, no centro da mesma. No dia 15 de março a fábrica de tratores, o último centro de resistência soviética, caía em mãos alemãs. Atacando na direção nordeste, a companhia de tanques pesados Tigre da divisão e o batalhão transportado em veículos semilagarta, sob o comando de Jochen Peiper, tomaram Belgorod no dia 18 de março. Pela recaptura de Kharkov, Sepp Dietrich foi o 26º soldado alemão a receber as Espadas, com Folhas de Carvalho, para sua Cruz de Cavaleiro.

Durante a última grande ofensiva alemã no leste, codinome *Citadel*, contra o saliente de Kursk, a *Leibstandarte* participou do mais aceso da luta e envolveu-se na maior batalha de tanques da Segunda Guerra Mundial, nas cristas entre Prokhorovka e Teterovino. O 5º Exército Soviético de Tanques da Guarda, sob o comando do general Rotmistrov, ao tentar tomar de surpresa o HKL da divisão, perdeu 90 dos 150 tanques que participaram dessa batalha entre blindados, ao passo que os granadeiros *panzer* destruíram mais 30 tanques inimigos em combate a curta distância, desfechando assim o golpe final no 5º Exército Soviético de Tanques. Tendo Hitler suspendido a ofensiva, a divisão de Dietrich foi substituída e enviada ao norte da Itália para reagrupamento.

No dia 27 de julho de 1943 o *Obergruppenführer* Dietrich recebeu ordens de formar o 1º Corpo *Panzer* SS *Leibstandarte* Adolf Hitler, com suas tropas auxiliares. Lançando-se ao trabalho com grande entusiasmo, Dietrich informou a Hitler em fins de 1943 que a missão fora completada. Em 20 de abril de 1944 foi promovido a *Oberstgruppenführer*, o equivalente a coronel-general do Exército alemão.

A partir de 8 de junho de 1944 o 1º Corpo *Panzer* SS esteve engajado na Normandia, a fim de repelir as forças de invasão aliadas. Juntamente com a 12ª Divisão *Panzer* SS *Hitlerjugend*, bloqueou o avanço das tropas britânicas sobre Caen e, a despeito de ataques aéreos, conseguiu manter a cidade contra forças imensamente superiores. No dia 12 de junho foi obrigado a assumir o comando do Grupo *Panzer* Oeste e, pouco tempo depois, também o comando do 5º Exército *Panzer* (como fora rebatizado o Grupo *Panzer* Oeste), depois que membros de seus corpos de oficiais foram mortos ou feridos em um ataque aéreo naquele dia. Em 6 de agosto tornou-se o 16º soldado alemão a receber os Diamantes para sua Cruz de Cavaleiro, com Folhas de Carvalho e Espadas, das mãos do próprio Hitler.

Embora estivesse começando a se afastar silenciosamente do Führer, porque, na sua opinião, numerosas questões não estavam sendo tratadas corretamente, afetando prejudicialmente o destino de suas tropas, Sepp Dietrich ficou, apesar disso, indignado quando soube da tentativa de assassinato de Hitler no dia 20 de julho de 1944. Sentiu-se inteiramente enojado com "o ato covarde dos conspiradores" e, em 22 de julho, explicou ao almirante Ruge que os responsáveis por esse ato de sabotagem é que haviam "posto a máquina de guerra alemã neste estado lamentável". No dia 17 de julho recebeu em seu posto de comando o marechal-de-campo Rommel e teve com ele uma longa e séria conversa. Ao fim da reunião o marechal lhe perguntou se ele cumpriria ordens que lhe desse, mesmo que fossem contrárias às do Führer. Segundo se alega, Sepp Dietrich teria respondido: "O senhor, marechal, é meu comandante-chefe e lhe obedecerei apenas, qualquer que seja a ordem!"[2]

De volta ao seu próprio posto de comando, Rommel disse ao seu ajudante-de-ordens, Lang: "Dietrich está agora do nosso lado".[3] Mais tarde naquele mesmo dia o carro de Rommel foi fortemente metralhado por um avião inimigo que voava baixo. Cuspido do veículo, o marechal ficou gravemente ferido. Quaisquer que tivessem sido as intenções de Rommel, como o inimigo o pusera fora de ação, essas intenções perderam importância para o desenvolvimento futuro da guerra.

O maior desapontamento de Dietrich ocorreu durante as batalhas na Normandia, quando seus pedidos de reforços foram inteiramente ignorados pelo quartel-general do Führer. Após a guerra, numa prisão em Schwäbisch-Hall, comentou ele esse fato:

> Após 64 dias de luta feroz, entrou em colapso a frente contra a invasão. Não fora possível ao exército, sozinho, detê-la. Pedidos de ajuda foram ignorados pelo quartel-general do Führer. O sucesso de nossos inimigos ocidentais, reforçados por tropas descansadas, não pôde ser revertido.[4]

Depois de ter ele passado o comando do 5º Exército *Panzer* a Hasso von Manteuffel, Hitler nomeou-o general comandante do 6º Exército *Panzer*, com instrução de formar esse exército com toda rapidez possível e transformá-lo em poderosa força de combate. O exército *panzer* pelo qual se tornou responsável perante o comandante-chefe Oeste, a partir de novembro de 1944, consistia do 1º e 2º Corpos *Panzer* SS (com quatro divisões SS) e o 67º Corpo do Exército. Além das quatro divisões *panzer*, o Exército compreendia ainda quatro divisões Volks-Granadeiros e a 3ª Divisão de Pára-quedistas. Finalmente, era reforçado por um forte grupamento de artilharia e brigadas de morteiros. O próprio Dietrich, note-se, não solicitara o comando desse exército *panzer*. Hitler, porém, como comandante supremo da Wehrmacht, gostava muito dele, um homem que subira de soldado raso a general e que, através de uma série de atos de bravura, provara que era capaz de comandar e lutar. Desde o início, Hitler viu em Sepp Dietrich um espírito irmão, um camarada d'armas de lealdade inabalável. Por isso mesmo, ignorou as fraquezas auto-evidentes de Dietrich e algumas de suas deficiências como soldado. Em uma ordem do dia às tropas (e que mais tarde teve uma importância especial), antes do lançamento da ofensiva de Ardennes em dezembro de 1944 (Operação *Herbstebel* — "Fumaça de Outono"), disse ele: "O Führer colocou-nos em uma posição decisiva. Vamos romper a frente inimiga e cruzar o Meuse. Espero que cada um de meus soldados cumpra seu dever, sem se poupar esforços. Nosso primeiro alvo é o Meuse!"[5]

Com um efetivo total de 120 mil, um terço do qual eram soldados da Waffen SS, a ofensiva começou cedo na manhã do dia 16 de dezembro de 1944.

Na Batalha de Ardennes o 6º Exército *Panzer* sofreria um total de 23.451 baixas. Uma vez que a Dietrich fora cometida a principal tarefa, reservaram-lhe também as mais fortes unidades da reserva. Nada menos que cinco divisões, com poder de fogo total, estavam prontas para aproveitar a penetração inicial, avançando na direção do Meuse a partir de ambos os lados de Liège, cruzar o canal Albert e, finalmente, capturar Antuérpia. Quando Hasso von Manteuffel, que comandava o 5º Exército *Panzer* no flanco esquerdo de Dietrich, enviou seu primeiro pedido de ajuda, o comando do 6º Exército

Panzer ignorou-o, uma vez que isso contrariava as ordens iniciais de Hitler. Sepp Dietrich poderia ter ganhado fama eterna se tivesse posto as divisões de reserva em movimento no dia 17 de dezembro de 1944, em apoio do 5º Exército *Panzer* (que estava fazendo bom progresso). Em vez de esperar a permissão de Hitler, Dietrich, porém, continuava na ilusão de que ele mesmo é que faria a penetração, de acordo com o plano, e que, depois de desfechar o golpe final com as reservas, emergiria como comandante vitorioso da ofensiva de Ardennes. Na verdade, sua unidade mais avançada, o Grupo de Batalha Peiper, chegou até Stoumont, mas foi isolado ali, forçado a destruir seus últimos tanques em La Gleize por falta de combustível e em seguida iniciar a retirada a pé.

Em fins de janeiro de 1945, após a retirada alemã, o 6º Exército *Panzer* foi oficialmente rebatizado como 6º Exército *Panzer* SS. Hitler despachou-o para a Hungria, encarregado da missão impossível de destruir as cabeças-de-ponte russas no rio Gran. Os ataques de Dietrich em fevereiro e março fracassaram em meio à lama e às nevascas. Transferido para a frente a sudeste de Viena, o 6º Exército *Panzer* SS repeliu um ataque russo a oeste de Stuhlweissenburg, entre Papa e Plattensee, retardando o avanço russo para a borda oriental dos Alpes e Viena. Mas sua força não era mais suficiente, e Dietrich teve que recuar para Viena. Foi esta sua última batalha.

Como recompensa, teve seu corpo de exército acusado por Hitler de falta de espírito de luta. No dia 22 de abril de 1945 o Führer ordenou que todo o 6º Exército *Panzer* SS retirasse suas braçadeiras características e, ao mesmo tempo, anunciou um "congelamento" das promoções "porque ele não cumprira sua missão na Hungria, abandonara sua posição de proteção do Reich a sudeste de Viena e pusera também em perigo a capital de Ostmark".[6] Dietrich não retransmitiu essas instruções às suas divisões. O coronel-general Guderian, que deveria levar pessoalmente a ordem do Führer ao 6º Exército *Panzer* SS, recusou-se a fazer isso. Considerava Sepp Dietrich um amigo, que permanecera firme a seu lado em um momento crítico em dezembro de 1941, quando Hitler lhe tirara o comando. Nessa ocasião fora Sepp Dietrich que não só publicamente tomou o partido do coronel-general em desgraça, fazendo-lhe uma visita pessoal, mas também defendeu resolutamente perante Hitler a posição assumida por Guderian sobre a inutilidade de tentar avançar mais. Segundo Guderian, Dietrich "nunca escondeu de Hitler sua opinião de que minha dispensa fora um erro".[7] Esse fato influenciou Hitler a reconduzir posteriormente Guderian.

No dia 8 de maio de 1945 as unidades do 6º Exército *Panzer* SS depuseram as armas na área de Krems, quando Sepp Dietrich se entregou ao general George S. Patton, do Exército dos Estados Unidos. Inicialmente foi levado como prisioneiro de guerra para Kufstein. Após períodos nos campos de prisioneiros para generais em Augsburg e nos campos de Wiesbaden, Oberursel, Nuremberg e Dachau, levaram-no finalmente para a prisão de Schwäbisch Hall. Como superior de Jochen Peiper, acusado de massacres de soldados americanos nas proximidades de Malmédy, durante a ofensiva de Ardennes, Dietrich foi igualmente acusado, e em julho de 1946 o Tribunal do Governo Militar Geral dos Estados Unidos em Dachau condenou-o à prisão perpétua, sob acusação de "crimes contra os costumes e a ética da guerra". Nenhum fundamento tinha a sentença proferida pelos vitoriosos. A acusação de que Dietrich, em uma ordem do dia ao 6º Exército *Panzer*, incitara suas tropas a atos de terror durante a ofensiva de Ardennes, carecia de todo e qualquer fundamento factual. Existente ainda hoje, essa ordem não contém uma única palavra que possa ser interpretada dessa maneira. Altos comandantes, como o marechal-de-campo von Rundstedt, o coronel-general Guderian e os generais Speidel e Westphal, além de numerosos oficiais e praças do Exército, apelaram em vão pelo *Oberstgruppenführer* Dietrich.

No dia 10 de agosto de 1951, porém, a sentença foi comutada para 25 anos de prisão. Em 22 de outubro de 1955 foi solto de uma prisão norte-americana, em Landsberg am der Lech, sob "livramento condicional". Com a libertação sob "livramento condicional", Dietrich e todos os demais soldados em condições semelhantes foram silenciados para sempre, pois, tão logo tentavam limpar seus nomes, eram novamente presos.

Em 14 de maio de 1957 um tribunal alemão — o tribunal do júri de Landgericht Munique (tribunal regional) — condenou-o a 18 meses de prisão sob a acusação de cumplicidade em "homicídio simples" (o massacre de líderes da SA em 1934), embora Dietrich não se tivesse envolvido diretamente nesse apavorante episódio.

O general teve que cumprir pena no estabelecimento penitenciário de Landsberg am der Lech. Em fevereiro de 1958, ao ser solto da prisão de Landsberg, todos os seus velhos amigos, encabeçados pelo seu colega general da SS Paul Hausser, prestaram-lhe uma calorosa recepção. Não só oficiais das antigas unidades da Waffen SS que ele comandara, mas oficiais do Exército regular, convergiram para Landsberg a fim de saudar o soldado honesto que reconquistava a liberdade.

Sepp Dietrich faleceu em 21 de abril de 1966, à idade de 74 anos, em Ludwigsburg, de ataque cardíaco. Sete mil camaradas da antiga Waffen SS e das velhas forças alemãs, além de soldados e oficiais do antigo inimigo, acompanharam "Sepp" ao seu local de repouso final e cantaram o hino alemão.

Sepp Dietrich foi exemplo de subalterno autodidata, rude de personalidade e de maneiras, em contraste com os aristocratas que dominavam o Exército alemão, mas combatente nato e líder na frente de batalha. Essas características, juntamente com sua inicial e estreita ligação com Hitler, tornaram-no bem representativo do soldado "nacional-socialista". Ainda assim, ele nunca compartilhou das posições extremadas que são em geral vinculadas ao nome "SS". Para ele, a lealdade a seus soldados vinha em primeiro lugar; e protegeu-os contra espionagem por parte de Himmler — o "Reichsheini", como o chamava. Protestou também pessoalmente duas vezes a Hitler contra fuzilamentos de judeus, sobre os quais teve informação.

A carência de formação tradicional em Estado-Maior e a conseqüente falta de visão estratégica de Dietrich revelaram-se durante a ofensiva de Ardennes em dezembro de 1944, onde continuou a tentar abrir caminho contra violenta resistência, em vez de transferir o principal esforço alemão para o avanço bem-sucedido de Manteuffel.

Otto Skorzeny, um soldado a quem não faltava ousadia, prestou uma homenagem ao valor de Dietrich como líder de homens em batalha, quando disse: "Ele deu à Waffen SS um estilo e um *esprit de corps* que possivelmente só podem ser comparados aos da Guarda Imperial de Napoleão."[8]

Enquanto "Sepp" Dietrich ingressava na arma blindada desde seus primórdios, participava ativamente de batalhas de tanques na Primeira Guerra Mundial e devia sua ascensão fenomenal de sargento no Exército bávaro a *Oberstgruppenführer* e coronel-general da Waffen SS à sua filiação ao Partido Nazista, Hasso von Manteuffel, em contraste, progrediu através do elitista Corpo de Cadetes e da cavalaria para as tropas *panzer*.

Mesmo com um olhar superficial, podemos ver que as carreiras desses dois comandantes de exércitos *panzer* desenvolveram-se ao longo de caminhos inteiramente diferentes, embora convergindo, finalmente, para a mesma posição. Veremos adiante, também, que eram diferentes suas qualidades de liderança.

Hasso von Manteuffel nasceu em 14 de janeiro de 1897 em Potsdam, nas proximidades de Berlim, filho do capitão Eccard von Manteuffel. Em Berlim, onde durante séculos fora escrita a história alemã, o jovem Manteuffel descobriu os ideais que tentou seguir como modelos. Os pontos altos de sua infância em Potsdam eram as paradas no dia do aniversário do Kaiser, quando os soldados da guarnição local, precedidos por estrondosa banda, marchavam pelas ruas da cidade.

Os Manteuffel eram membros de uma velha família de militares, que já contribuíra com numerosos generais para a história do país. Suas origens aristocráticas retroagiam, documentadamente, à Pomerânia já nos idos de 1287. O modelo de Hasso era Edwin, barão von Manteuffel, velho marechal-de-campo prussiano e ajudante-de-ordens do Kaiser Friedrich Wilhelm IV e Kaiser Wilhelm I.

Após concluir a escola primária em 1908, no Corpo de Cadetes preparatório de Namburg, em 1911 transferiu-se para a Academia de Cadetes de Berlim-Lichterfelde. Na 7ª Companhia, von Manteuffel, que só tinha 1m65cm de altura, foi designado para a ala esquerda. Na academia, o ensino compreendia o mesmo currículo que o do ginásio, bem como treinamento pré-militar. Além disso, tinha que aprender flexibilidade, subordinação, boa conduta, camaradagem e obediência.

No início da Primeira Guerra Mundial não figurou entre os escolhidos para serviço na linha de frente. Em 1916 passou no exame Abitur da Academia de Cadetes e ingressou no 3º Regimento "von Ziethen" de Hussardos de Brandenburgo onde, uma quinzena depois, foi promovido a segundo-tenente. Pouco depois era enviado para serviço ativo na França, na 6ª Divisão de Infantaria (prussiana), que passou a empregar o 5º Esquadrão do 3º Regimento de Hussardos em missões de correio montado e patrulhas de reconhecimento. Na ofensiva contra Verdun, von Manteuffel entrou em combate na linha de frente, com a missão de observar as situações da luta em mudança constante e comunicá-las ao Estado-Maior da divisão.

Em 10 de outubro de 1916, tendo sido transferido para o campo de batalha do Somme, recebeu um ferimento de estilhaço de obus na coxa direita e foi levado para um hospital militar em Münster, na Vestfália. Deu alta a si mesmo e, sem documentos de identidade, voltou às escondidas à frente de luta, o que lhe valeu uma prisão de três dias. No início do armistício, em novembro de 1918, a 6ª Divisão de Infantaria recebeu ordens de proteger as pontes do Reno, nas proximidades de Colônia, a fim de garantir a retirada do exército, missão esta que cumpriu. Ao voltar ao seu esquadrão em Rathenow, o jovem segundo-tenente encontrou hasteadas bandeiras e flâmulas vermelhas revolucionárias. O "conselho dos soldados" estava em reunião no refeitório do regimento. Mas nada de tirar as dragonas. Os hussardos de Ziethen eram parte de Rathenow.

Após a desmobilização, desejou seguir carreira na indústria. Já estava com o contrato de emprego no bolso quando um tio, conselheiro comercial privado, conseguiu mudar-lhe as idéias. "Você tem que continuar soldado porque é soldado nato!" foi a reação do tio àquela "estranha idéia" de Manteuffel. Assim, Hasso não acabou na indústria, mas no *Freikorps* "von Oven", aquartelado em Berlim. Esta foi a primeira semelhança com a carreira do líder de *panzers* Sepp Dietrich, que lutara com o *Freikorps* "Oberland" na Silésia. A comissão que, pouco tempo depois, selecionaria oficiais para transferência à *Reichswehr*, recomendou também o segundo-tenente von Manteuffel. Removido esse primeiro obstáculo, von Manteuffel estava destinado a progredir através de uma trajetória contínua até tornar-se general, embora não antes de serem completados intensos estudos e numerosas designações para comandos relacionadas com o desenvolvimento das unidades *panzer*. Sepp Dietrich, em contraste, queimou como um relâmpago todas as etapas desse longo processo de amadurecimento, tornando-se *Obergruppenführer* ainda bem moço.

Inicialmente, o jovem Manteuffel serviu no Regimento Misto de Cavalaria 25A, em Rathenow. Em seguida à formação do Exército de 100 mil soldados permitido pelo Tratado de Versalhes, tornou-se comandante de esquadrão do 3º Regimento de Cavalaria, como foi rebatizada parte do Regimento de Cavalaria 25A. Depois disso exerceu as funções de ajudante durante sete anos. Em 1º de fevereiro de 1930 o tenente von Manteuffel tornou-se comandante do esquadrão técnico de seu regimento. Esses esquadrões recém-formados eram os precursores, disfarçados, das primeiras unidades de tanques. Manteuffel auxiliou seu comandante, coronel Brandt, mais tarde Inspetor da Cavalaria, a criar essas unidades. Pouco antes disso Manteuffel, que era um ginete apaixonado, adquirira uma pequena coudelaria e ganhara numerosos torneios. Em 2 de janeiro de 1931 ganhou a Medalha Eqüestre de Ouro, o maior troféu de provas de equitação. Em 1º de outubro de 1932 foi nomeado comandante de esquadrão no 17º Regimento de Cavalaria de Bamberg.

Enquanto servia nessa unidade, presenciou a subida dos nacional-socialistas ao poder. No dia 1º de fevereiro de 1933, após um exercício, voltava com seu esquadrão pelas ruas de Bamberg quando, ao passar diante do prédio da prefeitura, observou vários moradores olhando para a recém-hasteada bandeira da suástica do Terceiro Reich. Passando pela bandeira, ergueu o braço em continência. Na manhã seguinte os jornais noticiaram que a *Reichswehr* também reconhecera a nova bandeira.

Enquanto Sepp Dietrich, como líder SS, "anelara" pelo dia em que os nazistas subiriam ao poder com "ardente desejo" (como mais tarde enfatizaria), Manteuffel tornou-se automaticamente súdito do novo regime. A nova autoridade conferida a Hitler, porém, nem o alarmou nem a seus colegas. Certa vez disse ele a este autor:

> A mudança de liderança na Alemanha não nos impressionou desfavoravelmente. Muito ao contrário. Tanto quanto podíamos julgar, acreditávamos que a vida na Alemanha iria melhorar. A difamação da *Reichswehr* e da polícia, o desprezo em que eram tidos e os insultos com que se tratava o corpo de oficiais cessaram imediatamente. O desemprego desapareceu. Meu amigo Stauffenberg concordou comigo. Da noite para o dia, a ordem voltou às ruas, onde, nos meses anteriores, ecoavam tiros. A grave perda de autoridade do governo e de outros órgãos do Estado foi eliminada. O Estado e o novo governo ganharam reputação no país e no exterior.[9]

E se Paul von Hindenburg, o "defensor da estabilidade nacional", aceitava Hitler, então os soldados da *Reichswehr* podiam aceitá-lo também.

O novo regime — no mínimo com os conselhos de chefes do Exército — obteve o apoio de Hindenburg e poderia também esperar pelo apoio do Exército e de toda a *Reichswehr*. A atitude de Hitler favorável às Forças Armadas e a proclamação da soberania nacional em questões de defesa pareciam atender a tudo o que a *Reichswehr* e mais tarde a Wehrmacht desejavam. Em seu discurso fúnebre em homenagem ao marechal-de-campo von Hindenburg, que falecera no dia 2 de agosto de 1934, Hitler declarara que a Wehrmacht formaria as únicas Forças Armadas da nação. Com essas palavras parecia ter sido iniciada uma mudança fundamental nas políticas de defesa da Alemanha. Ou, como explicou Hasso von Manteuffel:

> Assim, aconteceu que a maioria dos oficiais do nosso regimento, eu inclusive, não rejeitou o nacional-socialismo. Não havia, contudo, motivo para sermos politicamente ativos, uma vez que nem o Exército nem a Wehrmacht exercia direito de voto, ativo ou negativo. Sentíamos a profunda convicção de que o Exército tinha que ser um instrumento politicamente confiável de qualquer que fosse o governo do Reich. Essa crença fora inculcada em nós pelo coronel-general von Seeckt, comandante-chefe durante muitos anos: o Exército devia forçosamente servir a *qualquer* governo que estivesse no poder porque o *governo* é o pilar que sustenta o Estado.[10]

Não se pode negar que todas as grandes potências do mundo reconheceram Hitler, talvez mesmo o temessem, mas, apesar disso, respeitavam-no. Por que não deveria a Wehrmacht, que acabava de ser criada, respeitá-lo também?

Em dezembro de 1933 von Manteuffel já era comandante de esquadrão há três anos. Certa noite, no refeitório, o general von Schwedler levou-o para um lado e disse-lhe que uma força *panzer* estava sendo formada e que eram necessários oficiais para instilar nessas tropas o espírito da cavalaria. Os deveres seriam semelhantes aos da arma montada. Prosseguiu Schwedler: "A vocês será dada simplesmente uma nova montaria. Em vez de um cavalo, terão um veículo de ferro."[11] Hasso von Manteuffel aceitou a sugestão e no dia 1º de outubro de 1934 tornou-se comandante de esquadrão do 2º Batalhão de Fuzileiros de Motocicleta, em Eisenach. Aí voltou a encontrar-se com o coronel Guderian, que se tornara comandante da 2ª Divisão *Panzer*, estacionada em Würzburg. Guderian era *o* arquiteto das novas tropas *panzer* e esse novo exército refletia fortemente sua extraordinária personalidade. Inicialmente von Manteuffel serviu como oficial de Estado-Maior. Certo dia o "Heinz Veloz" — como era apelidado Guderian — disse-lhe: "Manteuffel, você vai ter que assumir o tratamento de todos os cadetes e candidatos a oficial da divisão."[12] O novo posto era uma posição que lhe exigia o máximo. Nada menos que 5 mil aspirantes a oficiais passaram por suas mãos na Escola de Treinamento *Panzer*, situada em Wünsdorff, nas proximidades de Berlim. Em fins de fevereiro de 1937 o coronel Radlmaier, comandante da escola, chamou-o ao seu gabinete e disse-lhe que ele iria ser transferido para a Inspetoria das Tropas *Panzer*, por solicitação do major-general Guderian, o chefe desse órgão. Em 1º de março de 1937 Manteuffel assumiu o novo posto, com a responsabilidade de dirigir a motorização de quatro divisões de infantaria. Foram principalmente oficiais de cavalaria que escreveram os manuais das "tropas velozes", e foi bom para Guderian valer-se desses homens, uma vez que os métodos de comando operacional da nova arma *panzer* correspondiam exatamente aos da cavalaria. Oficiais superiores estrangeiros, ainda convencidos de que o tanque poderia ser tão-somente um auxiliar da infantaria, e nunca operar independentemente, ficaram atônitos quando vieram a Berlim e observaram manobras militares que utilizavam uma concepção inteiramente diferente do desdobramento das unidades *panzer*. No dia 1º de fevereiro de 1939 Manteuffel voltou à Escola de Treinamento de Tropas *Panzer*, em Berlim-Krampnitz, como chefe do Estado-Maior. Seu superior direto imediato era o coronel Friessner, mais tarde coronel-general e comandante de grupo de exércitos.

A campanha polonesa de 1939 e a segunda campanha *Blitzkrieg* contra a França, em 1940, convenceram mesmo os céticos de que os *panzers* haviam provado seu valor. O lema de Guderian — "Não tostões, mas milhões" — confirmava-se na realidade. Ao fim da ofensiva contra a França em 1940, o tenente Hasso von Manteuffel foi nomeado comandante do 2º Batalhão, do 7º Regimento de Fuzileiros, da 7ª Divisão *Panzer*, que, sob o comando do major-general Rommel, ganhara o apelido de "Divisão Fantasma". No início da Operação *Barbarossa*, a 7ª Divisão *Panzer* começou a rolar como parte do 39º Corpo *Panzer*, sob comando do general Schmidt. O Corpo, por outro lado, tornou-se o Grupo *Panzer* 3, às ordens do coronel-general Hoth, e parte do Grupo de Exército Centro, que tinha à frente o marechal-de-campo von Bock. No ataque para a travessia do rio Beresina, von Manteuffel encontrou uma ponte ainda intacta ao sul de Lepel. À noite, agindo por iniciativa própria, atravessou o rio e garantiu o cruzamento da divisão. Durante o avanço, passando por Vitebsk e chegando a Yartsevo, a nordeste de Smolensk, seu batalhão esteve sempre na linha de frente. O coronel von Lungershausen, comandante regimental de Manteuffel, descreveu-o nas seguintes palavras: "Mais uma vez Manteuffel foi à frente e limpou o caminho."[13] Na batalha pela posse da Linha Stálin, em julho, levou seus soldados até Vitebsk, e no dia 15 de julho o Grupo de Batalha Boineburg, ao qual pertencia o batalhão, chegou à estrada de rodagem Minsk-Smolensk-Vyazma.

Após a morte, no campo de batalha, do coronel von Unger, o tenente von Manteuffel assumiu o comando do 6º Regimento de Fuzileiros da divisão. Usando-o como ponta de lança, no dia 2 de outubro de 1941 avançou, passando pelo setor de Kokosch na direção do rio Dnieper. O Grupo de Batalha cruzou o rio e formou uma cabeça-de-ponte de 35m de profundidade na margem oposta, à espera de que a divisão a ocupasse. Em Vyazma, o alvo seguinte, um grande bolsão foi fechado. A arremetida sobre Moscou fora nesse momento suspensa a fim de concentrar poder ofensivo no sul, de Kiev à Criméia, com o objetivo de interromper o suprimento de petróleo russo procedente do Cáucaso e conquistar a região carbonífera da bacia do Donetz para a Alemanha.

Na primeira semana de outubro, três semanas depois de concluída a grande batalha de encurralamento em volta de Kiev, o cerco duplo de Vyazma e Briansk foi completado, e as divisões do Grupo de Exércitos Centro receberam nesse momento ordens para o "ataque final" a Moscou. Perto de fins de outubro as unidades, incluindo a 7ª Divisão *Panzer*, chegaram às linhas de partida para o ataque contra a metrópole soviética. No dia 25 de outubro, porém, começou a estação chuvosa, e as unidades alemãs ficaram atoladas na lama até o joelho. A 7ª Divisão *Panzer* iniciou o ataque contra Moscou e o canal Moscou-Volga no dia 16 de novembro de 1941. No dia 23 o regimento de fuzileiros de Manteuffel tomou Klin. Em 27 de novembro ocupou a área de 4.000m a noroeste da ponte de Jakhroma, sobre o canal Moscou-Volga. Em princípios do dia 28 o grupo de batalha de Manteuffel iniciou o ataque à ponte, tendo como segundo objetivo a travessia do canal. Atingiu ambos os fins. Um dos sargentos de Manteuffel recordou mais tarde: "Eu estava participando do ataque, através do canal Moscou-Volga, perto de Jakhroma, quando vi o nosso pequenino (como o coronel era então chamado) desligar a luz dos moscovitas na estação de energia de Jakhroma. Ele era o primeiro no ataque e o último na retirada."[14]

Moscou estava praticamente ao alcance da 7ª Divisão *Panzer*, a menos de 30km de distância. Manteuffel pediu reforços para o ataque final à capital. Seu comandante divisionário, general barão von Funck, pediu ao quartel-general do Corpo que enviasse tropas motorizadas e tanques. O comandante do 56º Corpo *Panzer*, general Schaal, não dispunha de um único soldado que pudesse ceder. O Corpo chegara à sua atual posição literalmente no último arquejo. Por isso mesmo o general Schaal teve que ordenar a Manteuffel que se retirasse da cabeça-de-ponte.

Enfrentando a ofensiva de inverno do Exército Vermelho em 5 de dezembro de 1941 (reforçado com divisões descansadas chegadas da Sibéria), a 7ª Divisão *Panzer* foi, nesse momento, obrigada a retirar-se, parando apenas quando Hitler emitiu sua terminante ordem "nem mais um passo para trás" aos exércitos alemães na Frente Oriental. No dia 31 de dezembro de 1941 o coronel Hasso von Manteuffel foi condecorado com a Cruz de Cavaleiro da Cruz de Ferro pelo ataque à ponte de Jakhroma.

Em 6 de maio de 1942 a divisão chegou à França para reorganização. No dia 15 de julho Manteuffel assumiu o comando da 7ª Brigada de Fuzileiros e foi designado para o comando de uma divisão no norte da África. Quando, a partir do dia 8 de novembro em diante, tropas anglo-americanas, sob o comando do general Eisenhower, desembarcaram nas proximidades de Casablanca, Oran e Argel, tornou-se urgente para o alto comando alemão reunir nessa região uma força conjunta com toda a rapidez possível. O general Walther Nehring recebera ordens do marechal-de-campo Kesselring, comandante-chefe Sul, para concentrar o 90º Corpo de Exército e defender a área tunisina. A primeira missão do coronel von Manteuffel no norte da África foi seguir para Bizerta com o general Gause, a fim de entregar ao almirante Dérien, comandante local francês, o pedido de que capitulasse! Todas as guarnições e posições francesas até Gabes foram desarmadas da mesma maneira. Em seguida Manteuffel, por solicitação do coronel-general von Arnim, o novo comandante-chefe do norte da África, criou a Divisão "Manteuffel", que era uma mixórdia de unidades, incluindo uma brigada *Bersaglieri*. Manteuffel conseguiu transformar esse grupo misto em uma divisão em condições de dar batalha e derrotar forças inimigas muito superiores em Cap Serrat, em Djebel Abiod e em St. Temara. Quase ao fim da luta na África, a Divisão "Manteuffel" foi expulsa de Jefna e Mateurle, embora conseguisse manter a fortaleza de Bizerta durante vários dias. Em 30 de abril de 1943 Manteuffel desmaiou no campo de batalha. Seu médico e o coronel-general von Arnim insistiram em que ele fosse transferido para um hospital militar na Alemanha. Após a guerra, o general von Arnim disse a este autor: "Hasso von Manteuffel foi um dos melhores líderes de combate e comandantes de divisão que tive na Tunísia. Sacrificou-se a ponto de desmaiar no campo de batalha. Só por ordens terminantes minhas é que deixou o teatro de guerra da África, no navio-hospital que partiu em seguida. Dessa maneira, ele foi salvo para as Forças Armadas alemãs."[15] Passando por Roma, ele voltou a Berlim, onde residia sua família.

Após longo período no hospital, foi transferido para a reserva do Führer. Contudo, alguns dias depois recebeu ordens de apresentar-se ao quartel-general do Führer, uma vez que Hitler queria falar-lhe pessoalmente. Antes, em fevereiro de 1943, já fora chamado da África ao quartel-general do Führer. No Wolfschanze ("Covil do Lobo") em Rastenburg, a magra e pequenina figura eqüestre postou-se face a face com Hitler, fazendo um relatório de duas horas sobre a situação tunisina, sem ser interrompido uma única vez. Naquele momento, com grande surpresa sua, Hitler perguntou-lhe qual a finalidade de sua visita a Rastenburg. Respondeu ele que o próprio Führer o chamara e que, nesse momento, em 100% de sua forma física, estava à espera de nova designação. Quando Hitler lhe perguntou o que tinha em mente, respondeu com absoluta honestidade: "Eu quero a 7ª Divisão *Panzer*. O general von Funck comanda-a há muito tempo e provavelmente logo receberá o comando de um Corpo." "Pois que seja assim", retrucou Hitler. "O senhor terá o comando da 7ª Divisão *Panzer*."[16] Dessa maneira, no dia 16 de junho de 1943 Hasso von Manteuffel, já major-general, assumiu o comando da 7ª *Panzer*, que na ocasião estava engajada em pesada luta defensiva na área de Akhtyrka, na Frente Oriental. E foi em Akhtyrka que o tenente Adalbert Schultz, comandante do 25º Regimento *Panzer*, recebeu no dia 23 de agosto de 1943 as Espadas para sua Cruz de Cavaleiro, com Folhas de Carvalho.

Três dias depois de assumir o comando da divisão, von Manteuffel, dirigindo-se de carro para a linha de frente, foi atingido por um estilhaço de granada. Com 17 estilhas nas costas, foi levado para o mais próximo hospital de sangue, voltando à divisão em um aparelho de gesso. Em setembro de 1943 a 7ª *Panzer* conseguiu, lutando, voltar para a outra margem do Dnieper. Durante esse período, as façanhas defensivas da divisão, sob o comando de Manteuffel, foram freqüentemente citadas em comunicados militares.

Na batalha pela posse de Kiev, devido à inferioridade numérica, a 7ª *Panzer* foi finalmente obrigada a recuar. A contra-ofensiva de Manstein em Zhitomir, iniciada no dia 14 de novembro, porém, premiou com sucesso total a divisão de Manteuffel. No dia 23 de novembro de 1943 ele se tornou o 332º soldado alemão a receber as Folhas de Carvalho para a Cruz de Cavaleiro. Mais uma vez foi chamado ao quartel-general do Führer, pois este desejava entregar-lhe pessoalmente a condecoração. Entretanto, Manteuffel não dispunha de tempo para isso. Só no Natal, quando a situação tornou-se menos crítica, é que fez a viagem a Rastenburg. Após a entrega da condecoração, disse Hitler: "O senhor vai deixar a 7ª Divisão *Panzer* e assumir o comando da Divisão de Granadeiros *Panzer Grossdeutschland*." Notando o desapontamento do pequenino general, Hitler acrescentou: "O senhor, Manteuffel, transformará essa divisão na mais forte unidade de batalha de todo o Exército." Curiosamente Hitler prosseguiu: "Pergunte a Sepp Dietrich como se faz isso."[17]

Em 12 de fevereiro de 1944 Manteuffel lançou sua nova divisão no primeiro grande ataque, mas os russos a repeliram em Blagodatnoye. No início de março o Exército Vermelho iniciou grande ofensiva com o objetivo de romper caminho até os campos petrolíferos romenos. Após a queda de Oymino em 9 de março de 1944, a *Grossdeutschland* foi cercada. Graças a manobras flexíveis, Manteuffel conseguiu livrar a divisão dessa ameaçadora situação, sem perder uma única arma. Em um comunicado militar de 14 de março de 1944, a façanha da divisão e do tenente-general von Manteuffel foi altamente elogiada. A *Grossdeutschland* voltou à região Cornesti, a leste de Jasy, e durante o mês de abril de 1944 repeliu ataques de forças russas imensamente superiores e lançou também bem-sucedidos contra-ataques próprios.

Em 22 de fevereiro de 1944 Hasso von Manteuffel, que já era o 50º soldado a ser condecorado com as Folhas de Carvalho por batalhas anteriores, ganhou as Espadas para a Cruz de Cavaleiro. Subseqüentemente, várias vezes lhe foi perguntado quando poderia ir ao quartel-general receber essa condecoração. A ocasião, porém, ainda não era oportuna, porque em 2 de maio de 1944, 20 divisões russas lançaram uma nova e grande ofensiva, na tentativa de romper as linhas alemãs até as jazidas petrolíferas de Ploesti. No primeiro dia de batalha os tanques e canhões de assalto da divisão de Manteuffel, juntamente com o destacamento antiaéreo da *Grossdeutschland*, destruíram cerca de 250 tanques inimigos e detiveram a avalanche russa. No dia 8 de maio de 1944 um comunicado militar anunciava também esse sucesso.

Enquanto isso, poderosas forças inimigas no setor norte da Frente Oriental estavam se preparando para penetrar na Prússia Oriental. Em conseqüência, a *Grossdeutschland* foi transferida da Romênia para essa frente de guerra. Tomou posição na cidade de Trakehnen; Manteuffel, tendo sido chamado ao quartel-general de Hitler, teve confirmação pessoal de que a divisão só devia ser empregada como unidade completa. Infelizmente, em 9 de agosto de 1944 chegou uma ordem do Führer, instruindo-o a atacar em Wilkowischken, onde os russos estavam lançando uma grande ofensiva. Embora os grupos de batalha *panzer* não estivessem ainda inteiramente concentrados, e antes que reconhecimento apropriado pudesse ser feito, a divisão teve que se desdobrar para o ataque. Conseguiu tomar Wilkowischken, mas perdeu 82 tanques na batalha. Hitler, furioso, mais uma vez chamou-o à sua presença. Face a face com Hitler, este censurou-o por ter sofrido tais perdas. Depois que o Führer se acalmou, Manteuffel conseguiu dizer: "Meu Führer, tenho aqui sua ordem." "Neste caso, leia-a", ordenou Hitler. Hasso von Manteuffel leu toda a ordem: dava instruções à divisão para iniciar o ataque antes de inteiramente concentrada e antes de ter possibilidade de efetuar um reconhecimento. Perplexo, Hitler ficou calado. Em seguida chamou um ajudante-de-ordens e pediu-lhe que fosse buscar o marechal-de-campo Keitel. Quando este apareceu, Manteuffel teve que ler pela segunda vez a ordem, depois do que o Führer descarregou uma segunda tempestade de fúria sobre Keitel. Descobriu-se que Hitler jamais dera tal ordem. Durante uma sessão de discussão de planos, ele simplesmente dissera que a *Grossdeutschland* poderia ser empregada contra Wilkowischken, mas nenhuma referência fizera a que a divisão devesse atacar antes de inteiramente concentrada e de um reconhecimento do terreno. Sem a devida autorização, Keitel, apressadamente, inventara uma ordem com base nessa observação.[18]

Em 1º de setembro de 1944 Manteuffel recebeu nova ordem de apresentar-se no quartel-general do Führer. Ao chegar, foi imediatamente levado à presença de Hitler, que lhe disse: "Meu general, o senhor assumirá o comando do 5º Exército *Panzer* e será promovido a general de Tropas *Panzer*." Comentou Manteuffel: "De modo que fui posto à frente do exército que fora comandado primeiro pelo general Geyr von Schweppenburg, e mais tarde por Sepp Dietrich durante a campanha da Normandia." Ele era também nesse momento um dos mais jovens generais de *panzers* e também um dos mais jovens comandantes de exército. Tempos depois, disse ele a este autor: "Entrei no quartel-general do Führer como comandante de divisão e saí como comandante de exército."[19]

Com seu novo exército, que fazia parte do Grupo de exércitos G na Frente Ocidental, coube-lhe desfechar o contragolpe contra o flanco sul do 3º Exército norte-americano, do general George Patton, que avançava na direção de Metz.

Em 17 de setembro de 1944 Patton iniciou o assalto a Metz, que o 5º Exército *Panzer* de Manteuffel conseguiu bloquear. Lunéville, já tomada pelo 3º Exército norte-americano, foi recapturada. Na mesma ocasião, contudo, a primeira cidade alemã, Aachen, de importância simbólica como "Cidade Imperial" de Carlos Magno, foi atacada pelos norte-americanos, e Lunéville teve que ser abandonada novamente, quando o 5º Exército *Panzer* se viu obrigado a desistir de sua própria contra-ofensiva. Transferido para fortalecer o Grupo de Exércitos B, a oeste do rio Roer, participou da batalha pela posse de Aachen.

Em 3 de novembro de 1944 Manteuffel foi chamado ao quartel-general do Grupo de Exércitos B. O marechal von Rundstedt, comandante-chefe Oeste, o marechal Model (Grupo de Exércitos B) e os generais Krebs e von Manteuffel haviam sido reunidos para receber o coronel-general Jodl, que se esperava trouxesse ordens importantes do Führer. Jodl apareceu naquela manhã e anunciou que Hitler resolvera lançar uma nova e crucial ofensiva para tomar Antuérpia e dividir em dois os exércitos aliados. Este plano, mais tarde conhecido como a Batalha de Ardennes, seria a última grande ofensiva da Wehrmacht alemã. Explicou Jodl que, se bem-sucedida, ela destroçaria de 25 a 30 divisões inimigas. A ofensiva deveria iniciar-se em meados de novembro e os planos já estavam prontos, em detalhes minuciosos. O que surpreendeu a todos foi o fato de que Sepp Dietrich, que devia comandar o 6º Exército *Panzer*, o segundo dos dois exércitos *panzer* que seriam empregados em Ardennes e encarregado do ataque principal, não fora chamado para a reunião. O marechal Model fez uma sugestão de improviso — um "pequeno" plano para extirpar o saliente aliado em volta de Aachen, que ele pensava oferecer excelente chance de sucesso. O plano seguiu para o quartel-general do Führer na manhã seguinte, depois de mais uma vez cuidadosamente examinado pelos comandantes presentes. Hasso von Manteuffel trabalhara muito na elaboração do novo plano, que fixava como data mais próxima para o ataque o dia 10 de dezembro. Hitler, porém, rejeitou-o. Os preparativos para o *Wacht am Rhein* (codinome da ofensiva, mais tarde mudada para *Herbstnebel* — "Fumaça de Outono") começaram. As divisões do 5º Exército *Panzer* já se achavam em prontidão na área Trier-Krefeld. Boatos foram espalhados de que essa mobilização era feita a fim de repetir um ataque norte-americano à Colônia.

Em 2 de dezembro de 1944 os comandantes da planejada ofensiva reuniram-se em Berlim. Desta vez o *Oberstgruppenführer* Sepp Dietrich esteve também presente. Uma vez mais Manteuffel e Model defenderam o "pequeno" plano, mencionando as fraquezas do projeto Antuérpia, que Hitler continuava inflexivelmente a preferir. Estava inteiramente resolvido a levá-lo adiante. Mais tarde, disse Hasso von Manteuffel a este autor: "Achei incompreensível que nenhum dos oito altos oficiais presentes ousasse falar, a fim de esclarecer discrepâncias óbvias ou fazer perguntas, para nada dizer de nos apoiar nesse assunto de vida ou morte."[20] Sepp Dietrich, porém, de sua parte, manifestou dúvidas sobre certas questões que, de fato, constituíram grandes obstáculos mais tarde na Batalha de Ardennes. Mais uma vez von Manteuffel foi chamado à presença de Hitler. A despeito da longa conversa que tiveram, porém, o conceito básico da ofensiva permaneceu inalterado.

A operação *Herbstnebel* começou no dia 16 de dezembro de 1944, com as tropas do 5º Exército *Panzer* em estado de alerta máximo a partir das 5h30min. No seu flanco direito, estavam em posição as unidades Waffen SS, do 6º Exército *Panzer* de Sepp Dietrich. A este último fora atribuída a missão de conseguir rápido rompimento e desfechar o golpe decisivo. Embora o Grupo de Batalha Peiper conseguisse efetuar espetacular penetração inicial da frente norte-americana, o resto do 6º Exército *Panzer* parou em 17 de dezembro e desgastou-se em pequenas ações locais. Imediatamente depois de entrar em ação, uma confusão irremediável instalou-se na frente de 25km de largura desse exército e, nas palavras de Manteuffel, "Sepp Dietrich, ignorando inteiramente sua missão — isto é, ir à frente e procurar efetuar uma única e poderosa penetração, sem se preocupar com o que estava acontecendo à direita ou à esquerda de suas unidades avançadas —, deixou-se atolar em pesada luta na área de Elsenborn-Krinkelt."[21] Por essa razão Dietrich fracassou em sua tarefa, tornando inteiramente inúteis as unidades que deviam efetuar a perseguição e que estavam à retaguarda de seu exército *panzer* para entrar na brecha com grandes efetivos.

Na noite de 17 de dezembro de 1944 o objetivo do 6º Exército *Panzer* — ocupar os vaus e cruzamentos sobre o Meuse e penetrar na Antuérpia passando por Liège — já se tornara inatingível. Embora o 5º Exército *Panzer* de Manteuffel se atrasasse no cumprimento do plano operacional, pelo menos estava em movimento. Sua 2ª Divisão *Panzer* e a Divisão *Panzer Lehr* continuavam a ganhar terreno e, se lhe fosse dado apoio, poderiam ser utilizadas no irrompimento. No momento em que von Manteuffel pedia ajuda, Sepp Dietrich devia ter mantido em mente o plano geral para o sucesso do Exército em Ardennes e, ignorando a ordem de que era ele quem devia fazer a penetração, ter apoiado von Manteuffel, transferindo as reservas motorizadas que estavam à retaguarda de seu 6º Exército *Panzer* para o setor do 5º. Em vez disso, esse velho soldado reportou-se à ordem do Führer, isto é, que só o Führer poderia decidir como e quando empregar as reservas.

A Divisão *Panzer Lehr* chegou a St. Margaret e avançou até 2,5km além de Bastogne, onde foi detida por reforços norte-americanos. Manteuffel dirigiu-se a Bastogne e ordenou ao tenente-general Bayerlein, comandante da *Panzer Lehr*, que deixasse um regimento posicionado ali, a fim de cercar a guarnição norte-americana, e que continuasse com o resto da divisão o ataque ao sul de Bastogne a fim de capturar St. Hubert. Com essa decisão, ele evitava abandonar todo o plano sobre o qual se baseava a ofensiva de Ardennes. Simultaneamente, a 116ª Divisão *Panzer* de seu exército continuava engajada no ataque a Houffalize. Fora ali que quisera empregar duas das divisões *panzer* imobilizadas como reserva na retaguarda do 6º Exército *Panzer*. As duas divisões SS e as três *panzers* do exército continuaram em seus lugares, atrás da frente do 6º Exército *Panzer*. Quando Hitler deu instruções para a transferência, já era tarde demais.

No dia 21 de dezembro, contrariando todas as esperanças, o suprimento de combustível acabou. A 2ª Divisão *Panzer* parou em Tenneville, e o Grupo de Batalha Peiper em La Gleize, onde (como já dissemos acima) teve que destruir todos os seus tanques e recuar a pé. A Divisão *Panzer Lehr*, que alcançara Morhet e estava avançando para Rochefort, experimentou também dificuldades semelhantes. A guarnição de Bastogne foi resgatada pelo inimigo em 26 de dezembro de 1944. Nesse momento, nem mesmo o "pequeno" plano era mais exeqüível. A única opção restante era a retirada. Em 3 de janeiro de 1945 a contra-ofensiva dos norte-americanos e ingleses finalmente encerrou a batalha.

O erro decisivo da ofensiva de Ardennes residiu na omissão em transferir-se em tempo o centro de gravidade do 6º Exército *Panzer* que estava imobilizado, para o 5º, que avançava. Sepp Dietrich nada fez para iniciar essa transferência que, no tocante à sua reputação como comandante, constituiu um desastre. O marechal-de-campo Rundstedt fez o seguinte comentário:

> Constituiu um erro fundamental colocar as *panzer* à retaguarda do 6º Exército *Panzer* e mantê-las ali exclusivamente com a finalidade de dar ao coronel-general Dietrich a oportunidade de obter uma vitória magnífica. Esse erro desequilibrou toda a ofensiva e impediu uma vitória potencial.

Em 10 de janeiro de 1945 Hitler anunciou que o 6º Exército *Panzer* seria retirado da linha de frente e enviado à Hungria. A partida desse exército, ainda em condições de luta, causou má impressão aos soldados que permaneceram na Frente Ocidental, particularmente aos do 5º Exército *Panzer*. Essas divisões sentiram-se traídas pelos seus camaradas da SS.

A amarração das reservas alemãs na ofensiva de Ardennes constituiu um presente dos céus para o Exército Vermelho, que iniciou a grande ofensiva de inverno na Frente Oriental em 12 de janeiro de 1945, o que permitiu, eventualmente, que ela atingisse seu objetivo, o de chegar a Berlim antes das outras forças aliadas. Em 28 de fevereiro de 1945 Hasso von Manteuffel mais uma vez teve ordens de comparecer ao quartel-general do Führer. Recebeu os Diamantes para a Cruz de Cavaleiro da Cruz de Ferro, com Folhas de Carvalho e Espadas, mas declinou de receber um bônus em dinheiro de 200 mil marcos, que Hitler tencionara entregar-lhe através de um ajudante-de-ordens.

Em 2 de março de 1945 assumiu o comando do 3º Exército *Panzer* na Frente Oriental, onde sustentou a posição no Oder até 26 de abril, quando se viu forçado a retirar-se. Em 3 de maio chegou à linha de demarcação da zona de ocupação britânica, conseguindo entregar todo o seu exército aos britânicos, garantindo dessa maneira a sobrevivência de seus soldados.

Anos mais tarde, ele registrou suas impressões sobre Hitler como comandante supremo:

> Em retrospecto, temos que reconhecer que Hitler possuía uma personalidade magnética, simplesmente hipnótica. Eu mesmo analisara o Führer do Terceiro Reich quando o conheci e resolvera lidar com ele de maneira racional e, em

conseqüência, como apresentar meus argumentos. Não me sentia intimidado por ele. Contudo, descobri imediatamente uma coisa: Hitler deixava as pessoas perplexas com sua memória extraordinária, especialmente para números, além de seus conhecimentos factuais de dados técnicos e militares. Sua espantosa perspicácia permitiu-lhe tornar-se o criador de um Exército equipado com armas modernas.

Ele carecia da metodologia disciplinada e da capacidade de julgamento individual definitiva, que caracterizavam nossos oficiais de Estado-Maior. Faltava-lhe a avaliação sólida de todas as possibilidades e premissas, embora compreendesse bem os conceitos operacionais. Posso mencionar como exemplos neste particular o plano de von Manstein para a campanha francesa e sua própria concepção da ofensiva de Ardennes em dezembro de 1944. Hitler, em seus contatos comigo, observou sempre o protocolo militar e nunca se mostrou insultuoso.[22]

Dando o balanço final em sua experiência de combate na Segunda Guerra Mundial, Manteuffel comentou:

A lição de que nenhuma das guerras mundiais aliviou a tensão global, juntamente com a possibilidade teórica de uma guerra nuclear que aniquile toda a humanidade, deixa meridianamente claro que uma futura guerra exigirá tais sacrifícios, que nunca haverá vencedor. Uma vez que uma paz construtiva nos foi negada, após essas duas guerras mundiais, nenhuma vantagem será obtida com uma terceira.[23]

O pequenino von Manteuffel, um comandante com a coragem de um galo de briga, impressionou também seus contemporâneos pela dedicação e energia de profissional, além de suas qualidades de oficial tradicional e cavalheiro. A seu respeito, comentou Guderian: "Ele excedeu-se como líder em todos os aspectos. Combinava soberba perícia militar com um senso pronunciado do que era essencial." O general de Tropas *Panzer*, Balck, considerou-o "a corporificação de tudo que era bom na tradição militar alemã, em todas as frentes de combate em que serviu". E um subordinado seu disse a este autor: "Hasso von Manteuffel foi meu comandante e amigo paternal. Nunca antes ou depois conheci um comandante de *panzer* tão superior como ele, que, por sua humanidade e coragem auto-evidente, tornou-se um modelo para todos os soldados da Divisão *Grossdeutschland* de Granadeiros *Panzer*."[24]

Dados cronológicos | Josef "Sepp" Dietrich

1892, 28 mai	Nasce em Hawangen, distrito de Memmingen
1907, até	Escola primária em Kempten/Allgäu
1908-10	Curso de hotelaria
1911	Voluntário no 4º Regimento "König" de Artilharia de Campanha da Baviera
1912	Curso na Escola de Sargentos
1914, 1º ago	Serviço na linha de frente com o 6º Regimento de Artilharia de Campanha da Reserva
1916-17	Cabo na 10ª Bateria de Artilharia de Campanha
1917, a partir outono	1º Batalhão do 8º Regimento de Infantaria e 2º Batalhão de Assalto
1918, a partir jan	13º Destacamento de Tanques de Assalto
1918, 21 mar	Primeiro emprego de tanques nas proximidades de St. Quentin
1918, 18 jul	Emprego de tanques em Villers-Cotterets
1919, a partir abr	Sargento no 1º Regimento de Defesa (*Freikorps*)
1920	Primeiro-sargento na 1ª Força Nacional de Polícia da Baviera
1921	"Oberland" do *Freikorps*, participação na libertação da Alta Silésia contra invasores poloneses (assalto a Annaberg em 21 de maio de 1921)
1923	Ingressa no NSDAP
1927-29	Gerente de posto de gasolina, agente de despachos de uma editora
1928, mai	Aceito na *schutzstaffel* (SS), número de filiação 1177
1928, 1º ago	Nomeado SS-*Sturmbannführer*
1929, 18 set	Nomeado SS-*Standartenführer* e comandante da Brigada da Baviera da SS
1930, 11 jul	*Oberführer* da SS e nomeado comandante do Grupo Sul da SS
1930	Eleito delegado do NSDAP ao Reichstag
1931, 18 dez	SS-*Gruppenführer*
1933, out	Chefe do Alto Setor Leste da SS, nomeado membro do Conselho Privado prussiano e vereador em Berlim
1933, 30 jan	Forma o *Wachtbatallion Berlim*, da SS

1933, 31 set	A unidade é rebatizada como *Leibstandarte* SS Adolf Hitler
1934, 1º jul	Promovido a SS-*Obergruppenführer*
1939, a partir 1º set	Com a *Leibstandarte* Adolf Hitler na campanha polonesa
1940, a partir 10 mai	Emprego na campanha no Ocidente
1940, 5 jul	Condecorado com a Cruz de Cavaleiro da Cruz de Ferro
1941, a partir 16 abr	Serviço ativo na campanha dos Bálcãs
1941, 20 abr	Assina o documento de capitulação do Exército Grego do Epiro
1941, a partir 30 jun	Participa da campanha russa. Batalha do mar de Asov. Captura de Rostov
1941, 31 dez	Condecorado com as Folhas de Carvalho para a Cruz de Cavaleiro da Cruz de Ferro
1942, verão	Reorganização da *Leibstandarte* e mudança de nome para 1ª Divisão *Panzer Leibstandarte* Adolf Hitler
1943, fins jan	Serviço ativo na Rússia. Batalha de Kharkov
1943, 11 mar	Recaptura de Kharkov pela 1ª *Panzer* SS
1943, 16 mar	Condecorado com as Espadas para a Cruz de Cavaleiro, com Folhas de Carvalho
1943, a partir 5 jul	Emprego na operação *Cidatel* — batalha de *panzers* de Prokhorovka
1943, jul	Substituição e recuperação no norte da Itália
1944, 6 jun	Emprego do 1º Corpo *Panzer* SS, formado por Dietrich na Normandia
1944, a partir 12 jun	Comandante do Grupo *Panzer* Oeste e do 5º Exército *Panzer* (nome subseqüente do Grupo *Panzer* Oeste)
1944, 6 ago	Condecorado com os Diamantes para a Cruz de Cavaleiro, com Folhas de Carvalho e Espadas
1944, 6 ago	Promovido a *Oberstgruppenführer* e coronel-general da Waffen SS
1944, nov	Comandante-chefe do 6º Exército *Panzer*
1944, a partir 16 dez	Emprego na ofensiva de Ardennes
1945, a partir 18 fev	Emprego do 6º Exército *Panzer* na Hungria
1945, 8 mai	Rendição do 6º Exército *Panzer* ao general Patton e prisioneiro de guerra
1946, 16 jul	Condenado à prisão perpétua
1955, 22 out	Libertado em “livramento condicional”

1957, 14 mai	Acusado em tribunal de Munique como "cúmplice em homicídio simples" (no golpe de Röhm) e subseqüentemente condenado a 18 meses de prisão
1958, 2 fev	Libertado
1966, 21 abr	Falece em Ludwigsburg

Dados cronológicos | Hasso von Manteuffel

1897, 14 jan	Nasce em Potsdam
1908	Ingresso no 9º Corpo preparatório de cadetes. Escola de Cadetes, Naumburg
1911	Academia de Cadetes, Berlim-Lichterfelde
1916, mai	Passa a oficial do 3º Regimento "von Ziethen" de Hussardos de Brandenburg, como segundo-tenente, e serve na França
1916, out	Transferido, com o 5º Esquadrão, para o 6º Regimento de Infantaria (prussiano)
1916, 14 out	Ferido na Batalha do Somme
1918, nov	Defende as pontes do Reno para garantir a retirada dos exércitos combatentes
1919	Serve no *Freikorps* "von Oven", em Berlim
1920	Comandante de esquadrão no 3º Regimento de Cavalaria da *Reichswehr* de 100 mil soldados, seguido por sete anos como ajudante de regimento
1930, 1º fev	Tenente e comandante do esquadrão técnico do regimento
1931, 2 jan	Medalha Eqüestre de Ouro
1932, 1º out	Comandante de esquadrão do 17º Regimento de Cavalaria, Bamberg
1934, 1º abr	Capitão de Cavalaria
1934, 10 out	Transferência (juntamente com dois esquadrões do 17º Regimento de Cavalaria) para o 2º Batalhão de Fuzileiros de Motocicletas (sob o disfarce de Regimento de Cavalaria Erfurt)
1935, 5 dez	Transferência para a 2ª Divisão *Panzer*, como comandante de esquadrão, do 2º Batalhão de Fuzileiros de Motocicletas (sob o comando divisionário do coronel e mais tarde major-general Guderian)

1936-37	Major de Estado-Maior e oficial de treinamento de todos os cadetes e oficiais-cadetes da 2ª Divisão *Panzer*
1937, 25 fev	Assessor da Inspetoria de Tropas *Panzer*, sob Guderian, no Quartel-General do Exército (OKH)
1939, 1º fev	Diretor do grupo de treinamento da Escola de Tropas *Panzer* II, em Berlim-Krampnitz
1941, jul	Comandante do 2º Regimento de Fuzileiros da 7ª Divisão *Panzer*
1941, 21 ago	Assume o comando do 6º Regimento de Fuzileiros
1941, 1º out	Promovido a coronel
1941, 2 out	"Assalto final" a Moscou. Cruzamento do canal Moscou-Volga, em Jakhroma
1941, 31 dez	Cruz de Cavaleiro da Cruz de Ferro
1942, 15 jul	Comando de uma divisão no norte da África. Até 30 de abril de 1943, comandante da Divisão "Manteuffel"
1943, 1º mai	Promovido a major-general
1943, 1º ago	Comandante da 7ª Divisão *Panzer* em Akhtyrka
1943, 19 nov	Recaptura de Zhitomir
1943, 23 nov	Condecorado com as Folhas de Carvalho para a Cruz de Cavaleiro da Cruz de Ferro
1943, 27 dez	Comandante da Divisão de Granadeiros *Panzer Grossdeutschland*
1944, 1º fev	Promovido a tenente-general
1944, 22 fev	Condecorado com as Espadas para a Cruz de Cavaleiro, com Folhas de Carvalho
1944, 9 ago	Emprego da PGD *Grossdeutschland* no setor norte da Frente Oriental
1944, 1º set	Nomeado comandante-chefe do 5º Exército *Panzer*
1944, 1º set	Promovido a general de Tropas *Panzer*
1944, 16 dez	Participação na ofensiva de Ardennes
1945, 18 fev	Condecorado com os Diamantes para a Cruz de Cavaleiro, com Folhas de Carvalho e Espadas
1945, 2 mar	Comandante-chefe do 3º Exército *Panzer* no leste
1945, 3 mai	Comanda a retirada do 3º Exército *Panzer* para o território ocupado pelos britânicos e é feito prisioneiro de guerra
1978	Falece em Diessen am der Ammersee

Os Inovadores

PARTE V

Guderian | 19

Coronel-general Heinz Guderian

Kenneth Macksey

No dia 28 de março de 1945, Heinz Wilhelm Guderian, o último chefe do Estado-Maior Geral alemão, enfrentou Adolf Hitler na derradeira de muitas divergências iradas e diretas e, pela segunda vez em quatro anos, foi exonerado — ainda que, nesta oportunidade, por alegado motivo de saúde — por um comandante supremo que estava no fim de suas forças. Era um clímax apropriado para uma carreira tumultuada, na qual Guderian conquistara reputação quase sem igual como oficial brilhantemente imaginativo, que sobrevivera para chegar ao auge de sua profissão, a despeito de explosões repetidas com oficiais superiores cujas cincadas submetiam-lhe a paciência além dos limites toleráveis. Ainda assim, era também típico de Guderian que, após 15 anos de ligação com Hitler, tivesse conseguido, graças a extraordinário autocontrole, permanecer leal a um Führer que, de maneira mais do que evidente, estivera arruinando sua amada pátria.

O primeiro encontro entre os dois ocorrera em Kummersdorf em janeiro de 1934, quando, como chefe do Estado-Maior da Inspetoria das Tropas Motorizadas, demonstrara os elementos do conceito que viria a transformar-se em divisões *panzer*. À parte umas poucas combinações de motocicleta, caminhões e veículos meia-lagarta, tudo mais estava em embrião. Não havia nem mesmo um autêntico tanque para mostrar, apenas o chassi de uma máquina de lagartas denominada Trator Agrícola. Mas, segundo Guderian, Hitler ficou entusiasmado, embora se compreendia ou não a importância das divisões *Panzer*, nesta ou em qualquer outra ocasião, fosse assunto muito diferente.

Guderian era prussiano — e em mentalidade, mais prussiano que os prussianos em muitas questões — e nascera em Kulm sobre o Vístula em

17 de junho de 1888, filho de um tenente do 9º *Jäger Battalion*, uma unidade de elite e rápida de marcha. O Exército constituiu sua obsessão da vida inteira desde o momento em que ingressou na Escola Principal de Cadetes, em Gross-Lichterfelde. Saiu dela com altas notas em 1907 para servir na unidade comandada por seu pai, o 10º *Jäger Battalion* hanoveriano, onde os soldados eram ensinados não só a pensar e a mover-se rapidamente, mas também encorajados a inovar. Por isso mesmo, quando Heinz pareceu inclinado a casar-se em 1911, cedo demais para as perspectivas de sua carreira, o processo de arrefecimento em que insistiu seu pai tomou a forma de um longo curso de telegrafia sem fio — aprendizado que seria vital para seu futuro.

Daí em diante, à parte dois curtos períodos de serviço regimental, sua carreira divergiria da de infantaria. Ao casar-se com Margarete Görne em 1913, era oficial de sinaleiros qualificado no comando do Destacamento de Telégrafo sem Fios da 5ª Divisão de Cavalaria. Menos de um ano depois, na condição de oficial mais jovem matriculado no curso da Academia de Guerra de Potsdam, seu futuro como membro do Grande Estado-Maior Geral parecia assegurado. Quando estourou a guerra, porém, o curso foi suspenso, e ele seguiu com seu destacamento de rádio na 5ª Divisão de Cavalaria para a derrota no rio Marne. E ali, e não pela última vez, sua fúria explodiu com um general (o comandante da divisão), cuja incompetência praticamente o lançara nas mãos do inimigo, o que tornou prudente, em benefício dele próprio, transferi-lo para outra unidade. E foi assim que, como oficial-sinaleiro ajudante no QG do 4º Exército, tomou parte na 1ª Batalha de Ypres, onde em outubro de 1914 presenciou o fim da mobilidade, sem a qual, em sua arraigada opinião, a vitória tornava-se impossível. Em Ypres viu também bravos soldados serem esmagados pela artilharia, ceifados por metralhadores, emaranhados em arame-farpado e obrigados, para salvar a vida, a se enterrarem em trincheiras. Para ele, como para praticamente todos os de sua geração, embora talvez não na opinião de certo estafeta de batalhão de infantaria chamado Hitler, que se encontrava bem próximo naquele holocausto, aquilo era um impasse que não se devia permitir que continuasse — embora naquele momento não tivesse a mínima idéia de como solucioná-lo.

Como oficial sinaleiro, Guderian teve numerosas oportunidades de visitar a frente de batalha e envolver-se estreitamente com trabalho de Estado-Maior. Às vezes, como observador, voava em aviões. Sempre foi membro dinâmico e de extraordinário valor de todas as unidades às quais foi cedido para tarefas específicas. E enquanto sobrevivesse e conseguisse controlar a crítica franca a seu comandante, com a mesma força com que submetera o general comandante da 5ª Divisão de Cavalaria, melhoravam suas possibilidades de vir a usar um dia a listra carmesim de oficial do Estado-Maior Geral. Finalmente, em 1917 veio a convocação para terminar o curso que a guerra suspendera em 1914, substituído por um curso prático especial de guerra. Consistiu ele de curtas designações para obter experiência em unidades de infantaria e artilharia na frente de luta, seguida de um curso de dois meses em Sedan, e depois a nomeação para o Corpo do Estado-Maior Geral, o "momento de maior orgulho de minha vida", no dia 28 de fevereiro de 1918.

Durante todas as grandes ofensivas alemãs na Frente Ocidental em 1918, e na maior parte das subseqüentes contra-ofensivas aliadas que quebraram o espírito do Exército alemão, Guderian participou de trabalhos logísticos de Estado-Maior a nível de corpo de exército. Essa época lhe proporcionou experiência de valor inestimável nos problemas de abastecimento no ataque, defesa e perseguição, à medida que, finalmente, o beco sem saída das trincheiras começava a dissolver-se sob o impacto do tanque e do melhoramento de táticas de artilharia e infantaria, que restituíram o fator surpresa às operações. Mas quando, em outubro de 1918, foi enviado como oficial do Estado-Maior de operações para as forças alemãs destacadas na Itália, chegou justamente a tempo de presenciar o colapso da disciplina das tropas, à medida que a guerra bruscamente se aproximava do fim. Pessoalmente passou pela degradação de receber ameaças e insultos de soldados que haviam jogado fora suas armas e voltavam em grande número para uma Pátria que ele, Guderian, amava, mas que fora substituída por facções. Viu as raivosas turbas bolchevistas em Munique e Berlim e, como todos os monarquistas leais que sofriam com aquele tratamento, ficou marcado pelo resto da vida e propenso a chegar a extremos para restabelecer no seu lugar tradicional o prestígio e o poderio da Alemanha. Por isso mesmo recebeu com grande alívio a notícia de sua transferência em janeiro de 1919 para a recém-formada "Força da Fronteira Oriental", organizada sob o comando do general Hans von Seeckt, como baluarte contra incursões de russos e poloneses no antigo território prussiano, que era também sua terra natal.

Durante quase um ano andou envolvido no violento e tortuoso *imbróglio* político-militar dos assuntos do *Freikorps*, engajado na famosa Divisão de Ferro desse corpo, às ordens do major-general Rüdiger von der Goltz nos Estados Bálticos. Depois de ter a divisão capturado Riga em maio, von Seeckt e seu chefe de operações, major Werner von Fritsch (ambos em seu devido tempo se tornariam comandantes-chefes do Exército, exercendo enorme influência sobre Guderian), nomearam-no para o Estado-Maior dessa volúvel divisão, a fim de impor à mesma o controle do Estado-Maior Geral. Com ela, participou não só de combates, mas envolveu-se também emocionalmente em suas políticas nacionalistas ao ponto de mais uma vez cometer um ato de insubordinação. Agora com ninguém menos do que com von Seeckt, quando foi divulgado que nos termos do Tratado de Versalhes a Alemanha renunciaria aos Estados Bálticos. Novamente, contudo, um Estado-Maior Geral compreensivo transferiu-o para lugar seguro — um lugar de certa maneira isento de política tentadoramente extremista, onde um futuro valioso lhe poderia ser assegurado.

Por pura questão de necessidade, o Exército de 100 mil homens imposto à Alemanha em Versalhes precisava das qualidades dinâmicas de Guderian como membro do grupo escolhido que, na ausência do proscrito Estado-Maior Geral, substituí-lo-ia secretamente. A modernização tornou-se o tema. Em 1922 encarregaram-no da missão vital de estudar a questão da motorização em tanques, proibidos ao Exército, um desafio que aceitou com entusiasmo característico. Usando tanto quanto possível o estoque desesperadamente insuficiente de veículos à disposição no 7º Batalhão de Transporte Motorizado da Baviera, leu tudo o que pôde encontrar sobre o assunto e começou a fazer palestras, até tornar-se uma autoridade em guerra mecanizada, e em tanques, em particular. A maior parte de tudo isso era teórica, embora ele inspecionasse alguns tanques que, com perícia alemã, estavam sendo produzidos secretamente na Suécia, Rússia e em fábricas alemãs. E havia material de leitura sobre experimentos que, nesse momento, eram feitos na Grã-Bretanha com o conceito de unidades blindadas em massa, controladas pelo rádio. Em 1929 realizou alguns experimentos em seus próprios jogos de guerra e com protótipos de veículos para confirmar as lições que aprendera nos manuais britânicos mais recentes. Mas foi graças a seu próprio intelecto que formulou uma filosofia e uma doutrina que se adiantavam a todas as outras, baseando as conclusões sobre o tema do "soco dinâmico" (*Stosskraft*), no qual, disse, o soco dinâmico das futuras unidades de batalha seria desfechado pelo tanque e não, como no passado, pela baioneta, a metralhadora ou a artilharia. Era claro para ele que "os tanques, empregados isoladamente ou em conjunto com a infantaria, nunca poderiam adquirir importância decisiva". Mas estava convencido de que formações de todas as armas, apoiadas pelo poder aéreo e com adequado suprimento logístico, seriam capazes de desfechar golpes estratégicos de longo alcance, capazes de paralisar nações inteiras. À frente desse tipo de equipes de todas as armas, imaginava comandantes altamente agressivos, "que liderariam da frente de combate, e não da retaguarda" e faziam isso pelo rádio, que alcançava todos os veículos de combate. Na verdade, foi no mundo das comunicações, aproveitando sua grande experiência e conhecimentos de rádio, que deu sua maior contribuição técnica às forças de tanques, embora se interessasse profundamente por assuntos de propulsão automotiva, blindagens e canhões.

A contribuição mais importante que deu, porém, à parte o reconhecimento do poder subjacente e profundo das unidades dominadas por tanques que vieram a ser conhecidas como divisões *panzer*, estava na brilhante exposição que fazia de qualquer causa e no senso de oportunidade perfeito para saber quando aproveitar uma oportunidade a fim de promovê-la. A resistência aos tanques entre os tradicionalistas no Exército alemão era tão obstinada como nos exércitos britânico, francês e norte-americano. Foi preciso muito convencimento, no mais alto nível, para obter aprovação e financiamento para veículos novos e ainda não comprovados. Não há a menor dúvida de que se deveu à energia e determinação de Guderian o fato de a Alemanha ter tomado a dianteira nessa corrida, quando o rearmamento europeu começou a acelerar-se depois que Hitler subiu ao poder.

Nunca houve a menor sugestão de que Guderian fosse simpatizante do nazismo ou, na verdade, que tivesse quaisquer inclinações políticas fortes, a não ser como monarquista que abominava o comunismo. Depois do fiasco da Divisão de Ferro, e de acordo com a orientação de von Seeckt, comandante-chefe da nova *Reichswehr*, guardou distância de envolvimento em política partidária. Apoiou o governo no poder — mas anelando sempre pelo dia em que chegaria o “Salvador” da Alemanha. Estava, por conseguinte, condicionado para seguir a liderança de oficiais superiores orientados para o nazismo, como os generais Werner von Blomberg e Walter von Reichenau, que, na qualidade de, respectivamente, ministro da Guerra e chefe do *Ministeramt* (mais tarde *Wehrmachtamt*) apoiaram Hitler quando este subiu ao poder. E como tantos outros que caíram sob o feitiço quase hipnótico do novo chanceler, jurou lealdade a um chefe de Estado que estava não só decidido a rearmar o país, mas parecia também dar prioridade à idéia de divisões motorizadas rápidas.

Guderian, com toda probabilidade, ficou otimista demais quando, ao conhecer as tropas motorizadas em Kummersdorf em janeiro de 1934, Hitler disse: “É disso que preciso! É isso o que eu quero!” O ex-infante Hitler não compreendeu, realmente, a importância dos tanques e de outros veículos blindados até que eles tivessem demonstrado toda a sua eficácia na Polônia em 1939. Em 1934, ele estava muito mais interessado em criar forças armadas que, pelo blefe e o terror, levariam pessoas a pensar que a Alemanha era muito mais forte do que acontecia realmente. Esse o motivo por que a Luftwaffe, sob o velho camarada do Partido e predileto Hermann Göring, recebia prioridade muito mais alta e financiamentos maiores do que a Marinha de Guerra, e o Exército, com sua *Panzerwaffe*. A Luftwaffe, frisava-se, podia atacar centros de população e, rapidamente, obrigar nações a se dobrarem. As armas mais antigas levariam muito mais tempo e talvez fracassassem, como acontecera no passado.

A tarefa de Guderian como principal força propulsora por trás de tropas motorizadas rápidas era ainda mais difícil, porque Hitler, na verdade, estava ao lado de generais que desejavam criar unidades de infantaria, cavalaria e artilharia não muito diferentes daquelas que haviam perdido a guerra de 1918. Guderian teve que lutar contínua e bravamente nos corredores do poder para conquistar colegas que não eram inteiramente simpáticos aos seus objetivos de tornar a *Panzerwaffe* a força de ataque de elite principal no Exército. Fez inimigos, quando montou uma campanha de propaganda cuidadosamente dimensionada para convencer o Exército e a nação a aceitarem sua opinião de que "os tanques seriam capazes de desempenhar todo o seu papel potencial dentro da estrutura de um exército moderno, quando fossem tratados como a principal arma do Exército e supridos de armas de apoio plenamente motorizadas... vinculadas a eles permanentemente". Em uma circular de 1933, imaginava divisões *panzer* em "um ataque de ampla frente contra os flancos e a retaguarda inimiga — separados das outras unidades mais lentas, mas que podem obter também sucesso considerável em penetrações na frente de batalha. Quando usadas em perseguição, podem lançar na confusão o inimigo em fuga... A metodologia de seu engajamento não é de batalhas prolongadas, mas de operações curtas e oportunas, lançadas através de ordens curtas. O princípio da surpresa, a fim de evitar ou obstar a ação defensiva inimiga".[1]

Com esse enunciado, ampliado em numerosas conferências e debates e em seu livro de propaganda de 1937, *Achtung! Panzer!*, Guderian não só resumiu a doutrina básica das tropas blindadas rápidas modernas, mas passou à frente de britânicos e franceses, cujas divisões blindadas experimentais assemelhavam-se às *panzers*, mas cujos conceitos estratégicos e táticos ficavam aquém do ideal alemão. Constitui a maior de todas as homenagens à pregação carismática de Guderian que ele tenha conseguido, em 1935, aprovação para formar três divisões *panzer* — ainda que sem tanques, uma vez que até então só pouquíssimos desses veículos haviam sido fabricados — não sem a oposição dos tradicionalistas, que persistiam em considerar a primeira brigada *panzer* apenas como um excelente instrumento de apoio à infantaria.

A demonstração do que as tropas *panzer* podiam fazer foi naturalmente prejudicada pela falta de tanques e outros equipamentos, enquanto o programa de rearmamento ensaiava os primeiros passos. Só quando houve tanques em número suficiente é que seu potencial pôde ser entendido pelos tradicionalistas. Muitos oficiais jovens, incluindo cavalarianos, ficaram entusiasmados com as idéias de Guderian, mas mesmo eles viveram em frustração até terem suas máquinas. E os primeiros tanques leves de treinamento realmente não impressionaram do ponto de vista de combate, como várias tripulações descobriram a duras penas ao usá-los prematuramente na Espanha em 1937.

Constituiu mais uma das contribuições importantes de Guderian para aceitação final de sua tese que ele não só conseguisse, em princípio, apoio à idéia de que todos os tanques disponíveis fossem alocados às divisões *panzer*, evitando dessa maneira um mau emprego ruinoso pela infantaria, mas que fosse também capaz, na maior parte, de chegar a acordo sobre a construção de tanques que fossem razoavelmente confiáveis e tivessem boas condições de combate. Por mais que houvesse desejado possuir tanques pesados, capazes de resistir a todos os canhões antitanque conhecidos, teve que aceitar o fato de que isso estava, por ora, além das possibilidades do orçamento e da capacidade das fábricas. Sensatamente, satisfez-se com três tipos — um ligeiro, para reconhecimento, e dois médios, o primeiro para combate de tanque contra tanque e o outro para apoio a curta distância quando a artilharia não pudesse contribuir facilmente para isso. Simultaneamente, uma proposta de que a artilharia adotasse peças blindadas autopropulsadas foi combatida pelos artilheiros, que ocupavam a maioria dos altos postos de comando e que, como observara ironicamente Guderian, "acostumados há 500 anos a rebocar seus canhões com a boca apontando para trás, opuseram-se com sucesso a essa proposta (de um veículo com um canhão apontando para a frente)".[2]

Agravando-se as relações de Hitler com seus generais e aproximando-se o começo das hostilidades, tornaram-se muito mais freqüentes os contatos de Guderian com seu Führer e comandante supremo. Em julho de 1934, depois de ter Hitler expurgado a SA e exigido que a *Reichswehr* lhe prestasse juramento de lealdade pessoal (e não à Constituição), disse Guderian em uma carta à esposa: "Reze a Deus, para o bem da Alemanha, que ambos os lados o cumpram igualmente. O Exército está acostumado a respeitar juramentos. Queira Deus que o Exército, com honra, possa fazer o mesmo desta vez."[3] Ele já estava vendo Hitler como entidade à parte do Partido Nazista. Este causava-lhe aversão em muitos de seus aspectos. O escândalo von Blomberg e as acusações contra seu velho chefe, von Fritsch, em 1938, provocaram-lhe reações variadas: nojo de Blomberg por se ter casado com uma prostituta; raiva com o novo comandante-chefe, general Walter von Brauchitsch, por ter abandonado seu antecessor, von Fritsch, quando ele fora falsamente acusado de homossexualidade; desaprovação de membros graduados do Partido (incluindo Göring e Himmler) pelos papéis que haviam desempenhado nesses casos; e louvor inocente ao Führer, "que agiu, como sempre, com a mais pura decência humana". A cumplicidade do Führer em tudo isso simplesmente não lhe podia ocorrer. Mas também compreendeu nesse momento um fato novo e disse: "Vou ter que arranjar um couro bem grosso."[4]

Ao assumir em fevereiro de 1938 o comando do 16º Corpo de Exército, com suas divisões *panzer*, Guderian tornou-se inevitavelmente mais envolvido em política do que talvez o desejasse. A presença assídua ao lado de Hitler, quando suas tropas entraram na Áustria em março e nos Sudetos em outubro, provocou ciumeiras entre os que temiam e desaprovavam a ascenção da *Panzerwaffe*. Ninguém menos que os generais von Brauchitsch e seu chefe de Estado-Maior (general Ludwig Beck) — ambos artilheiros — conspiraram juntos para "caronear" Guderian nas promoções para os mais altos postos. Astuciosamente, propuseram a Hitler que o nomeasse comandante das Forças Móveis, com a missão de controlar todas as *panzers*, infantaria motorizada e cavalaria — uma nomeação vazia, de muitas maneiras, porque carecia do poder de implementar mudanças. Dessa forma, os tradicionalistas fariam o que queriam, as divisões *panzers* seriam incluídas na doutrina ortodoxa, e a fim de se assegurarem de que assim continuariam na eventualidade de guerra, o papel de Guderian no caso de mobilização seria o de comandante do Corpo de Reserva da Infantaria.

Infelizmente para os poloneses e outras nações que Hitler resolveu atacar, nem von Brauchitsch nem seu novo chefe de Estado-Maior, general Franz Halder (outro artilheiro), conseguiram privar Guderian de um comando *panzer* quando a guerra irrompeu em setembro de 1939. Nem a resistência obstinada dos tradicionalistas conseguiu mais do que prejudicar o desenvolvimento da *Panzerwaffe* nos últimos meses de paz, enquanto Guderian esforçava-se, sem muito sucesso, para impor à mesma uma doutrina atualizada. Ao começar a invasão da Polônia em 1º de setembro, as dez *panzers*, ou divisões ligeiras, eram muito mais do que adversários comuns para o mal equipado e estacionário exército polonês, mesmo que apenas 225 dos 3.195 tanques fossem do tipo médio mais moderno. E ninguém empregou essas divisões *panzer* com maior entusiasmo que Guderian, cujo 19º Corpo *Panzer* (composto de uma divisão *panzer* e duas motorizadas) atacou com toda força a base do bem defendido corredor polonês, na direção de sua própria cidade natal de Kulm.

Em luta feroz em terreno difícil, conseguiria, por pura força de personalidade e energia, vencer não só um inimigo valente, mas os descrentes de seu próprio lado, que eram cautelosos demais para seu gosto. Oficiais que não comandavam da frente de luta aprenderam o erro de seu procedimento. Homens que planejavam mal e, em seguida, temiam assumir riscos, sofreram castigos. Ele atingiu todos os seus objetivos dentro do prazo estipulado, a tempo de demonstrar triunfantemente a Hitler e sua comitiva, no rescaldo imediato da batalha, o que o tanque era capaz de fazer, e então proclamar com orgulho, quando Hitler perguntou, como seria inevitável, se alguns canhões pesados inimigos haviam sido destruídos pelos bombardeios de mergulho da Luftwaffe: "Não! Por nossos *panzers*!" Dessa maneira, o Führer foi convertido ao poder *panzer*, educação esta que avançou mais um passo à medida que o dia se escoava e seus mapas floresciam com flechas que rapidamente se encompridavam para mostrar com que rapidez as irresistíveis tropas de elite estavam reduzindo o inimigo a migalhas.

O triunfo de Guderian tornou-se completo quando aqueles no alto comando que tentaram sabotá-lo renderam-se ao potencial do sistema de armas que seu gênio lhes pusera nas mãos. Não era mais seguro para eles (mesmo que assim o desejassem) bloquear um homem que no campo de batalha conquistara os louvores do comandante supremo. Como soldados profissionais, eles próprios, natural e ambiciosamente, agarraram algo que vencia batalhas como nada antes. Emocionava ver como eram operacionalmente flexíveis essas unidades controladas pelo rádio e como obtinham progresso contínuo a despeito de alguns contratempos logísticos, que a improvisação logo resolveu. Constituiu, por conseguinte, um ato de conciliação quando eles deram ordens a Guderian para que levasse seu corpo de exército para a Prússia Oriental, imediatamente após o cruzamento do Corredor, a fim de incursionar pela retaguarda inimiga, mediante um ataque estratégico na direção sul, exatamente como aquele que ele sempre dissera que seria decisivo. Essa operação constituiu o auge do que Hitler dramaticamente chamou de *Blitzkrieg*.

É compreensível o orgulho de Guderian quando no dia 17 de setembro, após um avanço de 160km em 8 dias, chegou à cidade historicamente simbólica de Brest-Litovsk. Mas como ficaram abalados numerosos oficiais que enfrentaram seu comandante de Corpo, quando ele chegou no mais aceso de uma batalha para lhes profligar de inércia e falhas de comunicação e, em seguida, instilar vida em ataques que se permitira que esmorecessem aos poucos. Conforme compreendeu muito bem Guderian, muitas hesitações eram naturalmente resultado de pura inexperiência diante de resistência inimiga muito determinada. Mas as lições que todos eles aprenderam juntos não só lançaram os alicerces de inumeráveis vitórias no futuro, mas confirmaram que ele sempre tivera razão ao ensinar que o comando da linha de frente, por oficiais superiores, equipados com a voz do rádio, era a verdadeira chave do sucesso. Hitler teve muito que lhe agradecer e, a partir desse momento, compreendeu melhor o que as divisões *panzer* podiam fazer em seu proveito.

Mal terminara a luta na Polônia e já se tornara claro que a Grã-Bretanha e a França não tinham intenção de fechar os olhos à agressão alemã, propondo o fim da guerra, e que Hitler estava impacientemente instruindo o OKW para lançar um ataque no oeste em questão de semanas. Sem dúvida alguma ele fora fortalecido em sua convicção de que tal operação era exeqüível pelo notável sucesso de operações combinadas de aviões e tanques — e demonstrou isso em público, no dia 27 de outubro de 1939, conferindo a Guderian a Cruz de Cavaleiro da Cruz de Ferro, fazendo-o sentar-se à sua direita no jantar e conversando animadamente com ele sobre a campanha polonesa e a evolução das tropas rápidas. Foi uma discussão oportuna, uma vez que von Brauchitsch e Halder, no OKW, já estavam manifestando dúvidas sobre a prudência de lançar o Exército em um ataque semelhante ao Plano Schlieffen, de 1914, através da Holanda e Bélgica, para entrar no norte da França. Corretamente, temiam o efeito de terreno empapado de água sobre os tanques e os caminhões.

Alguns dias depois Guderian foi convidado para o debate pelo general Wilhelm Keitel, chefe do OKW, cuja atenção fora atraída, em 10 de novembro, por sugestões separadas do general Gerd von Rundstedt, comandante do Grupo de Exércitos A, ao OKH, e pelo próprio Hitler, ao general Alfred Jodl, chefe do Estado-Maior de operações do OKW, para uma inversão do existente "Plano Amarelo". Em vez de efetuar o principal ataque com o Grupo de Exércitos B, através da Holanda e Bélgica, com um golpe auxiliar pelo Grupo de Exércitos A através de Ardennes, por que não, sugeriu-se, levar a massa das divisões rápidas através de Ardennes e tornar subsidiário o papel do Grupo de Exércitos B? A reação do OKH a essa alternativa fora menos que entusiástica. No OKW, porém, Jodl mencionou a idéia a Keitel, que aproveitou a oportunidade, alguns dias depois, para chamar Guderian, seu parente por casamento, para uma opinião de especialista sobre a viabilidade de levar uma massa de tropas mecanizadas através de terreno tão difícil como o de Ardennes. A resposta de Guderian foi previsivelmente favorável. Conhecia a Ardennes, era convicto defensor do emprego de unidades mecanizadas em terreno difícil, onde seriam menos esperadas, e confiava em que poderiam ser superados os problemas de controle de tráfego. Além do mais, quando informado que seu próprio 19º Corpo seria a ponta de lança do Grupo de Exércitos A no papel subsidiário existente, imediatamente insistiu em que suas duas divisões *panzer* deviam ser aumentadas para três.

Durante mais de dois meses, o OKW resistiu ao plano revisado (que era, na realidade, criação do general Erich von Manstein), enquanto o Plano Amarelo sofria uma série de adiamentos, até que foi finalmente abandonado quando documentos vitais caíram nas mãos dos Aliados em janeiro de

1940. Mais uma vez, Guderian descobriu que estava no centro das controvérsias quando o OKH foi obrigado a levar a sério o plano de von Manstein, depois que Hitler também o apoiou. Houve vários debates violentos nos quais Guderian, contra a maioria, defendeu não só a viabilidade de penetrar na floresta de Ardennes com nada menos que sete das dez divisões *panzer*, juntamente com as unidades motorizadas de infantaria, mas também de alcançar e cruzar o rio Meuse, entre Sedan e Dinant, em cinco dias, sem precisar de uma massa de artilharia pesada para romper a Linha Maginot ou esperar que divisões de infantaria, marchando a pé, se emparelhassem com ele. Em uma famosa apresentação final em fevereiro, o Führer, que já dissera a Brauchitsch que insistia na implementação completa do Plano Manstein, perguntou a Guderian o que ele tencionava fazer depois de cruzar o Meuse em Sedan. Guderian respondeu, sem que ninguém o contradissesse: "Tenciono avançar na direção oeste... Na minha opinião, o curso correto é ultrapassar Amiens e seguir para o canal da Mancha."[5]

E assim aconteceu que, no dia 14 de maio de 1940, tendo estabelecido cabeças-de-ponte no outro lado do Meuse em Sedan na noite anterior, a massa das forças motorizadas de von Rundstedt mergulhou na direção oeste em ampla frente, com oposição apenas passageira de formações estáticas e fortificações francesas, destroçando as formações blindadas que isoladamente lhes tentaram barrar o caminho. O momento decisivo para Guderian ocorrera na aldeia de Cheméry, no dia 14 de maio, quando Rundstedt visitou o comandante de uma divisão *panzer* para saber dele se, em sua opinião, a despeito de ferozes contra-ataques inimigos procedentes do sul, seria prudente iniciar o ataque na direção oeste. Ele fora informado, em termos convincentes, por oficiais doutrinados pelas idéias militares de Guderian, de que era!

A partir daquele momento, à medida que aumentava o ímpeto do ataque e massas de prisioneiros e equipamentos eram a todo momento capturados em um campo de batalha em rápida expansão, Guderian nenhuma dúvida teve de que chegaria ao canal da Mancha e venceria a campanha. Infelizmente para ele, havia aqueles que careciam de sua intuição, notadamente von Rundstedt e Hitler que, tão logo as unidades rápidas dispararam muito à frente das formações bem mais lentas da infantaria, começaram a se preocupar. A despeito de informações do serviço secreto de que o inimigo estava inteiramente desorganizado, com o grosso de suas divisões blindadas já destruídas, eles tiveram receios pelo flanco sul e do perigo de um contra-ataque que isolasse as divisões *panzer*. Von Rundstedt, cheio de respeito pelo alto comando francês, não compreendeu que a própria velocidade do avanço alemão paralisara as defesas aliadas. Nem podia imaginar que a alta mobilidade das tropas motorizadas lhes daria meios de reagir rápida e vigorosamente a ameaças a seu flanco e retaguarda. Dessa maneira, nos dias que se seguiram, Guderian e outros comandantes de *panzers* receberam uma série de ordens de parada — uma das quais, dada por seu superior no Grupo *Panzer*, Kleist, levou Guderian a exonerar-se ali mesmo, até que recebeu ordens de fazer o que foi chamado vagamente de "reconhecimento com grandes efetivos".

Pouco pôde ele compreender na ocasião, contudo, de quem viria a ordem final para parar, em um momento em que estava pronto para destruir os franceses e o Grupo de Exércitos Norte britânico, isolando-os do mar em Dunquerque. Isto porque o preocupado von Rundstedt foi apoiado por Hitler, que ainda não compreendera o verdadeiro significado do estilo de Guderian. Assim aconteceu que, na noite de 23 de maio, von Rundstedt, mais uma vez, capitulou diante de seus receios de que a infantaria em marcha estivesse atrasada demais (apoiado nesse medo pelo general Günther von Kluge, comandante do 4º Exército, uma unidade de infantaria), e ordenou uma parada no dia 24 — que foi confirmada horas depois por Hitler quando, novamente, visitou o Grupo de Exércitos A para manifestar suas preocupações. Pouco importando que desculpas foram dadas mais tarde para essa decisão, que concedeu aos Aliados o tempo justamente suficiente para trazer de volta, em segurança, suas tropas para manter um perímetro em torno de Dunquerque, fora desperdiçada por homens que haviam perdido a coragem, uma oportunidade de ouro de desferir um golpe mortal no inimigo e que decidiria a guerra. Isto porque tais dúvidas não pairaram na mente de von Brauchitsch, Halder ou Guderian — ou de grande número de outros oficiais e soldados na frente de batalha que podiam reconhecer um inimigo batido quando o viam.

De muito menos relevância do que desperdiçar uma vitória total, mas de alta importância para Guderian no futuro, foi que, pela segunda vez, ele se chocara com von Kluge (mais outro artilheiro). Haviam discordado ligeiramente na Polônia, com a tentativa de von Kluge de dispersar o 19º Corpo *Panzer* entre a infantaria. Nesse momento, haviam discordado mais uma vez, acreditando Guderian que von Kluge fora muito útil para alimentar os receios de von Rundstedt. Daí em diante, eles seriam como cão e gato em desconfiança profissional — o mais graduado Kluge (nas vésperas de ser promovido a marechal-de-campo) condenando Guderian por correr riscos injustificados, e o esquentado mas brilhante Guderian enfurecido por ser contrariado por uma mediocridade cautelosa demais. Estranhamente, contudo, Guderian não condenou Hitler por sua parte na questão, embora logo depois dela tomasse conhecimento. Tipicamente, à sua maneira prussiana, adotou a postura de que, tão logo o chefe de Estado (ou rei) toma uma decisão, ela tem que ser cumprida irrestritamente. Esse rigoroso código iria lhe causar muitas angústias no futuro.

Nesse meio tempo, tentou obedientemente tomar Dunquerque quando foi rescindida a ordem de parada e fracassou, como não podia deixar de acontecer, antes que o 19º Corpo *Panzer* fosse retirado da linha de frente, a fim de preparar-se para o englobamento final da França. Nesse momento, foi aplacado por uma demonstração da estima de Hitler, que o nomeou comandante do Grupo *Panzer* Guderian, com dois corpos de exército, cada um deles com duas divisões *panzer* e uma divisão motorizada. Sentiu um orgulho imenso ao ver o grande G pintado em seus veículos, e regozijar-se com o conhecimento de que suas teorias haviam sido comprovadas em uma das mais rápidas e completas vitórias jamais obtidas sobre uma grande potência militar em toda a história. Por ora, podia afastar as preocupações sobre oportunidades que, com conseqüências fatais, haviam sido perdidas. Poderia também minimizar seu desapontamento com os claros sinais de vacilação do alto comando, à medida que Hitler assumia um papel cada vez mais prejudicial no processo decisório em assuntos militares. Em parte brincando, contava à esposa a confusão ocasionada pela repetida mudança de objetivos: "A batalha contra nossos superiores dá, às vezes, mais trabalho do que contra os franceses."[6] E continuava, pesaroso, a lamentar os horrores da guerra infligida ao inimigo: "O país está em situação catastrófica... é indescritível o sofrimento dos refugiados, e todo o gado está morrendo... A Idade Média foi humanitária em comparação com esta."

Coisa muito pior estava por vir, claro, no ano seguinte. Mas no período imediatamente seguinte à sua grande realização, podia desfrutar modestamente os elogios irrestritos, juntamente com a promoção a coronel-general e um lugar de destaque nas comemorações da vitória em Berlim. Da noite para o dia tornou-se um dos ídolos da propaganda de Goebbels — embora não apreciasse isso tanto como outros. Pensando bem, tinha certeza de que a Grã-Bretanha precisava ser imediatamente derrotada e, indiretamente, submeteu um plano a Hitler. O Führer, porém, pensava na Rússia e meses depois deixá-lo-ia chocado, e também ao mundo, com o arriscado jogo de invadi-la.

Protestou mais que a maioria dos oficiais mais graduados, quando soube que a Rússia seria a próxima vítima. Manifestou seu desapontamento e repulsa a uma guerra em duas frentes e enviou seu chefe de Estado-Maior, a fim de protestar em seu nome contra um projeto que, com meridiana clareza, se configurava como extraordinariamente arriscado e difícil de justificar. Von Brauchitsch, porém, há muito tempo intimidado por Hitler, recusou-se a tomar qualquer providência. Cheio de apreensões, Guderian começou a fazer tudo o que podia a fim de obter a vitória sem demora, essencial, mediante emprego da única força que poderia torná-la possível — as tropas rápidas. Além de treinar suas próprias divisões *panzer* com redobrado vigor, foi além de suas responsabilidades (quase como se fosse ainda o inspetor das Tropas Móveis), insistindo com Hitler para que fizesse ver ao dr. Fritz Todt, o ministro de Armamentos, a necessidade vital de expandir a produção de tanques, dos atuais inteiramente insuficientes 125 por mês para algo em torno de 800 ou 1.000. Bem que poderia ter-se poupado a esse esforço. Fazer isso, disseram-lhe, custaria uma fortuna, exigiria fábricas e operários que não existiam e mutilaria outros programas importantes, como a construção de submarinos. Como resultado final, o Exército alemão invadiu a Rússia no dia 22 de junho de 1941, iniciando uma guerra que o alto comando iludia-se pensando que poderia terminar em seis semanas, com apoio logístico e reservas insuficientes para manter as tropas durante uma campanha de verão, quanto mais de inverno, e para a qual nenhum preparativo importante fora feito.

Ao Grupo *Panzer* 2 de Guderian, com seus três Corpos *Panzer*, de 5 divisões *panzer*, 3,5 divisões motorizadas de infantaria e uma divisão montada de cavalaria, coube o papel principal, juntamente com o Grupo *Panzer* 3, do general Hoth, como ponta de lança do Grupo de Exércitos Centro do marechal-de-campo Fedor von Bock, apontada para Smolensk, na estrada para Moscou (ver o mapa 2). Seu relacionamento com von Bock era excelente e ele devia ao marechal certa gratidão por não lhe ter dado conhecimento da mal-afamada "Ordem do Comissário", de Hitler, que ele se recusara a transmitir a seus subordinados. Mas evidentemente sabia o que estava acontecendo nos territórios conquistados e manifestou forte repúdio a essas políticas. Freqüentemente, também, seu Grupo *Panzer* operava ao lado do 4º Exército de von Kluge e, às vezes, subordinado ao mesmo. Embora divergissem freqüentemente sobre a conduta das operações, no início colaboraram bem nas batalhas na fronteira, nas proximidades de Brest-Litovsk e durante a aproximação de Smolensk. Resoluta e vitoriosamente, resistiu ao desejo natural de von Kluge de amarrar as tropas rápidas à lenta infantaria e rejeitou-lhe os receios de que suas operações dependiam demais de elementos frágeis.

O estímulo constante de von Bock aos Grupos *Panzer* para que partissem a toda velocidade à frente e arrebanhassem as hordas de prisioneiros, juntamente com massas de equipamentos, era inteiramente justificado, mesmo que fosse extremamente difícil guardar tantas presas com recursos tão escassos, até que a infantaria se emparelhasse. Muito mais preocupante foi o problema de manter o ímpeto, quando as deficiências logísticas começaram a puxar o freio. E ainda mais perturbadora era a resistência russa, inesperadamente tenaz. Embora em meados de julho o alto comando e Hitler estivessem começando a acreditar que haviam ganhado a campanha, tão imensas tinham sido as perdas russas, e relativamente poucas as suas, estavam muito longe da verdade, porque seus serviços secretos os informaram mal. Embora dezenas de divisões e milhares de tanques e canhões fossem aniquilados, à medida que o Grupo de Exércitos Centro conseguia abrir caminho para Smolensk, mais unidades russas continuavam a surgir e a atacar. De repente, uma inesperada crise de decisão abateu-se sobre Hitler, que, durante todo o tempo, abstivera-se de dizer o que faria em seguida, se o inimigo não fosse esmagado nas primeiras seis semanas.

Todos ficaram à espera, enquanto o comandante supremo e os generais debatiam o problema. Aos poucos, tornaram-se mais calorosas as discussões. O principal pomo de discórdia era se a marcha devia prosseguir na direção de Moscou (como o desejavam todos os altos chefes do OKH e do Grupo de Exércitos Centro) ou abandonavam o objetivo político em troca de Leningrado ou de uma penetração na Ucrânia, como Hitler preferia. Inevitavelmente, Guderian envolveu-se no debate. Como era seu costume, Hitler, às vezes, consultava-o sobre a situação dos tanques e o fez nesse momento, quando von Brauchitsch e Halder haviam caído em desgraça, e ele, Guderian, estava sendo mesmo cogitado como o próximo comandante-chefe. Ao mesmo tempo, na frente de luta em princípios de agosto, travou uma feroz embora limitada campanha contra os russos ao sul de Smolensk, enquanto se preparava para a retomada do avanço contra Moscou, mas, quando menos esperava, recebeu ordem de desviar-se para o sul (o que considerou "um crime") como medida preliminar para o ataque à Ucrânia.

Um pouco confuso, juntamente com von Bock e Hoth, foi chamado para uma conferência com von Brauchitsch e Halder no OKH, no dia 23 de agosto. Halder, Bock, Hoth e Guderian tentaram fazer um esforço final a fim de convencer Hitler de que Moscou era o único objetivo com possibilidade de provocar a derrocada russa. Esse foi um momento decisivo na sua carreira. Para começar, von Brauchitsch disse-lhe que a decisão sobre a Ucrânia já fora tomada e que estavam proibidos novos debates sobre o assunto. Halder, contudo, confiava em que Guderian (que poderia, a qualquer momento, ser o novo comandante-chefe) mantivesse suas posições e convencesse Hitler a tentar capturar Moscou. Diante de Hitler e seu *entourage*, porém, Guderian entrou na linha — usando como pretexto a explicação prussiana ortodoxa de que "... não poderia discutir uma questão já resolvida com o chefe de Estado na presença de outras pessoas".[7] Ele pode ter também pensado que um choque frontal com Hitler, nesse momento crucial, poderia privá-lo da nomeação para o cargo de comandante-chefe e com isso da oportunidade de salvar a Alemanha da enrascada para a qual, tinha certeza, ela estava sendo levada. Como conseqüência, perdeu para sempre a boa vontade de Halder. O chefe do Estado-Maior Geral caiu em estado de angústia e fúria quando Guderian lhe disse que, diante da ordem direta de Hitler, ele, nesse momento, considerava "seu dever tornar possível o impossível".[8] O próprio Halder, porém, fora espantosamente desleal com Guderian, ao lhe esconder o fato de que ordens detalhadas já haviam sido expedidas para o ataque à Ucrânia, ao sul. Ou fora tortuosamente ingênuo, na esperança de que Guderian tivesse sucesso com Hitler, quando todos os demais haviam fracassado, ou alimentava a esperança de que se excedesse e prejudicasse suas possibilidades de promoção.

O Grupo *Panzer* 2 mergulhou fundo nesse momento na Ucrânia para colher mais redes cheias de prisioneiros, embora ainda sem resultado conclusivo, à medida que o Exército alemão se tornava mais fraco e o inverno se aproximava cada vez mais. Em meados de setembro, mas tarde demais, veio a ordem para capturar Moscou. A ordem encontrou o Grupo *Panzer* 2 (prestes a ser rebatizado de 2º Exército *Panzer*) com sua força de tanques reduzida em 50%, muito ao sul e a leste de Kiev, e impossibilitado de participar como elemento poderoso com o Grupo de Exércitos Centro do ataque concentrado contra a capital inimiga. E encontrou também um Guderian furioso, a quem Halder e von Bock haviam negado ajuda na campanha da Ucrânia, o primeiro dos quais fizera óbvias intrigas contra ele junto a Hitler, acusando-o de desobedecer a ordens. Dessa maneira, um confuso chefe do Estado-Maior Geral vingava-se, enegrecendo o nome do rival perante um comandante supremo que sentia desconfiança crônica de todos os seus generais.

No dia 28 de setembro de 1941, após uma mudança realmente brilhante de eixo e desdobramento do terreno, o 2º Exército *Panzer* voltou a atacar, sua linha central projetada na direção de Orel, Tula e Moscou. Tudo correu bem até que, em 6 de outubro, a Nêmese interveio em Mzensk. Nesse local, a divisão *panzer* avançada foi lançada para trás por um bem-concentrado golpe desfechado por várias dezenas de tanques pesados KVI e médios T34 russos, nenhum dos quais podia ser perfurado pelos canhões dos tanques alemães.

Pela primeira vez Guderian viu-se forçado a cair na defensiva, já que naquela mesma noite começara a nevar. Daí em diante o inimigo teve oportunidade de reparar suas defesas, enquanto o caos aumentava nas linhas de comunicações alemãs, e os soldados, mal aparelhados para o inverno, começavam a sofrer horrores com o frio cortante. O *momentum* fora perdido. Enfrentando o tempo inclemente e o inimigo, o avanço só podia ser feito aos arrancos, enquanto Guderian, em desespero, pedia aos seus superiores uma ajuda que simplesmente não havia. Não apenas todo o sistema logístico estava se desfazendo, mas também tremenda carência de material e de recursos fabris na frente interna tornava impossível a produção de munições suficientes para a Wehrmacht. Graças apenas ao mais poderoso triunfo possível de vontade e pura competência profissional é que o Grupo de Exércitos Centro chegou à vista de Moscou e o 2º Exército *Panzer* alcançou Tula no dia 1º de dezembro. Nesse ponto, não teve mais forças para avançar.

A leitura das súplicas de Guderian pelo bem-estar de suas tropas e por permissão para abandonar aquela loucura são de cortar o coração. Mas nem do OKH, nem do OKW, nem de Hitler recebeu a menor simpatia. Von Rundstedt (Grupo de Exércitos Sul), na Ucrânia, era um homem doente; Halder, um homem preocupado em desespero, vendo a derrota na cara. Em um quartel-general aquecido, Hitler não podia imaginar o que era lutar a -30°C com farda de verão. Pouco a pouco, contudo, retiradas ocorreram em toda parte, a despeito da ordem peremptória de Hitler, proibindo-as. Não obstante as lisonjas do Führer, Guderian figurou entre os que ordenaram retiradas quando as achou convenientes, em todas as ocasiões em que corria perigo a segurança de seu exército. Uma conversa pessoal com Hitler, numa tentativa de lhe mostrar o erro da estratégia alemã resultou infrutífera. Quando von Kluge foi designado como seu superior e persistiu em negar-lhe liberdade de ação contra os ataques russos, que ele exigia a fim de impedir uma catástrofe, Guderian desobedeceu deliberadamente. Uma briga furiosa estourou entre os dois, acrescida de recriminações pessoais, tornando inevitável a exoneração de Guderian — que ocorreu no Natal de 1941.

Passando para a condição de reformado, exausto e sofrendo um leve ataque cardíaco, levou consigo uma profunda desconfiança e antipatia por von Kluge e um rompimento irreparável com Halder. A respeito de Hitler, porém, permaneceu diplomaticamente ambivalente, enquanto antevia um futuro negro.

Nos 14 meses seguintes viveu no campo, recuperando lentamente as forças, enquanto, com crescente preocupação, observava a erosão da posição da Alemanha. Ficou abalado quando a América entrou na guerra em dezembro de 1941, mas rejubilou-se quando o Exército, na Rússia, deteve valentemente as ofensivas de inverno ao inimigo e reagiu para invadir o Cáucaso no verão de 1942. Comemorou as derrotas dos norte-americanos e britânicos no Extremo Oriente, mas quando velhos amigos e camaradas lhe contaram como a indústria alemã estava exaurida, como a *Werhmacht* estava carente de equipamento vital e como era ilógica a interferência de Hitler nos assuntos militares, temeu o pior. Mas quando foi procurado por um grupo de civis e oficiais descontentes do Exército, que queriam sua ajuda em um complô para derrubar Hitler, mostrou-se cético — especialmente quando soube que o general Beck estava metido na trama. E, nas palavras de seu filho a este autor, ele "explodiu furioso na cama" quando soube que von Kluge também fazia parte da conspiração. Naquela ocasião isso encerrou o assunto. Guderian apegara-se à convicção de que sua melhor contribuição à salvação da Alemanha residia em sua nomeação para um posto graduado, ao lado de Hitler, onde poderia orientar-lhe os passos.

Só em fevereiro de 1943, em seguida ao desastre de Stalingrado e quando a *Panzerwaffe* declinara ao seu ponto mais baixo até então, é que chegou a convocação. Era uma situação estranha, engendrada por oficiais do *entourage* de Hitler, que estavam em desespero com os caprichos do Führer. Pouquíssimos oficiais superiores haviam sido chamados de volta, depois que lhe haviam perdido a confiança. É certamente defensável a tese de que Guderian e von Rundstedt foram nesse momento escolhidos para nova nomeação porque ambos eram não só patriotas inatacáveis, mas estavam também dispostos, até pontos claramente delimitados, a se curvarem aos caprichos de Hitler, se julgassem que permanecer nos cargos promoveria seus objetivos patrióticos. Ambicioso como fosse Guderian, nunca se poderia, com justiça, acusá-lo de interesseiro.

Mas foi preciso muita persuasão de parte desses oficiais do OKW para trazer Guderian de volta e fazê-lo assumir o novo cargo de inspetor-geral das Tropas Blindadas, para as quais escreveu a carta de princípios. No preâmbulo redigido por Hitler, declarava ele que Guderian "é responsável perante minha pessoa pelo futuro desenvolvimento das tropas blindadas, de acordo com princípios que as tornem uma arma decisiva para vencer a guerra. O inspetor-geral é diretamente responsável a mim, tem o status de um comandante-chefe do Exército e é o oficial mais graduado do Comando *Panzer*".[9] Ele, assim, tinha acesso direto ao Führer, e precisava disso, porque embora Brauchitsch e Halder houvessem sido substituídos, restavam poderosos elementos que, instintivamente, eram seus inimigos. Sua tarefa consistia não só em organizar e treinar a *Panzerwaffe*, mas também certas unidades de campo da Luftwaffe e da Waffen SS, colaborar estreitamente com o ministro dos Armamentos, Albert Speer, no desenvolvimento e produção de armas, e criar novas formações enquanto atualizava a doutrina tática.

A tarefa teria sido hercúlea mesmo que a *Panzerwaffe* não tivesse sido tão negligenciada pelo OKH, com a conivência inepta de Hitler. As perdas em batalha haviam sido agravadas pelo colapso do sistema de reparos e manutenção, que sofria aguda carência de peças sobressalentes. A nova produção estava muito aquém da substituição de perdas em combate, que dirá da expansão da força. O aumento do poder dos canhões e o reforço da blindagem dos tanques existentes atrasara-se muito e os novos tanques médios (Panteras) e pesados (Tigres), construídos para enfrentar os KVIs e T34s, só lentamente entravam em serviço e, como toda maquinaria nova, sofriam de problemas de engrenagem.

Com a ajuda de um quadro de pessoal dedicado, que trabalhava com absoluta lealdade para um homem em quem tinha fé absoluta e que lhe despertava afeição, a organização, treinamento e assuntos doutrinários foram levados adiante com notável sucesso. Indubitavelmente, os frutos desse trabalho asseguraram a superioridade das divisões *panzer* contra a maioria dos inimigos até o fim da guerra. Claro que Guderian teve alguns fracassos, que o enfureceram muito, tal como não ter conseguido convencer Hitler a incorporar unidades de canhões de assalto blindados da artilharia à *Panzerwaffe*. E às vezes tinha que lutar violentamente, aliado a Speer, para conduzir o projeto, desenvolvimento e produção de tanques, de acordo com princípios racionais, quando Hitler ou um de seus sicofantas tentavam introduzir planos malucos, de máquinas operacionalmente duvidosas. Tecnicamente, porém, atingiu a maioria de seus objetivos.

O ponto em que falhou principalmente foi o mau uso operacional dado por Hitler à *Panzerwaffe* e, por conseguinte, por implicação, ao Exército. Seus esforços para dissuadir Hitler de cometer a loucura de atacar, sem o benefício da surpresa, um objetivo tão óbvio como Kunsk em julho de 1944, seu fracasso em orientar o Führer para alguma coisa melhor do que o medíocre meio-termo no posicionamento dos blindados para a defesa da Normandia são apenas os dois exemplos mais conhecidos de uma luta interminável, e não raro infrutífera, para implantar sentido estratégico. O problema era que ele, como aliás todos os demais comandantes, podia sempre ter seus esforços anulados por esse megalomaníaco incontrolável. Hitler era perito demais em desviar os argumentos raciocinados de Guderian com desculpas vazias do tipo "Meus generais nada entendem de política", "Se eu tivesse sabido da força dos tanques russos em 1941, não teria atacado" ou "O senhor entende, todos estão contra o senhor, de modo que nada há que eu possa fazer para ajudá-lo" ou simplesmente iniciar uma longa e esparramada explicação para entreter com artifícios um frustrado e entediado ouvinte que tinha coisas melhores a fazer.

À medida que a situação da Alemanha se agravava em 1943 e 1944, através de uma série de derrotas na Rússia, norte da África, Atlântico, espaço aéreo sobre a Europa, Sicília, Itália e Normandia, a pura impossibilidade de controlar Hitler acabou convencendo Guderian, ao mesmo tempo que os conspiradores anti-Hitler chegavam à conclusão de que seu assassinato e subseqüente golpe de Estado eram inevitáveis e essenciais. Após terem sido repelidos em 1942, os conspiradores não mais tentaram abordá-lo até julho de 1944, embora fosse fato bem sabido que ele estava profundamente desencantado, freqüentemente se chocava com Hitler e não raro se opunha com violência a ele para impedir a caça às bruxas contra oficiais que, lutando em circunstâncias intoleráveis, eram acusados de traição.

No princípio de julho, quando os conspiradores decidiram atacar, haviam escolhido como figura de proa o herói da propaganda, marechal-de-campo Rommel. Mas quando ele foi ferido no dia 17 de julho, às vésperas da tentativa de assassinato, julgou-se vital encontrar um substituto. Na periferia do complô havia o incolor von Kluge, mas sua orientação era que só se decidiria abertamente se o Führer fosse assassinado. Em vista disso, o general von Barsewisch, um velho camarada da Luftwaffe, foi enviado para conseguir a ajuda de Guderian. Após horas de discussão, contudo, na qual reconheceu a necessidade de tirar Hitler de circulação, Guderian recusou-se a participar, sob o fundamento de que não poderia quebrar seu juramento de fidelidade ao Führer e que teria que cumprir seu dever como oficial. Sua atitude, portanto, não foi muito diferente daquela de seu "especial amigo" von Kluge. Embora fosse seu dever comunicar a conspiração, que sabia que culminaria no dia 20 de julho, não o fez. Em vez disso, deu um longo passeio pelos bosques, caçando cabritos monteses em suas propriedades e garantindo assim, no que era inteiramente estranho a seu caráter, que não mantivera comunicação com pessoa alguma no momento crítico, da mesma maneira que se recordava que von der Golz assim agira, por questão de prudência, em 1919.

Ao ser finalmente localizado, a bomba já explodira em Rastenburg, a notícia dizia que o *putsch* estava em andamento, mas que o Führer e a maior parte de seu *entourage* haviam sobrevivido. Durante algum tempo, vários elementos em situação de autoridade julgaram provável que Guderian estivesse por trás da tentativa, principalmente quando uma brigada de tanques enviada a Berlim para esmagar a revolta recusou-se a obedecer a qualquer outra pessoa que não a ele! Por sorte, à medida que os conspiradores eram presos, executados ou mantidos à espera de julgamento, sua inocência foi suficientemente provada, para que ele obedecesse a uma ordem de Hitler de comparecer imediatamente a Lötzen e assumir o posto de chefe do Estado-Maior do Exército. O sucessor de Halder, general Karl Zeitzler, fora exonerado por se opor a Hitler, e seu sucessor ficara gravemente ferido na explosão em Rastenburg. Haveria aqueles que espalhariam o boato de que Guderian denunciara a conspiração, alegação essa sem fundamento, e aqueles que escarneceriam da maneira como ele atingira "o auge de sua ambição". Na verdade, ele estava se colocando numa situação de perigo extremo, ao trabalhar para um homem e discutir com ele, que era capaz de assassinar generais ao menor indício de deslealdade. Aceitou o risco porque achava constituir seu dever "tentar salvar os exércitos do leste e minha pátria".[10] Tratava-se de uma missão que ele e a esposa haviam previsto e freqüentemente discutido. Essa forte mulher escreveu-lhe sobre esse "fato terrível... Entro em pânico, às vezes, quando penso em tudo que está se empilhando sobre você. Queira Deus que ele (o Führer) mantenha absoluta confiança em você. Isso é o fundamento de tudo. Se isso for perdido, tudo mais será, também".[11]

Trabalhar para um homem de inclinação niilista, que não admitiria a inevitabilidade da derrota e para quem sondagens de paz eram inconcebíveis, mesmo quando o inimigo entrou na Polônia, aproximou-se mais nos Bálcãs e na Itália, e logo depois chegaria às fronteiras ocidentais do Reich, era naturalmente uma tarefa sem esperanças. Ainda assim, Guderian persistiu em procurar uma solução, através da qual condições para fazer a paz poderiam ser obtidas sem quebrar seu juramento — um objetivo ridículo em um ambiente de loucura, mas que era tudo o que lhe restava. Na verdade, tudo o que talvez pudesse salvar era algo daquela ruína do Exército, que Hitler progressiva e deliberadamente conseguira provocar subordinando-o ao OKW e, pior ainda, à criminosa SS de Heinrich Himmler. Neste último objetivo teria êxito, embora mais como resultado da total incompetência militar de Himmler, quando submetido a teste, do que por qualquer habilidade diplomática de sua parte.

Durante o resto de seu tempo como último chefe do outrora Grande Estado-Maior Geral alemão, Guderian deve ser visto como uma figura muito solitária e abrasiva, entre sicofantas assustados, opondo-se sempre que podia contra alguns monstruosos erros ou falhas de julgamento de Hitler, lutando para defender camaradas sem culpa de injustiças iminentes: conseguindo evitar, exceto em uma curta ocasião, fazer parte de Cortes de Honra criadas para entregar os conspiradores militares às mãos de implacáveis autoridades civis para tortura e execução; mantendo controle de si mesmo, com incrível paciência, sob as mais pavorosas provocações de parte de indivíduos que haviam perdido de vista a realidade em uma nuvem de mentiras e catástrofes.

Graças a um milagre, auxiliado por um colapso na logística russa, conseguiu deter em Varsóvia em 1944 a ofensiva de verão soviética. Em seguida iniciou a tentativa final de reunir uma reserva central depois que o Grupo de Exércitos Centro, no leste, e o Exército na Normandia haviam sido virtualmente destruídos devido à recusa de Hitler de ceder terreno em tempo oportuno. Ainda assim, perderia a discussão contra o emprego dessa reserva na ofensiva inteiramente sem sentido no oeste, através da floresta de Ardennes, em dezembro de 1944, sabendo que ela não tinha a menor possibilidade de repetir o golpe decisivo ao qual ele mesmo servira de ponta-de-lança em 1940. Inúteis também (uma vez que Hitler apegava-se à última e ridícula esperança de que a vitória poderia ser obtida em Ardennes, mesmo depois de selada a derrota) foram seus esforços para transferir tropas, a fim de enfrentar a ofensiva russa seguinte, que tinha Berlim como objetivo. Enfrentando tal obstinação, Guderian sistematicamente empregou métodos que, com tanta freqüência, haviam-no metido em maus lençóis no passado — ignorando algumas ordens erradas, contornando outras —, mas nunca conseguindo fazer o que queria por tempo suficiente ou no tocante a grandes questões. Gradualmente, seu autocontrole, duramente mantido, começou a ceder até que, como descreveu Speer com profundo respeito, discussões furiosas irromperam nas conferências. Nunca antes, disse Speer, alguém enfrentara Hitler diante de seu *entourage* como o fez Guderian, quando se recusou a obedecer a uma ordem, e Hitler não lhe conseguiu quebrar a resistência. O triunfo final de Guderian (se podemos chamá-lo assim em coisa tão banal) ocorreu quando, durante duas horas, enfrentou Hitler, insistindo em que um oficial superior do Estado-Maior do Exército fosse incorporado ao Estado-Maior da SS de Himmler — uma discussão que ganhou não apenas porque conseguiu o que queria, mas porque, ao manter a calma, conseguiu finalmente que Hitler perdesse a sua!

Durante todo o mês de fevereiro e entrando em março de 1945, à medida que a frente defensiva alemã se contraía, e ele ganhava simplesmente um pouco mais de tempo na linha de frente lançando bem concebidos contra-ataques (e tentando também convencer von Ribbentrop a tentar novamente sondagens de paz), Guderian continuou a dominar as conferências diárias do Führer com sua valente resistência. Todos sabiam que ele estava arriscando a vida, mas, ainda assim, por alguma razão não conhecida, Hitler respeitava-o. Na verdade, proibiu que ele se exonerasse. Caberia perguntar o que poderia ter acontecido se anteriores chefes de Estado-Maior e comandantes-chefes tivessem sido igualmente corajosos!

Em 27 de março de 1945, na defesa de uma colega contra acusações de incompetência feitas por Hitler, Guderian desmentiu-o redondamente na cara. Ao que Hitler suspendeu a reunião e disse a Guderian, na presença apenas de Keitel, que ele devia tomar uma licença para tratamento da saúde. Ao fim da conferência, Hitler lhe pediu que voltasse dentro de seis semanas, quando a situação seria muito crítica: "Nessa ocasião, precisarei urgentemente do senhor." Era um ato final para salvar as aparências, mas também uma homenagem do ditador desequilibrado a um homem que o enfrentara como ninguém ousara fazer antes. Em seis semanas, porém, Hitler não teria mais necessidade de pessoa alguma, pois estaria morto nas ruínas de Berlim, enquanto seu último chefe de Estado-Maior do Comando *Panzer*, um comando que retivera enquanto servia como chefe do Estado-Maior Geral e que nunca cedera a ninguém.

Por mais que os poloneses tentassem acusá-lo de crimes de guerra, supostamente cometidos durante a defesa de Varsóvia em 1944, essas pretensões foram recusadas pelos norte-americanos. Para benefício da História, Guderian ficou sob a proteção norte-americana depois da guerra e lhe foi dada oportunidade, como aconteceu a outros ilustres oficiais (incluindo Halder), de pôr no papel sua história da guerra e, subseqüentemente, escrever suas *Memórias*, de valor inestimável. Elas constituem um monumento apropriado a um homem cujo código era pautado pela honra, mas que, quando enfrentava fatos desagradáveis, habilmente omitia toda a verdade. Conforme nos diz a História, são poucos os grandes homens que chegam a altas posições com a consciência inteiramente limpa, e não os houve absolutamente entre os principais comandantes de Hitler, todos os quais foram obrigados a viver uma mentira.

Dados cronológicos | Heinz Guderian

1888, 17 jun	Nascimento
1908, 27 jan	Recebe patente de oficial
1918, 28 fev	Transferido para o Estado-Maior Geral
1930, 1º fev	Comandante do 3º Batalhão (Prussiano) de Transporte Motorizado
1934, 1º jul	Chefe do Comando das Tropas *Panzer*
1935, 15 out	Comandante da 2ª Divisão *Panzer*
1938, 4 fev	Comandante do 16º Corpo de Exército
1938, 20 nov	Chefe das Tropas Móveis
1939, ago	Comandante do 19º Corpo *Panzer*
1940, 16 nov	Comandante do 2º Grupo *Panzer* (mais tarde, Exército)
1941, 26 dez	Exonerado
1943, 1º mar	Inspetor-geral das Tropas *Panzer*
1944, 21 jul	Chefe do Estado-Maior Geral
1945, 28 mar	Em licença compulsória
1954, 14 mai	Falecimento

Student | 20

Coronel-general Kurt Student

General Sir John Hackett

Entre todos os generais alemães que se destacaram na Segunda Guerra Mundial, Kurt Student é com certeza um dos mais interessantes. Sua personalidade e carreira exemplificam algumas das melhores características dos soldados profissionais alemães, ao passo que a atitude em relação às suas idéias criativas podem ser consideradas típicas do conservantismo militar alemão. Ele foi o maior responsável pela inovação que, mais do que qualquer outra (exceto pelo ataque nuclear ao Japão) isola a Segunda Guerra Mundial das demais, isto é, o emprego de forças aerotransportadas. Foi seu destino exercer o comando de campo em apenas duas grandes operações aerotransportadas — o altamente bem-sucedido avanço na Holanda da *Flieger Division 7* (apoiada pela 22ª, desembarcada do ar, também sob seu comando) em maio de 1940 e a captura de Creta um ano depois. Houvera antes emprego das forças aerotransportadas alemãs, que ele na maior parte criara, em operações planejadas e montadas por ordens suas, mas executadas por comandos subordinados. Foram elas usadas na Noruega e na Dinamarca, por exemplo, e no *coup-de-main* brilhantemente coroado de êxito no forte Eben Emael, na Bélgica, em maio de 1940, a ação desse tipo que supera todas as demais. Após a conquista da Grécia em maio de 1941, contudo, nenhuma outra operação aerotransportada em grande escala seria empreendida pelos alemães nos quatro restantes anos de guerra, embora grande uso fosse dado a elas por seus inimigos britânicos e norte-americanos. As tropas aerotransportadas alemãs seriam ainda extensamente empregadas em muitas e variadas ações e dariam, como resultado de seu treinamento especial e alto moral, excelente conta de si mesmas, mas praticamente nunca mais participariam de ações aerotransportadas. Seu valor residiria não em seu desempenho no modo específico de ação para o qual foram criadas e treinadas, mas na perícia, dureza e coesão que as transformavam em adversários formidáveis em batalhas terrestres.

Elas foram quase que criação única desse homem e, na maior parte, continuaram a existir graças à sua inquebrantável determinação e energia, através de uma série de desanimadoras frustrações e desapontamentos. A recusa de Kurt Student em permitir que o desestímulo o desviasse do curso escolhido e o vigor com que o seguiu através de grandes dificuldades lançam uma clara luz sobre o próprio homem, que corporificava tanto daquilo que procurava instilar nos demais. O entusiasmo com que se lançava a cada nova missão, a dedicação que lhe votava e a profundidade do profissionalismo militar a que podia recorrer para executá-las traçam um quadro do alto comando alemão e, ainda mais, do Estado-Maior Geral, que merece respeito. O fato de o sistema poder produzir executivos militares como Kurt Student, e os homens em quem ele podia confiar para efetuar o que ele achava que tinha de ser feito, explica em grande parte por que o Exército alemão, após uma guerra que terminou numa total e esmagadora derrota, teve que ser reconhecido como superior a todos os outros Exércitos que dela participaram.

Kurt Student, como tantos outros que ascenderam aos níveis mais altos no Exército alemão, era de ascendência prussiana, nascido no seio de uma família da pequena nobreza rural de Brandenburg. Mas não abastada o suficiente para iniciar todos os quatro filhos nas carreiras que queriam. O mais velho optou pelo serviço das armas e ingressou em uma escola militar de preparatórios, que era gratuita. Kurt, o terceiro, gostaria de ter sido médico, mas, uma vez que a família não tinha meios para custear-lhe os estudos, ele, também, como o irmão mais velho, matriculou-se na escola militar, tendo sido aceito à idade de 11 anos na Real Escola Militar Prussiana de Cadetes, em Potsdam. Em 1905, aos 15 anos de idade, foi transferido para a principal escola de cadetes, em Lichterfeld e, cinco anos depois, no dia 3 de março de 1910, era aceito como *Fähnrich* (alferes) no Real 1º Batalhão Prussiano, do Regimento Graf Yorck von Wartenburg, no qual, em 20 de março de 1911, recebeu a patente de tenente. Ficou feliz por servir em um regimento cuja sede, na Prússia Oriental, ficava perto de sua casa, e porque os interesses de seus oficiais eram os mesmos que ele, como rapaz do campo, mais apreciava. Foi quase distraidamente que, com pouco jeito para matemática e antipatia a alturas, matriculou-se em um curso de treinamento de pilotos e dele voltou para seu regimento com a vida inteiramente mudada. Participou da Primeira Guerra Mundial como aviador, comandando uma esquadrilha de caça (*Jagdstaffel*, ou *Jasta*, 9) de outubro de 1916 em diante, recebendo em 1917 um grave ferimento em combate aéreo. Ao fim da guerra voltou abatido para seu lar prussiano. "Fiz uma aprendizagem", disse ele, "apenas para descobrir que não havia esfera de atividade onde pudesse praticar minha profissão."

Na confusão dos anos do pós-guerra, uma das poucas instituições alemãs realmente importantes a manter certo grau de estabilidade contínua era o Estado-Maior Geral, embora nesse momento disfarçado como *Truppenamt*. O Tratado de Versalhes, hoje considerado como um viveiro perfeito para outra guerra, além das reparações asfixiantes e da tomada das colônias no ultramar, impusera severas restrições às Forças Armadas alemãs. O Exército seria limitado a 100 mil voluntários e só poderia possuir armas leves; a Marinha de Guerra ficaria restrita à defesa costeira; e não haveria absolutamente uma força aérea. O Grande Estado-Maior Geral, contudo, era que a aceitação do Tratado constituía a única maneira de evitar uma longa ocupação aliada, que tornaria impossível o renascimento militar. Sob a orientação de von Seeckt, os ex-oficiais do Estado-Maior Geral lançaram-se discretamente ao trabalho, criando quadros e atraindo os oficiais e especialistas que formariam o esqueleto de um novo Exército alemão. A aviação militar estava proibida, mas havia sempre o vôo a vela. Student, em dúvida sobre o que fazer com a vida, foi designado para a *Fliegerzentrale*, onde um grupo de aviadores planejava ativamente uma força aérea militar, cujo jardim de infância seriam os clubes de planadores.

O Tratado Germano-Soviético de Rapallo, assinado em 1922, continha cláusulas secretas, prevendo ajuda soviética ao rearmamento alemão. Incluíam elas auxílio na formação de uma força aérea, para a qual campos de aviação foram cedidos, especialmente em Lupetsk. A esfera de atividades da *Fliegerzentrale* estava crescendo, mas não havia ainda em serviço sequer uma esquadrilha. Logo Student foi obrigado a voltar a seu velho regimento de infantaria a fim de qualificar-se para promoção. Os cinco anos que passou em seguida como oficial de infantaria deram-lhe o comando de um batalhão. Presenciou também a posse de Adolf Hitler, no dia 30 de janeiro de 1933, como chanceler do Reich. Daí em diante, os planos alemães de rearmamento podiam prosseguir mais claramente. Na verdade, embora a Comissão Aliada de Controle tivesse sido retirada do Reich em 1927, após um fraco relatório final que ainda assim continha prova abundante de infrações das cláusulas de desarmamento do Tratado de Versalhes, a Alemanha continuava formalmente presa ao mesmo e era membro da Conferência Internacional de Desarmamento.

Nos anos transcorridos entre a assinatura do Tratado de Versalhes, em janeiro de 1919, e a subida de Hitler ao poder como chanceler, grande progresso fora feito, a despeito de numerosas incertezas políticas e econômicas, na formação e aprimoramento do Exército permitido de 100 mil soldados. A Rússia dera ainda ajuda, submetendo a teste equipamento e treinando pessoal de tanques e tripulações de aviões. Hitler, de imediato, acelerou o processo, triplicando imediatamente os efetivos do Exército, com acréscimo ao mesmo dos blindados e artilharia, proibidos pelo Tratado, batendo as quilhas de navios de guerra e preparando uma força aérea de mil aviões, que ficaria sob o comando de Hermann Göring.

Student completara nesse momento seu período de comando de batalhão de infantaria e fora escolhido como diretor das Escolas de Treinamento Técnico para a arma aérea, que fora retirada do Ministério da Guerra e colocada sob a jurisdição de um novo Ministério da Aviação, dirigido por Göring. Nesse momento ele enfrentava uma missão sobremaneira difícil. A criação de uma força aérea quase que a partir de nada, a reunião e o treinamento do pessoal de vôo, a criação de embriões de esquadrilhas, a organização da fabricação de aviões, estes e outros aspectos do nascimento da Luftwaffe fizeram-se acompanhar de uma imensa e crescente demanda de técnicos, que as escolas de Student deviam produzir. Ele próprio, de origem *junker* prussiana, pouca simpatia sentia pelo nacional-socialismo e julgava escassas suas possibilidades de obter um comando aéreo. A dedicação a qualquer tarefa que lhe fosse cometida, contudo, que constituiu característica de toda sua vida, e a capacidade de trabalho duro e contínuo, levaram-no, a despeito da pesada carga, até o ano em que Hitler, publicamente, denunciou o Tratado de Versalhes, em março de 1935, restabeleceu o serviço militar obrigatório e tirou a Luftwaffe, do ocultamento em que ainda vivia, para a clara luz do dia. Em agosto de 1935, Student foi promovido a coronel, na qualidade de comandante do Centro de Provas de Equipamento Aéreo (a *Eprobungstelle für Fluggerät*) em Rechlin. Entre outros importantes projetos, aviões dos tipos Me 109, Me 110, HE 111, Do 17, Ju 86, Ju 87 e Ju 80 estavam chegando nessa ocasião ao estágio de produção em série. Em princípios de 1938, jubiloso, recebeu o que mais ambicionava, um comando aéreo, o da *Fliegerdivision* 7 (7ª Divisão Aérea), que nesse momento estava em formação em Münster. Não havia ainda consenso sobre como tropas pára-quedistas seriam usadas, mas Student lembrou-se de ter visto 1.500 pára-quedistas russos serem lançados de uma só vez em 1937. Ele e seu capaz e entusiástico subordinado Heinrich Trettner trabalharam no conceito do emprego de tropas aerotransportadas não em pequenas operações de sabotagem, como esperavam algumas pessoas, mas em massa. O Ju 52 estava sendo substituído em seu papel como bombardeiro e se encontrava nesta ocasião disponível como transporte, havia abundância de pára-quedas de seda e uma escola de pára-quedistas fora aberta em 1937, em Stendal.

Embora dispusesse dos materiais necessários para criar uma divisão aerotransportada ligeira, preocupou-se desde cedo com a necessidade, nas operações desse tipo, de armas de apoio e de transporte a motor. Enfrentando dúvidas e críticas, voltou a atenção para os planadores, mas fizera apenas ligeiro progresso no desenvolvimento dos aparelhos, armas e veículos apropriados quando recebeu ordens de preparar a *Fliegerdivision* 7 para uma operação, em setembro de 1938, nos Sudetos. No caso, não houve luta. Os tchecos, abandonados por seus amigos, cederam na conferência de Munique, e os Sudetos foram pacificamente anexados ao Reich no dia 30 de setembro. A *Fliegerdivision* 7 de Student chegou em uma frota de 242 Ju 52, como parte da força de ocupação.

O alto comando alemão resolveu então criar duas divisões aerotransportadas, a *Fliegerdivision 7* como formação de pára-quedistas, e a 22ª Divisão, que devia ser desembarcada do ar. Student conservou o comando da *Fliegerdivision 7*, mas foi nomeado inspetor das Forças Aerotransportadas, que controlavam ambas. Pôde assim levar adiante a questão dos planadores, utilizando a estação experimental de Darmstadt a fim de produzir, sob pressão, o projeto do DFS 230. Este aparelho, conduzindo nove soldados plenamente equipados, além do piloto, era o maior planador que podia ser rebocado pelos Ju 52/3. Cinqüenta deles haviam entrado em serviço na Luftwaffe ao irromper a Segunda Guerra Mundial.

Student teve que trabalhar incansavelmente e aplicar toda pressão possível sobre seus superiores, a fim de acelerar a lenta taxa de preparação de suas divisões, ambas deficientes em homens e equipamento. O primeiro lançamento em massa, efetuado pelo 1º Regimento de Pára-quedistas, ocorreu em Niedersachsen no verão de 1939. Ao tempo da invasão da Polônia, em 1º de setembro (na qual, para seu aborrecimento, seu comando devia ser mantido em reserva), ele tinha completos o 1º Regimento de Pára-quedistas e dois batalhões do 2º, com o terceiro em formação, juntamente com o 16º Regimento de Infantaria completo, cada um com uma bateria de *howitzers* de 75mm e canhões antitanque de 20mm, bem como sapadores, sinaleiros e pessoal médico. Essa força não participou da campanha polonesa. As táticas blindadas alemãs, com apoio de bombardeiros de mergulho Stuka, foram inteiramente eficientes e, no dia 17 de setembro, quando os russos entraram na guerra ao lado dos alemães, a campanha terminou. Nada acontecera para confirmar que forças aerotransportadas eram necessárias. Nem o Exército nem a Luftwaffe as apreciava muito, em parte porque, embora devessem permanecer sob o comando da segunda, nunca ficou realmente claro a quem elas realmente pertenciam. O quartel-general de Student localizava-se em Berlim, de onde um posto de comando avançado foi destacado para

Wiedenbrück, a fim de cuidar da próxima operação, na Holanda. Ele permanecia tão determinado como sempre a submeter a teste, na primeira ocasião possível, seu conceito de um autêntico ataque aerotransportado.

Embora a oportunidade para ação em grande escala ainda estivesse a quase dois anos no futuro, havia muita coisa a exigir atenção urgente. O plano de Hitler para a derrota das forças da França e Grã-Bretanha no oeste exigia o flanqueamento da Linha Maginot, através da invasão das neutras Holanda e Bélgica, para a qual o Führer quis obter surpresa completa fazendo voluntariamente uma declaração de amizade a ambas, no dia 6 de outubro de 1939, pouco antes de dar ordens para o ataque. Hitler era nesse momento um entusiasta de operações aerotransportadas, e Student teve nove opções para escolher, entre as quais duas deviam ser objeto de estudo mais profundo. Eram elas a captura das fortalezas do "Reduto Belga", nas proximidades de Ghent, e a captura das pontes sobre o Meuse, ao sul de Namur. Mas logo depois uma terceira missão foi dada a Student, substituindo as duas primeiras, então comprometidas por uma revelação acidental dos planos. A nova tarefa incluía a captura, por tropas aerotransportadas, da mundialmente famosa fortaleza belga de Eben Emael, ao norte de Liège. Completada apenas em 1935, era ela um complexo pesadamente fortificado e inteiramente auto-suficiente, alojado em embasamentos de aço e concreto escavados em um penhasco de 35m a pino sobre o canal Albert. Dominava de maneira total a entrada no país pela parte do canal que se estendia de Maastricht, na Holanda, até a Bélgica. Eben Emael era à prova de ataque de blindados e infantaria, e bombardeios aéreos e de artilharia poucos danos lhe fariam. Há quem diga que foi Hitler quem inspirou o conceito de um *coup-de-main* por tropas levadas em planadores. Student e seu chefe de operações, o major Henrich Trettner, aceitaram entusiasticamente a idéia e passaram a planejar a operação imensamente complicada, com a costumeira energia e em meio ao mais absoluto segredo. Uma *Sturmgruppe* (Grupo de Assalto) de 11 oficiais e 427 soldados, de Hildesheim, formada em novembro, com elementos da companhia do Hauptmann Koch, do 1º Regimento de Pára-quedistas, devia preparar-se para uma aterragem forçada em 42 planadores DFS 230, dirigidos pelos melhores pilotos de planadores do país, rebocados por Jus 52, nas proximidades de três objetivos — três pontes sobre o canal Albert — e a noz mais difícil de quebrar de todas — a mais nova e mais poderosa fortaleza existente na Europa. Eben Emael deveria ser atacada por um grupo constituído de 2 oficiais e 83 soldados, todos da engenharia ou sapadores, com treinamento em explosivos, sob o comando do *Oberleutnant* Witzig, levados em 11 planadores que deviam pousar exatamente em cima do alvo. Student argumentou convincentemente que essa operação ainda usava muito pouco de sua capacidade aerotransportada de assalto e insistiu em que sua própria *Fliegerdivision 7* e a 22ª de Infantaria deveriam ser usadas também na Holanda central, ao norte do Maas. Houve relutância do alto comando em confiar tanto em métodos ainda não comprovados, mas no fim Student conseguiu o que queria, embora ficasse irritado com ordens de efetuar, além disso, operações limitadas, executadas por um batalhão de pára-quedistas, como nas anteriores invasões da Dinamarca e Noruega. Temia que essa operação prejudicasse a surpresa, embora os franceses e britânicos (que liquidaram com relativa facilidade o que finalmente resultou da operação dessa pequena força) pouca atenção prestassem a isso, que era sua primeira experiência com um ataque aerotransportado.

Em princípios do dia 10 de maio de 1940, decolaram os planadores que conduziam a *Sturmgruppe Koch*. Com surpresa quase completa, mas enfrentando feroz reação belga, as três pontes foram capturadas antes da meia-noite do mesmo dia, embora uma delas houvesse sido explodida. Três dos planadores que se dirigiam ao forte Eben Emael aterraram exatamente em cima do alvo, ou muito próximo, e os soldados que se encontravam em cada um deles correram para os abrigos à prova de bombas, casamatas e cúpulas de aço, a fim de lançar cargas explosivas e liquidar os defensores com granadas e fogo de armas automáticas, através de seteiras e brechas que eles mesmos haviam aberto com explosivos. O planador que trazia o oficial comandante, tenente Witzig, fizera um pouso de emergência no lado alemão do Reno, devido ao rompimento de um cabo de reboque. Outro Ju 52 foi enviado e aterrou no mesmo campo. Tirou do local e levou novamente pelos ares o planador de Witzig, que foi desembarcado no norte, a fim de reassumir o comando da liquidação da guarnição belga, que continuava ainda, em partes da fortaleza, a lutar encarniçadamente sob feroz ataque de Stukas. Em fins da tarde de 11 de maio, tropas alemãs aproximaram-se e fizeram contato. A guarnição belga, de quase mil homens, capitulou. Entre os 85 soldados de Witzig, 6 haviam sido mortos e, 20, feridos. Depois da guerra, o general Student diria, com inteira razão, a respeito do ataque a Eben Emael: "Foi uma façanha de exemplar ousadia e importância decisiva." O estudo que fizera, continuou ele, de todas as batalhas da Segunda Guerra Mundial, com grande número de ações brilhantes de ambos os lados, nada produzira que se comparasse a ela. É difícil discordar dele (ver mapa 14).

Na Holanda, Student comandava nesse momento duas divisões, a sua própria 7ª Divisão Aerotransportada e a 22ª, mas sem um Estado-Maior de Corpo de Exército, de modo que o comando era exercido pelo QG da 7ª. Ele mesmo, com ajuda do Estado-Maior divisionário (onde Trettner, nessa ocasião, já tenente-coronel, era figura decisiva), traçou os planos das operações de ambas as divisões, com ordens firmes sobre zonas de descida dos pára-quedistas, pouso de planadores e outros detalhes essenciais. A 22ª Divisão, com a qual Student e Trettner voaram no dia 10 de maio, desempenhou papel decisivo na captura do que era conhecido como "Fortaleza Holanda" (o canto vital do país que continha Amsterdam, Rotterdam, Utrecht e Dordrecht), operando em profundidade à frente dos blindados que avançavam. A captura de três importantes pares de pontes em Moerdyk, Dordrecht e Rotterdam, e de campos de aviação fundamentais (notadamente o de Waalhaven), foram de importância crucial. O encurtamento da área operacional privou a 22ª Divisão de mais oportunidades de ação aerotransportada e ela podia ser, nesse momento, aptamente descrita como divisão independente. Isso, escreveu Trettner a este autor, foi um arranjo de emergência: "*alles war sehr unkonventionell*". Mas de fato ilustrava a capacidade alemã de fazer adaptações ousadas de costumes tradicionais quando necessário. No dia 14 de maio de 1940, dia em que os holandeses depuseram as armas em Rotterdam, Student foi gravemente ferido na cabeça pela bala de um tocaieiro. Ficaria fora de ação até setembro daquele ano, quando foi promovido a *Generalleutnant*. Trettner, igualmente, recebeu promoção para *Oberstleutnant* no dia 1º de outubro de 1941, e a parceria entre ambos continuou.

Entrementes, as tropas aerotransportadas eram amplamente reconhecidas como corpo de elite. Não foram, contudo, inteiramente aceitas pelos oficiais mais conservadores do Estado-Maior Geral, e Göring não conseguiu convencer a Wehrmacht a criar, como questão de urgência, mais quatro divisões aerotransportadas. Göring diria em 1945 que, com essas tropas, teria insistido com Hitler para iniciar uma rápida invasão da Inglaterra, antes de ter havido oportunidade de ela recuperar-se da evacuação da Força Expedicionária Britânica, a maior parte da qual fora trazida de volta em estado de baixo moral e mediocremente equipada e armada. Student estudou o estabelecimento de uma cabeça-de-ponte por tropas aerotransportadas na Inglaterra, na área de Folkestone, com apenas uma divisão, fosse por iniciativa própria ou como parte da planejada invasão da Operação *Cavalo-Marinho*, mas parece que ela foi considerada ousada demais pelo Estado-Maior Geral. De qualquer modo, Hitler, ansioso por uma paz negociada com a Grã-Bretanha antes de invadir a Rússia, retardou a invasão o suficiente para que a Grã-Bretanha recuperasse o equilíbrio e, em parte, se rearmasse. Ele seria em seguida impedido pela RAF de estabelecer o domínio do espaço aéreo, sem o qual nenhuma invasão poderia ter sucesso. Na Grã-Bretanha, o brilhante sucesso das tropas aerotransportadas alemãs nos Países Baixos não passara despercebido. Churchil exigiu a formação de tropas pára-quedistas. Cinco mil voluntários logo se apresentaram, uma escola de pára-quedistas foi aberta em Ringway e começou o trabalho de desenvolvimento dos planadores Horsa e Hamilcar.

A atenção de Student voltou-se a essa altura para o sul, para o Mediterrâneo. Göring ordenou-lhe que estudasse a possibilidade de atacar Gibraltar, Malta, Creta e Chipre. Tropas alemãs já haviam conseguido a capitulação da Iugoslávia e invadido a Grécia, onde os britânicos possuíam uma força constituída de duas divisões e uma brigada de tanques. O Exército grego depôs as armas em 21 de abril de 1941, em documento assinado em Larissa pelo general Papagos. Começara a retirada britânica para o Egito, inicialmente de portos da Ática e em seguida do Peloponeso. No dia 20 de abril Student e Trettner foram por via aérea visitar Hitler em seu quartel-general em Semmering, e no dia seguinte discutiram uma ação aerotransportada, a fim de explorar os sucessos alemães na área do Mediterrâneo. Creta e Malta ofereciam as oportunidades mais interessantes. A maioria dos presentes à reunião esperou que Hitler escolhesse Malta, mas, no caso, ele preferiu Creta. Parece que Student convenceu-o de que a captura de Creta era essencial e que podia ser realizada por assalto aerotransportado. Mas, antes que isso acontecesse, uma bem-sucedida operação desse tipo foi montada na Grécia, a fim de prejudicar a retirada britânica do sul do país, com a captura, no dia 28 de abril, da ponte sobre o canal de Corinto. Essa operação, executada pela 7ª Divisão Aerotransportada, foi, curiosamente, a única operação alemã desse tipo preparada sem conhecimento de Student.

Entre os vários cursos de ação discutidos, um plano foi finalmente acordado para montar um ataque em quatro etapas a Creta. Em primeiro lugar, e o que era o elemento decisivo de toda a operação, o campo de aviação de Maleme, e Canea, contígua ao importante porto de Suda Bay, seriam tomados. Em uma segunda onda à tarde, Rethymnon, com uma pista de pouso usável, e Heraklion, com um bom campo de aviação, seriam capturadas por tropas que viriam em vôos de retorno dos Ju 52.

Wavell, o comandante-chefe britânico no Oriente Médio, estava não só agudamente consciente da importância fundamental de Creta, mas sabia que era provável um ataque aerotransportado. Muito fez para melhorar as defesas da ilha contra o assalto, enquanto, no lado alemão, a força e o moral das forças da Comunidade (britânicas, australianas e neozelandesas) e gregas eram muito subestimados. Nem Student, que estabelecera o QG do *Fliegerkorps II* no Grande Bretagne Hotel, em Atenas, nem o *Oberstleutnant* Trettner, nesse momento seu chefe de operações no quartel-general do II Corpo, porém, subestimavam as dificuldades que os aguardavam. Este ataque seria feito inteiramente pelo ar, sem blindados vindo por estrada para ajudar. Esperavam eles que um comboio marítimo de embarcações leves e algo primitivas trouxesse as armas mais pesadas. O *Generalmajor* Ringl, comandante da dura e bem experimentada em batalha 5ª Divisão de Montanha, que fora posta sob comando do *Fliegerkorps II* para a operação, e grande parte de cujo equipamento devia vir por mar, descreveu essa operação de transporte como pura loucura. Pouco se esperava que ela passasse pela Marinha Real e, no caso, quase nada passou. É claro agora que, se essa pequena frota improvisada houvesse tentado a travessia à luz do dia, em vez de à noite, teria sido melhor. A Luftwaffe estabelecera virtualmente domínio completo do ar durante o dia, enquanto que à noite a Marinha Real ainda podia ser eficiente, especialmente porque era muito difícil a navegação noturna para esse grupo variegado de embarcações. Na ocasião a impossibilidade de ação de superfície à luz do dia, pela Marinha Real, nessas águas não foi devidamente compreendida.

Em princípios de 20 de maio de 1941 a primeira onda de tropas aerotransportadas decolou para Creta, partindo de um complexo de campos de aviação na Grécia, em seguida a poderoso bombardeio aéreo da costa norte da ilha. Mas as coisas não correram bem. O inimigo era mais forte e estava mais bem-preparado do que o esperado. As tropas pára-quedistas foram recebidas por uma tempestade de bem dirigido fogo de terra, perdendo muitos soldados, atingidos ainda no ar.* A tentativa de captura do campo de aviação de Maleme, de importância crítica para a segunda onda e todas as operações subseqüentes, fracassou. Em Atenas surgiu a questão sobre se a operação devia ser cancelada. Student não admitia isso. Um esforço total teria que ser feito para capturar e abrir o campo de Maleme. Pouca dúvida há de que, se esses grandes lutadores da Nova Zelândia houvessem sido lançados mais cedo, em um resoluto contra-ataque contra a insegura posição alemã no campo de Maleme, na manhã de 20 de maio, toda a operação de captura de Creta teria sido um fracasso estrondoso. Um contra-ataque que, às 10h do dia 20 de maio, teria surpreendido os inseguros alemães, só ocorreu sete horas mais tarde, quando eles haviam melhorado muito sua posição. E foi repelido. Na noite de 20 de maio, os neozelandeses, para surpresa

* Uma reação particularmente eficaz coube aos soldados do 1º Argyl and Sutherland Highlanders, cujos fuzis acabaram com algumas dezenas de pára-quedistas em pleno ar. Em fins de 1942, este autor estava formando uma brigada de pára-quedistas em Kabrit, na zona do canal de Suez. No que não houve muita imaginação, ofereceram-lhe o mesmo batalhão de Highlanders para converter em pára-quedistas. Achou melhor que não e recebeu, em troca, o First Sussex, que se transformou no esplêndido batalhão de pára-quedistas que veio a ser conhecido como o 10º. Essa unidade foi virtualmente obliterada em Arnhem.

dos alemães, foram retirados. A partir da manhã de 21 de maio, o campo de Maleme caiu nas mãos dos alemães, e o reforço das tropas aerotransportadas, em ondas infindáveis de Ju 52, pôde continuar. A tomada de Canea, Rethymnon e Heraklion tornou-se, nesse momento, apenas questão de tempo. Um comunicado do Ministério da Guerra britânico, datado de 1º de junho, informou finalmente que Creta fora perdida para o inimigo. A Marinha Real conseguiu evacuar 16.500 soldados do sul da ilha, deixando atrás 13 mil mortos, feridos ou capturados. Os alemães perderam 6 mil homens de todas as graduações, entre eles 3.674 oficiais e soldados das forças aerotransportadas (ver mapa 15).

A tomada de Creta foi uma operação ousada e dispendiosa e poderia ter facilmente acabado em fracasso. Foi também a última operação aerotransportada, com exceção de outra em pequena escala, realizada pela nação que transformara essas forças em uma nova e importante arma de guerra. Quando, no dia 19 de julho, o Führer conheceu os homens que haviam sido condecorados com a *Ritterkreuze* (Cruz de Cavaleiro) por essa ação, ele disse a Student: "Creta demonstrou que acabou o dia dos pára-quedistas." A campanha russa, que nesse momento não chegara ainda a um mês de duração, ocuparia o centro do palco nos três anos seguintes. As tropas de pára-quedistas alemães lutariam em muitas frentes de batalha, na África, na Rússia, na Sicília, na Itália, na França, na Holanda e, finalmente, na Alemanha, sempre se saindo com as notas mais altas, como infantaria de finíssima qualidade. Quando, por exemplo, o porto de Taranto, no sul da Itália, foi ocupado em um ataque marítimo pela 4ª Brigada de Pára-quedistas britânica, sob o comando deste autor, em 9 de setembro de 1943, foi contra as retaguardas das tropas pára-quedistas alemãs do 1º Regimento de Pára-quedistas, sob o comando do formidável *Oberstleutnant* Schulz, que lutamos no avanço para o norte, em um dos primeiros casos de tropas pára-quedistas enfrentando-se em batalha e onde nenhum dos lados as trouxera pelo ar. Entre os muitos brilhantes e eficientes oficiais treinados nas forças de Student, que são numerosos demais para serem mencionados individualmente, merece ser destacado o nome de Karl-Lother Schulz. Pára-quedista desde 1937, quando suas forças e as minhas se chocaram na Itália, ele já lutara com grande distinção na Holanda (notadamente em Waalhaven), em Creta e na Sicília. Esteve no mais aceso da luta em Cassino e logo depois se tornaria o major-general comandante da 1ª Divisão de Pára-quedistas, com mais serviços ainda na Rússia e no noroeste da Europa. Foi um combatente de primeiríssima água, e nas forças aerotransportadas alemãs houve muitos como ele.

Os sonhos mais grandiosos de Student jamais puderam ser realizados. Hitler planejou um ataque aerotransportado, lançado na Criméia, contra o porto de Batum, no mar Negro, próximo dos campos petrolíferos soviéticos, que devia ser mantido até que a ofensiva terrestre alemã descesse pelo Cáucaso. Por sorte para a *Fliegerdivision 7*, um rompimento na Frente Oriental exigiu seu desvio, a fim de fechar essa brecha, salvando-a de aniquilação certa no Cáucaso. A ocupação, por via aérea, de parte da península de Kola, no norte da Rússia, foi proposta pelo OKW, mas não sobreviveu a um estudo mais profundo. Student foi creditado com vários planos que, evidentemente, não podiam ser lançados com os meios disponíveis, mas o fato de terem sido objeto de boatos lança uma interessante luz sobre sua reputação de ousadia. Conta-se que ele teve a idéia de formar uma divisão *panzer* aero-transportada de 126 tanques, com dois regimentos de pára-quedistas e uma divisão de granadeiros *panzers* aerotransportados, a fim de atacar as fábricas de armamentos da URSS, usando 150 planadores Gigante e 300 menores. Conta-se também que ele apresentou o plano de uma divisão *panzer* que deveria cortar as rotas de abastecimento do 8º Exército, no vale do Nilo. O alto comando alemão teria certamente rejeitado tais idéias, por exigirem o uso antieconômico de recursos urgentemente necessários em outras fontes de luta, mas Trettner contou-me que não pôde acreditar que seu velho chefe jamais houvesse tido idéias que teriam parecido exageradas até mesmo para Jules Verne.

Ainda assim, sob a liderança dinâmica de Student e com apoio de Göring (uma vez que as tropas aerotransportadas continuavam sob o comando da Luftwaffe), grande trabalho foi realizado após Creta para desenvolver e aumentar as potencialidades dessas unidades. Hitler, embora seu interesse anterior pelas tropas aerotransportadas houvesse diminuído, não cancelou ordens anteriores para lhe atender às necessidades e, nesse momento, estava ocupado demais com a Frente Oriental para prestar muita atenção ao que Student, com apoio de Göring, andava fazendo. Em fins de 1941, discretamente, foram formados os 4º e 5º Regimentos de Pára-quedistas, de três batalhões cada, e também um batalhão de sapadores. Seguiram-se melhoramentos nos desenhos de planadores e pára-quedas e em aviões de reboque. No inverno de 1941, os pensamentos voltaram-se mais uma vez para a captura de Malta. Student foi inevitavelmente chamado como comandante do *Fliegerkorps*, que compreendia então a *Fliegerdivision 7* (seu próprio comando), a divisão italiana *Folgore* e uma divisão ligeira de desembarque aéreo. Essa iniciativa deu em nada em abril de 1942, embora Hitler já experimentasse um renovado interesse pelas tropas aerotransportadas. A operação seguinte desse tipo realizada por Student seria o resgate de Mussolini, que fora preso e escondido, após ser demitido por seu soberano em 25 de julho de 1943. Tirar Mussolini do Gran Sasso, uma operação não de todo corretamente descrita como um triunfo do *Sturmbannführer* Otto Skorzeny, constituiu o último sucesso de Student.

Kurt Student foi um soldado profissional alemão, típico do melhor de sua grei, inteiramente dedicado a seu ofício e ao país, embora nunca sentisse irrestrita simpatia pela liderança nazista. Foi ele quem pôs as forças aerotransportadas no mapa militar mundial. É ele que temos que reconhecer como principal responsável pelo desempenho notável dessas tropas alemãs aerotransportadas na Segunda Guerra Mundial. Eu mesmo, um pára-quedista britânico que lutou contra pára-quedistas alemães em mais de um teatro de operações, posso pessoalmente atestar, com absoluta justiça, suas altas qualidades como soldados e como homens.

Student figura entre aqueles dedicados oficiais que muito fizeram para reconstruir o poderio militar alemão após a Primeira Guerra Mundial. É de interesse mencionar aqui que seu subordinado de confiança e amigo, Heinrich Trettner, soldado das forças aerotransportadas desde 1938, viria a desempenhar uma missão muito parecida após a Segunda Guerra Mundial. Como general, ele seria o inspetor-geral da *Bundeswehr* de 1964 a 1966, no início do período de formação das recém-ativadas Forças Armadas da República Federal alemã. E foi nesse cargo que este autor, que na ocasião servia na Alemanha, como comandante-chefe do Exército britânico do Reno, veio a conhecê-lo e a prezar sua amizade. Ele me falou em certa ocasião de um estudo de Estado-Maior, realizado em Creta após a invasão alemã, quando servia como *Erster Generalstabsoffizier* (Ia) de Student, que vale a pena mencionar, porquanto lança luz sobre a selvageria da guerra dos *partisans* e da implacabilidade do Reich, bem como sobre o equilibrado e racional enfoque de Student. Transmissões de rádio feitas do Cairo pelo rei da Grécia, evacuado para o Egito pela Marinha Real em 24 de maio de 1941, incitavam os cretenses a que usassem de todos os meios possíveis, não excluindo o assassínio, para travar uma guerra *partisan* sem quartel contra a ocupação alemã. A ação desses irregulares, muitas vezes contra pára-quedistas desarmados, e que incluía mutilações e a crucificação dos mesmos em portas de celeiros, havia enfurecido e revoltado não só as tropas mas também o alto comando. A despeito de ter assinado a Convenção de Haia, condenando a guerra de *partisans*, o governo grego, alegavam os alemães, privava nesse momento os habitantes de sexo masculino de Creta de qualquer reivindicação ao status de não-combatentes. Göring ordenou as mais severas contramedidas e que um estudo fosse feito para a execução ou deportação de todos os cretenses do sexo masculino. Student pediu tempo e meios para efetuar a investigação criminal apropriada. O estudo de Estado-Maior, efetuado sob a direção do major-general Schlemm, chefe de Estado-Maior de Student, com ajuda de Trettner, como este último me informou, indicou claramente que as dificuldades de arrebanhamento, concentração, transporte, guarda, manutenção e eventual eliminação eram tão grandes que tornavam inviáveis tais idéias. Student sabia que seria inútil apresentar objeções políticas, e ainda menos considerações de moralidade. Em conseqüência, realizou disfarçadamente uma ação de retardamento, principalmente por motivos logísticos, contrariando, dessa maneira, as intenções de Göring.

O desempenho de Student na Segunda Guerra Mundial, conquanto mereça respeito por uma perícia organizacional que era encontrada em abundância no Estado-Maior Geral alemão, constitui principalmente uma lição objetiva de constância e capacidade de recuperação. Desde o início, pressionou fortemente para que fosse feito o maior emprego possível da *Fliegerdivision 7* e de todas as tropas disponíveis capazes de ser levadas por via aérea para o campo de batalha, enfrentando sempre opiniões conservadoras, que desaconselhavam a que se pusesse confiança em uma arma não experimentada ainda. O sucesso da ação aerotransportada nos Países Baixos, no norte da Holanda e na Bélgica, e em particular o brilhante feito em Eben Emael, mudaram tudo isso. Student, como *Generalleutnant* e comandante do *Fliegerkorps*, viu-se a braços, daí em diante, com enormes tarefas de organização e administração, desenvolvimento e treinamento, sem que houvesse qualquer claro e coerente conceito, no alto comando alemão, sobre como e quando seria usada a arma formidável que ele estava forjando. Creta lhe viu o pleno emprego pela primeira e última vez. Unidades e formações aerotransportadas passaram a ser, com excessiva freqüência, levadas para a Frente Russa. A invasão de Malta em 1942 foi planejada e em seguida cancelada, embora o emprego pelos Aliados dessas forças na África voltasse a despertar em Hitler novo interesse pelas suas próprias. O QG do Corpo de Student situava-se nesse momento na Bretanha, treinando formações para resistir a um ataque aerotransportado. Foi retirado dessa função para resgatar Mussolini, enquanto seu Corpo de Exército estava sendo fracionado e usado em pedacinhos, principalmente na Rússia. Foi formada a 4ª Divisão de Pára-quedistas, que seria comandada por Trettner, de quem Student relutantemente se separou após cinco anos de duros e frutíferos anos juntos. Novas formações surgiram, e a máquina de treinamento das forças aerotransportadas começou a ser sobrecarregada, a fim de produzir soldados de alta classe, que nunca entrariam em batalha vindo do ar. Em seis meses, Student criou três novas divisões, juntamente com um QG de Corpo, tropas de guarda do Corpo e mais dois regimentos-escola.

Ao tempo da invasão aliada do continente europeu em junho de 1944, as tropas aerotransportadas alemãs totalizavam 160 mil homens. Göring tencionava formar um Exército de Pára-quedistas, com Student no comando, embora não ficasse claro para que fins, além de realizar missões *ad hoc* e fornecer tropas bem treinadas para que outros as usassem. A partir de julho de 1944, o QG de Student funcionou em Berlim, onde estava sendo formado, pelo menos no papel, o 1º Exército Pára-quedista. Nesse momento, recebeu ordens de organizar, com quaisquer forças de que pudesse dispor, uma cortina defensiva, de um lado a outro da Holanda, para fazer frente aos Aliados, que avançavam da França passando pela Bélgica.

O ataque anglo-americano com tropas aerotransportadas à Holanda, a denominada Operação *Market Garden*, começou no dia 17 de setembro de 1944. A missão de Student não era nada fácil e, na verdade, tornava-se ainda mais triste por ver, nesse momento, lançado contra ele, os tipos de recursos pelos quais havia sempre anelado em vão. "Se", disse ele a um oficial de Estado-Maior, o major Berlim, ao observar, da casa onde estava seu quartel-general na Holanda, a chegada da *armada* aerotransportada aliada no dia 17 de setembro, "eu apenas houvesse tido esses recursos à minha disposição..." Seguir-se-ia a aventura de Ardennes, na qual Student foi promovido ao comando do Grupo de Exércitos H, embora para ser logo substituído, à típica maneira do Führer, por Blaskowitz, ao qual, na verdade, foi enviado de volta como subcomandante. Durante todo esse tempo, desde Creta, na verdade, ele fora encarregado de uma missão após outra, sempre desapontando-se mas nunca dando menos do que todo o seu esforço. Era irônico que seu exército de pára-quedistas confinado à terra tivesse que defender-se, como infantaria, contra o ataque aerotransportado de um inimigo que dispunha de meios muito além de seus sonhos mais loucos, em um tipo de guerra que se pode dizer que ele, na maior parte, inventou. E era ainda mais irônico que naquele momento, em 1944, estivesse defendendo, com tropas aerotransportadas presas ao chão, obstáculos aquosos que ele triunfantemente superara em autêntica ação aerotransportada em 1940.

Seu curto, e longe de satisfatório, comando do Grupo de Exércitos H (depois do comando do 1º Exército de Pára-quedistas) foi na verdade o último que exerceu. Nesse momento, aproximava-se o fim da guerra. Em abril de 1945 o *Generaloberst* Student recebeu ordens de dirigir-se a Mecklenburg, a fim de estabilizar a defesa da área. No mesmo mês, em Schleswig-Holstein, caiu prisioneiro dos britânicos. Acusado em Luneburg de ter tolerado crimes de guerra em Creta, e condenado, a sentença de cinco anos de prisão nunca foi confirmada. Um aspecto notável de seu julgamento foi a prova convincente apresentada em seu favor pelo brigadeiro neozelandês Inglis. Esse depoimento causou profunda impressão no tribunal e contribuiu para criar uma forte ligação entre os veteranos neozelandeses de Creta e os pára-quedistas alemães. Depois do julgamento, ele foi morar modestamente na Vestfália, na República Federal Alemã. Seu feliz casamento, que datava de outubro de 1917, com a bem-amada esposa Gertrud, terminou quando ela o precedeu na morte. Seu filho, o terceiro membro de uma família muito unida, fora morto em 1944, voando na Luftwaffe. Ele mesmo faleceu em Lemgo, à idade de 88 anos, em 1º de julho de 1978.

Student — Uma memória pessoal, *pelo General Heinz Trettner*

Nota de sir John Hackett: Ao escrever este ensaio sobre o general Kurt Student, foi grande a ajuda que recebi do general Heinrich Trettner, ora reformado e residente na República Federal. Poucas pessoas poderiam tê-lo conhecido tão bem como Trettner, que serviu durante muito tempo com Student e foi depositário de sua mais absoluta confiança. Em resposta a meu pedido de informações pessoais mais diretas sobre Student, o general Trettner escreveu a nota abaixo, que tudo justifica que seja adicionada, na íntegra, ao ensaio acima.

É difícil descrever a personalidade do general Kurt Student, homem de natureza muito complicada e não sem visíveis contradições.

Do ponto de vista da aparência externa, não se pode dizer que o general Student tenha sido uma figura imponente, como um Kesselring ou um von Richthofen. Sua voz aguda e — após o ferimento na cabeça recebido na Holanda — a maneira de falar hesitante prejudicavam-no numa discussão com oradores mais bem aquinhoados, e sua postura modesta poderia dar a impressão de mediocridade.

Nada poderia ser menos verdadeiro do que isso. Student possuía uma espécie de "sexto sentido", com o qual previa fatos que não se baseavam em prova racional. Freqüentemente passei pela experiência de observar que, enfrentando interlocutores mais brilhantes, seus pontos de vista eram confirmados algumas semanas depois. Sua lógica era de um tipo diferente da possuída pelas demais pessoas.

O general Student era operoso. Trabalhava devagar, mas com absoluta precisão e, mesmo em decisões aparentemente simples, ele pensava não só nos resultados imediatos, mas também nas conseqüências a longo prazo e nos efeitos secundários indiretos. Possuía uma memória realmente fenomenal para pessoas e nomes. Mesmo após anos, era capaz de reproduzir as palavras exatas que haviam sido pronunciadas nesta ou naquela ocasião.

Uma inclinação pelo novo, pelo anticonvencional, até mesmo pelo aventuroso, assinalava-o em alto grau e iluminava a estrutura de um método de trabalho que, de outra maneira, teria parecido pedante. Era uma rara mistura. Conjugada com persistência inabalável e energia, essa inclinação permitiu-lhe construir um novo ramo das Forças Armadas, cujas características e objetivos ainda permanecem nas névoas da incerteza.

A maneira de trabalhar de Student era, para os que colaboravam com ele, agradável no mais alto grau. Tudo era feito de maneira calma e prática. Possuía uma capacidade inesgotável de escutar. Freqüentemente, após o estudo de um mês do mapa — constituía regra sua decorá-lo —, ele mesmo escrevia os números críticos de suas ordens. Na operação contra a Holanda, por exemplo, ele prescreveu os locais de desembarque e objetivos de ataque, descendo até companhias individuais. Em seguida, entregava as notas ao Estado-Maior, que precisava apenas acrescentar os anexos, tais como a situação do inimigo, a estrutura operacional, as formações de flanqueamento, abastecimento, e assim por diante. Ao ficar pronto todo o "opus", Student agradecia como se ele mesmo não tivesse feito a maior parte do trabalho.

Não sentia o menor medo do perigo. De maneira quase irresponsável, colocava-se em situações inacreditáveis, dirigindo um veículo que dava muito na vista em áreas infestadas de *partisans*, em cidades ocupadas pelo inimigo ou em terreno submetido a bombardeio — e nunca com quaisquer precauções de segurança. Não prestava atenção a tiros aleatórios que espocavam em volta e parecia surpreso quando seus acompanhantes procuravam abrigo. Ele queria dar um exemplo visível.

Essas características causavam naturalmente impressão nos pára-quedistas, que desde o começo compreendiam apenas voluntários selecionados e submetidos a rigorosos testes, levados a um estado de prontidão incondicional para combate e de ilimitado espírito combatente.

A criação desse "espírito de pára-quedista" constituiu, sem dúvida, a maior realização de Student. Isso só podia acontecer graças a uma personalidade que demonstrava não apenas convicção sobre a praticabilidade e necessidade da nova arma, e que dela exigia esforços quase sobre-humanos, mas possuía também um coração caloroso para todos os seus subordinados e poderia generosamente ignorar pequenos erros e fraquezas humanas. A ele só interessava o essencial.

Sua modéstia pessoal — em seu estilo de vida não havia luxo e ele recusava todos os tipos de favores, como, por exemplo, a construção de uma nova casa custeada pelo Estado — era exemplo tão notável para todos como sua coragem.

Nunca soube que houvesse dado qualquer passo que lhe pudesse render prestígio pessoal e reconhecimento de seus superiores. As necessidades realistas de seu país e de suas tropas pautavam inteiramente tudo o que fazia. Não admitia influências político-partidárias e, às vezes, ia longe demais, esquecendo os interesses e necessidades da própria família. Embora fosse harmoniosa sua vida familiar, no cumprimento do dever ele não lhe dava atenção.

Inteiramente honesto, severo consigo mesmo e cheio de calor humano para com seus soldados, dedicação ilimitada à missão e ao país, ele conseguiu criar, do nada, uma tradição no melhor estilo militar e que ainda persiste nas tropas pára-quedistas alemãs do presente.

Dados cronológicos | Kurt Student

1890	Nasce em Neumark, Brandenburg
1911	Recebe patente de oficial no 1º Batalhão *Yorkschen Jäger*, sediado em Ortelsburg
1913	Curso na Escola de Aviação de Johannisthal
1916, set	Comando da *Jagdstaffel* 9, na França
1917, out	Contrai matrimônio
1917, out	Ferido em combate aéreo
1918, jun	Capitão
1920	Transferido para a *Fliegerzentrale*
1922-33	Serviço em seu próprio regimento até chegar a comando de batalhão
1933, mar	Diretor das Escolas de Treinamento Técnico de arma aérea
1933, nov	Tenente-coronel
1935, ago	Coronel
1938	Comandante da *Fliegerdivision 7* (7ª Divisão Aerotransportada) em Münster *Generalmajor* Inspetor das Forças Aerotransportadas
1940, 10 mai	Ataque ao Reduit Nacional belga (incluindo o forte Eben Emael) e Rotterdam
1940, 14 mai	Grave ferimento na cabeça
1940, set	*Generalleutnant*
1941, 26 abr	Operação Canal de Corinto
1941, 20 mai	Ataque a Creta
1943, 12 set	Resgate de Mussolini

1944, mar	O QG do Alto Comando dos Pára-quedistas é estabelecido em Nancy
1944, jul	QG do 1º Exército de Pára-quedistas é estabelecido em Berlim
1944, set	Promovido a *Generaloberst*, no comando do Grupo de Exércitos H, substituído por Blaskowitz, do qual passa a ser vice-comandante
1945, abr	Capturado pelos britânicos em Schleswig-Holstein
1948	Libertado
1978	Falece em Lemgo, Alemanha Ocidental

Notas

Capítulo 1 | Fritsch, Beck e o Führer ▪ *entre p.49-73*

1. Este capítulo baseia-se no livro do autor, *The German Army and the Nazi Party 1933-39*, publicado pela Cassel, Londres, 1966. Todas as fontes utilizadas nesta análise são mencionadas nas notas de rodapé deste livro.
2. Memorando do general Werner Freiherr von Fritsch, datado de 1º de fevereiro de 1938, encontrado nos documentos do general Ludwig Beck no Bundesarchiv, República Federal da Alemanha, Pasta H 08-28/3.
3. John W. Wheeler-Bennett, *The Nemesis of Power*, Londres, Macmillan, 1961, p.301-2.
4. Memorando de Fritsch, datado de 28 de março de 1920, citado em Adolf Graf von Kielmansegg, *Der Fritsch Prozess, 1938*, Hamburgo, Hoffman und Campe Verlag, 1949, p.22.
5. Kielmansegg, op.cit., p.17.
6. Marechal-de-campo Maximilian Freiherr von Weichs, memórias inéditas, Bundesarchiv, Pasta H 08-19/5.
7. Kielmansegg, op.cit., p.27.
8. Em conversa com o general Heinrici, fevereiro de 1964.
9. William Shirer, *The Rise and Fall of the Third Reich*, Londres, Reprint Society, 1962, p.315.
10. Friedrich Hossbach, *Zwischen Wehrmacht und Hitler*, Hanover, Wolfenbüttler Verlag, 1949, p.107-8.
11. Idem.
12. Wolfgang Foerster, *Ein General kämpf gegen den Krieg*, Munique, Münchener Dom Verlag, 1949, p.21.
13. Hossbach, op.cit., p.144.
14. Memorando de Fritsch, datado de 1º de fevereiro de 1938, op.cit.
15. Anais do Wehrkreis XIII, Departamento de Pesquisas Históricas Militares, Freiburg-im-Breisgau, Pasta 184.
16. Memorando de Fritsch, datado de 1º de fevereiro de 1938, op.cit.
17. Idem.
18. Idem.

19. Um relato de testemunha ocular da conferência de 5 de novembro de 1937 é feito pelo ajudante-de-ordens de Hitler, coronel Friedrich Hossbach, op.cit., p.207-20.
20. Kielmansegg, op.cit., p.34.
21. Ibid., p.36.
22. Foerster, op.cit., p.82s.
23. Ibid., p.102s.

Capítulo 2 | Witzleben, Stülpnagel e Speidel ▪ *entre p.74-104*

1. Hans Bernd Gisevius, *Bis zum bitteren Ende* ("Até o amargo fim"), Zurique, 1946, 2 vols., vol. II, p.143.
2. Reiner Pommerin, "Erwin von Witzleben", em Rudolf Lill e H. Oberreuther (orgs.), *20. Juli — Portraits des Widerstandes* ("20 de julho — retratos da resistência"), Düsseldorf e Viena, 1984, p.355.
3. Idem.
4. Notas de 30/7/1934, publicadas por Klaus-Jürgen, *General Ludwig Beck, Studien und Dokumente zur politisch-militärischen Vorstellungswelt und Tätigkeit des Generall stabschefs des deutschen Heeres 1933-1938* ("General Ludwig Beck, estudos e documentos das concepções e atividades político-militares do chefe do Estado-Maior Geral do Exército alemão, 1933-1938"), Boppard, 1980 (— Documentos dos Arquivos Federais, vol. 30), p.358.
5. Carta do secretário de Estado von Büllow ao ministro do Exterior von Neurath, datada de 16 de agosto de 1934, *Akten zur Deutschen Auswartigen Politik* (*ADAP*) ("Documentos da política externa alemã"), Série C, vol. III/I, Documento 162.
6. Notas do coronel i.G. von Stülpnagel (Comandante T_3) de setembro de 1934, publicadas em Müller, *General Beck*, p.371.
7. Notas do coronel i.G. von Stülpnagel (comandante T_3) sobre a situação político-militar, datadas de 11.4.1935, publicadas em Müller, *General Beck*, p.434-6.
8. Carta do major-general von Stülpnagel ao general de artilharia Beck, datada de 30.12.1936: acervo literário de Beck, Arquivos Federais-Arquivos Militares NL 08-28/2, extratos citados em Klaus-Jürgen Müller, *Das Heer und Hitler*, *Armee und National-sozialistisches Regime 1933-1940* ("O Exército e Hitler. O Exército e o regime nacional-socialista 1933-1940"), Stuttgart, 1968, 2ª ed., 1989, p.232.
9. Notas do major (aposentado) Holtzmann, datadas de 17.11.1938, publicadas por Müller, *General Beck*, p.579-82.
10. Notas do coronel-general (reformado) Halder (entrevista), datadas de 22.3.1968, publicadas em Heidemarie Countess Schall-Riaucour, *Aufstand und Gehorsam. Leben und Wirken von Generaloberst Franz Halder, Generalstabschef 1938-1942* ("Rebelião e lealdade. A vida e a obra do coronel-general Franz Halder, chefe do Estado-Maior Geral, 1938-1942"), Wiesbaden, 1927, p.230.
11. Hjalmar Schacht, *75 Jahre meines Lebens* ("75 anos de minha vida"), Munique, 1953, p.491.

12. Ulrich von Hassel, *Vom andern Deutschland. Aus den nachgelassenen Tagebüchern, 1938-1944* ("A outra Alemanha. De seus diários, 1938-1944"), 2ª ed., Zurique e Freiburg, 1946, p.18, e Gerhard Ritter, *Carl Goerdeler und die deutsche Widerstandsbewegung* ("Carl Goerdeler e o movimento de resistência alemão"), Stuttgart, 1955, p.198 (Carta datada de 11.10.1938).
13. Citação extraída de Schall-Riaucour, *Halder*, p.266, e Müller, *Heer und Hitler*, p.494 (Carta de Halder datada de 10.11.1965 e entrevista em 14.4.1967).
14. Carta do coronel-general von Leeb ao comandante-chefe do Exército, datada de 31.10.1939, publicada no *Generalfeldmarschall Wilhelm Ritter von Leeb. Tagebuchaufzeichnungen und Lagebeurteilungen aus zwei Weltkriegen, aus dem Nachlass Herausgegeben und mit einem Lebensabriss versehen von Georg Meyer* ("Marechal-de-campo Wilhelm Ritter von Leeb. Notas de diários e análises estratégicas de duas guerras mundiais, publicadas postumamente, com um curto esboço de sua vida por Georg Meyer"), Stuttgart, 1976, p.472.
15. citado em Pommerin, *Witzleben*, p.395.
16. Hassell, *Diaries*, p.220.
17. Hans Speidel, *Aus unserer Zeit. Erinnerungen* ("Nossas gerações. Reminiscências"), Berlim/Frankfurt/Viena, 1977, p.110.
18. Ernst Jünger, *Strahlungen, Das Erste Pariser Tagebuch* ("Vibrações. O primeiro diário de Paris"), Munique, 1964, p.72 (entrada de 13.11.41).
19. Speidel, *Erinnerungen*, p.153.
20. Helmut Krausnick e H.H. Wilhelm, *Die Truppe des Weltanschauungskrieges. Die Einsatzgruppen der Sicherkeitspolizei und des SD 1938-1942* ("O Exército da guerra das ideologias. Unidades especiais da polícia de segurança e da SD 1938-1942"), Stuttgart, 1981, p.220.
21. Ver a análise em Manfred Messerschmidt, *Motivationen der nationalkonservativen Opposition und des militärischen Widerstandes seit dem Frankreich-Feldzug* ("Motivações da oposição nacional-conservadora e a resistência militar desde a campanha contra a França"), em Klaus-Jürgen Müller (org.), *Der deutsche Widerstand 1933-1945* ("A resistência alemã 1933-1945"), Paderborn, 1986, p.70-1, bem como em Krausnick-Wilhelm, *Truppe des Weltanschauungskrieges*, p.218. Krausnick, op.cit., p.220, cita neste contexto um memorando de Stülpnagel datado do ano de 1935, no qual descobriu fórmulas anti-semitas e a igualação entre judeus e bolchevistas (da forma determinada pelos nacional-socialistas).
22. Ordem do AOK 17, de 30.7.1941. Extratos transcritos por Krausnick-Wilhelm, *Truppe des Weltanschauungskrieges*, p.218-9.
23. Ver a versão de Hans Umbreit, *Der Militärbefehlshaber in Frankreich 1940-1944* ("O governador militar da França 1940-1944"), Boppard, 1968 (= *Militärgeschichtliche Studien*, vol. 7 [= Estudos de história militar, vol. 7], p.114.
24. Ernst Jünger, *Strahlungen II, Das Zweite Pariser Tagebuch* ("Vibrações II, o segundo diário de Paris"), Munique, 1965 (Deutscher Taschenbuchverlag), 282, p.268 (entrada de 31.5.1944).

25. Hans Speidel, *Invasion 1944. Ein Beitrag zu Rommels und des Reiches Schicksal* ("Invasão 1944. Uma contribuição ao destino de Rommel e do Reich"), Frankfurt/Berlim/Viena, 1979 (Ullsteinbuch 33006), p.57. Speidel descreve Stülpnagel como "pessoa cavalheiresca, de alta capacidade operacional e tática... superior capacidade militar e sólido julgamento, harmoniosamente complementados por um refinado senso de moderação. Fez cursos de humanidades e possuía habilidade diplomática."
26. Palestra pronunciada por Joachim von Stülpnagel, no dia 5 de novembro de 1985, na Reunião Regimental do 67º Regimento de Infantaria (manuscrito de posse do autor). Compare-se também com um trecho da carta que o ex-ajudante do 17º Exército, conde von Pilati, escreveu à viúva de Stülpnagel em 1946, na qual diz: "Já a partir de janeiro de 1941, quando trabalhei em estreita colaboração com seu marido (o quartel-general do exército em Zakopana), meus olhos foram abertos e me foi explicada a lógica de todos os crimes dos NS cometidos na época de paz e em um grau crescente nos primeiros anos da guerra."
27. Hassell, *Tagebücher*, p.287.
28. Ver Messerschmidt, *Motivationen*, p.67.
29. Wilhelm Ritter von Schramm, *Der 20. Juli in Paris* ("O 20 de julho em Paris"), Bad Wörishofen, 1953, p.35 (Zitat des einstigen Kriegsverwaltungsstrates beim Militärbefehlshaber Freiherr von Teuchert) [Citação do ex-assessor de administração de guerra ao comandante militar, barão von Teuchert].
30. *Die kontroversen Positionen* ("As posições controversas"); W. Ose, "Rommel", em Lill e Oberreuther, *Portraits des Widerstandes*; David Irving, *The Trail of the Fox. The Life of Fieldmarshal Erwin Rommel*, Londres, 1977; cf. também as diferentes versões em Speidel, no *Invasion 1944* e *Erinnerungen*.
31. Declaração do general Geyr von Schweppenburg ao autor e em ensaio inédito para o Instituto de Pesquisa de História Militar, Freiburg, i.Br. Cf. Irving, *Trail of the Fox*, p.407.
32. Citação extraída de Irving, *Trail of the Fox*, p.348.
33. Ibid., p.377.
34. Uma detalhada descrição dos acontecimentos de Paris é feita por Ritter von Schramm no *Der 20. Juli in Paris, Teil II*; Speidel, *Erinnerungen*, cap.8.
35. Publicado no *Spiegelbild einer Verschwörung. Geheime Dokuments aus dem ehemaligen Reichssicherheitshauptamt* ("Imagem refletida de uma conspiração. Documentos confidenciais do antigo Quartel-General de Segurança do Reich"), organizado por Hans Adolf Jacobsen, Stuttgart, 1984, vol. I, p.14-5.
36. Ver a detalhada descrição dos fatos ocorridos na Bendlerstrasse/Berlim por um dos principais protagonistas sobreviventes, H.B. Gisevius, *Bis zum bitteren Ende*, vol. II, p.308-59; cf. também os relatórios da investigação em *Spiegelbild einer Vershwörung*, passim. Uma boa síntese é encontrada em Peter Hoffmann, *Wiederstand-Staatsstreich-Attentat. Der Kampf der Opposition gegen Hitler* ("Resistência-golpe-assassinato. A luta da oposição contra Hitler"), Munique, 3ª ed., 1979, caps. XI e XII.

37. Versão de Speidel: *Erinnerungen*, cap.9; crítica contundente em Irving, *Trail of the Fox*, p.387-411. P. Hoffmann, *Widerstand*, p.785, nota 140, replica à crítica de Irving de que "se contradiz... nos pontos vitais" nas fontes de material que cita.

Capítulo 3 | BRAUCHITSCH ▪ *entre p.107-32*

1. Erich von Manstein, *Lost Victories*, Londres, 1958, p.75-6.
2. Albert Seaton, *The German Army 1933-45*, Londres, 1982, p.104-5.
3. Ibid., p.105.
4. Robert J. O'Neill, *The German Army and the Nazi Party 1933-1939* (Corgi, ed. brochura), Londres, 1968, p.205-7. Harold C. Deutsch, *Hitler and His Generals*, Mineápolis, 1974, p.216-30.
5. Deutsch, op.cit., p.230.
6. Ibid., p.280-2, 331-6; O'Neill, op. cit., p.211-2, John W. Wheeler-Bennett, *The Nemesis of Power*, Londres, 1961, p.376-8.
7. Deutsch, op.cit., p.401-2.
8. Nicholas Reynolds, *Treason Was No Crime. Ludwig, Beck*, Londres, 1976, p.161-5.
9. O'Neill, op.cit., p.227-31; Seaton, op.cit., p.109-10; Walter Warlimont, *Inside Hitler's Headquarters*, Londres, 1964, p.16-7, 21.
10. Ulrich von Hassell, *The Von Hassell Diaries 1938-1944*, p.13, 36, 38; Manstein, p.75.
11. O'Neill, op.cit., p.233-9; Reynolds, op.cit., p.182-3.
12. Warlimont, op.cit., p.32; Seaton, op.cit., p.118-9.
13. Helmut Krausnick e Hans-Heinrich Wilhelm, *Die Trupps des Weltanschauungskrieger*, Stuttgart, 1981. Ver também os capítulos de autoria de Christian Streit e Jürgen Förster em Gerhard Hirschfeld (org.), *The Politics of Genocide: Jews and Soviet Prisoners of War in Nazi Germany*, Londres, 1986.
14. Seaton, op.cit., p.119. Gerald Reitlinger, *The House Built on Sand: The Conflicts of German Policy in Russia 1939-1945*, Londres, 1960, p.70-1; David Irving, *Hitler's War*, Londres, 1977, p.192-5.
15. Manstein, op.cit., p.71-4, 84-5; Warlimont, op.cit., p.36-7, 51; Seaton, op.cit., p.120-3.
16. Harold C. Deutsch, *The Conspiracy against Hitler in the Twilight War*, Mineápolis, 1968, p.192-5.
17. Irving, op.cit., p.43.
18. Ibid., p.47-8; Deutsch, *The Conspiracy against Hitler*, p.226-30, 235, 240, 258-9.
19. Deutsch, *The Conspiracy against Hitler*, p.261-3; Warlimont, op.cit., p.58-9.
20. Deutsch, op.cit., p.289-312.
21. Ver *Von Hassell Diaries*, op.cit, p.96-7, 106-7, 122-3, onde são descritas as tentativas inúteis dos conspiradores de envolver Brauchitsch.
22. Ibid., p.114, 116.

23. Warlimont, op.cit., p.73; Wheeler-Bennett, op.cit., p.494.
24. Warlimont, op.cit., p.76-81; Seaton, op.cit., p.132-3.
25. Wheeler-Bennett, op.cit., p.496-7, 500.
26. Seaton, op.cit., p.141-43n; Warlimont, op.cit., p.90, 95-7; Irving, op.cit., p.120-1.
27. Manstein, op.cit., p.150.
28. Gerhard Schreiber "The Mediterranean in Hitler's Strategy in 1940", in Wilhelm Deist (org.), *The German Military in the Age of Total War*, Leamington Spa, Berg Publishers Limited, 1985.
29. Ver especialmente as contribuições de Jürgen Förster e Ernst Klink (p.9-11, 204-11) em *Das Deutsche Reich und der Zweite Weltkrieg*, Band 4, Stuttgart, 1983.
30. "No dia 21 de julho de 1940, Brauchitsch estava em condições de submeter a Hitler um esboço de plano que continha objetivos, concentração e forças comparativas para um ataque militar à Rússia no outono de 1940... Nova pesquisa histórica alemã demonstrou que essa 'proposta de extraordinário otimismo' baseava-se em um plano de contingência para o 18º Exército, que já fora divulgado", Jürgen Förster, "The Dynamics of Volksgemeinschaft: the Effectiveness of the German Military Establishment in the Second World War". Ver também Barry A. Leach, *German Strategy against Russia 1939-1941*, Oxford, 1973, p.58-60.
31. Warlimont, op.cit., p.113-14.
32. Para conhecer o papel de Jodl no planejamento da *Barbarossa*, ver *Das Deutsche Reich und der Zweite Weltkrieg*, Band 4, p.230.
33. Seaton, op.cit., p.161-4.
34. Ibid., p.164-5.
35. H.R. Trevor-Roper (org.), *Hitler's War Directives*, Londres, 1964, p.48-52.
36. Seaton, op.cit., p.165-6.
37. Robert Cecil, *Hitler's Decision to Invade Russia, 1941*, Londres, 1975, p.129.
38. Warlimont, p.147.
39. Ver especialmente o capítulo de autoria de Jürgen Förster (VII) no *Das Deutsche Reich und der Zweite Weltkrieg*, Band 4, e seu ensaio, em colaboração com Christian Streit, em G. Hirschfeld (org.), *The Politics of Genocide*, op.cit
40. J. Förster, "New Wine in Old Skins? The Wehrmacht and the War of Weltanschauungen, 1941", em W. Deist (org.), *The German Military in the Age of Total War*, p.304, 308-9. Para um veredicto ainda mais severo da responsabilidade do Exército pela guerra bárbara na Frente Oriental, ver o estudo de Krausnick e Wilhelm mencionado na nota 13.
41. Reitlinger, op.cit., p.70-1.
42. Ibid., p.71s.
43. Ver o capítulo de autoria de Förster em Deist (org.), p.309-14, e seu ensaio "The German Army and the Ideological War against the Soviet Union", em Hirschfeld (org.), passim.
44. Reitlinger, op.cit., p.79.
45. Ibid., p.80-1.

46. Ibid., p.83-94 e os ensaios de Streit e Förster em Hirschfeld, citados na nota 39, acima.
47. *Von Hassell Diaries*, p.181.
48. Warlimont, op.cit., p.179-80; Irving, op.cit., p.284; Trevor-Roper (org.), op.cit., p.82-4.
49. Irving, op.cit., p.287-8.
50. Trevor-Roper (org.), op.cit., p.85-90.
51. Ibid., p.91-5.
52. Ibid., p.95-6; Seaton, op.cit., p.177.
53. Seaton, op.cit., p.180-2.
54. Warlimont, op.cit., p.195, 205-6, 613, nota 11; Irving, op.cit., p.342.
55. Warlimont, op.cit., p.212-13.
56. *Das Deutsche Reich und der Zweite Weltkrieg*, Band 4, p.614.
57. Wheeler-Bennett, op.cit., p.696; Deutsch, *Hitler and His Generals*, p.227n.
58. Reitlinger, op.cit., p.70. A respeito do interrogatório de Brauchitsch em Nuremberg, ver *The Trial of Major War Criminals*, parte 21, Londres, 1949, 9 de agosto de 1946, p.23-40.
59. O'Neill, op.cit., p.205.

Capítulo 4 | HALDER ▪ *entre p.133-159*

1. Hildegard von Kotze (org.), *Heeresadjutant bei Hitler, 1938-1943, Aufzeichnungen des Majors Engel*, Stuttgart, 1974 (doravante citado como Engel), p.33.
2. Idem.
3. Ulrich von Hassell, *The Von Hassell Diaries, 1938-1944*, Londres, 1948, p.19.
4. Heidemarie Grafin Schall-Riaucour, *Aufstand und Gehorsam, Offizierstum und Generalstab im Umbruch. Leben und Wirken von Generaloberst Franz Halder, Generalstabchef 1938-1942*, Wiesbaden, 1972, p.97, n.9.
5. Klaus-Jürgen Müller, *Das Heer und Hitler, Armee und nationalsocialistisches Regime, 1933-1940*, Stuttgart, 1969, p.348.
6. Ibid., p.348-9, 609s.
7. Engel, op.cit., p.26.
8. Hauptmann Martin, "Wehrmachtmanöver 1937" *Jahrbuch des deutschen heeres, 1938*, Leipzig, 1937, p.169-73; R.J. O'Neill, "Doctrine and Training in the German Army, 1919-1939", em M. Howard (org.), *Theory and Practice of War*, Indiana University Press, 1975, p.160-1.
9. Engel, op.cit., p.36. Ver também *International Military Tribunal*, XXV, 338-PS, p.429-32, 441-5, 463-4, 466-9; Telford Taylor, *Sword and Swastika, Generals and Nazis in the Third Reich*, Chicago, 1969, p.210-14.
10. Engel, op.cit., p.35.
11. Hans Bernd Gisevius, *To the Bitter End*, trad. por Richard e Clara Winston, Boston, 1947, p.288s.
12. Idem.

13. Engel, op.cit., p.39.
14. Conversa do autor com Burkhard Mueler-Hillebrand, ex-ajudante-de-ordens de Halder, em julho de 1965; ver também Luise Jodl, *Jenseits des Endes, Leben und Sterben des Generaloberst Alfred Jodl*, Viena, 1976, p.30.
15. Hans-Adolf Jacobsen, "Das Halder-Tagebuch als historische Quelle", *Festschrift Percy Ernst Schramm zu seinem siebzigsten Geburtstag von Schülern und Freumen zugeeignet*, Band II, Wiesbaden, 1964, p.251-68; Hans-Adolf Jacobsen (org.), *Generaloberst Halder, Kriegstagebuch*, Band I, Stuttgart, 1962 (doravante citado como Halder, *KTB*), p.viis.
16. Halder, *KTB*, I, p.3-8.
17. Ibid., p.84, 86s.
18. Ibid., p.70; ver também Helmut Krausnick e Harold C. Deutsch (orgs.), *Helmuth Groscurth, Tagebücher eines Abwehroffiziers, 1938-40*, Stuttgart, 1970 (doravante citado como Groscurth), p.209.
19. Franz Halder, *Hitler as Warlord*, Londres, 1950, p.27-8; Schall-Riaucour, op.cit., p.145-6; Hans-Adolf Jacobsen, *Fall Gelb; der Kampf um den deutschen Operationsplan zur Westoffensive, 1940*, Wiesbaden, 1957, p.273, n. 14.
20. Matthew Cooper, *The German Army, 1933-1945, Its Political and Military Failure*, Londres, 1978, p.178s., 195s.
21. Groscurth, op.cit., p.218.
22. Correlli Barnett, *The Swordbearers*, Harmondsworth, 1966, p.22s., 115, 372s., 384s.; Barbara Tuchman, *The Guns of August*, Nova York, 1962, p.78s.
23. Groscurth, op.cit., p.15s., 42s.; ver também Harold C. Deutsch, *The Conspiracy Against Hitler in the Twilight War*, Minesota, 1968, p.82-3, 85-7.
24. Deutsch, op.cit., p.204.
25. Groscurth, op.cit., p.222-4.
26. Halder, *KTB*, I, p.120; Engel, op.cit., p.66-7; Groscurth, op.cit., p.224-5.
27. Groscurth, op.cit., p.224-5; Deutsch, op.cit., p.230s.
28. Gisevius, op.cit., p.420.
29. Fedor von Bock, *Generalfeldmarschall von Bock, Kriegstagebuch: Mai 1939-Mai 1945*, microfilme nº T-84, US National Archives, Washington, DC, s.d., entrada 25, outubro de 1939; Walter Hubatsch (org.), "Quellen zur neuesten Geschichte III (Tagebuch des Generalmajors Jodl)", *Die Welt als Geschichte*, 1952, p.247-87 (doravante citado como Jodl), p.282.
30. Erich von Manstein, *Lost Victories*, trad. por A.G. Powell, Londres, 1958, p.94s.; Jacobsen, op.cit., 1957, p.70.
31. Cooper, op.cit., p.200.
32. Bock, 11 de novembro de 1939.
33. Halder, *KTB*, I, p.128.
34. Jacobsen (1957), op.cit., p.81.
35. Halder, *KTB*, I, p.206, 208, 219.

36. Groscurth, op.cit., p.245; Halder, *KTB*, I, p.171.
37. Groscurth, op.cit., p.241; 246-7; Hassell, p.88.
38. Engel, op.cit., p.75.
39. Jacobsen (1957), op.cit., p.33s.; Halder, *KTB*, I, p.208.
40. Halder (1950), op.cit., p.28-9; Schall-Riaucour, op.cit., p.149-50.
41. Schall-Riaucour, op.cit., p.152; Halder, *KTB*, I, p.291; Elizabeth Wagner (org.), *Der Generalquartiermeister. Briefe und Tagebuchaufzeichnungen des Generalquartiermeisters des Heeres, General der Artillerie Eduard Wagner*, Munique/Viena, 1963, p.167s.
42. Halder, *KTB*, I, p.347.
43. Ibid., II, p.6; ver também Ernst Klink, "Die militärische Konzeption des Krieges gegen die Sowjetunion", *Das deutsche Reich und der zweite Weltkrieg*, Band IV, *Det Angriff auf die Sowjetunion*, Stuttgart, 1983, p.206-7, 212-3.
44. Halder, *KTB*, I, p.80; Klink, op.cit., p.191.
45. Halder, *KTB*, II, p.32-3; Klink, op.cit., p.213-14; ver também Barry A. Leach, *German Strategy Against Russia, 1939-1941*, Oxford, 1973, p.58-60; cf. Robert Cecil, *Hitler's Decision to Invade Russia*, Londres, 1975, p.73-5.
46. Halder, *KTB*, II, p.49-50.
47. Georg Thomas, "Gedanken und Erignisse", *Schweizerische Monatsshefte*, Falkenstein, dezembro de 1945, citado em Deutsch, op.cit., p.267.
48. Ronald Wheatley, *Operation Sea Lion*, Oxford, 1958, p.41.
49. Halder, *KTB*, II, p.40, 43-4.
50. Ibid., p.45, 48.
51. Manstein, op.cit., p.79.
52. Schall-Riaucour, op.cit., p.156-9; ver também Halder, op.cit., 1950, p.38s.
53. Halder, *KTB*, II, p.37, 39.
54. Ibid., p.50, 51; ver também Bryan I. Fugate, *Operation Barbarossa, Strategy and Tactics on the Eastern Front, 1941*, Novato, Ca., 1984, p.64-8.
55. Walter Görlitz, *Paulus and Stalingrad*, trad. de R.H. Stevens, Nova York, 1963, p.109s.
56. Klink, op.cit., p.195-7.
57. Leach, op.cit., p.146-50.
58. Klink, op.cit., p.226-7.
59. Ibid., p.235s.; Fugate, op.cit., p.76s., p.107s.
60. Klink, op.cit., p.244.
61. Halder, *KTB*, II, p.240, 256s.; Georg Thomas, *Geschichte der deutschen Wehrund Rüstungswirtschaft, 1918-1943/45*, org. Wolfgang Birkenfeld, Boppard am Rhein, 1966, p.17-8; Hans-Adolf Jacobsen, *Kriegstagebuch des Oberkommando der Wehrmacht*, Band I, Stuttgart, 1965, p.316-7.
62. Halder, *KTB*, II, p.228-30.
63. Engel, op.cit., p.75.

64. L. Jodl, op.cit., p.48.
65. Herbert Rosinski, *The German Army*, Nova York, 1966, p.113; ver também L.H. Addington, *The Blitzkrieg Era and the German General Staff, 1865-1941*, New Jersey, 1971, p.xv, 53-4, 216.
66. Halder, *KTB*, II, p.377.
67. Ibid., 131, 134, 140, 143; ver também Martin van Crefeld, *Hitler's Strategy 1940-1941, The Balkan Clue*, Cambridge, 1976, p.145.
68. Crefeld, op.cit., p.166, 170s.; Leach, op.cit., p.165s.; Department of the Army, *The German Campaign in the Balkans*, Washington, DC, 1953, p.148s.
69. Ver John Erickson, *The Road to Stalingrad*, Nova York, Londres, 1975, p.46, 50s.; 90s., 101s.; ver também as memórias dos marechais Vasilevsky, Eremenko, Rokossovsky e Zhukov e do general Shtemenko. Em contraste com essas versões, Fügate afirma que a defesa russa baseava-se em um plano secreto, que dividia suas forças em "escalões táticos, operacionais e estratégicos". Contudo, ele reconhece que essa conclusão baseia-se "principalmente em conjecturas" (p.xix).
70. Schall-Riaucour, op.cit., p.166.
71. *Bundesarchiv-Militärarchiv*, RH, 21-2/879, com mapa, Freiburg i.B.
72. Heinz Guderian, *Panzer Leader*, trad. de Constantine Fitzgibbon, Londres, 1952, p.247.
73. Walter Warlimont, *Inside Hitler's Headquarters, 1939-45*, trad. por R.H. Barry, Londres, 1964, p.215-9, 227; ver também Adolf Heusinger, *Befehl im Widerstreit*, Tübingen e Stuttgart, 1950, p.154 e segs.
74. *Bundesarchiv-Militärarchiv*, RH2/v 156.
75. Engel, op.cit., p.119.
76. Ibid., p.123.
77. Halder, *KTB*, III, p.489.
78. Engel, op.cit., p.128.

Capítulo 7 | RUNDSTEDT ▪ *entre p.225-259*

1. Friedrich Ruge, *Rommel in Normandy* (San Rafael, CA, 1979), p.164-5.
2. B.H. Liddell Hart, *The German Generals Talk* (Nova York, 1948), p.71.
3. Günther Blumentritt, *Von Rundstedt the Soldier and the Man* (Londres, 1952), p.22.
4. Friedrich von Rabenau, *Seeckt: Aus seinem Leben* (Leipzig, 1940), p.193.
5. Tribunal Militar Internacional, *Trial of the Major War Criminals* (Nuremberg, 1948) (doravante citado como TMI), vol. 21, p.38, 50.
6. Walter Görlitz, *Kleine Geschichte des deutschen Generalstabes* (Berlim, 1967), p.284-6, 292-5.
7. Friedrich-Karl von Plehwe, *Reichskanzler Kurt von Schleicher* (Esslingen, 1983), p.190.
8. TMI, vol. 21, p.40.

9. A versão de Rundstedt sobre a entrevista de 30 de janeiro de 1938, aqui sumariada, consta de Hermann Förtsch, *Schuld und Verhängnis* (Stuttgart, 1951), p.102-3.
10. Erich von Manstein, *Aus einem Soldatenleben* (Bonn, 1958), p.311.
11. Klaus-Jürgen Müller, *Das Heer und Hitler* (Stuttgart, 1969), p.336.
12. TMI, vol. 21, p.30.
13. Walter Hubatsch, *Hitler's Weisungen für die Kriegführung* (Koblenz, 1983), p.17.
14. Erich von Manstein, *Verlorene Siege* (Bonn, 1955), p.23.
15. Ibid., p.23; Blumentritt, op.cit., p.41 e passim; Siegfried Westphal, *Herr in Fesseln* (Bonn, 1952), p.57.
16. TMI, vol. 21, p.48.
17. Wilhelm von Leeb, *Tagebuch aufzeichnungen und Lagebeurteilungen aus zwei Weltkriegen* (Stuttgart, 1976), p.199.
18. Blumentritt, op.cit., p.59; Manstein, *Siege*, p.93.
19. Manstein, *Siege*, p.114-18; Hans-Adolf Jacobsen, *Fall Gelb* (Wiesbaden, 1971), p.80-2.
20. Heinz Guderian, *Panzer Leader* (Nova York, 1952), p.91.
21. Jacobsen, *Gelb*, p.133.
22. Blumentritt, op.cit., p.64.
23. Jacobsen, *Gelb*, p.132; Blumentritt, op.cit., p.65.
24. Guderian, op.cit., p.91.
25. Hans-Adolf Jacobsen, *Dokumente zum Westfeldzug 1940* (Göttingen, 1960), p.27-9, 32-4.
26. Ibid., p.38.
27. Franz Halder, *Kriegstagebuch* (Stuttgart, 1962), v. I, p.297-300.
28. Jacobsen, *Dokumente*, p.442; *Militärgeschichtliches Forschungsamt* (doravante mencionado como MGFA), *Das Deutsche Reiche und Zweite Weltkrieg* (Stuttgart, 1979-), vol. 2, p.290-1.
29. Jacobsen, *Dokumente*, p.44.
30. Halder, vol. I, p.302.
31. Jacobsen, *Dokumente*, p.46.
32. MGFA, vol. 2, p.294.
33. Jacobsen, *Dokumente*, p.73.
34. Halder, vol. I, p.318.
35. Jacobsen, *Dokumente*, p.77, 79.
36. Ibid., p.85.
37. Ibid., p.95.
38. Milton Schulman, *Defeat in the West* (Nova York, 1948), p.43.
39. Max Domarus, *Hitler Reden und Proklamationen 1932-1945* (Munique, 1963), vol. 2, p.1540.
40. Leeb, op.cit., p.251; Andreas Hillgruber, *Hitler's Strategie Politik und Kriegführung, 1940-1941* (Frankfurt, 1965), p.170.
41. Halder, vol. 3, p.60.

42. Ibid., vol. 3, p.150.
43. MGFA, vol. 4. p.528-30.
44. Halder, vol. 3, p.285.
45. Shulman, op.cit., p.68.
46. Halder, vol. 3, p.319.
47. Andreas Hillgruber, *Deutsche Grossmacht und Weltpolitik* (Düsseldorf, 1982), p.324.
48. Dieter Ose, *Entscheidung im Westen 1944* (Stuttgart, 1982), p.28-32.
49. Ibid., p.42-4.
50. Chester Wilmot, *The Struggle for Europe* (Nova York, 1952), p.189.
51. Blumentritt, op.cit., p.234.
52. Hans Speidel, *Invasion 1944* (Chicago, 1950), p.71.
53. O epíteto "idiotas" (ou "tolos") aparece pela primeira vez em Shulman (p.120) e Wilmot (p.347), que o atribuem a uma entrevista com Blumentritt, cuja biografia de Rundstedt (p.238) simplesmente diz: "Vocês devem acabar com a guerra." Uma vez que essa conversa só pode ter ocorrido no dia 1º de julho ou depois e como Keitel nessa ocasião já sabia que Rundstedt estava sendo destituído e que outro comandante-chefe, Oeste, fora nomeado, parece duvidoso que isso tenha ocorrido.
54. Ose, op.cit., p.152.
55. Dermot Bradley e Richard Schulze-Kossens, *Tätigkeitsbericht des Chefs des Heerespersonalamts* (Osnabrück, 1984), p.149.
56. Blumentritt, op.cit., p.238-9.
57. Speidel, op.cit., p.72, 108.
58. Domarus, op.cit., p.2.113.
59. Guderian, op.cit., p.346.
60. TMI, vol. 21, p.47.
61. Gabinete do Promotor-chefe dos EUA para a Denúncia da Criminalidade do Eixo, *Nazi Conspiracy and Aggression* (Washington, DC, 1948), Suplemento B, p.1.285.
62. Ibid., p.1.285.
63. David Cort, "The Last Prussian" em *Life*, 25 de dezembro de 1944, p.58-63.
64. Dwight D. Eisenhower, *Crusade in Europe* (Nova York, 1949), p.386. Ver também Wilmot, p.434-6.
65. *New York Times*, 8 de janeiro de 1945, p.6. Essa parte não consta das notas de entrevistas reproduzidas em Bernard Law, Viscount Montgomery of Alamein, *Memoirs* (Nova York, 1958), p.278-81.
66. Hugh Trevor-Roper (org.), *The Goebbels' Diaries, The Last Days* (Londres, 1978), p.104-5.
67. Blumentritt, op.cit., p.279.
68. *New York Times*, 5 de maio de 1945, p.5.
69. *Time*, 1º de março de 1953, p.27; Hillgruber, *Grossmacht*, p.331.

Capítulo 9 | MANSTEIN ▪ *entre p.272-99*

1. B.H. Liddell-Hart, *The Other Side of the Hill*, Londres, Cassell, 1948, p.94.
2. Walter Görlitz (org.), *The Memoirs of Field Marshal Keitel*, Londres, William Kimber, 1965, p.53.
3. Ursula von Gersdof (org.), *Geschichte und Militargeschichte. Wege der Forschung*, Frankfurt, Bernard and Graefe Verlag, 1974; Andreas Hillgrüber, *Generalfeldmarschall von Manstein in der Sicht des kritischen Historikers*, p.349.
4. E. von Manstein (traduzido por Anthony Powell), *Lost Victories*, Londres, Methuen, 1958 e 1982, p.77.
5. Hillgrüber, op.cit., p.351.
6. Manstein, op.cit., p.271.
7. Hillgrüber, op.cit., p.353.
8. Ibid., p.351.
9. Manstein, p.98-102.
10. Ibid., p.75.
11. Ibid., p.79-80.
12. Ibid., p.120.
13. Ibid., p.137.
14. Idem.
15. Ibid., p.185.
16. Hillgrüber, op.cit., p.357.
17. Manstein, op.cit., p.273-86.
18. Ibid., p.386.
19. Ibid., p.361.
20. Heinz Guderian (traduzido por Constantine Fitzgibbon), *Panzer Leader*, Londres, Michael Joseph, 1952, p.307.
21. Manstein, op.cit., p.469.
22. Ibid., p.505.
23. Ibid., p.540-3.
24. Ibid., p.544-6.
25. Ibid., p.287-8.

Capítulo 10 | KLEIST ▪ *entre p.300-13*

1. Hermann Plocher, "The German Air Force Versus Russia, 1943", *United States Air Force Historical Studies*, no. 155, Maxwell Air Force Base, Alabama, United States Air Force Historical Division, Air University, 1965 (doravante citado como "Plocher MS 1943"). Plocher, observador arguto, era tenente-general na Luftwaffe. No leste, serviu como chefe de Estado-Maior do general Ritter Robert von Greim (1941-3) e como comandante da 4ª Divisão Aérea (1943).
2. C.R. Davis, *Von Kleist: From Hussar to Panzer Marshal*, Houston, Texas, Lancer Militaria, 1979, p.26 (doravante citado como "Davis").

3. Ver Davis, op.cit., p.9-10. Uma cópia abreviada da fé-de-ódio de Kleist pode ser encontrada no Air University Archives, Maxwell Air Force Base, Alabama.
4. Wolf Keilig, *Die Generale des Heeres*, Friedberg, Podzum-Pallas-Verlag, 1983, p.172.
5. Davis, op.cit., p.9, 105-6.
6. Ibid., p.10-1.
7. Para detalhes dessa campanha, e da parte que nela desempenhou o 2º Corpo, ver Robert M. Kennedy, *The German Campaign in Poland (1939)*, United States Department of the Army Pamphlet 20-255, Washington, DC, United States Department of the Army, 1956.
8. A. Goutard, *The Battle of France, 1940*, Nova York, Ives Washburn, 1959, p.122; Heinz Guderian, *Panzer Leader*, Nova York, Ballantine Books, 1957, p.78 (doravante citado como "Guderian").
9. Guderian, op.cit., p.87.
10. Para detalhes das operações de Kleist na França e nos Países Baixos, incluindo seu relacionamento com Guderian, ver Samuel W. Mitcham, Jr., *Hitler's Marshals and their Battles*, Briarcliff Manor, Nova York, Stein & Day, 1987.
11. United States Department of the Army, *The German Campaign in the Balkans Spring, 1941*, United States Department of the Army Pamphlet 20-260, Washington, D.C., United States Department of the Army, 1953, p.50-2.
12. B.H. Liddell Hart, *The German Generals Talk*, Nova York, Quill, 1979, p.175.
13. Hermann Plocher, "The German Air Force Versus Russia, 1941", United States Air Force Historical Studies *Number 153*, Maxwell Air Force Base, Alabama, United States Air Force Historical Division, Air University, 1965; ver também James Lucas, *Alpine Elite: German Mountain Troops of World War II*, Londres, Jane's, 1980, p.86-126, para uma excelente e detalhada descrição da batalha de Uman.
14. Paul Carell, *Hitler Moves East*, Boston, Little, Brown, 1965; nova tiragem, Nova York, Bantam Books, 1966, p.123-9 (doravante citado como "Carell, 1966").
15. Carell, 1966, op.cit., p.300, 324-7; Plocher MS, op.cit., 1941.
16. Richard Brett-Smith, *Hitler's Generals*, San Rafael, California, Presidio Press, 1976, p.167.
17. Juergen Thorwald, *The Illusion*, Nova York, Harcourt Brace Jovanovich, 1975, p.65.
18. Alan Clark, *Barbarossa: The Russian-German Conflict, 1941-45*, Nova York, William Morrow, 1965, p.135; Davis, op.cit., p.16.
19. Paul Joseph Goebbels, *The Goebbels Diaries*, Louis P. Lochner, org. e tradutor, Garden City, Nova York, Doubleday, 1948; nova tiragem, Nova York, Universal-Award House, 1974, p.389, 532.
20. Paul Carell, *Scorched Earth: The Russian-German War, 1943-44*, Boston, Little, Brown, 1966; nova tiragem, Nova York, Ballantine Books, 1971, p.154-68.
21. Earl F. Ziemke, *Stalingrad to Berlin: The German Defeat in the East*, United

States Department of the Army, Office of the Chief of Military History, Washington, DC, United States Government Priting Office, 1966, p.285.
22. David Irving, *Hitler's War*, Nova York, Viking, 1977, p.618.
23. Davis, op.cit., p.17.
24. Plocher MS 1943; Louis L. Synder, *Encyclopedia of the Third Reich*, Nova York, McGraw-Hill, 1976, p.196.
25. Davis, op.cit., p.17.

Capítulo 11 | KESSELRING ▪ *entre p.314-342*

1. *The Memoirs of Field-Marshal Kesselring*, trad. de Lynton Hudson, Londres, William Kimber, 1953 (doravante citado como *Memoirs*), p.15.
2. Ibid., p.20.
3. O oficial do Estado-Maior Geral alemão em uma formação, com QG encarregado de suprimentos, era o segundo em hierarquia, o "I(b)". Às vezes, em QGs de corpos de exército e exército era designado por seu velho título, o *quartier* ou o *oberquartiermeistergeneral*. Albert Seaton, *The German Army 1939-1945*, Londres, Weidenfeld & Nicolson, 1982, p.99.
4. *Memoirs*, p.59.
5. Ibid., p.65 e cap.11, passim.
6. Ibid., p.88.
7. Ibid., p.109.
8. Ibid., parafraseado da p.207.
9. Ibid., p.171.
10. D. Graham e S. Bidwell, *Tug of War: The Battle for Italy 1943-45*, Londres, Hodder & Stoughton, 1986, p.100 e nota 4. Diário do general John P. Lucas.
11. *Memoirs*, p.237-9.
12. Ibid., p.295.
13. Ibid., p.312.

Capítulo 12 | ROMMEL ▪ *entre p.345-70*

1. Basil Liddell Hart (org.), *The Rommel Papers*, Londres, Hamlyn, 1984, p.241.
2. Ibid., p.43.
3. Ibid., p.257.
4. Ibid., p.268.
5. Ibid., p.426.

Capítulo 13 | MODEL ▪ *entre p.371-86*

1. General Heinz Guderian, *Panzer Leader*, Londres (edição de 1974), p.336.
2. Walter Görlitz, *Model*, 1975, p.25-6.
3. Tenente-coronel Edgar Roehricht, em Görlitz, *Model*, p.70.

4. Carta de 5 de agosto de 1930, ibid., p.46.
5. Ibid., p.124.
6. Ibid., p.128.
7. John S.D. Eisenhower, *The Bitter Woods*, Nova York, 1969, p.346.
8. F.W. von Mellenthin, *German Generals of World War 11*, Norman, 1977, p.149.
9. B.H. Liddell Hart, *The Other Side of the Hill*, Londres (edição de 1978), p.102.
10. Von Mellenthin, op.cit, p.149.
11. Citado em Charles B. MacDonald, *A Time for Trumpets*, Nova York, 1985, p.34.
12. Von Mellenthin, op.cit, p.151-2.
13. Richard Brett-Smith, *Hitler's Generals*, Londres, 1976, p.200.
14. Várias fontes, incluindo: D'Este, *Decision in Normandy*, Londres, 1983, p.456; Russell F. Weigley, *Eisenhower's Lieutenants*, Bloomington, 1981, p.255. E ainda, Matthew Cooper, *The German Army, 1933-1945*, Londres, 1978, p.513.
15. Citado em Peter Elstob, *Hitler's Last Offensive*, Londres, 1971, p.26.
16. Citado em Chester Wilmot, *The Struggle for Europe*, 1952, p.486.
17. Cornelius Ryan, *A Bridge Too Far*, Londres, 1974, p.327.
18. MacDonald, op.cit, p.35.
19. Von Mellenthin, op.cit, p.154.
20. Extraído do diário de um tenente alemão, citado em Hanson W. Baldwin, *Battles Lost and Won*, Nova York, 1966, p.338.
21. Citado em MS nº B-593 (Série Relatórios Alemães), em Charles B. MacDonald, *The Last Offensive*, Washington, 1973, p.371-72.
22. Von Mellenthin, op.cit, p.156.
23. Citado em Smith, *Hitler's Generals*, op.cit, p.201.
24. Hans Speidel, *We Defended Normandy*, Londres, 1951, p.146.
25. Von Mellenthin, op.cit, p.158.

Capítulo 14 | ARNIM ▪ *entre p.387-409*

1. Jürgen von Arnim Personnel Record, United States National Archives, Washington, DC (doravante citado como "Arnim Personnel Record").
2. Friedrich von Stauffenberg, "Hans-Jürgen Theodor (Dieter) von Arnim", manuscrito inédito de posse deste autor (doravante citado como "Stauffenberg MS").
3. Idem.
4. Arnim Personnel Record.
5. Idem.
6. Stauffenberg MS.
7. Arnim Personnel Record.
8. *New York Times*, 13 de maio de 1943.
9. Arnim Personnel Record.
10. Idem.
11. Stauffenberg MS.

12. Arnim Personnel Record.
13. Stauffenberg MS. Como Artillerieführer VII, Curtse era também um dos dois vice-comandantes da 7ª Divisão de Infantaria, com sede em Munique.
14. Arnim Personnel Record.
15. Idem; Stauffenberg MS.
16. United States Military Intelligence Service, "Order of Battle of the German Army", Washington, DC, United States War Department General Staff, 1942. A 52ª de Infantaria lutou na Frente Russa de 1941 a 1944. Sofreu tais baixas que foi reorganizada como divisão de segurança, com dois regimentos, em 1943, sendo destruída na ofensiva russa do verão de 1944. Seu quartel-general foi usado para formar o Comando de Fortaleza Libau, no bolsão de Courland, em 1945.
17. Arnim substituiu o tenente-general Friedrich Bergmann, que recebeu o comando da 137ª Divisão da Infantaria. Bergmann foi morto na Frente Oriental no dia 21 de dezembro de 1941. O próprio Arnim foi substituído pelo major-general (mais tarde coronel-general) dr. Lothar Rendulic, que mais tarde distinguiu-se como comandante do 35º Corpo de Exército na Frente Oriental (1942-43). Mais tarde, comandou o 2º Exército *Panzer*, o 20º Exército de Montanha e três diferentes grupos de exércitos, embora com menor sucesso. Ver Wolf Keilig, *Dier Generale des Heeres*, Friedberg, Podzun-Pallas-Verlag, 1983, p.30, 273 (doravante citado como "Keilig").
18. Stauffenberg MS. Thoma tornou-se mais tarde comandante do *Afrika Korps* e foi capturado em El Alamein. Foi colega de prisão de Arnim em 1943.
19. Paul Carell, *Hitler Moves East, 1941-43*, Boston, Little, Brown, 1965; reedição Bantam Books, Nova York, 1966, p.129, 137-41 (doravante citado como "Carell 1966").
20. Inicialmente, Arnim foi apenas comandante interino, substituindo o general Rudolf Schmidt, que estava comandando interinamente o 2º Exército. Arnim tornou-se comandante efetivo apenas depois que Hitler destituiu Guderian e nomeou Schmidt comandante do 2º Exército *Panzer*, em fins de dezembro de 1941.
21. Carell, 1966, p.286.
22. Ibid., p.434-7. Kholm estava cercada desde 28 de janeiro de 1942.
23. Stauffenberg MS.
24. Para a história da invasão aliada do norte da África, ver William B. Breuer, *Operation Torch*, Nova York, St. Martin's Press, 1985.
25. Peter Young (org.), *Illustrated World War II Encyclopedia*, Mônaco, Jaspard Polus, 1966; reedição H.S. Stuttman, s.d., vol. 7, p.993.
26. Paul Joseph Goebbels, *The Goebbels Diaries*, Garden City, Nova York, Doubleday, 1948; reed. Nova York, Universal-Award House, 1971, p.281.
27. Alfred Kesselring, *A Soldier's Record*, Westport, Connecticut, Greenwood Press, 1970, p.169.
28. Ibid., p.170.

29. Paul Carell, *The Foxes of the Desert*, Nova York, E.P. Dutton, 1960; reed. Nova York, Bantam Books, 1972, p.324-5 (doravante citado como "Carell, 1972".)
30. David Irving, *Hitler's War* Nova York, Viking Press, 1977, p.459 (doravante citado como "Irving").
31. Weber foi promovido a major-general em 1º de janeiro de 1943. Deixou a África em 1º de maio do mesmo ano e mais tarde comandou as 298ª e 131ª Divisões de Infantaria na Frente Oriental. Promovido a tenente-general em 1º de julho de 1944, seu último comando foi a *ad hoc* Divisão Varsóvia (20 de dezembro de 1944 a 25 de janeiro de 1945) (Keilig, p.363). Aparentemente, dividiu a culpa pela queda da capital polonesa com o comandante do 9º Exército, general barão Smilo von Lüfttwitz. Weber não voltou a ser utilizado.
32. I.S.O. Playfair e C.J.C Molony, *The Mediterraneam and Middle East*, Volume IV, *The Destruction of the Axis Forces in Africa*, Londres, Her Majesty's Stationery Office, 1966, p.169-73 (doravante citado como "Playfair e Molony, Volume IV").
33. O coronel barão von Broich comandara os 6º, 21º e 22º Regimentos de Cavalaria e as 1ª Brigada de Cavalaria e 24ª Brigada de Granadeiros *Panzer*. Ao ser morto o tenente-general Fischer, em 5 de fevereiro de 1943, Broich assumiu o comando da 10ª Divisão *Panzer*, que capitulou no dia 12 de maio. Foi promovido a tenente-general em 1º de julho de 1943, enquanto se encontrava como prisioneiro de guerra (Keilig, p.216). Depois que Broich assumiu o comando da 10ª *Panzer*, a Divisão "von Broich" foi redesignada como Divisão "von Manteuffel", em homenagem a seu novo comandante, coronel von Manteuffel.
34. George F. Howe, *Northwest África: Seizing the Initiative in the West*, Washington, DC, Office of the Chief of Military History, United States Department of the Army, 1957, p.339-41 (doravante citado como "Howe").
35. Playfair e Molony, vol. IV, p.188.
36. Howe, p.340-41; Charles Whiting, *Kasserine*, Briarcliff Manor, Nova York, Stein & Day, 1984, p.143 (doravante citado como "Whiting").
37. Dwight D. Eisenhower, *Crusade in Europe*, Garden City, Nova York, Doubleday, 1949, p.124.
38. Playfair e Molony, vol. IV, p.278; Howe, p.389-91. Este ataque foi apoiado pela 50ª Brigada Especial Italiana.
39. Howe, op.cit., p.392-4.
40. B.H. Liddel Hart, *History of the Second World War*, Nova York, G.P. Putnam's Sons, 1972, vol. II, p.402 (doravante citado como "Hart, vol. II"); Christopher Chant *et. al.* (orgs.), *Hitler's Generals*, Nova York, Chartwell Books, 1979, p.134.
41. Whiting, op.cit., p.160.
42. Playfair e Molony, vol. IV, p.274.
43. Ibid., p.210.
44. Whiting, op.cit., p.159.
45. Ibid., p.162.
46. Ibid., p.164.

47. Ibid., p.163-4; Martin Blumenson, *Kasserine Kass*, Nova York, PBJ Books, 1983, p.83-7.
48. Playfair e Molony, vol. IV, p.288-9.
49. Howe, p.410-19; Whiting, p.173-82; W.G.F. Jackson, *The Battle for North Africa, 1940-43*, Nova York, Mason Charter, 1975, p.339-41 (doravante citado como "Jackson").
50. Howe, op.cit., p.419-22; Whiting, op.cit., p.187-91.
51. Playfair e Molony, vol. IV, p.293-4; Howe, op.cit., p.425.
52. Ronald Lewin, *Rommel as a Military Commander*, Nova York, Van Nostrand, 1968; reed. Nova York, Ballantine Books, 1970, p.255 (doravante citado como "Lewin").
53. Jackson, op.cit., p.342.
54. Hart, vol. II, p.405.
55. Playfair e Molony, vol. IV, p.294-5.
56. Jackson, op.cit., p.342.
57. Lewin, op.cit., p.260-1.
58. Jackson, op.cit., p.347.
59. Playfair e Molony, vol. IV, p.269.
60. Hart, vol. II, p.411; Playfair e Molony, vol. IV, p.326-7.
61. Howe, op.cit., p.682-3.
62. Hart, vol. II, p.411.
63. Gustav von Vaerst comandou a 15ª Divisão *Panzer*, do *Afrika Korps*, de 9 de dezembro de 1941 até 1º de dezembro de 1942, exceto durante dois meses, enquanto se recuperava de ferimentos recebidos na Batalha da Linha Gazala. Antes, comandara a 2ª Brigada de Fuzileiros. Foi promovido a General de Tropas *Panzer* no dia 1º de março de 1943 (Keilig, p.353).
64. Howe, op.cit., p.510.
65. Hart, vol. II, p.412.
66. Howe, op.cit., p.510-13.
67. Playfair e Molony, vol. IV, p.322.
68. Erwin Rommel, *The Rommel Papers*, B.H. Liddell Hart (org.), Nova York, Harcourt, Brace, 1953, p.407.
69. Playfair e Molony, vol. IV, p.395.
70. Ibid., p.329-30.
71. Ibid., p.330.
72. O 1º Exército italiano incluía as Divisões Jovens Fascistas, Trieste, Spezia e Pistóia, além da 90ª Divisão Ligeira, 164ª Divisão Ligeira África e 15ª Divisão *Panzer*.
73. Playfair e Molony, vol. IV, p.348-59. Arnim solicitara, já em 24 de março, evacuação da Linha Mareth, pedido recusado por Kesselring.
74. Ibid., p.359.
75. Ibid., p.360.
76. Idem.

77. Ibid., p.360-1.
78. Jackson, op.cit., p.375.
79. Howe, op.cit., p.590-1.
80. Playfair e Molony, vol. IV, p.394.
81. Ibid., p.417; Howe, op.cit., p.682-3.
82. A despeito de suas origens, a 999ª Divisão Ligeira lutou bem. Thomas, o ex-comandante do quartel-general do Führer (15 de fevereiro de 1940 a 1º de setembro de 1942), foi morto no dia 5 de maio de 1943. Promovido postumamente a tenente-general, no dia 1º de outubro de 1943 (Keilig, p.345).
83. Hart, vol. II, p.427.
84. Irving, op.cit., p.514.
85. Manteuffel terminou a guerra como comandante do 3º Exército *Panzer* na Frente Oriental. Gause teria feito melhor caso houvesse permanecido na Tunísia. Depois de servir como chefe de Estado-Maior do Grupo de Exércitos B, do 5º Exército *Panzer* e do 6º Exército *Panzer*, foi nomeado comandante do II Corpo, no Bolsão Courland, em 1º de abril de 1945. Rendeu-se aos russos em maio de 1945 e só foi solto em 10 de outubro de 1955 (Keilig, p.101).
86. Stauffenberg MS. Borowietz cometeu suicídio em um campo de prisioneiros de guerra norte-americano, em 1945.
87. Stauffenberg MS.
88. Playfair e Molony, vol. IV, p.445-6.
89. Idem, Howe, op.cit., p.646-8; Playfair, op.cit., p.451.
90. Hart, vol. II, p.430.
91. Carell 1972, p.353-4; Stauffenberg, MS.
92. Carell 1972, p.346-7.
93. Idem.
94. Stauffenberg MS; *New York Times*, 1º de junho de 1943.
95. Stauffenberg MS.

Capítulo 15 | Paulus ▪ *entre p.410-23*

1. O autor deseja mencionar em especial o uso que fez do livro *Paulus and Stalingrad*, de autoria de Walter Görlitz, Londres/Nova York, Methuen/Citadel, edições publicadas em 1963. A obra original intitulava-se *Ich stehe hier auf Befehl*, Bernard and Graefe, Frankfurt, 1960.
2. F.W. von Mellenthim, *German Generals of World War II, As I Saw Them*, University of Oklahoma Press, 1977, p.104.
3. Ibid., p.114.
4. Paul Carell, *Hitler's War on Russia: The Story of the German Defeat in the East*, Londres, Harrap, 1964, p.591.
5. Ibid., p.596.

Capítulo 16 | SENGER ▪ *entre p.424-42*

1. Frido von Senger und Etterlin, *Krieg in Europa*, Colônia, Kiepenheuer & Witsch, 1960.
2. Carta, como ex-comandante, a oficiais do KR3, Turim, 23 de fevereiro de 1941. Archiv Senger (doravante citado como AS).
3. Devido à morte do autor, antes que esta memória fosse concluída, nem todas as passagens citadas puderam ser encontradas nos documentos. Nos casos em que isso acontece, como aqui, só se pode indicar a fonte geral: AS.
4, Carta ao filho, Turim, 18 de outubro de 1941. AS. Cf. "Fragebogen Cecil Rhodes Stipendium", Happach/Haeg, 10 de março de 1959. AS.
5. *Krieg in Europa*, p.19-20.
6. Carta ao editor de *Magnum*, Happach, 30 de junho de 1961. AS.
7. *Krieg in Europa*, p.47.
8. AS.
9. Carta ao KR3, Turim, 23 de novembro de 1940. Cf. carta a Cecile von Keudell, Hannover, 27 de novembro de 1939.
10. A agenda faz parte do AS.
11. O NSDAP colocou um membro do partido em todas as unidades da Wehrmacht até o nível regimental, a fim de controlar o pendor ideológico das Forças Armadas. Frido von Senger escolheu o barão von Cramm como NSFO ao tempo em que comandava o 14º Corpo, em Cassino. Von Cramm qualificava-se para a posição, uma vez que fora membro do "Stahlhelm" na década de 20. O "Stahlhelm" fora integrado na SA em 1933. Cramm, porém, nunca ingressou no NSDAP e nunca teve sua nomeação confirmada pelo partido, como era regra. Ver *Krieg in Europa*, p.365.
12. Carta a Cecile von Keudell, Hannover, 18 de dezembro de 1939. AS.
13. *Krieg in Europa*, p.39.
14. Carta ao filho, Turim, 2 de outubro de 1940. AS.
15. Carta ao filho, Turim, 2 de outubro de 1940.
16. Carta ao filho, Turim, 2 de junho de 1941.
17. *Krieg in Europa*, p.67.
18. Carta ao filho, Turim, 4 de agosto de 1941. AS.
19. Carta ao filho, Turim, 7 de outubro de 1941. AS.
20. Carta ao filho, Turim, 9 de outubro de 1941; cf. *Krieg in Europa*, p.432. Por outro lado, em suas cartas ao KR3 em 1941, ele se referiu freqüentemente à próxima desmobilização e à responsabilidade dos oficiais em arranjar boas situações para seus soldados na volta à vida civil. Será que, na época, ele ainda esperava uma vitória alemã?
21. *Krieg in Europa*, p.64. Programa de rádio da Südwestfunk: "Die Gründe des militarischen Zusammenbruchs" (As causas do colapso militar), 5 de maio de 1955.

22. Palestra no USAF Staff College, não-publicada, sob o título: "Os intervalos entre as guerras". Sem data. AS.
23. Carta aos oficiais do KR3, Turim, 23 de fevereiro de 1941. AS.
24. Alhard Freiherr von der Borch lembrou um exemplo notável do estilo de liderança de Senger, em carta a Hilda von Senger, datada de 1º de janeiro de 1963. Von der Borch fora comandante do Regimento de Reconhecimento, da 15ª Divisão de Granadeiros *Panzer*, na frente de Cassino.

    Quando Cassino caiu e estávamos nos retirando, encontrei o general (Senger) em duas ocasiões, que confirmaram inteiramente meu respeito e amor por ele. Dos meus mais de 1.500 homens no começo, só três oficiais e uns 30 soldados restavam. Estávamos em uma posição defensiva, em um vale perto de Pontecorvo. Era trabalho de infantaria. [Tratava-se de uma unidade blindada ligeira. (N.T.)] Fui chamado ao quartel-general do Corpo. O general escutou meu relatório sobre a situação e, em seguida, contrariando as ordens que ele mesmo recebera do QG, ordenou que minha unidade se retirasse. Ao deixar o general, encontrei por acaso o chefe do Estado-Maior (o sucessor de Oster), que estava furioso e disse que eu fizera um falso relatório ao general. De qualquer modo, ele nos deu contra-ordens, no sentido de ficarmos onde nos encontrávamos. Sabendo que estávamos fracos demais para servir para alguma coisa, no ponto em que nos encontrávamos, e que teria sido loucura tentar resistir, bati novamente à porta do general. Mas, ao entrar, não tive coragem de dizer o que pensava e murmurei alguma coisa sobre ter esquecido algo ali, mas, obviamente, não o convenci. Notei o olhar divertido do general. Percebeu tudo e, em seguida, repetiu suas ordens, não me deixando a menor dúvida sobre o que queria. Retiramo-nos naquela noite. (AS.)

25. *Krieg in Europa*, p.123.
26. Ibid., p.204.
27. Ibid., p.153.
28. Essa tradição foi sumariada para ele nas palavras de um dos mais famosos instrutores do Exército prussiano, que disse: "O rei fê-lo oficial de Estado-Maior para saber quando cumprir e não cumprir uma ordem". Cf. Südwestfunk, transcrição de um programa de rádio em 15 de julho de 1955. AS.
29. *Krieg in Europa*, p.308.
30. Ibid., p.346. Cf. "Die Wiederstandsbewegung in deutschen Heer", manuscrito inédito, s.d. AS.
31. *Krieg in Europa*, p.352.
32. Carta de Philipp Freiherr von Boeselager a Hilda von Senger, Kreuzberg/Ahr 18 de janeiro de 1963. Boeselager foi também membro da Comissão de Triagem, no período 1955 a 1957. Nessa carta, ele acrescentou: "Seu nome (de Senger) tornou-se proverbial como significação de resistência ao terror e à maldade. Ele parecia sumariar o ideal do soldado, a própria essência da vida militar." Na carta citada na nota 24, Freiherr von der Borch expressa muito bem a contradição em ser soldado honrado em um regime criminoso:

Eu achava difícil na ocasião, e ainda acho, descrever a atmosfera maravilhosa que havia sob sua liderança: era apenas e simplesmente, suponho, um espírito de liberdade. Talvez ele deixasse claro a seus oficiais (da mesma forma que Baade, embora de maneira diferente), sem fazer estardalhaço, que era um real adversário do regime. Ele conseguia separar a atividade militar e o cumprimento de nosso dever do resto das dúvidas e das preocupações.

33. *Krieg in Europa*, p.448-9.
34. AS.
35. *Krieg in Europa*, p.419-20.
36. Transmissão (programa) da Südwestfunk: "Die Gründe des militärischen Zusammenbruchs", AS.
37. Carta de Freiherr von Boeselager a Hilda von Senger, 18 de janeiro de 1963: "Ele foi o homem que realmente influenciou para melhor o trabalho da Comissão de Triagem... Nunca foi reticente em suas opiniões e comunicou-as sempre à comissão sem atavios... Esta era uma das razões por que nem todos o adoravam na comissão."

Capítulo 17 | KLUGE ▪ *entre p.443-58*

1. Gerhard Ritter, *German Resistance*, p.83-112.
2. Cartas ao autor, 1981, do general Sir James Marshall-Cornwall, *War Monthly*, número 45 *Normandy* 1940, por James Marshall-Cornwall, p.65-6.
3. Fabian von Schlabrendorff, *Revolt Against Hitler*.
4. Idem.
5. *The Rommel Papers*, org. por B. H. Liddell Hart, p.481-5.
6. Hansard, House of Commons, 18 de julho, 1944. Os despachos alemães estão arquivados na Stanford University, Califórnia.
7. P. Hoffman, *History of the German Resistance 1933-1945*, p.470-8.
8. Bargatzky Memorandum, Stanford University.
9. David Irving, *Hitler's War*, p.696; Richard Lamb, *The Ghosts of Peace*, p.305.

Capítulo 18 | DIETRICH E MANTEUFFEL ▪ *entre p.459-90*

1. Below, Nicolaus von, *Als Hitlers Adjutant 1937-1945* (Como ajudante-de-ordens de Hitler 1937-1945), p.30, Mainz, Von Hase & Koehler-Verlag, 1980.
2. Krätschmer, E.G., *Die Ritterkreuzträger der Waffen-SS* (Os condecorados com a Cruz de Cavaleiro da Waffen SS), Preussisch Oldendorf, 1982, 3ª edição.
3. Idem.
4. Idem.
5. Ibid., p.46.
6. Weidinger, Otto: *Kameraden bis zum Ende* (Camaradas até o fim), Preussisch Oldendorf, 1962, p.369-70.
7. Idem.

8. Skorzeny, Otto, *Meine Kommandounternehmen*, Wiesbaden/Munique, Limes-Verlag, 1976.
9. Entrevista com este autor, 1970.
10. Idem.
11. Schaulen, Joachim von: *Hasso von Manteuffel – Panzerkampf in Zweiten Weltkrieg* (Hasso von Manteuffel – Combates de *Panzers* na Segunda Guerra Mundial), Berg/Starnberger See, Vowinckel-Verlag, p.30 e 33.
12. Idem.
13. *Die 7. Panzer-Division in Zweiten Weltkrieg – Einsatz und Kampf der Gespenster – Division 1939-1945* (A 7ª Divisão *Panzer* na Segunda Guerra Mundial – emprego e combate da Divisão Fantasma 1939-1945). Preparado por Hasso von Manteuffel, general (ref.), de tropas *panzers*. Org. Traditionsverband da antiga 7ª P.D.
14. Entrevista dada pelo sargento Walther Lenfers ao autor.
15. Entrevista com o autor.
16. Schaulen, op.cit., p.121.
17. "Der Krieg in 40 Fragen" (A guerra em 40 perguntas), manuscrito de Kurowski, von Manteuffel, para a editora La Table Ronde (não-publicado) e von Schaulen. Entrevista concedida por von Manteuffel a Kurowski em sua casa, em Diessen/Ammersee, 1970 e 1971.
18. Idem.
19. Entrevista com o autor, 1971.
20. Idem.
21. H. Saunders, *Die Wacht am Rhein* (A vigília no Reno), p.259.
22. Entrevista com o autor, 1971.
23. Idem.
24. Entrevista concedida ao autor pelo general Horst Niemack.

Capítulo 19 | GUDERIAN ▪ *entre p.491-513*

1. Kenneth Macksey, *Guderian: Panzer General*, Londres, Macdonald & Jane's, 1975, p.69.
2. Ibid., p.62-3.
3. Ibid., p.60.
4. Ibid., p.70.
5. Heinz Guderian, *Panzer Leader*, Londres, Michael Joseph, 1953, p.92.
6. Macksey, op.cit., p.122-3.
7. Guderian, op.cit., p.200-2; Macksey, op.cit., p.147-8.
8. Macksey, op.cit., p.148.
9. Guderian, op.cit., p.289.
10. Macksey, op.cit., p.187.
11. Idem.

Apêndice

Estrutura Hierárquica do Exército Alemão

Posto Alemão	Equivalente no Exército Brasileiro
Leutnant	Segundo-tenente
Oberleutnant	Primeiro-tenente
Rittmeister (Cavalaria)	Capitão
Hauptmann (outras Armas e Serviços)	Capitão
Major	Major
Oberstleutnant	Tenente-coronel
Oberst	Coronel
Generalmajor	General-de-Brigada
Generalleutnant	General-de-Divisão
General der	Não há equivalente
Infanterie	
Kavallerie	
Artillerie	
Pioniere	
Panzertruppen	
Nachrichtentruppen	
Generaloberst (Coronel-general)	General-de-Exército
Generalfeldmarschal (Marechal-de-campo)	Posto inexistente em tempo de paz

Referências bibliográficas

Para os capítulos sobre BLOMBERG, KEITEL, JODL, WARLIMONT e REICHENAU

BELOW, Nikolaus von, *Als Hitlers Adjutant 1937-1945*, Mainz, 1981.

DEMETER, Karl, *Das deutsche Offizierkorps in Gesellschaft und Staat*, Frankfurt, 1962.

ENGEL, Gerhard, *Heeresadjutant bei Hitler 1938-1943, Aufzeichnungen des Majors Engel*, Stuttgart, 1974.

ERFURTH, Waldemar, *Geschichte des deutschen Generalstabs 1918-1945*, Göttingen, 1968.

FOERTSCH, Hermann, *Schuld und Verhängnis. Die Fritsch-Krise*, Stuttgart, 1951.

GÖRLITZ, Walter, *The German General Staff*, Londres, 1953.

____, *Keitel Verbrecher oder Offizier. Erinnerungen, Briefe, Dokumente des Chef OKW*, Göttingen, 1961.

____, *Privatsammlung Generalfeldmarschall von Reichenau* (material inédito para uma projetada biografia).

GREINER, Helmuth, *Die Oberste Wehrmachtführung 1939-1943*, Wiesbaden, 1951.

GROSSCURTH, Helmut, *Aus dem Tagebuch eines Abwehroffiziers 1938-1940*, Stuttgart, 1970.

HOSSBACH, Friedrich, *Zwischen Wehrmacht und Hitler 1934-1938*, Wolfenbuttel/Hannover, 1949.

IMT-Prozess Nurnberg Band I-XXXXII, Nürnberg 1947/49, vgl. v.a.Bd. XXVIII Tagebuch Jodl.

IRVING, David, *Goering*, Londres/Nova York, 1986.

JACOBSEN, Hans Adolf, *1939-1945 Der Zweite Weltkrieg in Chronik und Dokumenten*, Darmstadt, 1961.

JODL, Alfred, Das dienstliche Tagebuch des Chefs des Wehrmachtführungsamtes vol. 13, Oktober 1939 bis 30 Januar 1940 (org. por W. Hubatsch "Die Welt als Geschichte" 12, 1956).

JODL, Luise, *Jenseits des Endes. Leben und Sterben des Generaloberst Alfred Jodl*, Viena, 1976.

LOSSBERG, Bernhard von, *Im Wehrmachtführungsstab*, Hamburgo, 1949.

MÜLLER, Klaus Jürgen, *Das Heer und Hitler. Armee und nationalsozialistisches Regime 1933-1940*, Stuttgart, 1959.

SCHRAMM, Percy Ernst, *Kriegstagebuch des Oberkommandos der Wehrmacht*, Frankfurt, 1961 f.

SIEGLER, Fritz Freiherr von, *Die höheren Dienststellen der deuschen Wehrmacht 1933-1945*, Munique, 1949.

WARLIMONT, Walter, *Im Hauptquartier der deutschen Wehrmacht 1939-1945*, Frankfurt, 1962.

Para o capítulo sobre ROMMEL

BLUMENSON, Martin, *Breakout and Pursuit*, Washington, 1961.

____, *Rommel's Last Victory: The Battle of Kasserine Pass*, Londres, 1968.

____, *Salerno to Cassino*, Washington, 1969.

DOUGLAS-HOME, Charles, "Field Marshal Erwin Rommel", em Marechal-de-campo Carver, sir Michael (org.), *The War Lords*, Londres, 1976.

HARRISON, Gordon A., *Cross-Channel Attack*, Washington, 1951.

LIDDELL HART, B.H. (org.), *The Rommel Papers*, Nova York, 1953.

MORDAL, Jacques, *Rommel*, 2 vols., Paris, 1973.

RUGE, Friedrich, *Rommel in Normandy*, Londres, 1977.

YOUNG, Desmond, *Rommel: The Desert Fox*, Nova York, 1950.

Para o capítulo sobre GUDERIAN

GUDERIAN, Heinz, *Panzer Leader*, Londres, Michael Joseph, 1953.

MACKSEY, Kenneth, *Guderian: Panzer General*, Londres, Macdonald and Jane's, 1975. Contém numerosas cartas e detalhes pessoais não-incluídos no *Panzer Leader*.

Índice de nomes e assuntos